▶ À l'aide du planning de révisions

La date de l'examen se rapproche. Grâce à la rubrique « Votre planning de révisions », choisissez, en fonction du temps qui vous reste, les sujets qui vous permettront d'aborder l'épreuve dans les meilleures conditions possible.

Et l'offre privilège sur annabac.com ?

L'achat de cet ouvrage vous permet de bénéficier d'un accès gratuit* aux ressources d'annabac.com : fiches de cours, vidéos et podcasts, quiz interactifs, exercices, sujets d'annales…

Pour profiter de cette offre, rendez-vous sur www.annabac.com, dans la rubrique « Vous avez acheté un ouvrage Hatier ? ».
La saisie d'un mot clé du livre (lors de votre première visite) vous permet d'activer votre compte personnel.

* Selon conditions précisées sur www.annabac.com.

Qui a fait cet Annabac ?

▶ L'ouvrage a été écrit par deux enseignants de français de lycée : Sylvie Dauvin et Jacques Dauvin.

▶ Les contenus fournis ont été mis en forme par une équipe composée de plusieurs types d'intervenants :
• des éditeurs : Grégoire Thorel, Adeline Ida et Sarah Basset, assistés d'Anaïs Goin et de Justine Tajan ;
• un correcteur : Christophe Hardy ;
• des graphistes : Tout pour plaire et Dany Mourain ;
• des maquettistes : Hatier et Nadine Aymard ;
• une illustratrice : Juliette Baily ;
• un compositeur : STDI.

SOMMAIRE

Infos et conseils sur...

Préparer l'épreuve écrite

Cochez les sujets sur lesquels vous vous êtes entraîné.

LES SUJETS DE FRANCE MÉTROPOLITAINE 2018

1 à 4 Personnage et passion

France métropolitaine, juin 2018, série L

A – Madame de La Fayette, *La Princesse de Clèves*, 1678
B – Madame de Staël, *Delphine*, quatrième partie, lettre XXXV, 1802
C – Colette, *La Vagabonde*, 1910

5 à 8 Des hommes ou des bêtes ?

France métropolitaine, juin 2018, séries ES, S

A – Michel de Montaigne, *Essais*, livre II, chap. 11 « De la cruauté », 1580-1588
B – Jean-Jacques Rousseau, *Discours sur l'origine et les fondements
de l'inégalité parmi les hommes*, préface, 1754
C – Voltaire, *Dictionnaire philosophique*, article « Bêtes », 1764
D – Marguerite Yourcenar, *Le Temps, ce grand sculpteur*,
« Qui sait si l'âme des bêtes va en bas ? », 1983

ÉCRITURE POÉTIQUE ET QUÊTE DU SENS

9 à 12 Poète inspiré ? Poète qui inspire ?

13 à 16 Un regard renouvelé sur le monde

LA QUESTION DE L'HOMME DANS LES GENRES DE L'ARGUMENTATION

41 à **44** Efficacité de la beauté d'un récit

Polynésie française, juin 2017, séries ES, S

> A – Fénelon, « Le chat et les lapins », *Fables et opuscules pédagogiques*, 1718
> B – Florian, « Le Savant et le Fermier », *Fables*, 1792
> C – Marguerite Yourcenar, « Kâli décapitée » (extrait), *Nouvelles orientales*, 1936
> D – Maxence Fermine, *Neige*, 1999

45 à **48** Littérature et vision du monde

Amérique du Nord, juin 2016, série L

> A – Michel de Montaigne, *Essais*, livre Ier, chapitre 31 : « Des Cannibales » (fin), 1580-1595
> B – Cyrano de Bergerac, *L'Autre Monde ou Histoire comique des États et Empires de la Lune et du Soleil*, 1657-1662
> C – Voltaire, *Micromégas*, chapitre VII : « Conversation avec les hommes » (début), 1752
> D – Michel Tournier, *Vendredi ou La Vie sauvage*, chapitre 25, 1971

Préparer l'épreuve orale

La boîte à outils

Votre planning de révisions

Vous débutez vos révisions 1 mois avant l'épreuve

J –30 Révisez les thèmes clés

Sujets	Thèmes du programme
45	Question de l'homme
18	Poésie
31	Roman
24	Théâtre
51	Question de l'homme
54	Humanisme
60	Réécritures

J –15 Consolidez vos méthodes

Sujets	Points de méthode
27	Analyser la consigne d'une dissertation
40	Analyser la consigne d'une écriture d'invention
11	Formuler une problématique
6	Trouver les axes d'un commentaire
3	Rédiger une introduction et une conclusion
14	Composer un paragraphe

J –7 Dernière ligne droite !

Sujets	33 • 26 • 15 • 44 • 56

Vous débutez vos révisions
15 jours avant l'épreuve

J –15 Parcourez le programme

Sujets	Thèmes du programme
10	Poésie
22	Théâtre
32	Roman
47	Question de l'homme
54	Humanisme
57	Réécritures

J –7 Dernière ligne droite !

Sujets	25 • 38 • 7 • 3 • 48

Révisez dans des conditions optimales

● **Organisez-vous**
Planifiez des plages de révisions pour toutes les matières à réviser.

● **Mettez-vous dans les conditions de l'examen**
Entraînez-vous avec de vrais sujets en respectant la durée des épreuves.

● **Travaillez en équipe**
Organisez des séances de révisions avec des amis afin de partager
vos connaissances et d'échanger sur vos techniques de travail.

● **Préparez-vous mentalement et physiquement**
Ménagez-vous des pauses pour prendre l'air, faire du sport, des
exercices de respiration (relaxation). Privilégiez des repas équilibrés.

Des sujets supplémentaires

sur annabac.com

Complétez vos révisions avec cette sélection de sujets en accès gratuit
- **Rendez-vous sur le site www.annabac.com.**
- **Saisissez le titre du sujet dans le moteur de recherche.**
- **D'un clic, vous affichez le corrigé.**

Le voyage
67 COMMENTAIRE • Vous commenterez le texte de Lamartine
68 DISSERTATION • La poésie est-elle une invitation au voyage?

Parole et colère
69 COMMENTAIRE • Vous commenterez le texte de Jean Racine
70 DISSERTATION • Au théâtre, la dénonciation passe-t-elle uniquement par la violence de la parole ?

La mort en scène
71 COMMENTAIRE • Vous commenterez le texte de Gaudé
72 DISSERTATION • Dans quelle mesure la mise en scène renforce-t-elle l'émotion que suscite le texte théâtral ?

Faire mourir son personnage
73 COMMENTAIRE • Vous commenterez le texte de Victor Hugo
74 DISSERTATION • Un romancier doit-il faire mourir son personnage pour en faire un héros ?

Actes de bravoure
75 COMMENTAIRE • Vous commenterez le texte d'André Malraux
76 DISSERTATION • Le personnage de roman doit-il nécessairement accomplir des actes de bravoure pour susciter intérêt et plaisir de la lecture ?

Situations difficiles pour réfléchir
77 COMMENTAIRE • Vous commenterez le texte de Zola
78 DISSERTATION • Comment l'évocation de situations difficiles peut-elle amener le lecteur à une réflexion sur l'homme ?

Réécrire un mythe et surprendre
79 COMMENTAIRE • Vous commenterez le texte de Cocteau
80 DISSERTATION • Les écrivains peuvent-ils encore nous surprendre lorsqu'ils s'emparent d'un mythe souvent réécrit ?

D'autres ressources sur annabac.com

Avec ce livre, accédez à des ressources dans toutes les matières :

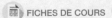 FICHES DE COURS  PODCASTS DE RÉVISION EXERCICES AUTRES SUJETS

Pour profiter de cette offre, reportez-vous au mode d'emploi de la page 3.

L'épreuve de français

Tu crois que je suis bien préparée ?

Et si tu utilisais ton annabac...

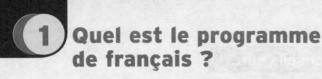

1 Quel est le programme de français ?

L'actuel programme de français est défini dans le *Bulletin officiel* spécial n° 9 du 30 septembre 2010. L'épreuve anticipée de français reste définie par le *Bulletin officiel* du 14 décembre 2006.

A Quels sont les objets d'étude communs au programme de 1re ?

▶ **Le personnage de roman, du XVIIe siècle à nos jours**

À travers la lecture de différents romans et l'étude des personnages, il s'agit de comprendre qu'un roman exprime une vision du monde qui varie selon les époques et les auteurs.

▶ **Le texte théâtral et sa représentation, du XVIIe siècle à nos jours**

Vous devez lire des œuvres théâtrales mais également voir des représentations, de manière à percevoir les interactions entre texte et mise en scène.

▶ **Écriture poétique et quête du sens, du Moyen Âge à nos jours**

Vous découvrirez que l'écriture poétique procède à la fois d'une manière particulière de voir le monde et d'une réinvention continuelle de la langue.

▶ **La question de l'homme dans les genres de l'argumentation, du XVIe siècle à nos jours**

Vous explorerez la réflexion sur l'homme que proposent les genres de l'argumentation.

B Quels sont les objets d'étude spécifiques au programme de 1re L ?

▶ **Vers un espace culturel européen : Renaissance et humanisme**

À partir de textes littéraires et d'œuvres artistiques, apprendre à connaître l'humanisme renaissant, son histoire, ses valeurs et ses influences sur le monde moderne.

▶ **Les réécritures, du XVIIe siècle à nos jours**

Prendre conscience de ce que toute création littéraire et artistique s'inspire de modèles « imités, déformés, transposés en fonction d'intentions et de contextes culturels nouveaux ».

2 Quelles sont les épreuves ?

A Comment s'organisent les épreuves ?

1. Durée et coefficients

● Les épreuves anticipées de français comprennent une épreuve **écrite** de **4 heures** et une épreuve **orale** de **20 minutes**.

● Les coefficients sont :
– en **ES-S** : 2 pour l'écrit, 2 pour l'oral ;
– en **L** : 3 pour l'écrit, 2 pour l'oral.

2. Visée générale de l'épreuve

L'épreuve porte sur les contenus du **programme de la classe de 1ʳᵉ** mais évalue aussi les **compétences acquises** en français tout au long de votre scolarité :
– maîtrise de la langue et de l'expression ;
– aptitude à analyser et à interpréter des textes ;
– capacité à mobiliser la culture littéraire acquise ;
– aptitude à construire un jugement argumenté.

B En quoi consiste l'épreuve écrite ?

1. Composition de l'épreuve

● Le sujet d'écrit s'appuie sur **un ensemble de documents** (corpus), éventuellement accompagnés d'un document iconographique. Ce corpus doit s'inscrire dans un ou plusieurs objets d'étude du programme.

● Un sujet comprend :
– d'une part, évaluées sur 4 points, une (ou deux) **question(s) sur le corpus** qui nécessitent des réponses rédigées et sont souvent conçues de façon à vous aider à élaborer l'autre partie de l'épreuve écrite ;
– d'autre part, évalué sur 16 points, un travail d'écriture qui porte sur le corpus proposé, à choisir entre trois sujets : **commentaire**, **dissertation** ou **écriture d'invention**.

2. Les trois types de travaux d'écriture

● Le **commentaire** porte sur un des textes du corpus. Vous devez présenter, de manière organisée, ce que vous avez retenu de votre lecture et justifier votre interprétation (voir fiche 4).

● La **dissertation** vous amène à conduire une réflexion personnelle et argumentée à partir d'une problématique liée à l'objet d'étude (voir fiche 5).

● L'**écriture d'invention** consiste à écrire un texte en lien avec ceux du corpus. Selon la consigne, elle peut prendre des formes variées : article, lettre, dialogue, essai… (voir fiche 6).

C En quoi consiste l'épreuve orale ?

1. Composition et durée de l'épreuve

● Vous vous présentez à l'épreuve orale avec la **liste des textes étudiés** en lecture analytique au cours de l'année. L'examinateur choisit un des textes de cette liste et vous remet un « bulletin de passage » où figure la question à laquelle vous devez répondre (voir fiche 7).

> **ATTENTION** Vous disposez alors de 30 minutes de préparation pour trouver les principaux axes de votre lecture analytique du texte selon la question posée.

● Le passage se déroule ensuite de la façon suivante : **10 minutes** pour faire la lecture analytique du texte, puis **10 minutes** d'entretien, avec des questions de l'examinateur dans le prolongement de votre lecture analytique.

2. Lecture analytique

● **Présentez votre texte** dans une courte introduction : époque, auteur, mouvement littéraire et sujet du texte (« de quoi parle t-il ? »).

● **Lisez le texte** de façon expressive et vivante.

● Rappelez, en la reformulant, la question qui vous a été posée et **indiquez les idées directrices** que vous avez retenues.

● Votre explication doit être **construite**. Vous êtes libre de la structurer en suivant l'ordre du texte (linéairement) ou de façon composée (par idées directrices).

● Illustrez vos idées par des **citations** prises dans le texte et commentées.

● Terminez l'explication par une **conclusion** où vous ferez le bilan de vos réponses à la question et élargirez votre réflexion.

3. L'entretien

● Lors de l'entretien, **l'examinateur vous pose des questions** en lien avec l'objet d'étude auquel appartient le texte de votre lecture analytique, durant environ 10 minutes.

● L'entretien doit vous permettre de **mettre en valeur vos connaissances** mais aussi votre **capacité à réagir à des questions**, à relancer une discussion…

● Avant de répondre, donnez-vous le temps de la réflexion. Mais si vous ne connaissez pas la réponse à une question précise, n'hésitez pas à le reconnaître.

Réussir la question sur le corpus

IL NE FAUT PAS...	IL FAUT...

Avant de se lancer (15 minutes)

Se lancer « tête baissée » en rédigeant tout de suite sa réponse.	◆ Lire d'abord la question, en dégager les mots importants ; puis lire attentivement le corpus en entier. ◆ Surligner en couleur dans les textes les expressions qui vous permettront de répondre.

Au brouillon (15 minutes)

Étudier les textes séparément, juxtaposer les analyses des textes.	◆ Définir les textes à l'aide d'un tableau pour identifier les ressemblances et les différences :

	Texte A	Texte B	Texte C
Genre			
Mouvement			
Type			
Registre			
Adjectifs pour qualifier le texte			
Buts de l'auteur			

◆ Composer un plan autour d'idées, en confrontant les textes.

Raconter les textes, les paraphraser.	◆ Lister les idées clés qui permettent de répondre de manière progressive à la question. ◆ Souligner à l'aide de couleurs différentes les mots des textes qui prouvent chaque idée. ◆ Proscrire les expressions comme : « L'auteur dit que... »

Sur la copie (30 minutes)

Composer une introduction banale et une présentation du corpus passe-partout, maladroite.	◆ Présenter les textes du corpus en établissant des liens (chronologiques, thématiques...) ◆ Rappeler brièvement la question posée. ◆ Renvoyer aux textes par des expressions comme : « Molière, dans son portrait d'Arnolphe, ... », et non « Dans le document A... ».

Composer une réponse : ◆ trop brève, sans références précises aux textes ◆ trop longue, avec trop de citations.	Trouver un juste milieu (30 à 50 lignes) : ◆ en synthétisant en une phrase précise et claire l'idée clé de chaque paragraphe ◆ en se référant aux textes par des citations brèves et pertinentes.

4 Réussir le commentaire littéraire

AVANT DE SE LANCER (10 minutes)

- ◆ Observer le paratexte (auteur, date, informations en italiques).
- ◆ Lire attentivement le texte, ainsi que les notes.

AU BROUILLON (1 heure 10)

Trouver les axes (30 minutes)

- ◆ Déterminer les caractéristiques du texte, sa « formule » :
  - – **genre** : roman, nouvelle, poésie, théâtre, biographie...
  - – **mouvement** : humanisme, romantisme, réalisme...
  - – **type(s)** : narratif, descriptif, argumentatif, dialogue...
  - – **registre(s)** : comique, tragique, lyrique, épique, fantastique...
  - – **adjectifs** pour qualifier le texte : émouvant, allégorique, scientifique...
  - – **buts** de l'auteur : informer, émouvoir, convaincre...
- ◆ En déduire des axes de lecture, les **intérêts** du texte (et non ses thèmes).
- ◆ Vérifier la pertinence des axes trouvés avec la formule « je veux montrer que... »

Construire le plan (40 minutes)

- ◆ Surligner dans le texte les éléments qui étayent ces axes (une couleur par axe)
- ◆ Ordonner les axes retenus (du plus évident au moins évident)
- ◆ Structurer chaque partie en faisant apparaître les idées clés (2 ou 3 par partie)

SUR LA COPIE (1 heure 30)

Rédiger l'introduction

- ◆ Amorce : intégrer le texte dans un ensemble plus large (époque, mouvement).
- ◆ Mentionner l'auteur et l'œuvre.
- ◆ Situer l'extrait dans l'œuvre et le caractériser (thème(s), teneur...).
- ◆ Annoncer le plan avec élégance.

Rédiger le développement

- ◆ Construire un paragraphe autour de chaque idée clé, selon cette formule :
  I C Q → une **I**dée, une **C**itation, la **Q**ualification de la citation.
- ◆ Ménager des transitions entre les parties.

Rédiger la conclusion

- ◆ Faire une synthèse des conclusions auxquelles aboutit l'analyse.
- ◆ Émettre un jugement personnel sur le texte et son intérêt littéraire.
- ◆ Ouvrir, élargir (adaptations dans d'autres arts, postérité littéraire...).

SE RELIRE (10 minutes)

- ◆ Vérifier l'orthographe, notamment les accords majeurs.
- ◆ Vérifier que les phrases soient complètes et supprimer les répétitions.

5 Réussir la dissertation

- Repérer l'objet d'étude concerné.
- Faire la liste, par ordre chronologique, des **références** en rapport avec cet objet d'étude (vous devez en avoir au moins 8 ou 10).
- Repérer les **expressions-clés** et les présupposés (l'implicite du sujet).

AU BROUILLON (1 heure)

Dégager la problématique

- **Reformuler** la question posée avec ses propres mots.
- La subdiviser en plusieurs **sous-questions** en variant les mots interrogatifs.

Choisir et concevoir le plan

Repérer si le sujet implique :
- un plan **thématique** (définition de notion, thèse proposée à valider)
- un plan **dialectique** (jugement ou définition à discuter)
- un plan **comparatif** (deux thèses, définitions ou démarches à confronter)

Trouver des idées, des arguments et des exemples

- Répondre aux sous-questions formulées, à l'aide de vos connaissances de cours, des textes du corpus et de vos références listées précédemment.
- Varier la nature et la forme des exemples (citation, nom de personnage, mouvement littéraire, etc.)

SUR LA COPIE (1 heure 30)

Rédiger l'introduction

1. phrase d'amorce   **3.** problématique
2. reformulation du sujet   **4.** annonce du plan

Rédiger le développement

- Construire un paragraphe autour de chaque idée clé, selon cette formule :
  I E C → une **I**dée, un **E**xemple, le **C**ommentaire de l'exemple.
- Ménager des transitions entre les parties.
- Éviter les formulations lourdes (« on peut remarquer que... »).

Rédiger la conclusion

1. synthèse de la réflexion menée
2. élargissement/ouverture (référence à d'autres arts, citation qui inscrit le sujet dans un débat plus large, etc.)

SE RELIRE (10 minutes)

- Vérifier l'orthographe, notamment les accords majeurs.
- Vérifier que les phrases soient complètes et supprimer les répétitions.

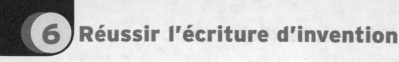

6 Réussir l'écriture d'invention

- ◆ Repérer les contraintes formulées explicitement ou suggérées dans la consigne.

- ◆ Identifier si possible
  - le **genre**
  - le **thème**
  - le **type** (narratif, descriptif...)
  - la ou les **visée(s)**
  - le **registre** (comique, tragique...)
  - la **situation d'énonciation**
  - le **niveau de langue**

  du texte à produire.

Déterminer la « formule » du texte

- ◆ À partir des éléments relevés dans la consigne, composer la « formule » du texte à produire : **genre + thème + type + visée(s) + registre + situation d'énonciation + niveau de langue**
- ◆ Si certains éléments de cette formule ne sont pas donnés dans la consigne, à vous d'opérer des **choix** pour que votre formule soit complète.

Élaborer un canevas

- ◆ Sous la « formule » du texte, répertorier les **faits d'écriture** liés aux différentes caractéristiques dégagées (genre, registre...).

  ex. : genre = lettre → faits d'écriture = formules d'ouverture et de clôture
  type = descriptif → faits d'écriture = adjectifs, figures d'analogie...
  situation d'énonciation → indices personnels, temps verbaux...

- ◆ Déterminer la trame du texte, la manière dont il va se développer.

  NB : pour un sujet à teneur argumentative, préciser la thèse à soutenir, lister les arguments et choisir des exemples précis.

- ◆ Rédiger en tenant compte des contraintes de la consigne et de vos choix.
- ◆ Suivre la trame élaborée au brouillon et utiliser les faits d'écriture répertoriés.

- ◆ Vérifier l'orthographe, notamment les accords majeurs.
- ◆ Vérifier que les phrases soient complètes et supprimer les répétitions.
- ◆ Supprimer toute marque de familiarité.

IL NE FAUT PAS...	IL FAUT...
Préparation (30 minutes)	
Se lancer « tête baissée » et reproduire la lecture analytique faite en cours.	◆ Repérer les mots-clés de la question donnée. ◆ **Recomposer** le plan en utilisant pour chaque axe ces mots-clés.
Rédiger entièrement la lecture analytique.	◆ Présenter les notes sous forme de plan détaillé. ◆ Utiliser une feuille par axe et n'écrire que sur le recto, pour ne pas se perdre durant la présentation.
◆ Oublier de s'appuyer sur le texte. ◆ Citer sans commenter.	◆ Sélectionner une couleur pour chaque axe et **surligner dans le texte** les éléments qui se rapportent à chacun. ◆ Sélectionner des citations précises, ciblées, et respecter la structure d'un paragraphe de commentaire : **I C Q** → **I**dée, **C**itation, **Q**ualification de la citation.
Oublier de préparer l'entretien.	◆ Anticiper les questions possibles selon l'objet d'étude concerné. ◆ Préparer une feuille-références, avec des exemples ou citations pour alimenter l'entretien.
Passage (lecture analytique : 10 minutes ; entretien : 10 minutes)	
Omettre des étapes-clés de la lecture analytique (notamment oublier la lecture...).	Bien respecter l'ordre attendu : **1.** Introduction : – amorce – présentation du texte : époque, auteur, œuvre, teneur (de quoi « parle » le texte ?) **2. Lecture** expressive du texte **3.** Reformulation de la question posée **4.** Annonce des axes **5.** Développement de la lecture analytique **6.** Conclusion
Donner une impression terne ou apeurée.	◆ Soigner l'**attitude** (se tenir droit, regarder l'examinateur, éviter les « tics » nerveux). ◆ Soigner l'**élocution** (parler distinctement). ◆ Soigner l'**expression** (langage courant et correct).
Oublier de dynamiser l'entretien.	◆ Montrer sa capacité à **réagir** aux questions et à faire progresser le dialogue. ◆ Prendre le temps de réfléchir, modaliser ses réponses en cas de doute (« Il me semble que... »). ◆ Mettre en valeur ses **connaissances**, développer et commenter ses exemples.

Préparer l'épreuve écrite

60 sujets expliqués et corrigés

France métropolitaine • Juin 2018
Série L • 4 points

Personnage et passion

■ Question

Documents

A – **Madame de La Fayette**, *La Princesse de Clèves*, IVe partie, 1678.
B – **Madame de Staël**, *Delphine*, quatrième partie, lettre XXXV, 1802.
C – **Colette**, *La Vagabonde*, 1910.

▶ **Quelles raisons ces personnages féminins invoquent-ils pour justifier leur renoncement à l'amour ?**

Après avoir répondu à cette question, les candidats devront traiter au choix un des trois sujets n° 2, 3 ou 4.

DOCUMENT A

La Princesse de Clèves et Monsieur de Nemours s'aiment. Mais fidèle à son mari, la Princesse refuse cet amour. Par loyauté, elle avoue sa passion pour Monsieur de Nemours à son mari. Monsieur de Clèves en meurt. Monsieur de Nemours tente de convaincre la Princesse que leur amour peut désormais être vécu.

– Hé ! croyez-vous le[1] pouvoir, madame ? s'écria M. de Nemours. Pensez-vous que vos résolutions tiennent contre un homme qui vous adore et qui est assez heureux pour vous plaire ? Il est plus difficile que vous ne pensez, madame, de résister à ce qui nous plaît
5 et à ce qui nous aime. Vous l'avez fait par une vertu austère, qui n'a presque point d'exemple ; mais cette vertu ne s'oppose plus à vos sentiments et j'espère que vous les suivrez malgré vous.

– Je sais bien qu'il n'y a rien de plus difficile que ce que j'entreprends, répliqua Mme de Clèves ; je me défie[2] de mes forces au
10 milieu de mes raisons. Ce que je crois devoir à la mémoire de M. de Clèves serait faible s'il n'était soutenu par l'intérêt de mon repos ; et les raisons de mon repos ont besoin d'être soutenues de celles de mon devoir. Mais, quoique je me défie de moi-même, je crois que je ne vaincrai jamais mes scrupules et je n'espère pas aussi de

15 surmonter l'inclination[3] que j'ai pour vous. Elle me rendra malheureuse et je me priverai de votre vue, quelque violence qu'il m'en
coûte. Je vous conjure, par tout le pouvoir que j'ai sur vous, de ne
chercher aucune occasion de me voir. Je suis dans un état qui me fait
des crimes de tout ce qui pourrait être permis dans un autre temps,
20 et la seule bienséance[4] interdit tout commerce[5] entre nous.

M. de Nemours se jeta à ses pieds, et s'abandonna à tous les
divers mouvements dont il était agité. Il lui fit voir, et par ses paroles,
et par ses pleurs, la plus vive et la plus tendre passion dont un cœur
ait jamais été touché. Celui de Mme de Clèves n'était pas insensible
25 et, regardant ce prince avec des yeux un peu grossis par les larmes :

— Pourquoi faut-il, s'écria-t-elle, que je vous puisse accuser de
la mort de M. de Clèves ? Que n'ai-je commencé à vous connaître
depuis que je suis libre, ou pourquoi ne vous ai-je pas connu devant
que[6] d'être engagée ? Pourquoi la destinée nous sépare-t-elle par un
30 obstacle si invincible ?

— Il n'y a point d'obstacle, madame, reprit M. de Nemours.
Vous seule vous opposez à mon bonheur ; vous seule vous imposez
une loi que la vertu et la raison ne vous sauraient imposer.

— Il est vrai, répliqua-t-elle, que je sacrifie beaucoup à un devoir
35 qui ne subsiste que dans mon imagination. Attendez ce que le temps
pourra faire. M. de Clèves ne fait encore que d'expirer[7], et cet objet
funeste est trop proche pour me laisser des vues claires et distinctes.
Ayez cependant le plaisir de vous être fait aimer d'une personne qui
n'aurait rien aimé, si elle ne vous avait jamais vu ; croyez que les
40 sentiments que j'ai pour vous seront éternels, et qu'ils subsisteront
également, quoi que je fasse. Adieu, lui dit-elle ; voici une conversation qui me fait honte : rendez-en compte à M. le vidame[8] ; j'y
consens, et je vous en prie.

Elle sortit en disant ces paroles, sans que M. de Nemours pût la
45 retenir.

Madame de La Fayette, *La Princesse de Clèves*, 1678.

---

1. Le pouvoir : pouvoir renoncer à son amour.
2. Je me défie : je me méfie.
3. L'inclination : l'attirance.
4. Bienséance : décence, savoir-vivre, convenances.
5. Commerce : relations.
6. Devant que : avant.
7. [il] ne fait encore que d'expirer : il vient tout juste de mourir.
8. M. le vidame est l'oncle de Madame de Clèves et l'ami de Monsieur de Nemours. Un
vidame est un officier.

Delphine aimait Léonce et était aimée de lui ; mais blessé par une fausse rumeur concernant Delphine, le jeune homme a épousé Matilde par dépit. Lorsqu'il apprend la vérité, il propose à Delphine de quitter Matilde ; cependant Matilde, enceinte, a supplié Delphine de renoncer à Léonce. Voici la réponse de Delphine à Matilde.

LETTRE XXXV

Delphine à Matilde.
Paris, ce 4 décembre.

Dans la nuit de demain, Matilde, je quitterai Paris, et peu de jours après, la France. Léonce ne saura point dans quel lieu je me retirerai ; il ignorera de même, quoi qu'il arrive, que c'est pour votre bonheur que je sacrifie le mien. J'ose vous le dire, Matilde, votre
5 religion n'a point exigé de sacrifice qui puisse surpasser celui que je fais pour vous ; et Dieu qui lit dans les cœurs, Dieu qui sait la douleur que j'éprouve, estime dans sa bonté cet effort ce qu'il vaut[1]. Oui, j'ose vous le répéter, quand j'aime mieux mourir qu'avoir à me reprocher vos douleurs, j'ai plus qu'expié[2] mes fautes, je me
10 crois supérieure à celles qui n'auraient point les sentiments dont je triomphe.

Vous êtes la femme de Léonce, vous avez sur son cœur des droits que j'ai dû respecter ; mais je l'aimais, mais vous n'avez pas su peut-être qu'avant de vous épouser… Laissons les morts en paix.
15 Vous m'avez adjurée[3] de partir, au nom de la morale, au nom de la pitié même, pouvais-je résister quand il devrait m'en coûter la vie ! Matilde, vous allez être mère, de nouveaux liens vont vous attacher à Léonce, femme bénie du ciel, écoutez-moi : si celui dont je me sépare me regrette, ne blessez point son cœur par des reproches ;
20 vous croyez qu'il suffit du devoir pour commander les affections du cœur, vous êtes faite ainsi ; mais il existe des âmes passionnées, capables de générosité, de douceur, de dévouement, de bonté, vertueuses en tout, si le sort ne leur avait pas fait un crime de l'amour ! Plaignez ces destinées malheureuses, ménagez les caractères profon-
25 dément sensibles ; ils ne ressemblent point au vôtre, mais ils sont peut-être un objet de bienveillance pour l'Être suprême, pour la source éternelle de toutes les affections du cœur.

Matilde, soignez avec délicatesse le bonheur de Léonce ; vous avez éloigné de lui sa fidèle amie, chargez-vous de lui rendre tout
30 l'amour dont vous le privez. Ne cherchez point à détruire l'estime et l'intérêt qu'il conservera pour moi, vous m'offenseriez cruellement ;

il faut déjà me compter parmi ceux qui ne sont plus, et le dernier acte de ma vie ne mérite-t-il pas vos égards pour ma mémoire !

Adieu, Matilde, vous n'entendrez plus parler de moi ; la com-
35 pagne de votre enfance, l'amie de votre mère, celle qui vous a mariée, celle enfin qui n'a pu supporter votre peine, n'existe plus pour vous ni pour personne. Priez pour elle, non comme si elle était coupable, jamais elle ne le fut moins, jamais surtout il ne vous a été plus ordonné de ne pas être sévère envers elle ! mais priez pour
40 une femme malheureuse, la plus malheureuse de toutes, celle qui consent à se déchirer le cœur, afin de vous épargner une faible partie de ce qu'elle se résigne à souffrir…

Madame de Staël, *Delphine*, quatrième partie, lettre XXXV, 1802.

---

1. Dieu […] estime […] cet effort ce qu'il vaut : Dieu apprécie cet effort à sa juste valeur.
2. Expié : réparé.
3. Adjurée : suppliée.

DOCUMENT C

Renée Néré est une comédienne divorcée que son premier mariage a convaincue des charmes de la solitude. Elle tombe néanmoins amoureuse du jeune Max. À la fin du roman, elle rompt avec Max et se livre aux réflexions qui suivent.

[…] Cher intrus, que j'ai voulu aimer, je t'épargne. Je te laisse ta seule chance de grandir à mes yeux : je m'éloigne. Tu n'auras, à lire ma lettre, que du chagrin. Tu ne sauras pas à quelle humiliante confrontation tu échappes, tu ne sauras pas de quel débat tu fus le
5 prix, le prix que je dédaigne…

Car je te rejette, et je choisis… tout ce qui n'est pas toi. Je t'ai déjà connu, et je te reconnais. N'es-tu pas, en croyant donner, celui qui accapare[1] ? Tu étais venu pour partager ma vie… Partager, oui : *prendre ta part* ! Être de moitié dans mes actes, t'introduire à chaque
10 heure dans la pagode[2] secrète de mes pensées, n'est-ce pas ? Pourquoi toi plutôt qu'un autre ? Je l'ai fermée à tous.

Tu es bon, et tu prétendais, de la meilleure foi du monde, m'apporter le bonheur, car tu m'as vue dénuée et solitaire. Mais tu avais compté sans mon orgueil de pauvresse : les plus beaux pays de la
15 terre, je refuse de les contempler, tout petits, au miroir amoureux de ton regard…

Le bonheur ? Es-tu sûr que le bonheur me suffise désormais ?.. Il n'y a pas que le bonheur qui donne du prix à la vie. Tu me voulais illuminer de cette banale aurore, car tu me plaignais obscure. Obs-
20 cure, si tu veux : comme une chambre vue du dehors. Sombre, et non obscure. Sombre, et parée par les soins d'une vigilante tristesse ; argentée et crépusculaire comme l'effraie[3], comme la souris soyeuse, comme l'aile de la mite[4]. Sombre, avec le rouge reflet d'un déchirant souvenir… Mais tu es celui devant qui je n'aurais plus le droit d'être
25 triste…

Je m'échappe, mais je ne suis pas quitte encore de toi, je le sais. Vagabonde, et libre, je souhaiterai parfois l'ombre de tes murs… Combien de fois vais-je retourner à toi, cher appui où je me repose et me blesse ? Combien de temps vais-je appeler ce que tu pouvais
30 me donner, une longue volupté[5], suspendue, attisée[6], renouvelée… la chute ailée, l'évanouissement où les forces renaissent de leur mort même… le bourdonnement musical du sang affolé… l'odeur de santal[7] brûlé et d'herbe foulée… Ah ! tu seras longtemps une des soifs de ma route !

35 Je te désirerai tour à tour comme le fruit suspendu, comme l'eau lointaine, et comme la petite maison bienheureuse que je frôle… Je laisse, à chaque lieu de mes désirs errants, mille et mille ombres à ma ressemblance, effeuillées[8] de moi, celle-ci sur la pierre chaude et bleue des combes[9] de mon pays, celle-là au creux moite[10] d'un
40 vallon sans soleil, et cette autre qui suit l'oiseau, la voile, le vent et la vague. Tu gardes la plus tenace : une ombre nue, onduleuse, que le plaisir agite comme une herbe dans le ruisseau… Mais le temps la dissoudra comme les autres, et tu ne sauras plus rien de moi, jusqu'au jour où mes pas s'arrêteront et où s'envolera de moi une
45 dernière petite ombre…

Colette, *La Vagabonde*, 1910.

---

1. Accapare : monopolise.
2. Pagode : temple des pays d'Extrême-Orient.
3. L'effraie : espèce de chouette.
4. Mite : petit papillon gris.
5. Volupté : plaisir des sens.
6. Attisée : ranimée.
7. Santal : bois exotique odorant.
8. Effeuillées : détachées comme les feuilles d'un arbre.
9. Combes : vallées.
10. Moite : humide.

LES CLÉS DU SUJET

■ Comprendre la question

• Identifiez *pourquoi,* selon leurs dires, les trois héroïnes renoncent à l'homme qu'elles aiment, ce qui les pousse à renoncer à leur passion.

• « **invoquer /justifier** » impliquent qu'il s'agit d'arguments pour motiver une décision paradoxale ou surprenante, pour persuader et convaincre l'interlocuteur ou peut-être soi-même.

• Ces raisons peuvent être d'ordre **moral, social, personnel ou affectif**.

• Tenez compte de **l'époque** à laquelle appartient chacune de ces femmes.

• Accompagnez chaque remarque d'**exemples précis**.

■ Construire la réponse

• Regroupez les personnages par type de justifications, n'analysez pas les textes séparément.

• Accompagnez chaque remarque d'**exemples précis**.

CORRIGÉ 1

Les titres en couleur et les indications entre crochets servent à guider la lecture mais ne doivent pas figurer sur la copie.

Introduction

[Amorce] Les femmes écrivains jusqu'au XXᵉ siècle sont rares. Et pourtant qui semble plus à même de comprendre et d'analyser la psychologie d'une héroïne romanesque qu'une... femme ? [Présentation du corpus] Dès le XVIIᵉ siècle, Mme de La Fayette, dans *La Princesse de Clèves*, explore les méandres affectifs de Mme de Clèves. Devenue veuve, et toujours amoureuse du duc de Nemours, elle lui signifie cependant dans une dernière conversation, sa décision de ne plus jamais le revoir. Au début du XIXᵉ siècle, la romancière romantique Mme de Staël met à nu dans son roman épistolaire *Delphine* l'intimité de l'héroïne au moment où, dans une lettre, elle informe Matilde, la femme qui a épousé l'homme qu'elle aimait, qu'elle renonce à son amour. Enfin, au début du XXᵉ siècle, la romancière féministe Colette, dans *La Vagabonde*, s'inspirant de son histoire d'amour ratée avec l'écrivain Henri Gauthier-Villars, prête à son héroïne Renée ses propres états d'âme au moment de sa rupture amoureuse.

[Rappel de la question] Pour justifier leur renoncement à l'amour, ces trois héroïnes romanesques – créées à des époques différentes – invoquent des raisons diverses.

I. Valeurs morales et Principes de vie

• Aux XVIIe et XIXe siècles, la pression morale et sociale pèse fortement sur le destin des femmes. Ainsi Mme de Clèves et Delphine obéissent aux valeurs qui leur ont été inculquées, notamment le respect des liens sacrés du mariage.

• Mme de Clèves entend respecter la « bienséance » et la fidélité à son époux (même mort) à laquelle elle s'était « engagée » : c'est pour elle un « devoir ». Se sentant par ailleurs responsable de sa mort, elle souhaite, en bonne chrétienne, expier ce qu'elle considère comme une faute grave (« crimes »).

• Delphine, elle, refuse d'être la cause d'une séparation de deux époux, et futurs parents ; elle dit agir « au nom de la morale », parle des « liens » qui attachent Léonce à Matilde, « femme bénie du ciel » qui attend un enfant de son mari. Sa « générosité », son « sacrifice » font d'elle une figure christique de l'amour, martyr volontaire dont la fin est proche (« il faut déjà me compter parmi ceux qui ne sont plus »).

• Dans le discours de ces deux femmes, abondent le vocabulaire religieux et la mention de valeurs morales (« devoir, vertu, scrupules, dévouement ») qui souligne l'antagonisme entre « passion » et raison.

• C'est à une morale plus individuelle dénuée de toute teneur religieuse qu'obéit Renée : l'abondance d'indices personnels de la 1re personnels (« je choisis ») indique clairement qu'elle obéit à ses propres règles morales, après un long « débat » avec elle-même.

II. Apaisement, indépendance et grandeur

• Mais les raisons du renoncement sont aussi le fruit d'une aspiration intime des héroïnes. Par leur « sacrifice », elles entendent répondre à des exigences personnelles, intimes, qui ne peuvent être satisfaites que dans la solitude.

• Mme de Clèves se retire dans un couvent par « intérêt de [son] repos » qui, elle l'espère, lui apportera l'apaisement, qui viendra avec « ce que le temps pourra faire ».

• Renée voit dans la solitude assumée l'occasion de mieux goûter les petits plaisirs de la vie à part entière sans passer par le prisme du regard aliénant de l'autre : « les plus beaux pays de la terre, je refuse de les contempler, tout petits, au miroir amoureux de ton regard », écrit-elle à Max. En renonçant à lui, elle se débarrasse des habitudes et des contraintes encombrantes de l'amour. Elle revendique ainsi son indépendance, même si elle doit être parfois douloureuse. C'est pour elle une question de survie, un acte qui marque le début d'une nouvelle vie de liberté.

• C'est enfin pour ces femmes l'occasion de faire un choix exceptionnel qui les grandit et d'accéder à une forme d'héroïsme. Mme de Clèves affirme qu'il n'y a « rien de plus difficile. Delphine parle d'effort qui la rend "supérieure". Renée revendique "l'orgueil" [de la pauvresse] ».

III. Renoncer à l'amour... par amour

• Derrière ces raisons explicites argumentées, se profile aussi une motivation plus paradoxale : les trois héroïnes renoncent à l'amour... par amour.

• Delphine choisit de renoncer à Léonce pour lui permettre une vie plus sereine de père et d'époux dans laquelle il s'épanouira. Cette motivation est indirectement exprimée lorsqu'elle demande à Matilde de « rendre [à Léonce] tout l'amour dont [elle] le prive ».

• De même, Renée en s'éloignant, veut « épargne[r] » son « cher intrus » et lui fournit l'occasion de progresser (« Je te laisse ta seule chance de grandir à mes yeux ») et peut-être, implicitement, de ne pas répéter avec d'autres femmes les erreurs qu'il a commises avec elle.

• Cette raison que dicte la passion est confirmée par le fait que les trois héroïnes ne peuvent s'empêcher de redire la force de leur amour et la souffrance déchirante causée par leur renoncement : « je te quitte mais je t'aime » dit Renée à Max ; « les sentiments que j'ai pour vous seront éternels » affirme Mme de Clèves.

Conclusion

Ces trois femmes prennent le même parti de résister à leur amour en rompant avec l'homme aimé. Cependant, au-delà de cette similitude, les raisons de leur renoncement diffèrent en qu'elles portent la marque de leur époque. Mme de Clèves, héroïne classique, ne peut déroger à la bienséance ; Delphine, bien qu'éprise de liberté, satisfait les valeurs prônées par l'aristocratie conservatrice qui veut sauvegarder le couple et la famille en danger. Renée est marquée par les revendications du féminisme naissant. Il est cependant une autre raison à ce renoncement : c'est la nécessité dramatique pour le romancier d'inscrire ses personnages dans une « destinée » héroïque qui leur donne leur stature et leur intérêt pour le lecteur, comme au théâtre.

Personnage et passion

■ Commentaire

▶ **Vous commenterez l'extrait de *Delphine* de Madame de Staël (texte B).**

Se reporter au document B du sujet n° 1.

LES CLÉS DU SUJET

■ Trouver les idées directrices

• Faites la « définition » du texte pour trouver les axes (idées directrices).

> Extrait de roman épistolaire-lettre (*genre*) romantique (*mouvement littéraire*) qui raconte (*type de texte*) l'histoire amoureuse du personnage (*sujet*), qui argumente sur (*type de texte*) son comportement passé et futur (*sujet*) lyrique, dramatique, tragique, pathétique, didactique (*registres*), à tonalité religieuse, lucide, hyperbolique (*adjectifs*), pour se justifier, pour faire partager sa conception de la place de la femme (*buts de Delphine*), pour compléter le portrait de Delphine, pour contester les conventions sociales (*buts de l'auteur*)

■ Pistes de recherche

Première piste : L'efficacité romanesque de la lettre

• Repérez les caractéristiques et faits d'écriture propres à la lettre.

• Sur quel ton Delphine s'adresse-t-elle à sa destinataire ?

• Identifiez la teneur de cette lettre, les sujets qu'elle aborde. Quelle en est la visée ?

• Analysez les rapports entre les deux personnages (épistolière et destinataire).

• Quelle est la fonction de cette lettre, son rôle dans la structure du roman ?

Deuxième piste : La confession d'une femme exceptionnelle
• Que traduit cette lettre de la personnalité de son auteur ? Quelles émotions, quels sentiments, quelles passions l'agitent ?
• D'où vient le lyrisme de la lettre ?
• En quoi Delphine se distingue-t-elle de l'humanité ordinaire ?
• Quel portrait de la destinataire (Matilde) se dégage de cette lettre ?

Troisième piste : Une héroïne tragique
• En quoi Delphine est-elle un personnage tragique ?
• D'où vient sa grandeur héroïque ?
• Pourquoi peut-on parler d'une héroïne préromantique ?
▶ **Pour réussir le commentaire** : voir guide méthodologique.
▶ **Le roman** : voir lexique des notions.

CORRIGÉ 2

Les titres en couleur et les indications entre crochets servent à guider la lecture mais ne doivent pas figurer sur la copie.

Introduction

[Amorce] Nourrie des idées des Lumières, issue de l'aristocratie de l'ancien régime, intelligente, Madame de Staël est toute sa vie à la recherche d'un amour absolu. Les héroïnes de ses romans, Delphine notamment, lui ressemblent, passionnées, rebelles, contestant les codes et les contraintes imposés aux femmes par la société. [Présentation du texte]. Le roman épistolaire *Delphine* se déroule à Paris entre 1789 et 1821. Delphine, une jeune veuve, riche, généreuse et intelligente, arrange le mariage d'une parente éloignée, Matilde de Vernon, avec Léonce de Mondoville. Cependant elle tombe amoureuse de Léonce, un amour condamné par les convenances de l'époque. L'histoire se termine de manière tragique par le suicide de Delphine. Dans la lettre XXXV, la romancière joue de toutes les ressources offertes par le genre épistolaire : Delphine adresse une lettre d'adieu pathétique et lyrique, presque un testament, à fois flash-back et prolepse dramatique ; [Annonce des axes] dans ce dialogue à distance avec Matilde [I], elle se sert de l'intimité de la lettre pour se livrer dans toute la complexité de sa personnalité exceptionnelle [II] et se révéler comme une héroïne tragique [III].

I. L'efficacité romanesque de la lettre

1. Un dialogue à distance

• C'est la dernière lettre que Delphine adresse à Matilde, au cœur de l'hiver parisien, le « 4 décembre ». Elle conclut par un « adieu » prémonitoire et affirme « vous n'entendrez plus parler de moi ».

• La lettre progresse comme un dialogue à distance et les mots écrits deviennent de vraies paroles (« j'ose vous *dire* ») avec une alternance du « je » de Delphine et du « vous » pour Matilde, apostrophée à plusieurs reprises par son prénom, comme pour s'en rapprocher.

• « Léonce », objet de leur rivalité et de leur proximité dans le triangle amoureux, est aussi présent, mais mis à distance par des pronoms de la troisième personne.

2. Une plaidoirie dans l'intimité de la lettre

• Dans l'intimité partagée de l'espace clos de la lettre, Delphine affirme, interroge, ordonne, supplie avec véhémence et solennité.

• Comme dans un testament, elle exprime ses dernières volontés, transmet les connaissances que la vie – et sa malheureuse passion – lui ont apportées, plaide pour elle mais, au-delà, pour les femmes supérieures comme elles, « les âmes passionnées » qui connaissent des « destinées malheureuses ».

3. Un présent habité par le passé et l'avenir

Au nom de leur passé commun, de leur proximité, Delphine demande l'indulgence de Mathilde, la prie « ne pas être sévère envers elle ».

• Les temps verbaux suivent les circonstances et l'évolution de leurs sentiments et de leurs relations, de l'amitié protectrice de Delphine envers Matilde, depuis « l'enfance » à leur rivalité amoureuse avec des échanges de lettres récents (« vous m'avez adjurée de partir »).

• Le présent de la lettre se charge à la fois de ce passé commun, de ce présent conflictuel entre la passion interdite et innocente de l'une et l'amour raisonnée, légal de l'autre, et de l'avenir des deux femmes avec le rappel de la maternité « bénie » de Matilde qui confortera son statut d'épouse ou l'annonce dramatique par Delphine de son départ définitif.

II. La confession d'une femme exceptionnelle

Delphine, dans cette dernière lettre, se met à nu et révèle toutes les facettes de sa personnalité exceptionnelle.

1. Une femme amoureuse

• C'est encore une femme amoureuse : paradoxalement, au moment où elle affirme renoncer à son amour pour Léonce, elle en affirme de nouveau toute la force ; elle le mentionne à plusieurs reprises par son nom « Léonce » repris par le pronom « il ».

• Elle multiplie à l'impératif les injonctions à Matilde pour qu'elle le protège, fasse preuve à son égard de tendresse, de bienveillance, d'indulgence, de compréhension (« ne blessez point son cœur par des reproches », « soignez », « chargez-vous »). Elle rappelle son passé amoureux (« je l'aimais » « avant de vous épouser ») tout en affirmant ne pas vouloir remuer ce passé (« laissons les morts en paix »).

• Elle écrit sur le mode hypothétique (« Si celui dont je me sépare me regrette ») mais en fait elle est sûre que cet amour est encore réciproque et évoque « l'estime et l'intérêt qu'il conservera pour [elle] », sa « fidèle amie ». Peut-être vit-elle même par substitution la maternité « bénie de Dieu » de Matilde qui porte l'enfant qu'elle aurait pu avoir de Léonce.

2. La dimension religieuse d'un sacrifice

• L'aveu amoureux de Delphine se double d'une confession à la tonalité religieuse encouragée par l'intimité de la lettre. Delphine est une femme des Lumières : déiste, elle s'adresse à Dieu comme « l'Être suprême » mais garde un vocabulaire qui n'est pas sans rappeler l'éducation calviniste de Madame de Staël elle-même.

• Certes, elle reconnaît ses « fautes » mais ne se sent pas « coupable ». C'est néanmoins un champ lexical très connoté qu'elle emploie avec « expié », « fautes », « pitié » « sacrifice », « crime ».

• Elle oppose d'ailleurs sa conception d'un « Dieu qui sait [sa] douleur » et la regarde avec « bonté » à celle de Matilde, catholique dévote et peu sensible. Dans « votre religion », lui dit-elle avec un ton de reproche, on reconnaît moins bien ses efforts que ne le fait l'Être suprême dont elle demande le soutien.

3. Une femme lucide et déterminée

Delphine est animée d'une force de caractère peu commune.

• Au moment où elle écrit, elle a pris toutes ses dispositions, n'a rien laissé au hasard et expose ses résolutions dans des phrases d'une étonnante netteté ; pas un adjectif qui diluerait la force de ces verbes au futur qui marquent sa certitude et sa volonté inflexible (« je quitterai », » « Léonce ne saura point », « il ignorera », « vous n'entendrez plus parler de moi »,...)

• Elle dicte à l'impératif sa conduite à Matilde : « ne blessez point son cœur par des reproches » « soignez », « chargez-vous », « Écoutez-moi ». Elle exige des « égards » de la part de sa rivale et Matilde l'offenserait « cruellement » si elle ne respectait pas ses demandes.

4. La certitude de sa supériorité

• Delphine a une conscience aiguë des devoirs que lui imposent la « morale » et la « pitié » pour Matilde mais elle n'hésite pas à lui rappeler avec une certaine condescendance, brutalement même, ce qui les distingue.

• Delphine n'est pas « faite » comme elle, elle ne lui « ressemble [...] » pas : Matilde ne fait pas partie de ces femmes d'exception, dotées d' « âmes passionnées » et de « caractères profondément sensibles ». Il semble même que Delphine souligne sa naïveté, sinon sa niaiserie et ses limites, quand elle lui rappelle assez cruellement : « vous croyez qu'il suffit du devoir pour commander aux affections du cœur », et elle lui reproche de ne pas être capable de mesurer le renoncement exceptionnel qu'elle lui consent.

• Il est évident que Delphine vise Matilde par sa déclaration orgueilleuse : « je me crois supérieure à celles qui n'auraient point les sentiments dont je triomphe » d'autant plus qu'elle est convaincue d'avoir la « bienveillance » de l'Être suprême !

III. Une héroïne tragique

Madame de Staël donne une dimension tragique à son personnage qui annonce les héroïnes des futurs drames romantiques.

1. Marquée par le destin : innocence et souffrance

• Le « sort » l'a dotée d'une « âme[s] passionnée[s] » mais la supériorité affective de ces « caractères profondément sensibles » est incompatible avec les conventions sociales et la voue « quoi qu'il arrive » à une « destinée malheureuse ». Delphine, bien que « vertueuse » en tout, est irrémédiablement condamnée par la société comme le seront les personnages romantiques de Hugo, Vigny ou Dumas : Hernani, Ruy Blas, Chatterton, Marguerite Gautier (la dame aux camélias).

• La lettre est émaillée de mot du champ lexical de la douleur (« douleur, malheureuses, peine, affections, souffrir ») et d'expressions hyperboliques (« se déchirer le cœur » « la plus malheureuse de toutes ») ; pourtant Delphine affirme sa totale innocence (« coupable, jamais elle ne le fut moins ») et implore la pitié de Matilde (« plaignez », « priez »).

2. L'annonce de la mort

• La lettre s'ouvre sur l'annonce de son départ vers une destination secrète mais Delphine y ajoute l'affirmation solennelle et réitérée de sa mort imminente ; elle a manifestement pris la décision irrévocable de se suicider et dramatise ainsi cette lettre par des propos transparents (« j'aime mieux mourir », « quand il devrait m'en coûter la vie », « le dernier acte de ma vie », « la compagne de votre enfance[...] n'existe plus », « me compter parmi ceux qui ne sont plus »).

• Elle clôt sa lettre par une interjection à prendre au sens propre « Adieu [c'est-à-dire, nous ne nous reverrons que devant Dieu], Matilde ». Dans les dernières lignes, elle se met à parler d'elle-même à la troisième personne comme si elle déjà morte (« Priez pour elle »), formule usuelle pour les défunts.

3. Orgueil d'une martyre

• C'est un véritable martyre que vit Delphine qui se sacrifie pour le bonheur de l'homme qu'elle aime et de la femme qui a épousé cet homme. Elle le rappelle dans un parallélisme et un raccourci intense : « c'est pour votre bonheur que je sacrifie le mien ».

• Dans cette revendication d'un dévouement sublime, d'une générosité exceptionnelle, on retrouve l'*hybris*, à la fois orgueil et démesure, des héros tragiques de l'antiquité qui s'estimaient au-dessus de l'humanité moyenne et justifiaient ainsi leurs actions hors du commun, admirables ou condamnables.

Conclusion

[Synthèse] Par cette lettre clé, Madame de Staël éclaire à la fois les personnages et annonce le dénouement de son roman. Delphine s'y révèle comme un personnage passionnant par sa personnalité mais aussi littérairement intéressant parce que à la croisée des Lumières et du romantisme : elle a la lucidité, l'intelligence d'une femme des Lumières mais, contrairement à une Marquise de Merteuil, elle puise dans ses valeurs et ses convictions religieuses la force de résister à ses passions pour les dépasser. [Ouverture] Elle ouvre ainsi la voie au romantisme français et devient une figure emblématique des héroïnes romantiques, victimes innocentes du sort, qui transcendent par le sacrifice et par l'expiation la malédiction personnelle et sociale qui les accable.

France métropolitaine • Juin 2018
Série L • 16 points

Personnage et passion

■ Dissertation

▶ **Un personnage de roman doit-il vivre des passions pour captiver le lecteur ?**

Vous répondrez à la question en vous appuyant sur les textes du corpus, sur les œuvres que vous avez étudiées en classe ainsi que sur vos lectures personnelles.

Les textes du corpus sont reproduits dans le sujet n° 1.

LES CLÉS DU SUJET

■ Comprendre le sujet

• Le sujet porte sur « le **personnage** » (et non sur le roman en général).

• Le point de vue à considérer est « les **passions** ». Il faut définir cette notion.

• Le **présupposé** est : « Ce qui intéresse le lecteur dans un personnage de roman, c'est qu'il vive des passions »

• « **vivre** des passions » = être passionné et satisfaire sa (ses) passion(s).

• « **captiver** » signifie intéresser, retenir l'attention, attirer, fasciner… passionner ! Et ici, inciter à continuer à lire l'œuvre.

• « **doit-il** » laisse entendre qu'il faut dépasser le présupposé, qu'il y a une **discussion** possible. Le plan peut être **dialectique.**

• La **problématique** générale est : L'intérêt d'un personnage romanesque vient-il des passions qu'il vit ?

■ **Chercher des idées**

Les questions à se poser
• Subdivisez la problématique en sous-questions :
– **Pourquoi/A quelles conditions** un personnage qui vit ses passions captive-t-il ? Un personnage sans passion **peut-il** présenter encore de l'intérêt ? Si oui, **pourquoi ?** ;
– **Par quels autres aspects** un personnage intéresse-t-il le lecteur ?
• **Définissez** précisément le sens du mot « **passion** » (sans le limiter à la passion amoureuse) ; cherchez ce qui peut être l'objet de passion.

Les exemples
Cherchez des **exemples** :
• de personnages passionnés ;
• de personnages sans passions, ordinaires ;
• de personnages qui renoncent à leurs passions.

CORRIGÉ 3

Les titres en couleur et les indications entre crochets servent à guider la lecture mais ne doivent pas figurer sur la copie.

Introduction

[Amorce] « Tout ce qui n'est pas passion est sur un fond d'ennui », écrit Montherlant (*Aux fontaines du désir*). Cet adage pourrait expliquer que bon nombre de romanciers prêtent à leurs personnages des passions enflammées afin de ne pas « ennuyer » leur lecteur. [Problématique] Mais en fait d'où vient que l'on soit captivé par le personnage romanesque ? Tire-t-il son intérêt des passions qu'il vit ? [Annonce du plan] Certes, ce sont souvent elles qui maintiennent la curiosité du lecteur et incitent à poursuivre la lecture. [I] Cependant un personnage qui n'a pas de passions ou qui refuse de s'y soumettre perd-il tout intérêt ? [II] Par quels autres aspects peut-il retenir l'attention du lecteur ? [III].

I. Le personnage qui vit des passions captive

1. La passion du personnage, moteur de l'action

• De nos jours le mot « passion » désigne un état affectif puissant ; on l'entend parfois au sens de goût très fort (la passion de la mer, de l'aventure...). L'étymologie (du latin *patior* : « subir », « souffrir ») indique que la passion peut faire souffrir et bouleverse la vie intérieure d'une personne qui en subit les impulsions ; elle paralyse parfois la volonté (on oppose souvent la passion, aveugle, à la raison, lucide.) Mais elle est aussi un moteur qui pousse à agir et détermine le comportement.

• Elle prend de multiples formes : elle est souvent l'amour-passion mais elle peut être aussi passion du pouvoir (Eugène Rougon dans *Son Excellence Eugène Rougon*, Zola ; Rastignac dans *Le Père Goriot*, Balzac), de l'héroïsme (Fabrice, *La Chartreuse de Parme*, Stendhal), de l'argent (*Bel-Ami*, Maupassant), de l'art, de l'aventure, de la nature (*Regain*, Giono), du travail...

• Moteur qui fait agir le personnage, la passion est aussi un ressort essentiel de l'action romanesque : le personnage fait tout pour satisfaire sa passion (y compris des folies, des actes criminels...) ou au contraire lutte désespérément contre elle. (*Exemples :* l'ambition de « parvenir » du criminel Vautrin ; Rastignac dans plusieurs romans de *La Comédie Humaine*.) Il est parfois tiraillé entre deux passions et ce combat intérieur occasionne tourments et revirements (corpus + exemples personnels). Il peut aussi voir se dresser des obstacles à sa passion.

• Ainsi, la passion amoureuse assure-t-elle des péripéties dans l'intrigue : rencontre, aveu, trahison, infidélité, rupture, réconciliation, rivalité, parfois mort... (exemples personnels). Ces péripéties donnent un fil conducteur au roman, ménagent attente, suspense et surprises (des coups de théâtre, en quelque sorte) qui entraînent l'adhésion du lecteur et le captivent.

2. Les passions, champ d'investigation psychologique captivant

L'analyse psychologique qu'implique le personnage passionné séduit car elle donne un accès privilégié à la connaissance du cœur humain.

• La passion se décline en une grande gamme de sentiments que le romancier se plaît à analyser et qui retiennent l'intérêt du lecteur : jalousie, cupidité, joie et désespoir, colère, espoir, haine, peur, tristesse... Ainsi les sentiments évoqués par Renée dans *La Vagabonde* de Colette sont-ils complexes : amour, envie de liberté, orgueil...

• Le roman peut ainsi mettre en scène la confrontation des passions (dévouement absolu de Goriot face à la passion de l'argent de ses filles). Cette confrontation permet aussi de mettre en lumière le combat entre passion et raison/morale et société. Exemple : la Princesse de Clèves se débat entre sa passion pour M. de Nemours et son sens moral, sa culpabilité et son désir de « repos ».

• « Un personnage de roman, c'est n'importe qui dans la rue, *mais qui va jusqu'au bout de lui même*. » (Simenon). Ainsi le personnage qui vit ses passions (c'est-à-dire qui y consacre ou sacrifie sa vie) est un exemple d'être qui va au bout de son destin, il en acquiert une certaine grandeur fascinante (corpus + exemple personnel), même dans l'abjection (Merteuil dans *Les Liaisons dangereuses* de Laclos, Vautrin dans *Le Père Goriot*).

3. La passion établit un rapport lecteur-personnage fascinant

• Les passions sont humaines et universelles. Elles « humanisent » l'être de papier qu'est le personnage, contribuant ainsi grandement à l'« effet personnage » et assurent l'illusion romanesque. Cela permet au lecteur d'éprouver pour le personnage de l'empathie ou de s'identifier à lui : il est satisfait de retrouver en lui ses propres passions (exemple personnel).

• Le personnage passionné peut aussi faire vivre au lecteur des élans et des aventures qu'il ne connaîtra peut-être pas dans sa propre existence, de vivre des passions par substitution et d'assouvir ses propres élans romanesques (à l'exemple de… Mme Bovary !).

[Transition] La littérature offre cependant des personnages romanesques qui ne sont pas mus par une passion ou qui refusent de « vivre » leurs passions. Est-ce à dire qu'ils perdent tout intérêt ?

II. Un personnage qui ne « vit » pas de passion(s) peut-il intéresser ?

1. Un peu de passion mais pas trop

• Le romancier doit savoir garder mesure : un excès de passion risque de rompre le lien avec la réalité et d'être une entrave à l'illusion du vrai (peut-on croire à… ?). Le lecteur n'y croit plus…

• Pire, le personnage qui se laisse submerger par sa passion peut paradoxalement sembler faible et velléitaire et provoquer l'ennui ou la moquerie du lecteur. Flaubert reproche à Lamartine « les embêtements bleuâtres du lyrisme poitrinaire » et, dans *Madame Bovary*, le narrateur ironise sur les lectures d'Emma (« ce n'était qu'amour, amants, amantes… »).

2. Personnage sans passion ou refusant de la vivre

• Le personnage romanesque est parfois un être sans qualités particulières. Quel est alors son intérêt ? Pour Simenon : « Un personnage de roman, c'est n'importe qui dans la rue », qui représente l'humanité moyenne et nous sert de miroir. Ce type de héros « ordinaire » nous intéresse parce qu'il nous ressemble, il vit une intrigue plausible, peut-être plus vraisemblable que celle du héros passionné. Immergé dans la vie quotidienne, son destin est « ordinaire » et il illustre parfois les défaites de l'existence. On s'y intéresse parce qu'on y croit. (Exemple : la destinée de Frédéric Moreau, *L'Éducation sentimentale*, Flaubert).

• Un personnage dénué de toute passion peut aussi intriguer et saisir le lecteur par son étrangeté. Exemple : Meursault et sa complète indifférence face à la mort de sa mère et son insensibilité jusqu'à la fin du roman.

• Certains personnages sont habités par une passion mais renoncent volontairement à la « *vivre* », manière de la maîtriser, qui est une preuve d'héroïsme et la possibilité d'accéder à la grandeur : c'est « être maître de soi comme de l'univers » (Corneille), être humain dans toute sa noblesse. (Exemple : Mme de Clèves). Ne pas vivre la passion, c'est aussi choisir son propre destin, accéder à la liberté : le regard critique de Renée (texte de Colette) sur la passion amoureuse l'amène à choisir de s'en libérer pour rester fidèle, envers et contre tout, à sa vision de la vie.

3. Et si c'était moins la passion elle-même que le style pour la décrire qui captivait ?

• Pour certains lecteurs, l'intérêt du personnage romanesque n'est pas qu'il « vive » sa passion, mais il tient plutôt à la façon dont l'écrivain retranscrit cette passion, ce qu'on appelle le « style », qui fait le grand romancier.

• La passion est l'occasion d'exercer l'art de l'écriture, elle se traduit par des élans lyriques et des images frappantes (romans de Hugo ; texte de Colette) ou par une sobriété, une retenue et une concision pleines de noblesse (style « classique » de Mme de La Fayette).

[Transition] Cependant la présence ou l'absence de passion chez un personnage romanesque n'est pas le seul aspect par lequel il peut captiver le lecteur.

III. Quels autres aspects d'un personnage peuvent captiver le lecteur ?

1. Son destin, son évolution, son cheminement : une leçon de vie

• Le roman est l'histoire d'une destinée. L'évolution du personnage, plus que ses passions, tient le lecteur en haleine. Exemples des romans d'apprentissage (*Bel-Ami*, Maupassant ; *L'Éducation sentimentale*, Flaubert ; *Le Rouge et le Noir*, Stendhal).

• Le lecteur prend alors conscience à travers le personnage des rouages et du cheminement qui font que le personnage se bonifie (Jean Valjean), réussisse dans la vie (Bel-Ami) et accède à la grandeur (Mme de Clèves), ou échoue (exemples personnels) et tombe dans la déchéance (Gervaise, *L'Assommoir* de Zola).

• Le personnage propose alors une leçon de vie, devient un modèle ou un contre-modèle.

2. Les idées et valeurs qu'il incarne, son symbolisme

La force d'un personnage peut aussi tenir aux idées qu'il représente et véhicule plus qu'aux passions qu'il vit. Certains personnages captivent parce qu'ils incarnent :

• des vertus (Jean Valjean : la générosité, Goriot : l'amour paternel) ou des vices (Les Thénardier, *Les Misérables*, Hugo ; Folcoche, *Vipère au poing*, Bazin).

• des réalités ou des groupes sociaux : le vieux Bonnemort (*Germinal*, Zola) emblématique des ouvriers de la mine.

• une cause à défendre : Kyo et la révolution chinoise (*La Condition humaine*, Malraux ; Rieux, *La Peste*, Camus)

Dans ces conditions, le personnage captive le lecteur parce qu'il l'amène à réfléchir sur la société, sur la réalité.

3. Le rapport personnage-auteur : le personnage porteur d'une vision du monde

Le héros romanesque tire enfin son intérêt de son rapport avec son créateur.

• Il est parfois le reflet de l'auteur, de ses préoccupations, de ses aspirations personnelles (aspect autobiographique du personnage de roman : Frédéric Moreau et Flaubert ; Jacques Vingtras et Jules Vallès)

• Il est aussi son porte-parole et défend une vision du monde, optimiste (*Regain*, Giono), pessimiste (Zola), mêlée (Jean Valjean ; Camus : *La Peste* face à *L'Étranger*). Le personnage captive parce qu'il amène à réfléchir à la nature humaine et au monde.

Conclusion

[Synthèse] Il en va des romans comme de la vie : la passion leur donne du goût et éloigne l'ennui, mais elle peut aussi leur nuire ou les détruire ; et l'on peut prendre plaisir à vivre un destin « ordinaire ». Ainsi, passionné, le personnage de roman captive ; envahi par trop de passion, il perd de sa réalité ; exempt de passion, il conserve encore de l'intérêt. [Ouverture] Les grands romanciers sont ceux qui ont su suivre le principe esthétique de Baudelaire : « Congédier la passion et la raison, c'est tuer la littérature » (*Curiosités esthétiques*).

France métropolitaine • Juin 2018
Série L • 16 points

Personnage et passion

■ Écriture d'invention

▶ Imaginez la rencontre de Renée et de la Princesse de Clèves. Chacune défend sa conception de l'amour. Écrivez, en une cinquantaine de lignes, leur dialogue argumentatif.

Se reporter aux documents A et C du sujet nº 1.

LES CLÉS DU SUJET

■ Comprendre le sujet

• **Forme** : dialogue.

• **Sujet** : « conception de l'amour ».

• **Type de texte** : « défend » → « argumentatif ».

• **Registre** : non précisé.

• **Niveau de langue** : celui des paroles de Mme de Clèves et de Renée → soutenu.

• **« Définition »** du texte à produire, à partir de la consigne :

> Dialogue (*genre/forme*) qui argumente sur (*type de texte*) les relations amoureuses et la vision du monde (*thème*) pessimiste, (*adjectifs*) pour confronter deux conceptions de l'amour, de la vie et des valeurs essentielles à respecter (*buts*).

■ Chercher des idées

Il s'agit en partie d'une réécriture des propos de Mme de Clèves et de Renée dans les textes du corpus auxquels vous devez être fidèle.

Contraintes de fond

• Les personnages :

– leur **identité** : la Princesse de Clèves (texte A)/Renée (texte C). Attention : il ne faut se tromper de personnages !

– leurs **conceptions** (opposées) de la vie, de l'amour et les **valeurs** qui déterminent leur renoncement à l'amour.

• Les thèses/arguments des interlocutrices :

– **Mme de Clèves** : il faut privilégier la vertu, la fidélité, la morale, le « repos » intérieur et fuir les tourments de la passion.

– **Renée** : il faut privilégier l'indépendance et la liberté individuelle et ne pas se soumettre pour vivre pleinement.

• Les marques du **contexte historique** des deux interlocutrices :

– **Mme de Clèves** : morale classique et condamnation des passions ;

– **Renée** : la Belle Époque et la revendication de la liberté pour les femmes.

Contraintes de forme

Un dialogue : veillez à ce que le dialogue « fonctionne » et soit cohérent (enchaînements, questions-réponses, argument-contre-argument, fil conducteur, issue).

Les choix à faire

• **Le type de dialogue** : il peut prendre la forme d'un dialogue de roman ou de théâtre. Respectez les caractéristiques du genre choisi.

• Les **circonstances spatio-temporelles** : comme la rencontre est fictive, vous pouvez choisir librement un temps et un lieu (un salon ? un parc ? une réception ? dans un lieu fictif ?)

• **Le registre** : pathétique ? élégiaque (pour Mme de Clèves) ? lyrique ?

CORRIGÉ 4

Au Panthéon des grandes amoureuses. Arrivent Yseult, Chimène et la Princesse de Clèves. On vient d'annoncer l'arrivée prochaine d'une nouvelle venue, Renée Néré. Les trois héroïnes s'entendent pour que la Princesse de Clèves la reçoive. Yseult et Chimène se retirent. Renée entre, hésitante.

La Princesse. – Entrez, je vous en prie, vous êtes ici chez vous.

Renée, *regardant autour d'elle.* – Chez moi ? Cela n'y ressemble guère. D'ailleurs, auriez-vous l'amabilité de me dire où je suis ?

La Princesse. – Je devrais plutôt dire que vous êtes parmi vos consœurs : comme nous, vous avez connu l'amour et vous en avez souffert. Voilà pourquoi vous êtes ici ; et je suis là pour vous souhaiter la bienvenue.

Renée, *dubitative et curieuse.* – Pourquoi vous ?

La Princesse, *avec une douce mélancolie.* – Il semble que nous ayons un point commun.

RENÉE, *plus dubitative encore.* – J'ai du mal à concevoir ce que peuvent avoir de commun l'humble comédienne que je suis et l'aristocrate distinguée que vous semblez être.

LA PRINCESSE. – Je vous le disais tantôt : vous avez aimé et vous en avez souffert, tout d'abord. Mais on m'a dit que vous avez également repoussé celui que vous aimiez. J'ignore les détails, bien sûr… Toujours est-il que vous avez renoncé à un bel amour.

RENÉE. – Un bel amour ? Ne peut-il être que beau, à vos yeux ?

LA PRINCESSE. – Croyez-vous que le véritable ne le soit point ?

RENÉE. – Le vôtre ne fut, semble-t-il, pas assez beau pour vous empêcher d'y renoncer.

LA PRINCESSE. – Il en est que la satisfaction peut souiller. Une femme qui veut à tout prix couronner un doux penchant n'est assurément pas une parfaite amante.

RENÉE. – Je ne vous comprends pas. Qu'y a-t-il de honteux à satisfaire un amour, s'il est beau ?

LA PRINCESSE. – Peut-être ai-je parlé trop vite. Je ne dirais pas que j'ai renoncé à un bel amour. Plus exactement, mon amour fut beau parce que j'y ai renoncé.

RENÉE. – Était-ce de l'amour ?

LA PRINCESSE, *avec une douceur douloureuse.* – Je le crois et vous prie de le croire. Il m'aimait, je l'aimais ; mon mari en est mort. Couronner mon amour, c'était couronner un crime.

RENÉE. – Mais qu'y pouviez-vous ? Vous étiez innocente.

LA PRINCESSE, *en souriant.* – « Ni tout à fait coupable, ni tout à fait innocente »[1], plutôt, ne croyez-vous pas ? (*En soupirant légèrement*) Je suis morte sans lui, digne d'être pleurée ; j'eusse été avec lui bientôt déshonorée. Et quel amour peut résister longtemps au déshonneur ? Je ne crois pas avoir vraiment renoncé à l'amour, je l'ai choisi tel qu'il doit être : éternel, fût-il douloureux.

RENÉE. – Et le fut-il ? Éternel, j'entends.

LA PRINCESSE. – Au moins pour l'un des deux.

RENÉE. – Il fut donc infidèle… Je m'en doutais. J'ai donc bien fait.

LA PRINCESSE – Bien fait ?

RENÉE – De renoncer. (*Bref silence ; regard interrogateur de la Princesse.*) Vous avez choisi un amour éternel et douloureux ; véritable et beau, car pur. Mais à quoi bon, s'il ne fut pas partagé jusqu'au bout ? Il ne fut qu'un vain fantôme.

LA PRINCESSE. – Vous me donnez donc tort ?

RENÉE. – Je ne saurais vous donner tort d'avoir choisi entre une belle passion et un cruel et décevant mirage. Vous avez repoussé votre amant, il vous a été infidèle ; l'eussiez-vous retenu, fût-il resté ? Je ne le crois pas. Oui, votre passion fut belle, Madame, mais ce fut une passion, et non un amour. Cette communion qu'on nous promet à toutes, qu'on a promise à vous comme à moi, cet éternel et parfait accord de l'âme n'est qu'une chimère. Un amant donne moins qu'il ne prend. Parle-t-il de partager votre vie ? C'est pour ne point avoir à parler de la sienne. (*Bref silence.*) Vous allez me dire que je me fais une piètre opinion de l'amour.

LA PRINCESSE. – Je crois au contraire que vous vous en faites une très haute.

RENÉE. – J'ai fui l'amour comme on fuit une prison, Madame. Vagabonde traînant avec ma solitude un déchirant souvenir, certes, mais libre, oui, libre enfin ! Pauvresse, peut-être, mais si fièrement orgueilleuse d'avoir eu le courage de me rendre aux merveilles de la terre et à la féerie du printemps, pour moi seule… Peut-être est-ce parce que les humbles amours des comédiennes ne sont pas de même nature que celles des grandes princesses.

LA PRINCESSE. – Vous vous feriez tort de penser une telle chose ; d'ailleurs, l'endroit où vous allez désormais séjourner ne fait guère de différence entre l'une et l'autre, vous le verrez bientôt.

RENÉE. – J'ai quelque difficulté à le croire.

LA PRINCESSE, *souriant légèrement.* – Alors je vais laisser la parole à l'une de nos consœurs qui vous en persuadera mieux. Venez, je vais vous présenter à Marguerite.

RENÉE. – Marguerite ?

LA PRINCESSE, *souriant de façon plus prononcée.* – Tenez, la voilà, elle arrive : elle porte toujours ses camélias[2].

---

1. Citation extralte de la préface de Racine, contemporain de Mme de Clèves, à sa tragédie *Phèdre*.
2. Allusion à Marguerite Gautier, personnage principal du roman de Dumas *La Dame aux camélias* (1848), courtisane qui a accepté de renoncer à son amant Armand et en meurt.

5

Des hommes ou des bêtes ?

■ Question

Documents

A – **Montaigne**, *Essais*, livre II, chapitre 11 « De la cruauté »,
1580-1588.

B – **Rousseau**, Discours sur l'origine et les fondements de l'inégalité
parmi les hommes, préface, 1754.

C – **Voltaire**, *Dictionnaire philosophique*, article « Bêtes », 1764.

D – **Marguerite Yourcenar**, *Le Temps, ce grand sculpteur*, « Qui sait si
l'âme des bêtes va en bas ? », 1983.

▶ **Quels comportements humains les auteurs du corpus
dénoncent-ils ?**

*Après avoir répondu à cette question, les candidats devront traiter au choix un
des trois sujets nos 6, 7 ou 8.*

DOCUMENT A

Pour ma part, je n'ai pas pu voir seulement sans déplaisir poursuivre et tuer une bête innocente, qui est sans défense et de qui
nous ne recevons aucun mal. Et, comme il arrive communément par
exemple que le cerf, se sentant hors d'haleine et à bout de forces, et
5 n'ayant pas d'autre remède, se jette en arrière et se rend à nous qui le
poursuivons en nous demandant grâce par ses larmes

quaestuque, cruentus
Atque imploranti similis[1],
cela m'a toujours semblé un spectacle très déplaisant.

10 Je ne prends guère bête en vie à qui je ne redonne la clef des
champs. Pythagore les achetait aux pêcheurs et aux oiseleurs pour
en faire autant[2] :

primoque a caede ferarum
Incaluisse puto maculatum sanguine ferrum[3].

15   Les naturels sanguinaires à l'égard des bêtes montrent une propension[4] naturelle à la cruauté.

Après que l'on se fut familiarisé à Rome avec les spectacles des
meurtres des animaux, on en vint aux hommes et aux gladiateurs. La
nature, je le crains, attache elle-même à l'homme quelque instinct
20 qui le porte à l'inhumanité. Nul ne prend son amusement à voir des
bêtes jouer entre elles et se caresser, et nul ne manque de le prendre
à les voir se déchirer mutuellement et se démembrer.

Afin qu'on ne se moque pas de cette sympathie que j'ai pour
elles, je dirai que la théologie elle-même[5] nous commande quelque
25 faveur pour elles et que, considérant qu'un même maître nous a
logés dans ce palais pour son service et qu'elles sont comme nous de
sa famille[6], elle a raison de nous enjoindre[7] quelque égard et quelque
affection envers elles.

Montaigne, *Essais*, livre II, chapitre 11 « De la cruauté », 1580-1588.

1. Virgile, *Énéide*, VII, v. 501 : « et par ses plaintes, couvert de sang, il semble implorer
pitié ».
2. Plutarque, *Propos de table*, VII, 8.
3. Ovide, *Métamorphoses*, XV, v. 106 : « c'est, je pense, par le sang des bêtes sauvages que le
fer a été taché pour la première fois ».
4. Propension : Force intérieure, innée, naturelle, qui oriente spontanément ou volontairement vers un comportement.
5. Souvenir d'un ouvrage religieux de Raymond Sebon intitulé la *Théologie naturelle*, qui
insiste sur les liens fraternels des hommes et des animaux.
6. Famille : peut être compris au sens large de « maisonnée ».
7. Enjoindre : ordonner.

DOCUMENT B

Laissant donc tous les livres scientifiques qui ne nous apprennent
qu'à voir les hommes tels qu'ils se sont faits, et méditant sur les premières et plus simples opérations de l'âme humaine, j'y crois apercevoir deux principes antérieurs à la raison, dont l'un nous intéresse
5 ardemment à notre bien-être et à la conservation de nous-mêmes, et
l'autre nous inspire une répugnance naturelle à voir périr ou souffrir tout être sensible, et principalement nos semblables. C'est du
concours et de la combinaison que notre esprit est en état de faire
de ces deux principes, sans qu'il soit nécessaire d'y faire entrer celui
10 de la sociabilité, que me paraissent découler toutes les règles du
droit naturel ; règles que la raison est ensuite forcée de rétablir sur
d'autres fondements, quand, par ses développements successifs, elle
est venue à bout d'étouffer la nature.

De cette manière, on n'est point obligé de faire de l'homme
15 un philosophe avant que d'en faire un homme ; ses devoirs envers
autrui ne lui sont pas uniquement dictés par les tardives leçons de
la sagesse ; et tant qu'il ne résistera point à l'impulsion intérieure
de la commisération[1], il ne fera jamais du mal à un autre homme,
ni même à aucun être sensible, excepté dans le cas légitime où sa
20 conservation se trouvant intéressée, il est obligé de se donner la pré-
férence à lui-même. Par ce moyen, on termine aussi les anciennes
disputes sur la participation des animaux à la loi naturelle ; car il
est clair que, dépourvus de lumières et de liberté, ils ne peuvent
reconnaître cette loi ; mais, tenant en quelque chose à notre nature
25 par la sensibilité dont ils sont doués, on jugera qu'ils doivent aussi
participer au droit naturel, et que l'homme est assujetti envers eux
à quelque espèce de devoirs. Il semble, en effet, que si je suis obligé
de ne faire aucun mal à mon semblable, c'est moins parce qu'il est
un être raisonnable que parce qu'il est un être sensible : qualité qui,
30 étant commune à la bête et à l'homme, doit au moins donner à l'une
le droit de n'être point maltraitée inutilement par l'autre.

Rousseau, *Discours sur l'origine et les fondements
de l'inégalité parmi les hommes*,
préface, 1754.

---

1. Commisération : pitié que l'on ressent pour ceux qui sont dans le malheur, compassion.

DOCUMENT C

*Voltaire s'attaque dans cet article à la théorie élaborée par Descartes selon
laquelle les animaux sont des « machines ».*

BÊTES

Quelle pitié, quelle pauvreté, d'avoir dit que les bêtes sont des
machines privées de connaissance et de sentiment, qui font toujours
leurs opérations de la même manière, qui n'apprennent rien, ne per-
fectionnent rien, etc. !
5 Quoi ! cet oiseau qui fait son nid en demi-cercle quand il l'attache à un mur, qui le bâtit en quart de cercle quand il est dans un
angle, et en cercle sur un arbre ; cet oiseau fait tout de la même
façon ? Ce chien de chasse que tu as discipliné pendant trois mois
n'en sait-il pas plus au bout de ce temps qu'il n'en savait avant
10 les leçons ? Le serin[1] à qui tu apprends un air le répète-t-il dans

l'instant ? n'emploies-tu pas un temps considérable à l'enseigner ? n'as-tu pas vu qu'il se méprend et qu'il se corrige ?

Est-ce parce que je te parle que tu juges que j'ai du sentiment, de la mémoire, des idées ? Eh bien ! je ne te parle pas ; tu me vois entrer
15 chez moi l'air affligé, chercher un papier avec inquiétude, ouvrir le bureau où je me souviens de l'avoir enfermé, le trouver, le lire avec joie. Tu juges que j'ai éprouvé le sentiment de l'affliction et celui du plaisir, que j'ai de la mémoire et de la connaissance.

Porte donc le même jugement sur ce chien qui a perdu son
20 maître, qui l'a cherché dans tous les chemins avec des cris douloureux, qui entre dans la maison, agité, inquiet, qui descend, qui monte, qui va de chambre en chambre, qui trouve enfin dans son cabinet le maître qu'il aime, et qui lui témoigne sa joie par la douceur de ses cris, par ses sauts, par ses caresses.

25 Des barbares saisissent ce chien, qui l'emporte si prodigieusement sur l'homme en amitié ; ils le clouent sur une table, et ils le dissèquent vivant pour te montrer les veines mésaraïques[2]. Tu découvres dans lui tous les mêmes organes de sentiment qui sont dans toi. Réponds-moi, machiniste, la nature a-t-elle arrangé tous
30 les ressorts du sentiment dans cet animal, afin qu'il ne sente pas ? a-t-il des nerfs pour être impassible ? Ne suppose point cette impertinente contradiction dans la nature.

Voltaire, *Dictionnaire philosophique*, article « Bêtes », 1764.

---

1. Serin : petit oiseau dont le chant est fort agréable, et auquel on apprend à siffler, à chanter des airs.
2. Veine mésaraïque : veine qui recueille le sang du gros intestin.

Dans l'état présent de la question, à une époque où nos abus s'aggravent sur ce point comme sur tant d'autres, on peut se demander si une *Déclaration des droits de l'animal*[1] va être utile. Je l'accueille avec joie, mais déjà de bons esprits murmurent : « Voici près
5 de deux cents ans qu'a été proclamée une *Déclaration des droits de l'homme*, qu'en est-il résulté ? Aucun temps n'a été plus concentrationnaire, plus porté aux destructions massives de vies humaines, plus prêt à dégrader, jusque chez ses victimes elles-mêmes, la notion d'humanité. Sied-il de promulguer en faveur de l'animal un autre
10 document de ce type, qui sera – tant que l'homme lui-même n'aura pas changé –, aussi vain que la *Déclaration des droits de l'homme* ? » Je

crois que oui. Je crois qu'il convient toujours de promulguer ou de réaffirmer les Lois véritables, qui n'en seront pas moins enfreintes, mais en laissant çà et là aux transgresseurs le sentiment d'avoir mal
15 fait. « Tu ne tueras pas. » Toute l'histoire, dont nous sommes si fiers, est une perpétuelle infraction à cette loi.

« Tu ne feras pas souffrir les animaux, ou du moins tu ne les feras souffrir que le moins possible. Ils ont leurs droits et leur dignité comme toi-même », est assurément une admonition[2] bien
20 modeste ; dans l'état actuel des esprits, elle est, hélas, quasi subversive[3]. Soyons subversifs. Révoltons-nous contre l'ignorance, l'indifférence, la cruauté, qui d'ailleurs ne s'exercent si souvent contre l'homme que parce qu'elles se sont fait la main sur les bêtes. Rappelons-nous, puisqu'il faut toujours tout ramener à nous-mêmes,
25 qu'il y aurait moins d'enfants martyrs s'il y avait moins d'animaux torturés, moins de wagons plombés amenant à la mort les victimes de quelconques dictatures, si nous n'avions pas pris l'habitude de fourgons où des bêtes agonisent sans nourriture et sans eau en route vers l'abattoir, moins de gibier humain descendu d'un coup de feu
30 si le goût et l'habitude de tuer n'étaient l'apanage des chasseurs. Et dans l'humble mesure du possible, changeons (c'est-à-dire améliorons s'il se peut) la vie.

Marguerite Yourcenar, « Qui sait si l'âme des bêtes va en bas ? »
Le Temps, ce grand sculpteur, © Éditions Gallimard 1983.

---

1. Une « Déclaration universelle des droits de l'animal » a été rédigée et adoptée par la Ligue internationale des droits de l'animal en 1977, puis proclamée solennellement par l'UNESCO en 1978. Elle n'a cependant aucune portée juridique.
2. Admonition : avertissement, conseil, ordre.
3. Subversive : qui menace l'ordre établi.

LES CLÉS DU SUJET

■ Comprendre la question

• « **Dénoncer** » signifie critiquer, faire des reproches, formuler un blâme.
• Identifiez les différents **chefs d'accusation** et les critiques formulés.
• Cherchez aussi ce qui révèle indirectement les **défauts des hommes**.
• Ne vous bornez pas à identifier les reproches, mais analysez la **stratégie argumentative** et les **faits d'écriture** au service de la critique (vocabulaire péjoratif, modalité des phrases, images littéraires…)

• Repérez les **points communs** entre ces textes, mais aussi les **particularités** de chacun d'eux.

■ **Construire la réponse**

• Analysez les textes ensemble, afin de structurer votre réponse par reproches et par stratégie argumentative.

• Accompagnez chaque remarque d'**exemples précis** tirés des poèmes.

CORRIGÉ 5

Les titres en couleur et les indications entre crochets servent à guider la lecture mais ne doivent pas figurer sur la copie.

Introduction

[Amorce] Les animaux sont-ils des « machines », comme le soutient au XVIIe siècle Descartes qui déclenche des débats houleux ? [Présentation du corpus] Déjà au XVIe siècle Montaigne s'interrogeait sur la nature des animaux dans le chapitre « De la cruauté » de ses *Essais*. Deux siècles plus tard, deux philosophes des Lumières reprennent cette question : Rousseau, dans la Préface de son *Discours sur l'origine et les fondements de l'inégalité parmi les hommes*, et Voltaire, dans l'article « Bêtes » de son *Dictionnaire philosophique*. La maltraitance envers les bêtes suscite encore aujourd'hui de vives polémiques : dans son essai *Le Temps, ce grand sculpteur*, Marguerite Yourcenar se demande « Qui sait si l'âme des bêtes va en bas ? ». Ces quatre écrivains recourent à une argumentation directe éloquente pour défendre la cause animale et dresser un violent réquisitoire contre l'homme : [Rappel de la question] quels comportements humains dénoncent-ils ?

I. L'argumentation directe pour dénoncer

• Les quatre auteurs ont recours à l'argumentation directe pour dénoncer la cruauté des hommes « sanguinaires » (Montaigne) et « barbares » (Voltaire) envers les animaux, infligée sans raison ni justification (Montaigne insiste sur le caractère « innocent » et « sans défense » des animaux.) Ils multiplient les mots et expressions du champ lexical de la cruauté : « inhumanité », « poursuivre et tuer » (Montaigne) ; « faire du mal », « maltraitée » (Rousseau)… Certains termes décrivent de façon froidement scientifique les traitements cruels infligés à l'animal, que les hommes « dissèquent vivant » pour « montrer les veines mésaraïques » et les « nerfs » (Voltaire), ou encore les conséquences de cette maltraitance (les animaux « souffrent » et « agonisent sans nourriture », Yourcenar).

• La cruauté se double de sadisme : l'homme prend « plaisir » à « tortur[er] » les animaux (Yourcenar). Le vocabulaire de l'observation (« voir, montrer », « découvres », Voltaire), du « spectacle » (Montaigne) et la mention de la chasse par Montaigne et Yourcenar assimilent cette violence à un divertissement malsain.

II. Des comportements dénués de raison au mépris des lois de la nature

Plus implicitement, les auteurs montrent que les hommes ne sont pas... des hommes. Ils sont dénués de ce qui devrait faire la grandeur de l'Homme : la raison et la morale.

• La cruauté humaine s'accompagne d'un sentiment de supériorité sur les autres êtres vivants que les auteurs jugent injustifié : Montaigne recourt à un argument théologique : pour lui, Dieu a créé les êtres vivants égaux ; Rousseau souligne qu'humains et animaux sont doués d'une sensibilité « commune » ; par le biais d'une personnification, Voltaire montre la similitude entre le comportement d'un chien (« inquiet », aimant, joyeux) et celui d'un homme. En traitant les animaux comme des « machines » privées de « sentiments » (Voltaire), l'homme prouve qu'il a perdu toute raison.

• Plus grave : l'homme se comporte aussi de façon absurde car sa cruauté se généralise et s'exerce aussi sur les autres hommes. Les auteurs établissent un rapport de cause à effet entre les atrocités faites aux animaux et celles faites aux humains : Marguerite Yourcenar établit par exemple une analogie entre les « wagons plombés » nazis et les « fourgons » que les humains utilisent pour transporter les animaux. Faire souffrir les bêtes serait donc les prémices d'une cruauté plus générale (« c'est je pense par le sang des bêtes sauvages que le fer a été taché pour la première fois », Montaigne citant Ovide). Ces constatations mettent à mal l'image de l'homme censé être sensible et doué de raison.

• Les auteurs reprochent aussi à l'homme son total mépris des lois de Dieu (« la théologie », « maître », Montaigne ; « Les Lois véritables », « Tu ne tueras pas », Yourcenar), de celles de la nature (le mot apparaît dans tous les textes), mais aussi de celles qu'il a lui-même instituées (« La Déclaration des droits de l'Homme », Yourcenar). C'est à la fois l'être religieux, moral et social qui est ici mis à mal par les auteurs.

III. Des stratégies argumentatives variées pour dénoncer

Les auteurs recourent à des stratégies et à des arguments variés, propres à convaincre mais aussi à persuader.

• Pour mieux émouvoir, les auteurs sollicitent les sens par des tableaux frappants (chasse au cerf chez Montaigne, dissection d'un chien chez Voltaire, « abattoir » et « enfants martyrs » chez Yourcenar) et la sensibilité (ton pathétique et poignant). Ils n'hésitent pas à s'impliquer personnellement par le biais des indices personnels de la 1re personne et de verbes de sentiments ou de pensée. Parallèlement ils sollicitent directement leur lecteur pour s'assurer de son adhésion (« on » chez Montaigne et Rousseau, « tu » familier chez Voltaire, « nous » chez Yourcenar) ; puis ils généralisent leur propos par des phrases qui sonnent comme des vérités générales.

• Mais les auteurs recourent aussi à des procédés propres à convaincre : outre la variété des arguments (théologique, historique et d'autorité), ils construisent rigoureusement leur raisonnement et l'articulent sur des connecteurs logiques ou temporels (Rousseau mène notamment une réflexion plus abstraite sur le droit naturel).

• Cela donne au lecteur l'impression qu'il ne fait pas partie de ces « barbares » et établit une complicité entre les auteurs et lui. Cette démarche s'accompagne d'un registre polémique qui prend à partie l'adversaire : les « naturels sanguinaires » (Montaigne), les « bons esprits » (Yourcenar), le « machiniste » (Voltaire).

Conclusion

Cette dénonciation ne s'en tient pas au blâme seul mais débouche plus positivement sur une incitation à changer d'attitude, non seulement envers nos amis les bêtes, mais aussi plus généralement envers la « nature » et la « vie ».

Des hommes ou des bêtes ?

■ Commentaire

▶ **Vous commenterez l'article « Bêtes » extrait du *Dictionnaire philosophique* de Voltaire (texte C).**

Se reporter au document C du sujet n° 5.

LES CLÉS DU SUJET

■ Trouver les idées directrices

• Faites la « définition » du texte pour trouver les axes (idées directrices).

> Article de dictionnaire – pamphlet – dialogue (*genres*) qui argumente sur (*type de texte*) les aptitudes des animaux (*sujet*) [plaidoyer], et sur la cruauté des hommes (*sujet*) [réquisitoire], polémique, didactique (*registres*), rigoureux, vivant, convaincant, caractéristique des Lumières (*adjectifs*), pour réfuter la thèse des « machinistes (= Descartes), défendre la cause des bêtes, dénoncer la cruauté des hommes, rendre compte de sa vision du monde (*buts*)

■ Pistes de recherche

Première piste : Plus un pamphlet qu'un article de dictionnaire !
• Analysez la forme du texte : demandez-vous s'il présente les caractéristiques usuelles de l'article de dictionnaire.
• Identifiez et analysez sa forme. A qui s'adresse Voltaire ?
• Étudiez son registre dominant et analysez-en les caractéristiques.
• D'où vient sa vivacité ?

Deuxième piste : Une démonstration rigoureuse par l'évidence
• Étudiez la structure du texte et sa rigueur.
• Quel type d'argumentation utilise Voltaire (directe ? indirecte ?) ?
• Quelles sont les composantes de cette argumentation ?

Troisième piste : L'esprit et les convictions
d'un philosophe des Lumières
• En quoi le ton de l'article répond-il aux goûts du siècle de Voltaire ?
• Montrez que le texte répond au type de raisonnement cher aux Lumières.
• Quelle vision du monde propose ici Voltaire ?
▶ Pour réussir le commentaire : voir guide méthodologique.
▶ La question de l'homme : voir lexique des notions.

CORRIGÉ 6

Les titres en couleur et les indications entre crochets servent à guider la lecture mais ne doivent pas figurer sur la copie.

Introduction

[Amorce] En 1764, Voltaire se donne un nouveau moyen pour ses combats de philosophe contre les ennemis des Lumières : il écrit le *Dictionnaire philosophique* ou *La Raison par alphabet*, dans lequel il mène une guérilla tous azimuts contre la bêtise, l'obscurantisme, les préjugés. [Présentation du texte] Dans l'article « Bêtes », il pointe son arme contre le philosophe Descartes qui, au siècle précédent, a formulé la théorie des animaux machines : ils se contenteraient de répondre à des stimuli par des réactions

CONSEIL
Lisez très attentivement
le paratexte qui précède
le texte, observez sa
date et faites appel
à vos connaissances
d'histoire littéraire ; cela
évite des contresens
et des anachronismes
et éclaire les enjeux
du texte

purement physiques, instinctives, comme une mécanique. L'homme, lui, doté du langage, pense, raisonne et éprouve des sentiments. [Annonce des axes] On est loin de la forme et du ton attendus dans un article de dictionnaire... : c'est un réquisitoire brutal et ironique contre Descartes [I] et un plaidoyer convaincant et persuasif pour les Bêtes [II], caractéristique de l'esprit des Lumières : qui sont les Bêtes les plus à craindre ? Nos chiens, nos loups ou l'homme « barbare » dont l'arrogance, l'égoïsme, le sadisme sont toujours prêts à se réveiller ? [III]

I. Plus un pamphlet qu'un article de dictionnaire !

On attend d'un dictionnaire des informations objectives.

1. Un dialogue imaginaire vivant et dynamique

• Mais l'article, signalé par son « entrée » (« Bêtes »), prend plutôt la forme provocatrice d'un dialogue polémique contre un adversaire jamais nommé mais vite identifiable : Descartes, qui a « dit que les bêtes sont des machines privées de connaissance et de sentiments ».

• Avec une grande liberté de ton, Voltaire entame un dialogue imaginaire et sans concession avec le vénérable Descartes, disparu depuis plus d'un siècle. Il juxtapose de courts paragraphes, sans connecteurs logiques, comme autant d'assauts d'escrimeur avant de porter le dernier coup. Avec une véhémence indignée, il interpelle le philosophe qu'il tutoie familièrement.

2. Le ton du polémiste

• Les questions rhétoriques s'accumulent dans le deuxième et le troisième paragraphes pour montrer l'absurdité de la thèse cartésienne, dynamisées par des interjections ou l'exclamation de la première phrase, que Voltaire termine par un désinvolte « etc. » qui fait de Descartes un radoteur.

• Voltaire s'autorise les insultes méprisantes : la « pauvreté » de la thèse « impertinente » (= absurde) de Descartes lui fait « pitié » ; il réduit son adversaire aux affirmations qu'il vient de démolir : Descartes n'est plus qu'un « machiniste », autant dire un songe-creux sans cervelle.

• Voltaire donne des ordres à l'impératif à son adversaire, comme s'il l'avait devant lui : « Porte donc le même jugement », « Ne suppose pas », « Réponds-moi », mais c'est toujours Voltaire qui fait les questions… et les réponses !

3. La vivacité du réquisitoire

• Pour alléger la tension du réquisitoire, Voltaire y incorpore des exemples qui lui donnent un côté concret, vivant : un « oiseau » qui adapte son nid à l'espace dont il dispose, un « chien de chasse » ou un « serin » qu'il aurait bien improbablement dressés… Ce petit monde familier bouge, chante, aboie et Voltaire s'amuse à décrire ces scènes avec vivacité, multipliant les verbes d'action, les détails comme ce chien qui « a perdu » son maître et le retrouve « avec des cris, des sauts, des caresses ».

• Après des exemples positifs et rassurants, Voltaire nous fait assister à une scène « barbare » et révoltante, la dissection d'un chien « vivant » cloué sur une table, avec force détails anatomiques et termes scientifiques médicaux (« veines mésaraïques », « organes », « nerfs »).

II. Une démonstration rigoureuse par l'évidence

Cette vivacité et cette agressivité provocatrice n'empêchent pas une argumentation rigoureuse, qui donne au texte son allure didactique.

1. Un modèle d'introduction

Le premier paragraphe est, au plan rhétorique, un modèle d'introduction.

• D'une part il expose de façon claire et concise la thèse de Descartes « Les bêtes sont des machines » pour la réfuter d'emblée avec mépris sur un mode exclamatif particulièrement dynamique : « Quelle pitié, quelle pauvreté […] ! »

• D'autre part il annonce clairement le plan qu'il va suivre pour étayer sa réfutation de l'absence, chez les animaux, de « connaissance », de « sentiment » et de capacité d'apprentissage.

2. Double réfutation de la thèse adverse

• Le deuxième paragraphe démontre la capacité de « connaissance » et d'apprentissage des animaux par trois exemples : la construction de nids différents, le dressage d'un chien et l'éducation musicale d'un serin… L'oiseau sait s'adapter à l'environnement ; le chien et le serin peuvent suivre des « leçons » de discipline ou de chant. Exemples d'autant plus convaincants qu'ils font appel à des réalités familières que Voltaire nous met sous les yeux en se servant de démonstratifs (« cet oiseau », « ce chien de chasse »)…

• Le deuxième et troisième paragraphe s'attachent à prouver l'existence de « sentiment » chez l'animal. Deux exemples parallèles se succèdent et se renforcent : Voltaire qui « entre » chez lui l'air affligé et retrouve « avec joie » un papier égaré et le chien qui, lui aussi, « entre dans la maison », cherche « inquiet » son maître et le retrouve avec « joie ». Par l'usage de circonstances analogues, de manifestations d'inquiétude identiques, de reprises de termes, Voltaire marque des points : homme et bêtes sont dotés de sentiments.

3. Une conclusion énergique

• Le dernier paragraphe ajoute une nouvelle preuve par l'exemple : la dissection d'un chien vivant révoltante met en évidence la présence de « nerfs » et de « veines » chez le chien. Hommes et bêtes sont donc bâtis de la même façon et cette organisation leur permet d'éprouver souffrance morale et physique.

• La démonstration se clôt vivement sur une apostrophe vigoureuse (« machiniste ») et deux questions rhétoriques encadrées par de vives injonctions sans appel à l'impératif (« Réponds/Ne suppose point ») et une expression dévalorisante (« impertinente contradiction »), qui font la synthèse de la pensée de Voltaire sur les animaux et la « nature ».

III. L'esprit d'un philosophe des Lumières

1. Le ton léger pour traiter de sujets sérieux et une approche rationnelle

• Voltaire connaît son public, amateur comme lui de bons mots et de conversation brillante ; les sujets sérieux doivent être traités avec une légèreté et une ironie mordante plaisantes à décoder.

• Les exemples et la démarche expérimentale proposés dans l'article sont conformes à la recherche de l'approche rationnelle, empirique qui caractérise la pensée des Lumières. Observer sans préjugés le comportement des animaux impose au bon sens l'évidence : ils ont des sentiments, des connaissances et peuvent apprendre.

2. Des idées chères aux Lumières

• Voltaire refuse l'anthropocentrisme qui consiste à faire de l'homme la mesure de toute chose. C'est le but même de l'article : l'homme n'est pas fondamentalement différent de l'animal et il vaut la peine de rabattre son arrogance qui lui fait croire qu'il a été créé à l'image de Dieu.

• Voltaire n'a pas d'illusion sur la nature humaine fondamentalement perverse mais il croit aussi, avec un optimisme relatif, à l'utilité de l'éducation : les bêtes peuvent apprendre, les hommes aussi. Le projet de l'*Encyclopédie* et du *Dictionnaire philosophique* est éducatif et cette question est au cœur des préoccupations des philosophes.

• Voltaire enfin se refuse à toute référence métaphysique. Il s'appuie en philosophe sur l'observation du comportement humain et animal et sur ce que lui apprennent les dissections anatomiques qui révèlent chez l'homme et l'animal « les mêmes organes de sentiment ». Il se réfère à une notion assez vague : la « nature », principe organisateur du monde qui s'intègre à ses croyances déistes en un dieu assez peu investi dans sa création : aux hommes de chercher les voies du bonheur sur terre.

Conclusion

[Synthèse] Dans cette contestation du « machiniste » Descartes qui prend la forme d'un faux article de dictionnaire et ressemble plus par son ton et sa structure à un apologue, Voltaire rejoint La Fontaine, qui, comme lui, moraliste, [Ouverture] disait de ses *Fables* : « Je me sers d'animaux pour instruire les hommes », pensant que les comportements animaux ressemblaient fort aux comportements humains. Voltaire lui donne entièrement raison quand il affirme la supériorité affective et morale d'un chien.

France métropolitaine • Juin 2018
Séries ES, S • 16 points

Des hommes ou des bêtes ?

■ Dissertation

▶ La littérature vous semble-t-elle un moyen efficace pour émouvoir le lecteur et pour dénoncer les cruautés commises par les hommes ?
Vous appuierez votre réflexion sur les textes du corpus, sur les œuvres que vous avez étudiées en classe et sur vos lectures personnelles.

Les textes du corpus sont reproduits dans le sujet nº 5.

LES CLÉS DU SUJET

■ Comprendre le sujet

• Le **présupposé** est : La littérature est efficace pour émouvoir et dénoncer les cruautés humaines.
• « **émouvoir** » renvoie aux registres pathétique, dramatique et tragique et à une stratégie argumentative qui vise à persuader.
• « **dénoncer** » signifie dévoiler et critiquer et renvoie plutôt à tout type d'argumentation (pour convaincre **et** persuader) et au registre polémique.
• **Attention : Le sujet est mal formulé** et sa **problématique boiteuse.** En effet les verbes « émouvoir » et « dénoncer » sont mis sur le même plan (« pour… et… pour… ») ; or ils ne sont pas du même ordre. Le recours à l'émotion n'est **qu'un moyen, une stratégie** pour dénoncer.
• **Une formulation claire de la problématique aurait été :** En littérature émouvoir est-il un moyen efficace pour dénoncer les cruautés commises par les hommes ?
Il ne faut pas construire le devoir en deux parties distinctes « émotion/dénonciation » ni opposer deux stratégies : convaincre (par la raison) contre persuader (par l'affectivité), mais étudier le lien entre émotions et la dénonciation.

• « **vous semble-t-elle...** » suggère une discussion du présupposé (plan dialectique). Or est-il concevable de montrer que... la littérature/l'émotion ne sont pas un moyen efficace d'argumenter ? Difficile... On peut tout au plus leur trouver des limites...

■ Chercher des idées

Les arguments

• Répertoriez les **types de comportements cruels** possibles : guerre, esclavage, mauvais traitements, torture physique/morale, racisme, etc.
• Subdivisez la problématique en sous-questions.
• *D'où vient* l'efficacité de l'argumentation directe pour dénoncer ? *Quel rôle* y joue l'émotion *? D'où vient* l'efficacité de l'argumentation indirecte pour dénoncer ? *Quel rôle* y joue la présence de personnages pour rendre la dénonciation plus efficace ? *Quelles* sont les *limites* de l'efficacité de la littérature dans sa dénonciation des cruautés humaines ?

Les exemples

• « littérature » vous incite à prendre vos exemples dans tous les genres littéraires et, même si le corpus ne propose que de l'argumentation directe, dans le théâtre, le roman, la poésie.

CORRIGÉ 7

Les titres en couleur et les indications entre crochets servent à guider la lecture mais ne doivent pas figurer sur la copie.

Introduction

[Amorce] Depuis le poète Agrippa d'Aubigné qui dénonçait dans ses *Tragiques* les atrocités des guerres de religion au XVIe siècle jusqu'à Ionesco qui combat le totalitarisme dans sa pièce *Rhinocéros*, nombre d'écrivains ont combattu les cruautés commises par les hommes. [Problématique] Quels sont les atouts de la littérature pour dénoncer les abus et pour émouvoir ? [Annonce du plan] L'écrivain, pour mener son combat, peut s'adresser à la raison dans les genres de l'argumentation directe qui, pour autant, n'exclut pas le recours à l'émotion [I] Mais c'est surtout dans l'argumentation indirecte qu'il peut toucher le lecteur et emporter son adhésion. [II] Néanmoins l'efficacité de la littérature et du recours à l'émotion a parfois des limites et la littérature se trouve concurrencée par d'autres arts. [III]

I. Argumentation directe et émotion contre les cruautés humaines

1. L'écrivain, penseur dans la mêlée

À travers les « époque(s) où [les] abus s'aggravent » (M. Yourcenar), la littérature s'est fait l'écho des cruautés de l'homme : atrocités de la guerre dénoncées par Agrippa d'Aubigné au XVIe siècle, par les Encyclopédistes des Lumières et par Voltaire (article « Guerre » du *Dictionnaire philosophique*), par Prévert (« Barbara » : « Quelle connerie, la guerre ! ») ; abus de pouvoir – tyrannie, esclavage… – et crimes politiques ; conditions de vie intolérables infligées aux plus pauvres et même aux animaux (textes du corpus). Il n'est pas de crime qui n'ait trouvé la voix d'un artiste pour alerter ses semblables sur ce qui enlève toute humanité aux hommes.

2. L'écrivain philosophe : dénoncer par la raison

Pour remplir cette fonction, l'écrivain peut choisir de s'adresser à la raison dans les genres de l'argumentation directe.

• Les **essais** et les **traités** doivent leur **efficacité** à leur **clarté** et à leur structure qui associe arguments, preuves et exemples. Ainsi Montaigne dans ses *Essais* articule sa dénonciation des cruautés infligés aux animaux sur sa propre expérience, sur des références à d'illustres auteurs (Pythagore, Ovide), à l'histoire (les gladiateurs de la Rome antique), sur de solides liens de causes à effets qui éclairent le lecteur.

• D'autres genres de l'argumentation directe voient leur efficacité dénonciatrice accrue par une large diffusion, notamment dans la presse : ce sont les **lettres ouvertes** et les **discours**. Le *Plaidoyer contre la peine de mort* (1848) qu'Hugo prononce devant l'Assemblée nationale, même s'il n'obtient pas gain de cause, eut un grand retentissement. Le fameux article « J'accuse » où Zola dénonce l'injuste condamnation du capitaine Dreyfus a fortement contribué à la réhabilitation de celui-ci.

[Transition] Mais l'argumentation directe en littérature peut aussi en appeler aux émotions.

3. L'efficacité de l'émotion dans l'argumentation directe

• Le recours au registre pathétique au cœur même de ces genres argumentatifs rend la dénonciation plus frappante. Ainsi la description des enfants « dont pas un seul ne rit » dans *Melancholia* de Hugo frappe les sens et le cœur, suscite la compassion et renforce l'adhésion à la lutte que mène Hugo contre le travail des enfants.

• S'impliquer personnellement – en usant du registre lyrique pour mieux émouvoir et persuader – rend la dénonciation plus puissante et l'émotion communicative (notamment grâce aux indices personnels de la 1re personne, aux exclamations ou au vocabulaire affectif – comme Montaigne dans « De la cruauté » ou Voltaire dans « Bêtes »). De même, solliciter le lecteur en l'apostrophant, pour l'accuser (Voltaire dans son *Dictionnaire philosophique*) ou le prendre à témoin (« Écoutez » enjoint Hugo au seuil de « Melancholia ») l'amène à réagir émotionnellement – qu'il soit piqué au vif ou apitoyé.

• Enfin, le travail des mots – particulièrement en poésie – est un atout efficace pour frapper l'adversaire et pour émouvoir le lecteur : « Le mot dévore et rien ne résiste à sa dent [...] Il frappe, il blesse, il marque, il ressuscite, il tue », affirme Hugo dans « Réponse à un acte d'accusation ». La rhétorique est une arme qui vient intensifier la condamnation : une anaphore (comme celle d'Éluard, *Au rendez-vous allemand*), une allégorie qui peint « la France une mère affligée » (Agrippa d'Aubigné, les *Tragiques*) renforcent un réquisitoire.

[Transition] L'argumentation directe à laquelle s'ajoute une « dose » d'émotion est efficace pour dénoncer. Mais qu'en est-il de l'argumentation indirecte ?

II. Émouvoir pour mieux dénoncer dans l'argumentation indirecte

La composante de fiction – et l'émotion qui l'accompagne – lui confère un fort pouvoir de persuasion.

1. Le récit : émouvoir pour « plaire » et mieux dénoncer

Dans « Le Pouvoir des fables », La Fontaine raconte comment un orateur qui échoue à capter son auditoire par un discours rhétorique et didactique, finit par le réveiller en présentant son argumentation sous la forme d'une fable amusante. Aussi applique-t-il son précepte favori (« instruire et plaire ») pour critiquer la barbarie humaine à travers les fables où il dénonce la férocité et les injustices du Lion/Roi sur ses sujets (« Les Animaux malades de la Peste », « Les obsèques de la Lionne ») ou du Loup sur les plus faibles (« Le Loup et l'Agneau », « Le Loup et les Bergers »). « Une morale nue apporte de l'ennui :/ Le conte fait passer le précepte avec lui », dit le fabuliste.

2. Incarnation : le personnage pour mieux dénoncer « en direct » ...

C'est aussi la présence de personnages qui rend la charge plus efficace.

• Dans l'argumentation indirecte, l'écrivain peut incarner sa dénonciation dans les divers personnages qu'il fait parler, agir ou souffrir. Ainsi la dénonciation de l'esclavage est-elle plus pathétique et intense lorsqu'elle se fait à travers le Nègre rencontré par le Candide de Voltaire (chapitre 19) ou à travers les malheurs et sévices vécus par le vieil esclave du roman de Patrick Chamoiseau (*L'esclave vieil homme et le molosse*), qui font comprendre par sa destinée et ses paroles le sens de ce livre-parabole : « Nous sommes tous, comme mon vieux bougre en fuite, poursuivis par un monstre. »

• Le théâtre, parce qu'il immerge en direct le spectateur dans le vécu des personnages, est le plus à même d'incarner les cruautés et les souffrances humaines. En voyant Lucky, tenu en laisse par son maître, chuter sous le poids de la charge qu'il porte, le spectateur sent la même « envie d'aller à son secours » que Vladimir et Estragon (*En attendant Godot*, Beckett). Cette scène, dans laquelle les deux personnages sont l'allégorie vivante de la tyrannie et de l'esclavage, est un appel à la fraternité face à la cruauté.

3. Les pouvoirs de l'identification : vivre l'émotion de l'intérieur

L'argumentation indirecte permet un phénomène d'identification efficace.

• Par le jeu de l'identification au personnage de roman, le lecteur ressent les désarrois et peines des victimes de la barbarie humaine et prend alors plus facilement fait et cause pour les opprimés. Qui ne s'est senti un moment Fantine ou Cosette, en lisant *Les Misérables* ?

• La forme du journal intime – réel ou fictif –, par le jeu de l'écriture à la 1re personne, fait vivre au lecteur presque personnellement, de l'intérieur, les peines et épreuves infligées au narrateur par ses semblables : il partage les tourments et la torture morale du condamné qui tient son journal (*Le Dernier jour d'un condamné*, de Hugo) ou les angoisses d'Anne Frank.

III. Alors, efficace ou non ?

Est-il raisonnable dès lors de s'interroger sur l'efficacité de la littérature – et de son pouvoir émotionnel – dans la lutte contre les injustices et la barbarie humaines ? Tout au plus peut-on se demander quelles sont ses limites.

1. Certaines belles victoires de la littérature...

Certains textes ont remporté de belles victoires qui se sont traduites dans les faits et ont changé le cours des événements. Le *Traité sur la Tolérance* de Voltaire a abouti à la cassation de l'arrêt rendu contre Jean Calas et à l'acquittement de son fils. Plus près de nous, le discours de Robert Badinter en 1981, remarquable morceau d'éloquence, a abouti à l'abolition de la peine de mort, bataille entamée au XIXe siècle par Hugo.

2. Plus qu'une efficacité concrète, l'éveil des consciences...

• Ce n'est pas tant dans les faits concrets que se marque l'efficacité de la littérature. Tous les écrits qui décrivent les atrocités de la guerre (l'article « Paix » de *l'Encyclopédie*, le chapitre 6 de *Candide* ou l'article « Guerre » du *Dictionnaire philosophique*, le poème de Hugo « Depuis six mille ans la guerre », les romans du XXe siècle (*Le Feu* de Barbusse, *À l'ouest rien de nouveau* de Remarque, *Les Croix de Bois* de Dorgelès) n'ont pas mis fin aux guerres.

• La littérature n'est pas l'équivalent des actions. Ce sont des soldats qui ont débarqué en Normandie pour mettre fin à la Deuxième Guerre mondiale... Mais les textes éveillent les consciences, et, qui sait ?, sont un maillon dans le long processus qui pourrait amener à la disparition des conflits...

3. La concurrence d'autres formes de supports ou d'arts

De nos jours, la lutte des écrivains pour combattre les exactions est concurrencée par d'autres formes de supports ou d'arts.

• La chanson, du fait de sa large diffusion et du mariage des mots et de la musique, contribue fortement à la dénonciation de la sauvagerie humaine. Ainsi dans « Noir et blanc », Bernard Lavilliers stigmatise l'apartheid en Afrique et la dictature : « De n'importe quel pays, de n'importe quelle couleur, la musique est un cri qui vient de l'intérieur », affirme le chanteur.

• Les arts graphiques concurrencent aussi la littérature : *Guernica* de Picasso, rend compte de façon saisissante du bombardement d'un village lors de la guerre d'Espagne et n'a rien à envier à un poème d'Éluard. La photo de la petite fille brûlée au napalm dans le Sud-Vietnam en 1972, symbole de la folie de la guerre, a fait le tour du monde et hante encore les consciences.

• Le cinéma enfin joue un rôle d'éveilleur des consciences. Certains films – parfois même des adaptations de romans, comme *La Couleur pourpre* de Steven Spielberg, adapté du roman d'Alice Walker, sur l'esclavage et la violence conjugale – touchent un bien plus large public que les livres.

Conclusion

[Synthèse] L'importance de la censure dans les dictatures indique clairement les dangers de la littérature pour les tyrans, du fait de ses atouts tant pour convaincre par la raison que pour persuader par l'émotion. Ainsi Ray Bradbury dans son roman-apologue *Fahrenheit 451* décrit une société totalitaire où les livres sont brûlés parce que subversifs, jusqu'au jour où le pompier Montag se met à lire et rêver d'un monde perdu où la littérature et l'imaginaire ne seraient pas bannis. [Ouverture] Il illustre par-là l'idée que la littérature – et les autres arts – permettent d'affirmer l'humanité face aux cruautés de l'Histoire et qu'« Un livre est un outil de liberté » (Jean Guéhenno).

8

France métropolitaine • Juin 2018
Séries ES, S • 16 points

Des hommes ou des bêtes ?

■ Écriture d'invention

▶ Vous êtes journaliste et vous cherchez à montrer qu'il est nécessaire de promulguer la « Déclaration des droits de l'animal ».

Vous écrivez un article de presse d'au moins cinquante lignes, reprenant les caractéristiques du texte de Marguerite Yourcenar (texte D), et présentant des arguments variés sur un ton polémique.

Se reporter au document D du sujet n° 5.

LES CLÉS DU SUJET

■ Comprendre le sujet

• **Genre** : « article de presse ».
• **Sujet** : « droits de l'animal ».
• **Type de texte** : « cherchez à montrer/arguments » → texte argumentatif
• **Registre** : polémique.
• **Situation d'énonciation** : *Qui ?* Un journaliste ; *à qui ?* à des lecteurs (large public).
• **Niveau de langue** : correct ou soutenu.
• « **Définition** » du texte à produire, à partir de la consigne

> Article de presse (*genre*) qui argumente sur (*type de texte*) les droits de l'animal (*thème*), polémique (*registre*), passionné, convaincant, persuasif (*adjectifs*) pour prouver la nécessité d'une *Déclaration des droits de l'animal* (*buts*).

■ Chercher des idées

Contraintes de fond

• **La thèse à soutenir** est : *il est nécessaire d'édicter un texte qui défende les droits des animaux.*

• **Les arguments « variés »** : pensez aux arguments par la cause, par la conséquence, par la comparaison/l'analogie, par le recours aux faits, par les valeurs, par le bon sens, par l'absurde, aux arguments d'autorité. Vous pouvez reprendre certains arguments des auteurs du corpus.

Contraintes de forme

Vous devez respecter certaines **caractéristiques** :

• **celles d'un article de presse.** Cela implique :
– un titre accrocheur ;
– une structure par paragraphes (avec éventuellement des sous-titres) ;
– une attaque (1re phrase qui incite à lire l'article) et une chute frappante ;
– la prise en compte et la sollicitation du lecteur.

• **celles du texte de M. Yourcenar :**
– expression de la thèse adverse et sa réfutation ;
– indices personnels qui marquent l'implication du journaliste (1re pers du sing) et des lecteurs (1re pers du pl) ;
– mode impératif ; présent de l'indicatif ; style direct ; anaphores ;
– longues phrases en envolées amples.

• **celles du registre polémique,** avec une prise à parti de l'adversaire :
– apostrophes, exclamations et fausses interrogations ;
– vocabulaire péjoratif, images dévalorisantes ; termes forts et violents ;
– vocabulaire affectif (de la révolte, de l'emportement...) ; amplification et hyperboles ; ironie ; procédés de l'insistance...

Les choix à faire

• **le type de journal** : scientifique ?, journal pour adolescents ?, juridique ?, magazine spécialisé (ex : *30 millions d'amis*) ?...

• **la justification l'actualité de l'article** : cas de maltraitance dans les abattoirs ; disparition d'une espèce menacée ; scandale des expérimentations médicales sur les animaux ; période de gavage des oies...

• **les exemples** : ils doivent être précis (éventuellement avec des données chiffrées).

CORRIGÉ **8**

In *Planète-Terre Magazine*, 18 juin 2018

Rubrique : Point chaud !

Déclarer les droits de l'animal, c'est déclarer nos propres droits !

« L'enfer n'existe pas
pour les animaux,
ils y sont déjà... »
Victor Hugo.

En ces temps troublés où nous nous débattons contre les assauts répétés de la barbarie, il ne suffit plus de se demander si une *Déclaration des droits de l'animal* sera utile : **il faut prouver qu'elle est rigoureusement nécessaire.** « Quoi ! s'exclameront de subtils penseurs, n'est-ce pas là se tromper de priorité ? N'avons-nous nous pas d'autres priorités ? Une crise économique à gérer ? Des guerres à éviter ? Pensez-vous donc vraiment qu'il n'y ait rien de plus urgent que de veiller au bonheur des moutons et des poulets quand des milliers d'êtres humains souffrent et meurent chaque jour ? »

À cela, je répondrai qu'il n'est pas question ici de priorité. À vouloir traiter « le plus urgent », on se contente de dresser toutes sortes de listes qui ne font que repousser l'action : les femmes ou les enfants d'abord ? Quelle question inepte quand un immeuble brûle ! « Mais la différence est grande entre un animal et un être humain ! » Je suis d'accord, mais le monde manquera-t-il jamais de crises économiques, de guerres ? Quand parviendrions-nous à nous entendre sur le problème à traiter « en priorité », pour enfin passer au suivant ? Je crois urgent de reconnaître que nous sommes condamnés à livrer bataille sur tous les fronts en même temps.

Trop de gens oublient que nous sommes d'abord des animaux : l'*animal*, étymologiquement, c'est « l'être vivant, l'être animé ». **Déclarer les droits de l'animal, c'est déclarer nos propres droits** : qu'est-il de plus fondamental et de plus rigoureusement nécessaire que cela ? « Mais nous, nous avons une conscience, nous sommes des êtres moraux, nous pensons. *Cogito, ergo sum !* Les bêtes peuvent-elles en dire autant ? » Je n'aurai pas le front de soutenir le contraire. Mais ne souffrons-nous donc que par notre conscience ? Mépriser les animaux, c'est mépriser cette réalité irréductible et que nous partageons avec eux, c'est oublier que nous avons un corps. Oublier tout cela, c'est ouvrir la porte à la barbarie. Quelles tortures ne pourrons-nous pas infliger aux animaux, si nous les méprisons ?

Mettons un frein au cycle de la violence qui nous menace nous-mêmes. Écoutons la terrible prophétie d'Albert Schweitzer, l'« homme universel » : « Quelqu'un qui s'est habitué à considérer la vie de n'importe quelle créature vivante comme sans valeur, finit par penser qu'une vie humaine ne vaut rien. » N'oublions pas que les agresseurs d'animaux répètent souvent leurs crimes et commettent des actes similaires sur des membres de leur propre espèce. Ce phénomène est bien connu des services de police.

« Qui sait si le malheur qu'on fait aux animaux

Et si la servitude inutile des bêtes

Ne se résolvent pas en Nérons sur nos têtes ? »

avait présagé le poète dans sa *Légende des siècles*.

Pour la sécurité de tous, il est essentiel que nous puissions régler sérieusement et *légalement* les cas de cruauté envers les animaux et que nous nous assurions que tout agresseur soit dûment poursuivi et condamné.

Refusons l'ignoble gavage des oies pour une éphémère satisfaction de nos papilles, refusons la mise à mort des taureaux sous les cris de joie des aficionados, refusons le massacre des bébés-phoques pour… quelques manteaux de fourrure ! Ayons le courage et la volonté d'officialiser notre révolte dans un texte digne de notre humanité, qui mettra fin aux tortures des vaches dans les abattoirs, aux sévices infligés à cette poule dont on coupe le bec et qu'on immobilise sur une surface minuscule, qui durant son année d'existence ne peut faire un pas, ne voit jamais la lumière du jour, au point d'en devenir folle, d'en perdre toutes ses plumes, pourvu qu'elle ponde, ponde, ponde.

Qu'enfin une *Déclaration des droits de l'animal* fixe un cadre légal à nos rapports avec nos amis les bêtes et permette un recours juridique en cas de manquement ou d'infraction à la loi. Il est douloureux de se rappeler que nous ne sommes que des animaux. Affrontons cette douleur. Révoltons-nous contre cet orgueil et contre cette folie qui nous font oublier que nous pouvons avoir une faim de loup, être malade comme un chien et, face à la mort, crier comme un goret. N'oublions pas que qui veut faire l'ange fait la bête ; et surtout, comprenons enfin que qui se sait bête, pourra peut-être devenir ange. « L'enfant qui sait se pencher sur l'animal souffrant saura un jour tendre la main à son frère ». (A. Schweitzer)

Asie • Juin 2017
Séries ES, S • 4 points

Poète inspiré ? Poète qui inspire ?

■ Question

Documents

A – **Charles Baudelaire**, « Enivrez-vous », poème XXXIII, *Le Spleen de Paris*, 1869.

B – **René Char**, « Rougeur des matinaux », sections I à IV, *Les Matinaux*, 1950.

C – **Paul Éluard**, « Bonne Justice », *Pouvoir tout dire*, 1951.

D – **Jean Mambrino**, « Orphée innombrable », *La Saison du monde*, 1986.

E – **Camille Corot**, *Orphée ramenant Eurydice des Enfers*, 1861.

▶ **En quoi ces poèmes sont-ils des leçons de vie ?**

Après avoir répondu à cette question, les candidats devront traiter au choix un des trois sujets n° 10, 11 ou 12.

DOCUMENT A ▶ **Enivrez-vous**

   Il faut être toujours ivre. Tout est là. C'est l'unique question. Pour ne pas sentir l'horrible fardeau du Temps qui brise vos épaules et vous penche vers la terre, il faut vous enivrer sans trêve.

   Mais de quoi ? De vin, de poésie ou de vertu, à votre guise. Mais
5 enivrez-vous.

   Et si quelquefois, sur les marches d'un palais, sur l'herbe verte d'un fossé, dans la solitude morne de votre chambre, vous vous réveillez, l'ivresse déjà diminuée ou disparue, demandez au vent, à la vague, à l'étoile, à l'oiseau, à l'horloge, à tout ce qui fuit, à tout
10 ce qui gémit, à tout ce qui roule, à tout ce qui chante, à tout ce qui parle, demandez quelle heure il est ; et le vent, la vague, l'étoile, l'oiseau, l'horloge, vous répondront : « Il est l'heure de s'enivrer ! Pour n'être pas les esclaves martyrisés du Temps, enivrez-vous ; enivrez-vous sans cesse ! De vin, de poésie ou de vertu, à votre guise. »
   Charles Baudelaire, « Enivrez-vous », *Le Spleen de Paris*, 1869.

DOCUMENT B ▸ **Rougeur des matinaux**

I

L'état d'esprit du soleil levant est allégresse[1] malgré le jour cruel et le souvenir de la nuit. La teinte du caillot[2] devient la rougeur de l'aurore.

II

Quand on a mission d'éveiller, on commence par faire sa toilette dans la rivière. Le premier enchantement comme le premier saisissement sont pour soi.

III

Impose ta chance, serre ton bonheur et va vers ton risque. À te regarder, *ils* s'habitueront.

IV

Au plus fort de l'orage, il y a toujours un oiseau pour nous rassurer. C'est l'oiseau inconnu. Il chante avant de s'envoler.

René Char, « Rougeur des matinaux », sections I à IV,
Les Matinaux, © Éditions Gallimard, 1950.

---

1. Allégresse : joie intense.
2. Caillot : sang coagulé.

DOCUMENT C ▸ **Bonne Justice**

C'est la chaude loi des hommes
Du raisin ils font du vin
Du charbon ils font du feu
Des baisers ils font des hommes

5 C'est la dure loi des hommes
Se garder intact malgré
Les guerres et la misère
Malgré les dangers de mort

C'est la douce loi des hommes
10 De changer l'eau en lumière
Le rêve en réalité
Et les ennemis en frères

POÉSIE

Une loi vieille et nouvelle
Qui va se perfectionnant
15 Du fond du cœur de l'enfant
Jusqu'à la raison suprême.

Paul Éluard, « Bonne Justice », Pouvoir tout dire, 1951.

DOCUMENT D **Orphée[1] innombrable**

Parle. Ouvre cet espace sans violence. Élargis
le cercle, la mouvance qui t'entoure de floraisons.
Établis la distance entre les visages, fais danser
les distances du monde, entre les maisons,
5 les regards, les étoiles. Propage l'harmonie,
arrange les rapports, distribue le silence
qui proportionne la pensée au désir, le rêve
à la vision. Parle au-dedans vers le dehors,
au-dehors, vers l'intime. Possède l'immensité
10 du royaume que tu te donnes. Habite l'invisible
où tu circules à l'aise. Où tous enfin te voient.
Dilate les limites de l'instant, la tessiture[2]
de la voix qui monte et descend l'échelle
du sens, puisant son souffle aux bords de l'inouï[3].
15 Lance, efface, emporte, allège, assure, adore. Vis.

Jean Mambrino, « Orphée[1] innombrable »,
La Saison du monde, 1986.

---

1. Orphée : personnage de la mythologie. Le jour de son mariage, son épouse Eurydice, meurt piquée par un serpent. Orphée descend alors au royaume des morts et, charmant le dieu des Enfers par le pouvoir de son chant poétique, il obtient de ramener Eurydice à la vie. Dès lors, Orphée est considéré comme l'emblème des poètes.
2. Tessiture : amplitude, capacité de la voix à aller dans les graves et les aigus.
3. Inouï : jamais entendu, exceptionnel.

DOCUMENT E **Orphée ramenant Eurydice des Enfers**

ph © Bridgeman Images

Camille Corot, *Orphée ramenant Eurydice des Enfers*, 1861.

LES CLÉS DU SUJET

■ Comprendre la question

• La question vous fournit le plan de la réponse.

• Montrez d'abord que les **poèmes** se présentent **sous forme de « leçon »**, c'est-à-dire que les poètes se posent en maîtres qui « enseignent ».

• Relevez les **faits d'écriture** qui le montrent et donnent un **ton didactique** aux textes (modalité des phrases, modes verbaux, vocabulaire, situation d'énonciation…).

• Dégagez ensuite la **teneur de cette leçon** (« de vie ») :

– Quelle **conception de la vie** se dégage de ces poèmes ?

– Quels **conseils** les poètes donnent-ils ?

• Précisez s'il s'agit d'une vision **optimiste ou pessimiste**.

• **Structurez** votre réponse : encadrez-la d'une introduction et d'une brève conclusion.

• Accompagnez chaque remarque d'**exemples précis** tirés des poèmes.

CORRIGÉ 9

Les titres en couleurs et les indications entre crochets servent à guider la lecture mais ne doivent pas figurer sur la copie.

Introduction

[Amorce] Certains poètes édifient leur œuvre retranchés dans une solitude hautaine, d'autres veulent s'adresser à leurs semblables, partager leur rêve d'un monde meilleur. [Présentation du corpus et rappel de la question] Les écrivains rassemblés dans le corpus donnent au lecteur une leçon de vie dans des poèmes d'un lyrisme moderne : Baudelaire dans un poème en prose au titre provocateur « Enivrez-vous » ; au XXe siècle, René Char et Paul Éluard opposent aux atrocités récentes de la guerre l'espérance de jours meilleurs, et dans « Orphée innombrable », Jean Mambrino, en se plaçant sous la protection du poète grec légendaire, invite son lecteur à une vie pleine et libre.

I. Une leçon...

Ces poètes parlent en guides : ils donnent une « leçon » dans laquelle ils communiquent au lecteur leurs certitudes par des injonctions didactiques, plus ou moins appuyées, dans des poèmes en vers ou en prose de structure variée.

• Baudelaire donne un caractère d'urgence à son « Enivrez-vous » en le répétant ou en le faisant reprendre par les éléments personnifiés « le vent, la vague, l'étoile », pris à témoin. Il modalise son injonction par la tournure impersonnelle « il faut », par les affirmations péremptoires (« c'est l'unique question », « sans trêve »). Il frappe l'imagination par l'image

> **OBSERVEZ**
> Le ton didactique se caractérise par un certain nombre de faits d'écriture : structure rigoureuse ; modes verbaux (impératif, subjonctif, infinitif) ; présent de vérité générale ; énumération, répétition ; adresse directe au lecteur ; formules impersonnelles ; pluriels ; images frappantes.

effrayante qu'il donne de nous-mêmes (« esclaves martyrisés ») et du Temps, qui brise nos « épaules ».

• Char exprime sa leçon en quatre versets, comme un cycle à suivre pour trouver le bonheur, avec la certitude et l'autorité que lui donne l'espérance (il utilise des présents de vérité générale). Le poète, discrètement présent sous un « on » anonyme, a pour mission d'« éveiller » ses semblables. Par une série d'impératifs (« impose », « serre », « va »), il détaille les étapes qui, dès l'aube, préparent à affronter l'« orage » du jour.

• Éluard déroule quatre quatrains qui culminent avec les derniers mots « raison suprême », étape ultime d'une humanité en marche vers le progrès ; l'anaphore « c'est la […] loi » au présent de vérité générale donne son rythme vigoureux et entraînant à cette affirmation.

• Mambrino s'adresse au lecteur comme un maître à son disciple : il le tutoie amicalement dans cette unique strophe où jaillissent et se succèdent les verbes d'action à l'impératif, donnant par cette profusion l'image même d'une énergie vitale infinie.

II. ... de vie

De ces quatre poèmes se dégage une vision de la vie et de la condition humaine qui cherche à trouver la voie du bonheur.

• Baudelaire, Char et Éluard évoquent les difficultés qui pèsent sur l'homme. L'ivresse de la poésie – ou les paradis artificiels du vin – permettent d'oublier l'ennui d'une vie « morne », l'obsession du « Temps » qui passe. « Guerres », « orage » et « misères » nous menacent mais les aspirations généreuses des hommes sont capables de métamorphoser le monde.

• Il faut d'abord trouver des formes d'« harmonie » avec la nature (« l'herbe verte, le vent, la vague, l'étoile, la rivière, l'orage, l'oiseau, le raisin, l'eau, la lumière, les floraisons… ») mais aussi avec les autres hommes, « frères » (Éluard) face auxquels on doit s'imposer (Char) « sans violence » (Mambrino).

• Il faut aussi réconcilier les contraires, « rêve » (Éluard et Mambrino) et « réalité » (Éluard). Rien n'est impossible au génie de l'homme, capable de « perfection[ner] » un monde imparfait, de transformer « le raisin » en « vin », et même, comme miraculeusement, de « changer l'eau en lumière ».

• Mambrino, avec lyrisme, exalte tous les possibles de l'homme, exhorte à faire « danser les distances du monde ». Éluard dans « Bonne justice » associe, dans un joli raccourci, les deux composantes indissociables de l'être humain : pouvoir prométhéen (il sait transformer le raisin en vin, le charbon en feu) et besoin d'aimer, quand « des baisers ils font des hommes ».

Conclusion

C'est donc une leçon de vie optimiste et dynamique, confiante dans l'avenir de l'homme, que ces poètes livrent au lecteur.

10

Asie • Juin 2017
Séries ES, S • 16 points

Poète inspiré ? Poète qui inspire ?

■ Commentaire

▶ **Vous ferez le commentaire du poème de Paul Éluard (texte C).**

Se reporter au document C du sujet n° 9.

LES CLÉS DU SUJET

■ Trouver les idées directrices

• Définissez les **caractéristiques** du texte pour trouver les idées directrices.

Poème en vers réguliers (*genre*) qui décrit et argumente sur (*types de texte*) la vie et la « loi des hommes » (*sujet*), didactique, lyrique (*registres*), imagé, rythmé, musical, contrasté, pessimiste et optimiste à la fois, à tonalité religieuse (*adjectifs*), pour donner une leçon de vie et donner une vision du monde, pour définir ce qu'est la « bonne justice » et faire comprendre sa conception de la poésie (*buts*).

■ Pistes de recherche

Première piste : La « leçon de choses » d'un poète philosophe
• Montrez qu'Éluard prend le ton d'un maître qui donne une leçon (servez-vous de la réponse à la question).
• Analysez la rigueur de la structure du poème et sa progression.
• En quoi cette « leçon » garde-t-elle cependant un tour poétique ?

Deuxième piste : Leçon de vie et de « vérité »
• Quelle est la teneur de cette leçon ?
• Quels éléments sont mentionnés ?
• La vision du monde qui se dégage du poème est-elle négative ou positive, pessimiste ou optimiste ?

Troisième piste : Peinture, pièce musicale et... art poétique
- En quoi ce poème se rapproche-t-il de la peinture ?
- Pourquoi peut-on parler d'un poème « musical » ?
- Quelle conception du poète et de la poésie se dégage implicitement de ce poème ?

▶ **Pour réussir le commentaire** : voir guide méthodologique.
▶ **La poésie** : voir lexique des notions.

CORRIGÉ 10

Les titres en couleur et les indications entre crochets servent à guider la lecture mais ne doivent pas figurer sur la copie.

Introduction

[Amorce] Les époques troublées amènent les poètes à s'engager. Ainsi Éluard, aux côtés d'Aragon, de Tardieu, de Desnos..., publie-t-il clandestinement en 1943 un recueil de poèmes de lutte et de résistance (dont son fameux « Liberté »). Une fois les guerres passées, il poursuit sa quête d'une poésie ancrée dans la réalité (*Les Sentiers et les Routes de la poésie*, 1952). [Présentation du texte] Dans son court poème en vers « Bonne justice », il fait un bilan sans concession des « lois » (au sens large et non juridique) qui régissent la vie des « hommes ». [Annonce des axes] Comme un savant en « Sciences et vie de la Terre » qui observe le monde, comme un philosophe au ton didactique, il reconnaît que dans la vie il n'y a pas que des « merveilles » [I], mais qu'il faut garder espoir [II]. Cette « leçon » de vie est à la fois peinture et musique ; c'est aussi un art poétique implicite [III].

I. La « leçon de choses » d'un maître philosophe et poète

1. Une structure rigoureuse, presque « scientifique »

- La structure de ce poème en vers réguliers repose sur une succession de définitions, autour du mot « loi », et sur l'anaphore de « c'est », qui rythme le poème – formule introductive de la définition par excellence. Chaque définition, assortie d'un adjectif (« chaude, dure, douce »), est suivie d'exemples qui illustrent sa spécificité (« raisin, vin, guerres, misères, eau, lumière... »).

• La dernière strophe se distingue des précédentes par sa forme (phrase nominale) ; elle généralise, comme une conclusion tirée des trois exemples concrets, et suit donc la démarche inductive des sciences expérimentales : de l'exemple on en vient à tirer une conclusion générale.

2. Le ton de la leçon : généralisation et observation

• Éluard recourt à de nombreux procédés de la généralisation, comme un philosophe au ton assertif qui n'appelle aucune contradiction. Il emploie le présent de vérité générale (« font ») mais aussi l'infinitif, mode impersonnel et intemporel, qui désigne une action dans sa nature et non dans sa temporalité (« se garder »/« changer »).

• L'absence d'intervention directe du poète (le poème ne comporte aucune marque grammaticale de la 1re personne du singulier) donne au propos la valeur d'une vérité générale immuable.

• Néanmoins, Éluard n'exclut pas une vision diachronique du monde et porte presque un regard d'historien : il retrace la vie de l'homme, de l'« enfant » à la « raison suprême », métonymie de l'âge mûr ; la forme verbale inchoative « va se perfectionnant » en marque la progression.

DÉFINITION
Une forme inchoative exprime une action qui commence, se poursuit et progresse (« s'endormir, vieillir », « se mettre à, commencer à… »).

3. Le tour poétique de la leçon

• Cependant, pour éviter la sécheresse d'un discours trop didactique, Éluard, peint une succession de croquis de la vie quotidienne, qui donne à sa leçon son côté poétique : une scène champêtre (« raisin, vin »), une scène d'intérieur en hiver (« charbon/feu ») ou une scène amoureuse (« baisers/hommes »), un champ de bataille et le tableau de la pauvreté, un paysage naturel plein de vie (« eau/lumière »), une scène de réconciliation (« ennemis/frères »)… Le poème « bouge », il est une fête pour les yeux.

• L'ordre de ces scènes n'est pas laissé au hasard : Éluard fait alterner les strophes sombres et les strophes plus gaies, positives, s'appuyant sur l'esthétique des contrastes. Mais on y remarque la prédominance du regard positif : la strophe 1 est pleine d'élan, dynamique (« ils font »), la deuxième est funèbre, la troisième réconfortante ; la fin de la strophe 4 marque un apogée (« suprême »).

II. Leçon de vie et de « vérité »

Quelle est la teneur de cette leçon de vie ?

1. « Les obscures nouvelles du monde »

• Selon Éluard, le poète a la mission non d'enjoliver la « réalité » mais de la montrer telle qu'elle est, avec ses malheurs. Le choc entre le « rêve » et la « réalité » n'en est que plus probant : ainsi, il mentionne les « guerres », la « misère », les « dangers de la mort » (mot mis en relief en fin de strophe).

• Pour rendre ce côté sombre de la vie, Éluard utilise quelques procédés intrigants : il recourt à un vers impair, qui introduit un déséquilibre et donne l'impression de quelque chose qui « cloche » ; dans la deuxième strophe, un curieux enjambement avant de mentionner explicitement « les guerres » semble marquer l'hésitation du poète à évoquer cette réalité meurtrière ; enfin le système des rimes est irrégulier.

2. Une « loi chaude » et « douce » : fatalisme et optimisme

• Le poète semble accepter les misères de la vie avec un fatalisme lucide : c'est une « loi », c'est-à-dire une norme qui règle inéluctablement la vie individuelle et la vie collective. La récurrence du mot comme une sorte de refrain, souligne son caractère inévitable, fatal.

• Cependant, la leçon du poète est empreinte d'optimisme. Il a l'espoir d'un futur meilleur : la plupart des vers marquent la progression du négatif au positif, d'une transformation du brut (« raison/charbon ») en policé (« vin/feu » qui réchauffe), du mal en bien (« ennemis/frères », « guerre/mort-intact »). Il met aussi son espoir dans l'entraide qui permet de telles transformations, fruits d'un travail collectif des « hommes » (le mot est mis en relief à la rime à quatre reprises, quatre fois avant de se transformer en « frères »).

• Ainsi, le poème résonne comme une profession de foi en l'homme dont il souligne la perfectibilité (« va se perfectionnant »). Éluard croit en l'amélioration des rapports des hommes entre eux ; il pense que la loi « nouvelle » sera comprise et acceptée de tous car l'homme est doué d'une « raison suprême » (l'expression est hyperbolique). Cette « loi nouvelle », fruit d'un large consensus, s'imposera naturellement et aboutira à cette « Bonne justice », sereine et équilibrée, qu'annonce le titre du poème.

3. Une profession de foi sans dieu

• Dans ce tableau de l'humanité et de son histoire, aucune figure d'un dieu n'est mentionnée, si ce n'est… celle de la « Justice » que la majuscule transforme en « bonne » figure tutélaire, au seuil du poème. L'homme est seul artisan de cette évolution qui aboutit à la perfection. Pourtant, le poème prend les accents d'un hymne religieux.

• Éluard mentionne de nombreux éléments chargés d'une connotation sacrée présents dans la Bible : le « vin » (image du sang du Christ), « l'eau » purificatrice (du baptême), la « lumière » (du Saint-Esprit qui éclaire), le « feu » (qui purifie)... Il écrit donc un hymne à la gloire de..., mais un hymne profane et laïc, un « aime ton prochain » qui ne serait pas dicté par Dieu, mais par le poète inspiré... qui est aussi un de ces « hommes ».

III. Peinture, pièce musicale et... art poétique

Éluard cependant, même s'il affirme que « la poésie n'est pas un objet d'art », n'en oublie pas pour autant de rester... artiste !

1. Proche des arts graphiques et de la peinture

• Passionné par les arts graphiques et la peinture, il avait écrit son poème comme un calligramme symbolique : les quatre quatrains s'enroulaient en spirale et culminaient avec les derniers mots « raison suprême » – étape ultime de l'humanité en marche vers le progrès. Il offrait là une image de la perfection, boucle achevée, à l'image d'un monde plus fraternel, plus « juste ».

• La forme versifiée garde des traces de ce goût pour « faire voir » : quatre quatrains (4 × 4) composant la structure de carré parfait, qui rend d'emblée visible l'équilibre de la leçon d'humanité qu'il contient.

• Les « croquis », avec leurs éléments concrets, qui se succèdent comme autant d'épisodes de la vie humaine – un peu à la façon des Riches Heures du duc de Berry ou... d'une bande dessinée – impressionnent (au sens propre du terme) le lecteur qui visualise aisément ces saynètes colorées.

• Enfin Éluard pratique une esthétique des contrastes familière à la peinture, surtout moderne : contrastes des couleurs à travers la mention du « raisin », du « vin », du « charbon », du « feu », de la « lumière » ; contrastes des formes : la rondeur du « raisin », la forme irrégulière du « charbon », le sillon du vin, les formes changeantes du « feu », la rectitude des rayons de « lumière »...

2. Des airs de musique

• Les poèmes d'Éluard, et notamment celui-ci, ont été très fréquemment mis en musique. Ainsi, « Bonne Justice » a les accents d'une chanson, précisément d'un hymne, et l'apparence d'une suite de couplets avec des mots et formules-refrains (« C'est la loi », « hommes », « ils font »). Éluard joue sur les sonorités : lorsqu'il évoque des réalités positives, il recourt à des rimes féminines qui prolongent un son doux à l'oreille (« hommes », « lumière », « frères », « nouvelle », « suprême ») ; il multiplie les rimes intérieures ou les échos sonores dans un même vers (raisin/vin ; charbon/font ; guerres/misère ; malgré/dangers ; vieille/nouvelle) en jouant sur des allitérations (sonorités dures en « r » : garder, malgré, guerres, misère, mort ») ou des assonances.

3. Un art poétique, une conception de la poésie

Enfin, de la lecture du poème se dégage implicitement un art poétique. Quels principes essentiels Éluard défend-il ?

• Le poète doit prendre son inspiration dans le quotidien, la « réalité » : la vie concrète (v. 2-3 ; v. 10), la vie affective et les réalités de l'amour (v. 4), le déroulement de toute vie, de la naissance (suggérée v. 4) à la « mort » (v. 8), en passant par l'âge mûr (v. 16).

• Le poète doit « Pouvoir tout dire » (titre d'un poème d'Éluard, art poétique explicite cette fois qui mentionne les mêmes thèmes), sans chercher à embellir ou à « poétiser » (le terme est péjoratif pour Éluard).

• La poésie doit aborder des sujets sérieux : la vie, la « mort », « la guerre », la « justice », la « misère »… Et le poète doit s'engager : il a pour mission d'enseigner aux hommes des leçons de vie, de se faire à la fois philosophe et artiste.

• En même temps qu'un hymne à la gloire de l'homme, le poème implicitement est une profession de foi dans le poète-« lumière » et dans la parole poétique qui éclaire, qui peut guider les « hommes » et transformer le monde pour trouver la voie de la « Bonne Justice ».

Conclusion

[Synthèse] Par ce court poème à la fois leçon de vie réaliste et optimiste, peinture, hymne et art poétique implicite, Éluard semble confirmer [Ouverture] la conception de la poésie de Théodore de Banville : « La poésie est à la fois musique, statuaire, peinture, éloquence […] ; aussi est-ce le seul art, complet, nécessaire, et qui contient tous les autres ». C'est ce qui en fait son efficacité.

11

Asie • Juin 2017
Séries ES, S • 16 points

Poète inspiré ? Poète qui inspire ?

■ Dissertation

▶ Paul Éluard disait dans *L'Évidence poétique* en 1939 :
« Le poète est celui qui inspire bien plus qu'il n'est inspiré. »
Cette déclaration correspond-elle à votre conception du rôle
du poète ?
Vous répondrez à cette question en prenant appui sur les documents du corpus, sur les poèmes que vous avez lus et étudiés
ainsi que sur votre culture personnelle.

Les textes du corpus sont reproduits dans le sujet n° 9.

LES CLÉS DU SUJET

■ Comprendre le sujet

• Le sujet comporte **une citation et une consigne**. Il faut bien analyser la
consigne pour éviter le hors sujet.

• **Sujet** : « le poète est... » renvoie à la **définition du poète** ; « votre conception du poète » suggère aussi de définir les **fonctions du poète**.

• La **problématique** générale est : *qu'est-ce qu'un poète ? Quels sont sa
nature et son rôle ?*

• Le sujet repose sur un double **présupposé** : « Le poète est inspiré [définition du poète]/le poète inspire [fonction du poète] »

• **Attention** : « inspiré » et « inspire » ont le même radical, sont tous deux
des formes d'un même verbe mais n'ont pas le même sens :

– « inspiré », participe passé, a un **sens passif**. Le sens étymologique est
« animé par un souffle divin, en qui est insufflé (par une force mystérieuse)
un enthousiasme créateur » ; sens littéraire en poésie, pour un artiste, un
poète : illuminé, mystique, visionnaire.

– « inspire(r) quelqu'un » (le COD est omis par Éluard) a un **sens actif** :
c'est lui insuffler quelque chose, faire entrer quelque chose en lui.

– Enfin, « **inspirer quelque chose à quelqu'un** », c'est pousser quelqu'un à agir, à faire quelque chose, conseiller, diriger, influencer, faire naître dans le cœur ou l'esprit de quelqu'un une idée, un projet.

• « **bien plus** » établit un rapport entre les deux aspects du poète énoncés par Éluard. Vous devez vous prononcer sur ce rapport. La problématique peut devenir : *Quel élément domine chez le poète : l'inspiration ou son rôle de guide ?*

• « **cette déclaration correspond-elle à…** » laisse place à une **discussion**, à un plan dialectique ou à une forme de concession dans la réponse (*Certes le poète est inspiré, il inspire aussi ; mais peut-on dire « plus » l'un que l'autre ? Cela dépend de…*). Ou : *Oui, il est inspiré et inspire* [thèse d'Éluard], *mais il peut aussi…* [votre conception du poète].

■ Chercher des idées

• **Subdivisez la problématique** en sous-questions en variant les mots interrogatifs.
Par qui, par quoi le poète peut-il être inspiré ? Pourquoi est-il particulièrement propre à être inspiré ?
Qui inspire-t-il ? Dans quels domaines peut-il inspirer son lecteur ? Pourquoi est-il particulièrement propre à inspirer les hommes ? Par quels moyens ?
Quelle part du poète est la plus importante ? L'une domine-t-elle sur l'autre ? Quels autres rôles peut-on lui assigner ?
• **Dépassement suggéré** : ces deux éléments se complètent et se renforcent. Inspiration et rôle d'inspirateur sont complémentaires.

CORRIGÉ 11

Les titres en couleur et les indications entre crochets servent à guider la lecture mais ne doivent pas figurer sur la copie.

Introduction

[Amorce] Apollon, Dionysos, Orphée, Calliope et Erato… La tradition antique veut que de nombreuses divinités ou figures mythologiques président à la destinée du poète, elle fait de lui un être à part, proche du sacré. [Problématique] Ainsi, Éluard définit, par une formule spirituelle, et sa nature et sa fonction : « Le poète est celui qui inspire bien plus qu'il n'est inspiré ». Qu'entend-il par là ? Peut-on adhérer sans réserve à cette déclaration ?

[Plan] Certes, Éluard souligne deux aspects essentiels du poète : celui-ci semble « inspiré », animé par un puissant souffle mystérieux [I] qu'il doit transmettre à ses lecteurs pour les pousser à l'action [II]. Mais ne peut-on pas dépasser cette conception de la poésie, lui trouver d'autres fonctions ? [III]

I. Le poète « est inspiré »

1. Une voix venue d'ailleurs

• D'après l'étymologie, « être inspiré » signifie « recevoir un souffle divin ». Le poète est considéré depuis l'Antiquité comme un être à part, habité par la parole divine. Homère ouvre l'*Odyssée* par « Muse, dis-moi (...) Déesse née de Zeus, conte ces aventures ». Pour Platon, ce souffle est une « chose légère, ailée, sacrée » qui « n'est pas capable de créer jusqu'à ce qu'il soit devenu l'homme qu'habite un dieu, qu'il ait perdu la tête, que son propre esprit ne soit plus en lui ! » (*Ion*)

• Cette idée s'est perpétuée à travers les siècles. On la retrouve par exemple chez Du Bellay qui parle de « cette honnête flamme au peuple non commune ». Chez Hugo, à l'époque romantique, le poète seul « a le front éclairé » et « un formidable esprit descend dans sa pensée » (« Fonction du poète »). Au XXᵉ siècle, la thématique religieuse (*Cinq Grandes Odes*) de la poésie de Claudel témoigne d'une vision analogue du poète, habité par un souffle venu de Dieu, venu d'en haut.

2. Inspiré par qui ? Par quoi ? Un « souffle » aux origines variées

Mais quelles peuvent être les sources de ce « souffle » créateur ?

• Ce peut être un dieu (Apollon ou Dionysos), les muses (Antiquité) ou le Dieu chrétien, ce qui fait du poète un mystique.

• Mais ce peut être aussi, notamment pour les Romantiques, la nature sauvage dans sa beauté, qui transporte le poète jusqu'à l'enthousiasme quasi religieux et à l'enchantement du cœur (exemples : *René* de Chateaubriand : « Levez-vous vite, orages désirés qui devez emporter René dans les espaces d'une autre vie ! » ; Baudelaire : « La Nature est un temple où de vivants piliers/Laissent parfois sortir de confuses paroles », « Correspondances »).

• Ce peut être le mal-être ou les bonheurs et souffrances intimes (exemples : *Les Contemplations* de Hugo « Oh je fus comme fou »... ; « Nuit de Mai » de Musset : le Pélican, image du poète, pour nourrir ses petits, s'ouvre les entrailles, c'est-à-dire le cœur ; Aragon et sa « muse » Elsa : « Suffit-il que tu paraisses pour que je naisse... »).

• Pour les Symbolistes et les Surréalistes, c'est le rêve – avec ses vagues d'images et de mots – et le dérèglement des sens qui produisent le délire poétique et font du poète le traducteur de l'inconscient. Pour Mallarmé, le poète, par un phénomène encore plus secret, cède à « l'instinct de rythme qui l'élit » : le poème naît du rythme intérieur même, de ce « magma originel en mouvement », cette « force éruptive » intime, qui fait surgir les phrases comme dans une hallucination.

3. L'inspiration fait-elle le poète ?

Cette conception élitiste, poussée à l'extrême, présente des limites.

• La primauté absolue accordée à l'inspiration semble opposer l'inspiration poétique à la raison – ce qui expliquerait que le XVIIIe siècle soit si pauvre en poètes – et passer sous silence la nécessité du travail poétique. Ainsi, pour les surréalistes, la poésie est « dictée de la pensée, en l'absence de tout contrôle exercé par la raison, en dehors de toute préoccupation esthétique ou morale » (*Premier Manifeste du surréalisme*).

• Or, si la parole poétique est révélée, elle procède aussi de méthodes, de techniques qui ont un rapport avec la raison. Le poète est un artisan du langage : il doit « cent fois sur le métier remettre son ouvrage », travaille sur les rythmes, les sons, les images pour donner forme à sa parole et en faire une œuvre d'art (exemples personnels : cas des formes fixes, des poèmes en prose, des calligrammes). Pour Rimbaud, l'inspiration ne saurait suffire : il faut cultiver ce don par « un long, immense et *raisonné* dérèglement de tous les sens » et épuiser « tous les poisons pour n'en garder que la quintessence ».

II. Le poète « inspire »

1. Un don qui implique une mission : pourquoi ?

• Déjà Hugo, avant Éluard, répond à ces objections en attribuant au poète inspiré une fonction d'inspirateur : sorte de prophète habité par un souffle mystérieux, le poète se sent investi d'une mission, celle d'inspirer les hommes. Si la parole lui est donnée, il doit la transmettre en retour et se faire l'intermédiaire entre la puissance créatrice et les hommes. Pourquoi cette mission et pourquoi le poète est-il particulièrement apte à la remplir ?

• Parce que « Dans votre nuit, sans lui complète,/Lui seul a le front éclairé » (Hugo). Le poète est voyant : « Il rayonne ! il jette sa flamme/Sur l'éternelle vérité ! ». Être à la sensibilité particulièrement exacerbée, il est capable de ressentir le monde, de pressentir l'avenir, de faire résonner en lui les émotions, les sentiments et tout « Ce que la foule n'entend pas » (Hugo).

• C'est aussi parce que, artiste des mots, traducteur, « déchiffreur » des secrets du monde, il sait « dire », grâce à la langue poétique, à ses rythmes, ses sons, ses images, quand les hommes, eux, n'ont pas les mots [exemples personnels].

2. En quoi consiste cette mission ? *Qui* le poète doit-il inspirer ?

• L'affirmation d'Éluard suggère que le poète est un homme parmi les hommes et ne doit pas rester dans une marginalité hautaine. Hugo l'affirmait déjà dans sa « Préface » aux *Contemplations* : « Ma vie est la vôtre, votre vie est la mienne [...] ; vous vivez ce que je vis [...] On se plaint quelquefois des écrivains qui disent moi. Parlez-nous de nous, leur crie-t-on. Hélas ! quand je vous parle de moi, je vous parle de vous. »

• Éluard, comme Hugo, exhorte le poète à « inspirer » celui que Baudelaire appelle, dans son poème « Au lecteur », son « semblable », son « frère ». Comme l'affirme Hugo : « Honte au penseur qui [...] s'en va, chanteur inutile,/ Par la porte de la cité ! ». Le poète doit s'engager et servir de guide.

3. Que peut inspirer/insuffler le poète aux hommes ?

L'expression « inspirer quelque chose à quelqu'un » signifie : « susciter en lui, faire naître en lui ». Que peut donc insuffler le poète à son lecteur ?

• Par sa parole poétique il lui communique ses émotions, ses sentiments (c'est la poésie lyrique) que son lecteur reconnaîtra comme siens [exemples de poésie lyrique à développer].

• Se faisant presque philosophe, il peut aussi – dans une « leçon » poétique – se faire « maître de vie », donner des conseils pour atteindre le bonheur [exemples du corpus] ou surmonter les malheurs [exemple à développer : les *Fables* de La Fontaine, *Les Contemplations* de Hugo, *À la lumière d'hiver* de Jaccottet].

• Mais « inspirer quelqu'un » signifie aussi « pousser quelqu'un à agir », et c'est sans doute dans ce sens qu'Éluard emploie le verbe. Dans les époques troublées, le poète, en dévoilant injustices et souffrances, suscite chez son lecteur un sentiment de révolte et « l'inspire à » agir, à réagir. Le poète engagé dénonce, accuse et transmet ce souffle puissant qui veut renverser des empires (exemple à développer : Agrippa d'Aubigné qui « pein[t] la France une mère affligée » du temps des guerres de religion ; Hugo et *Les Châtiments* contre Napoléon III ; les poètes résistants, Éluard : « Liberté »...).

• Mais le poète est-il « celui qui inspire *bien plus* qu'il n'est inspiré » ? Peut-on vraiment poser une telle alternative ? Ou est-ce, de la part d'Éluard, un temps communiste, engagé pour l'Espagne républicaine puis dans la résistance, une formulation spirituelle, un simple jeu sur les mots pour frapper le lecteur et faire prévaloir sa conception du poète engagé ?

III. D'autres conceptions du poète : une fonction multiple

Cette partie se présente sous la forme d'un plan, car sa teneur dépend de votre propre conception de la poésie : à vous de développer les conceptions de la poésie qui vous paraissent pertinentes.

On ne saurait cependant réduire à une question d'« inspiration » la nature et la fonction du poète, qui peut combiner plusieurs facettes et fonctions.

1. Un artiste ou un artisan, un point c'est tout !

• Le poète est comme un peintre qui décrit (Horace : « *ut pictura, poesis* » : la poésie est comme une peinture) [Exemples personnels].

• Le poète, esthète, crée un bel objet d'art (théorie de l'art pour l'art ; Théophile Gautier, Leconte de Lisle).

• Le poète est comme un musicien (« aède » en grec signifie « qui chante ») qui joue avec les sonorités et charme par les mots (Orphée).

• Le poète est un artisan qui jongle avec les mots, divertit – souvent avec humour – (Marot, Queneau, Prévert, Tardieu, l'OuLiPo) et crée un nouveau langage.

2. Un explorateur du monde, un créateur de mondes oniriques

• Le poète revivifie le monde quotidien que l'habitude a soustrait à notre regard. Cocteau : grâce au poète, « l'espace d'un éclair nous voyons un chien, un fiacre, une maison pour la première fois. Voilà le rôle de la poésie. Elle dévoile, dans toute la force du terme. »

(Autre exemple : Ponge, *Le Parti pris des choses*).

• Le poète invente des mondes imaginaires nouveaux, oniriques, idéaux pour faire rêver son lecteur (Rimbaud) ou inquiétants (Lautréamont).

Conclusion

[Synthèse] Certes le poète a quelque chose de divin, comme l'indique l'étymologie du mot (*poiétès*, en grec, signifie « créateur »). Animé d'un don mystérieux (« inspiré ») et d'une force qu'il transmet à son lecteur (« qui inspire »), il se démarque du commun des mortels, mais il dépasse cette définition par les multiples fonctions qu'il peut remplir. [Ouverture] *Aède, rhapsode, rimeur, barde, jongleur, ménestrel, rhétoriqueur, trouvère, troubadour*, autant de mots divers pour nommer le poète… À quoi bon vouloir l'enfermer dans une fonction ? Son originalité ne lui vient-elle pas justement de cet éclectisme qui le rend indéfinissable ? Et après tout, la poésie, on ne devrait que la dire et la « lyre » !

12

Asie • Juin 2017
Séries ES, S • 16 points

Poète inspiré ? Poète qui inspire ?

■ Écriture d'invention

▸ Ayant obtenu de ramener Eurydice des Enfers, Orphée, dans un élan d'enthousiasme, la prend par la main. Joignant la parole au geste, il l'invite à renaître en célébrant la vie.
En vous inspirant des documents du corpus, vous écrirez, sous la forme d'un texte poétique en prose, les paroles qu'Orphée adresse à Eurydice.

Le candidat peut s'appuyer sur les textes reproduits dans le sujet n° 9.

LES CLÉS DU SUJET

■ Comprendre le sujet

• **Genre** : « texte poétique » → poésie. Mais « en prose ».
• **Sujet** : « la vie ».
• **Type de texte** : « célébrant » implique un éloge → texte argumentatif.
• **Registre** : non explicitement précisé.
• **Point de vue** : celui d'Orphée, poète inspiré, amoureux et sensible.
• **Situation d'énonciation** : *qui* ? Orphée ; *à qui* ? Eurydice ; *quand* ? au moment où les dieux ont permis à Orphée de ramener Eurydice des Enfers ; *où* ? sur le chemin de retour à la lumière terrestre.
• **Niveau de langue** : soutenu (Orphée est un poète).
• **Caractéristiques du texte à produire** définies à partir de la consigne :

> Poème en prose (*genre*) qui argumente sur (*type de texte*) la (la conception de la) vie (*thème*), lyrique ? épique ? didactique ? (*registres*), poétique, enthousiaste (*adjectifs*) pour célébrer la vie (*buts*).

■ Chercher des idées

Contraintes de fond

• **Le locuteur** : Orphée. Respectez les données de la légende. Tirez aussi parti du poème de Jean Mambrino (texte D) et du tableau qui figure dans le corpus (document E).

• « **célébrer** » signifie : honorer, faire l'éloge de, glorifier, chanter. Le mot a une connotation religieuse et musicale. Cela suggère un registre lyrique.

• La **thèse soutenue** par Orphée : il faut profiter de la vie (le *carpe diem* des Épicuriens). Pour trouver des idées, vous pouvez aussi commencer les phrases par : *Pour profiter de la vie, il faut…*

• Évitez les anachronismes. Respectez le contexte de l'Antiquité.

Contraintes de forme

• Attention : « poème **en prose** » ; si vous composez un poème en vers, vous serez pénalisé, même si c'est une écriture plus difficile que la prose.

• « **texte poétique** »/« **enthousiasme** » : *enthousiasme* signifie au sens propre « inspiration divine » (délire sacré qui saisit l'interprète de la divinité ; exaltation du poète sous l'effet de l'inspiration).

La poésie implique l'usage d'images frappantes (métaphores, personnifications, allégories…), d'exclamations (interjections), de phrases amples (avec anaphores, répétitions, accumulations…), d'hyperboles, de notations sensorielles, du vocabulaire affectif des émotions, de mots mélioratifs ou péjoratifs marqués subjectivement.

• « **l'invite à…** » : Orphée donne une « leçon de vie » à Eurydice ; le ton peut être didactique et implique des conseils ou des ordres nuancés ; utilisez l'impératif, des expressions qui expriment l'obligation (« il faut, tu dois »…), des questions rhétoriques, le présent de vérité générale…

Les choix à faire

• La **teneur des propos** d'Orphée : ils tournent autour du dernier mot d'Orphée dans le texte D « Vis » et du mot « vivre » de la consigne : le poète Orphée fait comprendre à sa femme ce que signifie « vivre ».

• La conception de la « vie » selon Orphée : mettre en relief la beauté du monde (nature, êtres vivants…).

• On doit sentir l'amour d'Orphée pour Eurydice (apostrophes affectives).

• Tirez parti de la présence de la « **lyre** », objet emblématique d'Orphée.

POÉSIE

Il faut vivre, Eurydice ! Non pas vivre toujours, mais qu'importe ? Oui, cette vie pour nous ne sera qu'un instant. Oui, cette loi dure et terrible, nous la subissons. Oui mais nous connaissons aussi sa beauté car n'est-ce pas plus beau quand rien n'est éternel ? S'enivrer d'un soleil que l'on verrait se lever jusqu'à la fin des temps ? Le bruissement d'une vague, le pépiement d'un oiseau, le souffle délicat d'un Zéphyr facétieux, tout cela deviendrait froid, languissant, navrant si l'on était condamné à toujours les goûter.

Faut-il être toujours ivre de vin, toujours ivre de nous ? Ivre de poésie, de joie, de vertu et d'oubli ? L'ivresse n'est qu'un instant. Elle n'est pas l'infini. Mais elle devient atroce quand elle est un destin. Mais elle est infinie quand elle peut finir et quand on se souvient que le Temps, horrible fardeau, peut nous broyer le dos, nous briser la nuque et nous jeter à terre. Tu le sais maintenant, toi qui sors du Tartare. Ah, elle est cruelle et sublime Eurydice, cette allégresse qui te rompt et t'élève à la fois ! Quelle jubilation parfaite et terrible, ô ma belle, que ce moment d'abîme et de gloire ! Les roses de la vie, on ne les cueille qu'une fois ! Viens mon enfant, ma sœur, viens pour qu'ensemble nous les rassemblions, et qu'ensemble nous renaissions.

Songe à la douceur de revoir la lumière, l'Aurore rougeoyante et le midi brûlant, le crépuscule sombre et la nuit mystérieuse. Songe à la joie de voir gonfler la mer profonde, comme la respiration d'un enfant qui dort. Songe à l'oiseau moqueur qui pépie, trille, piaille, appelle de ses vœux, du sommet d'un grand arbre, le printemps bienfaisant. Songe au vent chargé de parfums et d'encens, c'est lui qui fait tourner les étoiles, vois-tu ? Oui, dans ce monde-là qui fut le tien, dans ce monde où je te reconduis, tout est désordre et tout est volupté !

Chante, mon Eurydice, et je prendrai ma lyre ! Nous accorderons le bruissement des vents, le clapotis de l'eau, le cri aigu de l'aigle et nous attendrirons les rocs les plus blessants ! Exulte dans l'instant, va toucher l'étoile au bout de l'horizon, possède ce monde où nous allons tous deux, d'un même souffle ! Cours, vis, aime à loisir, brille de tous tes feux. Ton rire embrasera l'horizon morne et gris. Il rendra aux cieux leur profondeur suprême. On entendra l'écho de ta voix enchanteresse, et les âmes damnées des Enfers t'aimeront ! Chante, mon Eurydice, et tu seras ma lyre !

CONSEIL
Dans une écriture d'invention, ne vous interdisez pas de faire des « clins d'œil » aux textes que vous connaissez par des expressions empruntées aux grands écrivains (ici Baudelaire) ou calquées sur leur style.

93

Un regard renouvelé sur le monde

■ Question

Documents

A – **Jean-Baptiste Clément**, « Le temps des cerises », *Chansons*, 1882.
B – **André Gide**, « La ronde des grenades », *Les Nourritures terrestres*, livre IV, 1897.
C – **Francis Ponge**, « L'orange », *Le Parti pris des choses*, 1942.
D – **Jacques Prévert**, « Promenade de Picasso », *Paroles*, 1949.

▶ **En quoi ces quatre textes révèlent-ils les richesses poétiques des fruits ?**

Après avoir répondu à cette question, les candidats devront traiter au choix un des trois sujets nos 14, 15 ou 16.

DOCUMENT A	**Le temps des cerises**

Ce poème fut composé en 1866 puis repris comme chant populaire lors des journées révolutionnaires de la Commune de Paris au printemps 1871.

À la vaillante citoyenne *Louise*,
l'ambulancière de la rue Fontaine-au-Roi.
le dimanche 28 mai 1871.

Quand nous en serons au temps des cerises,
Et gai rossignol et merle moqueur
    Seront tous en fête.
Les belles auront la folie en tête
5 Et les amoureux du soleil au cœur.
Quand nous en serons au temps des cerises,
Sifflera bien mieux le merle moqueur.

Mais il est bien court le temps des cerises,
Où l'on s'en va deux cueillir en rêvant
10   Des pendants d'oreilles[1].

Cerises d'amour aux robes pareilles
Tombant sous la feuille en gouttes de sang.
Mais il est bien court le temps des cerises,
Pendants de corail qu'on cueille en rêvant.

15 Quand vous en serez au temps des cerises,
Si vous avez peur des chagrins d'amour
    Évitez les belles.
Moi qui ne crains pas les peines cruelles,
Je ne vivrai pas sans souffrir un jour.
20 Quand vous en serez au temps des cerises,
Vous aurez aussi des chagrins d'amour.

J'aimerai toujours le temps des cerises :
C'est de ce temps-là que je garde au cœur
    Une plaie ouverte,
25 Et dame Fortune, en m'étant offerte,
Ne saurait jamais calmer ma douleur.
J'aimerai toujours le temps des cerises
Et le souvenir que je garde au cœur.

Paris-Montmartre, 1866.
Jean-Baptiste Clément, « Le temps des cerises », *Chansons*, 1882.

---

1. Pendants d'oreilles : cerises portées en boucles d'oreilles.

DOCUMENT B **La ronde des grenades**

Le récit poétique en prose, Les Nourritures terrestres, *adressé au jeune Nathanaël, comporte des passages versifiés comme « La ronde des grenades ». Dans cet extrait, Hylas s'adresse à Nathanaël puis passe la parole à la jeune Simiane.*

Nathanaël, te parlerai-je des grenades[1] ?
On les vendait pour quelques sous, à cette foire orientale,
Sur des claies[2] de roseaux où elles s'étaient éboulées,
On en voyait qui roulaient dans la poussière
5 Et que des enfants nus ramassaient
Leur jus est aigrelet comme celui des framboises pas mûres
Leur fleur semble faite de cire ;
Elle est de la couleur du fruit.

Trésor gardé, cloisons de ruches,
10 Abondance de la saveur,
Architecture pentagonale.
L'écorce se fend ; les grains tombent,
Grains de sang dans des coupes d'azur ;
Et d'autres, gouttes d'or, dans des plats de bronze émaillé.

15 – Chante à présent la figue, Simiane[3],
Parce que ses amours sont cachées.

– Je chante la figue, dit-elle,
Dont les belles amours sont cachées,
Sa floraison est repliée.
20 Chambre close où se célèbrent des noces ;
Aucun parfum ne les conte au-dehors.
Comme rien ne s'en évapore,
Tout le parfum devient succulence et saveur.
Fleur sans beauté ; fruit de délices ;
25 Fruit qui n'est que sa fleur mûrie.

J'ai chanté la figue, dit-elle.
Chante à présent toutes les fleurs.

André Gide, « La ronde des grenades »,
Les Nourritures terrestres, livre IV, 1897.

---

1. Grenades : fruits du grenadier, de la grosseur d'une pomme, dont l'intérieur cloisonné renferme des grains rouges.
2. Claies : support tressé utilisé pour sécher les fruits.
3. Simiane : prénom féminin.

DOCUMENT C   **L'orange**

Comme dans l'éponge il y a dans l'orange une aspiration à reprendre contenance après avoir subi l'épreuve de l'expression[1]. Mais où l'éponge réussit toujours, l'orange jamais : car ses cellules ont éclaté, ses tissus se sont déchirés. Tandis que l'écorce seule se
5 rétablit mollement dans sa forme grâce à son élasticité, un liquide d'ambre s'est répandu, accompagné de rafraîchissement, de parfums suaves, certes, – mais souvent aussi de la conscience amère d'une expulsion prématurée de pépins.

POÉSIE

Faut-il prendre parti entre ces deux manières de mal supporter
10 l'oppression ? – L'éponge n'est que muscle et se remplit de vent,
d'eau propre ou d'eau sale selon : cette gymnastique est ignoble.
L'orange a meilleur goût, mais elle est trop passive, – et ce sacrifice
odorant… c'est faire à l'oppresseur trop bon compte vraiment.

Mais ce n'est pas assez avoir dit de l'orange que d'avoir rappelé
15 sa façon particulière de parfumer l'air et de réjouir son bourreau.
Il faut mettre l'accent sur la coloration glorieuse du liquide qui en
résulte, et qui, mieux que le jus de citron, oblige le larynx à s'ouvrir
largement pour la prononciation du mot comme pour l'ingestion
du liquide, sans aucune moue appréhensive[2] de l'avant-bouche dont
20 il ne fait pas se hérisser les papilles.

Et l'on demeure au reste sans paroles pour avouer l'admiration
que mérite l'enveloppe du tendre, fragile et rose ballon ovale dans cet
épais tampon-buvard humide dont l'épiderme extrêmement mince
mais très pigmenté, acerbement sapide[3], est juste assez rugueux pour
25 accrocher dignement la lumière sur la parfaite forme du fruit.

Mais à la fin d'une trop courte étude, menée aussi rondement
que possible – il faut en venir au pépin. Ce grain, de la forme d'un
minuscule citron, offre à l'extérieur la couleur du bois blanc de
citronnier, à l'intérieur un vert de pois ou de germe tendre. C'est en
30 lui que se retrouvent, après l'explosion sensationnelle de la lanterne
vénitienne[4] de saveurs, couleurs et parfums que constitue le ballon fruité lui-même, – la dureté relative et la verdeur (non d'ailleurs
entièrement insipide[5]) du bois, de la branche, de la feuille : somme
toute petite quoique avec certitude la raison d'être du fruit.

Francis Ponge, « L'orange », in *Le Parti pris des choses*, 1942,
© Éditions Gallimard, www.gallimard.fr

---

1. Expression : action de presser et d'exprimer.
2. Sans aucune moue appréhensive : sans aucune grimace craintive au contact du jus.
3. Acerbement sapide : d'une saveur agressive.
4. Lanterne vénitienne : lanterne multicolore.
5. Insipide : sans saveur.

DOCUMENT D   ## Promenade de Picasso

Sur une assiette bien ronde en porcelaine réelle
une pomme pose
face à face avec elle
un peintre de la réalité
5 essaie vainement de peindre
la pomme telle qu'elle est
mais
elle ne se laisse pas faire
la pomme
10 elle a son mot à dire
et plusieurs tours dans son sac de pomme
la pomme
et la voilà qui tourne
dans son assiette réelle
15 sournoisement sur elle-même
doucement sans bouger
et comme un duc de Guise qui se déguise en bec de gaz[1]
parce qu'on veut malgré lui lui tirer le portrait
la pomme se déguise en beau fruit déguisé[2]
20 et c'est alors
que le peintre de la réalité
commence à réaliser
que toutes les apparences de la pomme sont contre lui
et
25 comme le malheureux indigent[3]
comme le pauvre nécessiteux qui se trouve soudain à la merci de
    n'importe quelle association bienfaisante et charitable et redou-
    table de bienfaisance de charité et de redoutabilité
le malheureux peintre de la réalité
se trouve soudain alors être la triste proie
d'une innombrable foule d'associations d'idées[4]
30 et la pomme en tournant évoque le pommier
le Paradis terrestre et Ève et puis Adam
l'arrosoir l'espalier Parmentier l'escalier
Le Canada les Hespérides la Normandie la Reinette et l'Api
le serpent du Jeu de Paume le serment du Jus de Pomme
35 et le péché originel
et les origines de l'art
et la Suisse avec Guillaume Tell

et même Isaac Newton
plusieurs fois primé à l'Exposition de la Gravitation Universelle
40 et le peintre étourdi perd de vue son modèle
et s'endort
c'est alors que Picasso
qui passait par là comme il passe partout
chaque jour comme chez lui
45 voit la pomme et l'assiette et le peintre endormi
Quelle idée de peindre une pomme
dit Picasso
et Picasso mange la pomme
et la pomme lui dit Merci
50 et Picasso casse l'assiette
et s'en va en souriant
et le peintre arraché à ses songes
comme une dent
se retrouve tout seul devant sa toile inachevée
55 avec au beau milieu de sa vaisselle brisée
les terrifiants pépins de la réalité.

Jacques Prévert, « Promenade de Picasso », in *Paroles*, 1949,
© Éditions Gallimard, © Fatras/Succession
Jacques Prévert. Droits numériques réservés.

1. Bec de gaz : ancien éclairage de rue, fonctionnant au gaz.
2. Beau fruit déguisé : un fruit déguisé est une confiserie.
3. Indigent : personne dans le besoin.
4. Associations d'idées : succession de références historiques et culturelles, développées dans les vers suivants.

LES CLÉS DU SUJET

■ Comprendre la question

• La question comporte un **présupposé** : « Ces fruits présentent des richesses poétiques. » Vous devez le confirmer en analysant les textes.

• « **En quoi** » est une expression vague. Il faut l'expliciter : « *Quelles richesses* poétiques présentent ces fruits et *comment, par quels moyens, faits d'écriture* les poètes les mettent-ils en valeur ? »

■ Construire la réponse

• Analysez les **champs lexicaux** et les **faits d'écriture poétique**.
• Identifiez à quelles réalités les fruits sont **associés**.

• Partez **du plus évident** (les sensations que les fruits procurent) **au moins évident** (les sentiments qu'ils inspirent, leurs effets sur les animaux et les gens, leurs fonctions, les divers « sens » que leur donnent les poètes).
• **Ne juxtaposez pas l'analyse des textes**, mais construisez votre réponse autour des caractéristiques (communes) attribuées à ces fruits.
• Accompagnez chaque remarque d'**exemples précis** tirés des textes.

CORRIGÉ **13**

Les titres en couleur et les indications entre crochets servent à guider la lecture mais ne doivent pas figurer sur la copie.

Introduction

[Amorce] Une des forces de la poésie est de renouveler notre vision du monde en puisant ses sujets d'inspiration dans la réalité quotidienne : objets, fleurs, fruits… [Présentation du corpus] Ainsi J.-B. Clément en 1882 fait du « temps des cerises » le sujet d'un poème repris comme chant populaire après la Commune de Paris ; un siècle plus tard, A. Gide fait l'éloge, dans son récit poétique *Les Nourritures terrestres*, de la grenade et de la figue ; au début du XXe siècle, Francis Ponge, dans un poème en prose, « prend le parti » de l'orange, à peu près à la même époque où J. Prévert, dans son poème en vers libres « Promenade de Picasso » (*Paroles*), évoque la rencontre entre une pomme et le peintre espagnol. [Problématique] Quelles richesses de ces modestes fruits la poésie met-elle en valeur et par quels moyens ? Comment renouvelle-t-elle l'image que nous en avons ?

I. Une fête pour les sens, la sensibilité et l'esprit

• Les fruits choisis par les poètes offrent une vraie fête pour tous les sens. Ils sollicitent la vue par leur forme (« ballon » de l'orange, « architecture penta-gonale » de la grenade) et leurs couleurs (le « sang » des cerises et des gre-nades, le « rose » de l'orange, etc.). Ils sollicitent aussi le goût (« jus aigrelet » des grenades, « verdeur » des pépins, « succulence », etc.) ainsi que l'odorat (« parfum » des figues, orange qui « parfume l'air ») et le toucher (l'« enve-loppe tendre » de l'orange, son « élasticité »).

• Ils ont aussi un effet – le plus souvent bénéfique – sur tout ce et ceux qui les entourent. Vecteurs de vie (le « sang » – Clément et Gide), ils apportent des « délices » (Gide) et suscitent l'« admiration » (Ponge). Ils sont associés à des

POÉSIE

activités joyeuses (la fête chez Clément, le « chant » chez Gide). Ils sont éveilleurs de sentiments, l'amour en particulier (les « amoureux » ont « du soleil au cœur » ; la figue est associée aux « noces »). Enfin ces fruits sont une réserve à souvenirs que l'on « garde au cœur » (Clément) ou qui font resurgir tout un passé, depuis le « péché originel » d'« Ève et d'Adam » jusqu'au « serment du jeu de Paume » (Prévert).

II. Une floraison d'images transformatrices

• Des images, le plus souvent positives, magnifient les fruits et les métamorphosent en bijoux (« pendants d'oreilles » chez Clément, « gouttes d'or » chez Gide), en « ballon », « tampon-buvard », « lanterne vénitienne » (Ponge) ou en matières précieuses comme le « corail » (Clément), l'« or » (Gide) et l'« ambre » (Ponge).

• Les fruits sont personnifiés : les grenades font « la ronde », la figue a des « amours cachées » (Gide), l'orange est victime d'un « bourreau » (Ponge) ; la pomme « pose », « elle ne se laisse pas faire », elle a « son mot à dire », elle se fait « tirer le portrait », « dit merci » ; elle est même « sournois[e] » (Prévert).

• Dans ces métamorphoses, les jeux de mots jouent un rôle primordial (« expression » du jus de l'orange ; cascades de bons mots chez Prévert : « jeu de Paume » fait penser à « jus de pomme » !).

III. Des symboles aux sens multiples

Au-delà des descriptions mélioratives, les poètes donnent à ces fruits une valeur symbolique.

• La cerise est symbole de joie (liée à la mention du printemps), mais aussi de chagrin lié à la mort de l'amour (elle tombe « sous la feuille en goutte de sang »).

• La grenade symbolise la vie extravertie, presque dionysiaque, avec ces « enfants nus » et cette « abondance » qui lui sont associés, alors que la figue renvoie au plaisir caché et suggère sans doute une image du sexe féminin.

• L'orange, victime de son « bourreau » « oppresseur », figure le « sacrifice » mais aussi la résistance à l'oppression…

• Enfin la pomme est le symbole de la peinture, de l'inspiration artistique, magique, puisque, sujet d'une « nature *morte* » de Picasso, le poète par son art même la rend vivante !

Conclusion

Grâce à la poésie, les fruits dépassent donc largement leur réalité et prennent une dimension inattendue.

14

Pondichéry • Avril 2016
Séries ES, S • 16 points

Un regard renouvelé sur le monde

■ Commentaire

▶ **Vous ferez le commentaire du texte d'André Gide (texte B).**

Se reporter au document B du sujet n° 13.

LES CLÉS DU SUJET

■ Trouver les idées directrices

• Identifiez les caractéristiques du texte pour en trouver les idées directrices.

> Extrait de roman sous forme de poème en prose (*genre*) qui décrit (*type de texte*) deux fruits (*thème*), lyrique (*registre*), pictural, pittoresque, élogieux, sensuel, érotique, imagé, symbolique (*adjectifs*), pour faire l'éloge des fruits mais aussi des plaisirs terrestres, pour donner une vision du monde (*buts*).

■ Pistes de recherche

Première piste : de la description à la métamorphose
• Identifiez d'où vient la richesse de la **description** : est-elle **réaliste** ?
• Quels **sens** sont sollicités ?
• En quoi Gide permet-il de porter un **regard renouvelé** sur ces fruits ?
• Analysez notamment comment Gide **métamorphose** et transfigure les deux fruits (étude des images poétiques, des correspondances…).

Deuxième piste : un hymne, une célébration
• Pourquoi peut-on parler de célébration, d'**éloge** de ces fruits ?
• Quel **sens symbolique** peuvent prendre ces deux fruits ?
• Quelle **vision du monde** Gide propose-t-il à travers leur éloge ?
• Déduisez-en la fonction et les pouvoirs de la poésie.
▶ **Pour réussir le commentaire :** voir guide méthodologique.
▶ **La poésie :** voir mémento des notions.

CORRIGÉ 14

Les titres en couleur et les indications entre crochets servent à guider la lecture mais ne doivent pas figurer sur la copie.

Introduction

[Amorce] Roman ou poème ? *Les Nourritures terrestres*, publiées par Gide en 1897, sont une œuvre hybride : roman par ses personnages qui voyagent dans des lieux exotiques et transgressent la morale traditionnelle dans leur recherche d'un bonheur sensuel au contact de la nature ; poème en prose qui mêle des formes variées – fragments de journal intime, simples notes jetées çà et là... [Présentation du texte] « La ronde des grenades » constitue un des moments poétiques de l'œuvre. Avec un lyrisme sensuel et enthousiaste, Hylas, un jeune homme, et Simiane, une jeune femme, décrivent et célèbrent deux « nourritures terrestres », l'un la grenade, l'autre la figue. Leur chant dépeint les fruits avec précision, comme un peintre de nature morte et les métamorphose en de précieux objets de désir. [I] Gide renoue avec la tradition antique de la poésie : la « Ronde » devient un hymne païen à la gloire des fruits, de ce qu'ils représentent et symbolisent : le désir sans interdit pour tout ce qui peut être goûté, étreint – nourritures et corps désirables [II].

I. De la description à la métamorphose

1. « *Ut pictura poesis* » : la poésie comme peinture

Le poète latin Horace disait de la poésie qu'elle devait être « comme une peinture » (*ut pictura poesis*) pour décrire avec des mots ce que le peintre reproduit par des lignes et des couleurs. « La ronde des grenades » remplit cette fonction de la poésie.

• Gide introduit dans le poème des scènes exotiques telle « cette foire orientale » avec des gros plans sur « les claies de roseaux » ; c'est un tableau vivant, animé par les verbes d'action pour esquisser avec légèreté ces « enfants nus » qui « ramassaient » les fruits qui « roulaient ».

• Les fruits, grenade et figue, sont présentés dans leur réalité de « fleurs » avant les manifestations de leur maturité (« sa fleur mûrie » ; les « grains » de la grenade, « l'écorce qui se fend »).

• Ils sont décrits avec la précision d'une nature morte mais, outre la vue, ils sollicitent les autres sens : le « parfum » caché de la figue se transforme en « succulence et saveur » de la chair, la grenade offre son jus « aigrelet » et sa « couleur » de « cire » ; on croirait toucher des « gouttes d'or » et, dans une étrange synesthésie, on voit et on entend les « grains de sang » de la grenade qui « tombent dans les plats de bronze émaillé ». Et ces fruits ont des voix qui les « chante[nt] » et s'entrecroisent, voix mâle et grave d'Hylas, voix claire et féminine de Simiane.

2. Métamorphose poétique et création d'un nouveau monde

• Rimbaud voulait se faire « voyant ». Le poète ne doit pas se contenter de dire ce qu'il voit ; il a le pouvoir par le jeu des images (alchimie du verbe !) de métamorphoser le monde et de voir au-delà des formes sensibles qui nous entourent. Ici, les simples fruits deviennent un monde mystérieux qui entre en résonance avec d'autres beautés de la nature : ils se font écho, comme des harmoniques.

• Pour faire entrer Nathanaël – et le lecteur – dans ce monde et qu'ils en perçoivent toutes les richesses, même cachées, Hylas établit des comparaisons avec d'autres fruits plus ou moins proches de la grenade (« comme des framboises »). Par des métaphores plus audacieuses, il tisse des liens avec d'autres éléments naturels : les grains de la grenade sont séparés par une « cloison » qui rappelle les rayons des « ruches ».

• Ce sont presque des correspondances baudelairiennes que Gide imagine lorsqu'il évoque « l'architecture pentagonale » de la chair de grenade ; le rapprochement du végétal et du minéral rappelle les vers de « Correspondances » où, pour Baudelaire, « la nature est un temple » soutenu par les arbres « vivants piliers ». Tour à tour « grains de sang » et « gouttes d'or », la grenade prend une dimension cosmique. À la vivacité et à la somptuosité manifestes de la grenade s'oppose l'univers mystérieux de la figue, « chambre close » qui abrite des amours « cachées », une vie intérieure (« repliée ») dont rien ne s'échappe « au-dehors ».

II. Un hymne, une célébration

« Chante à présent la figue », s'exclame Hylas lorsqu'il invite la jeune femme à poursuivre son éloge des fruits. Indissociable de la musique et du chant, la poésie des origines célèbre avant tout les dieux de l'Antiquité grecque et, en premier, Dionysos. Et dans le mot lyrisme, il y a « lyre », qui fait référence à l'instrument inventé par Apollon pour accompagner ses vers !

1. Une célébration des fruits

• Dans des strophes en vers libres, irrégulières mais équilibrées (six, neuf ou dix vers, séparées par deux distiques, deux versets), Gide perpétue la forme originelle du poème, le dithyrambe, poème qui célébrait Dionysos, dieu de l'ivresse poétique, de l'*enthousiasme* au sens propre, état du poète quand il est inspiré c'est-à-dire pénétré d'un souffle divin.

• Pour célébrer les deux fruits, Hylas et Simiane recourent aux procédés de l'éloge : ils multiplient les hyperboles, les qualificatifs emphatiques. La grenade prodigue ses saveurs avec « abondance », c'est un « trésor » qui se démultiplie en « gouttes d'or ». La figue, elle, augure de « belles amours », des noces que l'on « célèbre » avant de déguster la « succulence » des saveurs de ce « fruit de délices ».

• Les deux jeunes gens improvisent un véritable hymne – un chant païen – et renouent avec une des formes les plus anciennes de la poésie, la tradition des chants amébées : le poète s'y dédouble en faisant alterner les chants de deux bergers, par exemple.

• Gide s'amuse à mélanger les cultures et les influences… « Hylas » est le nom d'un personnage de la mythologie, un des Argonautes partis à la conquête de la Toison d'or, évoqué par de nombreux poètes antiques, grecs ou romains, Homère, Hésiode et bien d'autres. « Simiane » aurait plutôt une consonance orientale et ajoute un contrepoint exotique à l'échange. Le destinataire de ce chant, Nathanaël porte, lui, un nom hébreu.

2. Un hymne à la vie, à la sensualité

• Les deux fruits ne poussent pas dans un jardin ordinaire, mais dans un paradis terrestre. Nul effort pour les produire : ils s'offrent à qui veut les prendre et les « enfants nus » les ramassent comme au premier jour du monde.

• L'hymne a ici une dimension initiatique, il invite à savourer la vie en toute sensualité, et cet hédonisme est empreint d'érotisme.

• Nathanaël doit accepter le défi final que lui lance Simiane : « chante à présent toutes les fleurs », c'est-à-dire : découvre et cueille tous les plaisirs que t'offre la vie, sans tabous, sans interdits.

Conclusion

Éveil des sens, ferveur pour les fruits, les corps, les éléments, « La ronde des grenades » peut nous paraître un peu désuète dans sa façon d'évoquer le désir et l'érotisme à travers ces « nourritures terrestres ». Mais il faut mesurer la portée du défi que lançait Gide en invitant ses lecteurs de la fin du XIXe siècle à savourer, avec une sensualité toute païenne, des plaisirs que la morale commune réprouvait et que seule une minorité d'individus libérés s'autorisaient. [Ouverture] Indiscutablement Gide fut un précurseur de la libération des mœurs dont profite aujourd'hui notre société et qui reste pourtant toujours menacée par les intégrismes moraux et religieux.

Un regard renouvelé sur le monde

■ Dissertation

▶ **En quoi la poésie permet-elle de porter un regard renouvelé sur le monde qui nous entoure ?**
Vous répondrez à cette question en vous fondant sur les textes du corpus ainsi que sur les textes et œuvres que vous avez étudiés ou lus.

Les textes du corpus sont reproduits dans le sujet n° 13.

■ LES CLÉS DU SUJET

■ Comprendre le sujet

• « Le monde qui nous entoure » = objets, phénomènes de la nature, habitudes imposées par la société, activités de la vie.
• Le sujet propose une **thèse** : la poésie permet de modifier notre vision du monde, de nous le faire voir autrement, de lui donner un nouveau visage.
• La forme interrogative « En quoi permet-elle… ? » exclut la discussion de ce présupposé : le plan ne doit donc pas être dialectique.
• La **problématique** est : comment et pourquoi le poète change-t-il le regard du lecteur sur le monde qui l'entoure ?

■ Chercher des idées

• **Scindez** cette problématique en plusieurs sous-questions : « *Par quels moyens poétiques, pour quelles raisons* le poète voit-il le monde d'une façon inhabituelle ? *Comment* explique-t-il/perce-t-il les secrets du monde ? *Comment* le transfigure-t-il ? »
• **Cherchez des exemples** de poèmes qui prennent leur sujet dans le monde réel : choses, objets (Ponge, *Le Parti pris des choses*) ; activités de tous les jours : le travail (« Page d'écriture » ou « Le Cancre » de Prévert)… ; situations ordinaires (le vieillissement, Ronsard, « Quand vous

serez bien vieille » ; Baudelaire, « Les petites vieilles ») ; réalisme cru (Villon, « Ballade des Pendus » ; Baudelaire, « Une charogne »...) ; maux du monde (la guerre : Hugo, « Depuis six mille ans la guerre... » ; Rimbaud, « Le Mal »...)

CORRIGÉ **15**

Les titres en couleur et les indications entre crochets servent à guider la lecture mais ne doivent pas figurer sur la copie.

Introduction

[Amorce] C'est un lieu commun d'imaginer le poète comme un doux rêveur, incapable d'appréhender le monde tel que les autres le vivent. [Annonce du plan] Mais si l'on abandonne les clichés et les préjugés, on s'aperçoit que les poètes jettent sur le monde un regard particulier : ils le *voient* différemment et renouvellent ainsi la vision du lecteur [1] ; mieux encore, ils en percent les mystères grâce aux ressources du langage poétique [2]. Au-delà même, ils se servent de cette réalité qui les entourent comme d'un tremplin en la transfigurant pour mener une réflexion sur l'homme ou créer un monde nouveau [3].

I. Le poète, attentif au monde, le « voit » différemment

1. Le poète puise ses sujets dans le monde qui l'entoure

Délaissant les exploits épiques, la célébration des dieux ou les voyages vers des mondes exotiques ou rêvés, le poète s'inspire de la réalité ordinaire où il vit : il s'empare d'objets et de lieux familiers comme Francis Ponge qui, dans *Le Parti pris des choses*, s'intéresse au pain ou à un cageot ; il s'attache aux phases obligées de la vie humaine (Ronsard se peint proche de la mort dans « Je n'ai plus que les os... ») ; il observe la réalité sociale dans sa banalité (dans « Melancholia », Hugo décrit le travail quotidien des enfants au XIXe siècle). Le poète Blaise Cendrars résume cette attention que le poète porte au monde quotidien par une jolie métaphore : « Je ne trempe pas ma plume dans un encrier mais dans la vie. »

2. Mais il le voit différemment

Son regard n'est pas superficiel. Le poète regarde le monde en artiste, grâce à la mobilisation de ses sens, de ses émotions et de sa sensibilité. Baudelaire, qui a aussi été un éminent critique de peinture (l'un de ses poèmes s'intitule « Le Désir de peindre »), insiste sur l'importance du regard dans la poésie ; le poète Jean Cocteau (1889-1963) dans *Le Rappel à l'ordre*, paru en 1926, décrit sa propre conception de la poésie qui montre « nues, sous une lumière qui secoue la torpeur, les choses surprenantes qui nous environnent et que nos sens enregistraient machinalement. » Le poète se réapproprie les objets ou les moments de la vie quotidienne et les redynamise, les montre sous un aspect nouveau, inattendu. Selon l'anecdote imagée de R. Caillois un aveugle, s'il est poète, n'écrit pas sur sa pancarte un banal « Aveugle de naissance » mais : « Le printemps va venir, je ne le verrai pas »...

3. Les ressources du langage poétique pour « montrer » différemment le monde

Pour montrer différemment le monde qui l'entoure, le poète met en évidence les qualités particulières des gens et des choses et les éléments qui frappent l'imagination, grâce au langage poétique. Il ne faut pas seulement décrire, mais évoquer irrésistiblement au lecteur l'objet du poème grâce au langage et réaliser par les mots ce que le calligramme impose à la vue du lecteur : Apollinaire pour « parler » de « La pluie » dessine sur la page, avec ses lettres, de longues traînées de pluie. C'est parfois par l'humour et la fantaisie que le poète parvient à jeter un regard nouveau sur la vie de tous les jours. Dans « Inventaire » (*Paroles*), Prévert peint dans un bric-à-brac d'éléments quotidiens, par une suite de coq-à-l'âne, un monde fantaisiste où la présence saugrenue de *raton(s) laveur(s)* finit par paraître l'élément le plus logique.

II. Le poète « voyant », « déchiffreur » de la réalité profonde

Le poète réussit ainsi non seulement à voir et décrire différemment le monde, mais plus que cela : il en pénètre la réalité profonde et en perce les mystères. « Déchiffreur », il propose au lecteur un voyage au cœur de la réalité.

1. Le regard du poète « redynamise » le monde

Le poète fait voir au lecteur le connu sous la forme de l'inconnu, « ce sur quoi son cœur, son œil glissent chaque jour, sous un angle et une vitesse tels qu'il lui paraît le voir et s'en émouvoir pour la première fois ». C'est cette fonction créatrice que Mallarmé assigne à la poésie, quand il affirme qu'évoquer une fleur dans un poème, c'est non seulement en parler, mais façonner par la magie du langage un objet nouveau : « Je dis, une fleur ! et hors de l'oubli où ma voix relègue aucun contour [...] musicalement se lève, idée même et suave, l'absente de tout bouquet. » La poésie posséderait donc un pouvoir d'évocation propre pour atteindre l'essence même des objets, les dégager de leur existence triviale.

2. Le poète « voyant » « dévoile » les mystères du monde

La poésie, parce que le poète est « voyant », permet au lecteur de deviner le monde insoupçonné qui se cache derrière le mur de la réalité quotidienne. La poésie devient alors un mode de connaissance plus approfondi du monde. Baudelaire, dans « Correspondances », traduit par un jeu d'images et de synesthésies les liens invisibles du monde caché et les sensations que l'on ne saurait exprimer :

« Il est des parfums frais comme des chairs d'enfants

Doux comme les hautbois, verts comme les prairies… »

Le lecteur peut ainsi se rapprocher de la réalité de manière peu habituelle et dialoguer avec les éléments qui la composent, comme dans « Élévation » où le même Baudelaire affirme que la poésie permet de comprendre « Le langage des fleurs et des choses muettes ».

3. Le poète donne une valeur allégorique au monde qui l'entoure

D'une façon plus générale, à travers l'évocation poétique d'un objet, se dessine une allégorie : le monde quotidien devient alors réflexion sur la condition humaine. Ainsi « L'Horloge » que décrit Baudelaire dans un de ses poèmes, n'est plus un simple objet. Elle devient un « dieu sinistre, effrayant, impassible », qui menace, chuchote, harcèle le poète (« Remember ! souviens-toi ! prodigue ! esto memor ! ») et, en fin de compte, s'impose comme une allégorie du temps qui passe et conduit inéluctablement à la mort.

III. Le poète utilise le monde comme tremplin pour créer un monde nouveau

Le regard particulier que le poète porte sur le monde dépasse la simple peinture et utilise l'évocation de l'univers quotidien comme tremplin. La description d'un objet ou d'une réalité en poésie est davantage une étape qu'une fin et, comme le dit de façon imagée Apollinaire, « un mouchoir qui tombe peut être pour le poète le levier avec lequel il soulèvera un univers ».

1. La poésie comme transfiguration du monde par les mots

Le poète a le souci de transfigurer le monde et de le recréer. Il dispose pour cela des ressources originales de l'écriture. « La création poétique est d'abord une violence faite au langage. Son premier acte est de déraciner les mots » (Octavio Paz). En jouant sur les mots, les sons, les rythmes et les sensations, le poète recrée le monde. Il le peut visuellement par la mise en page, la typographie (exemples : les vers et les strophes, les calligrammes…), mais aussi au plan sonore (exemples : les jeux sur les sonorités, les mots à la rime…). Il recourt aussi aux images insolites (comparaisons, métaphores…) : il substitue à notre perception routinière une nouvelle vision. De la Tour Eiffel, Apollinaire fait une bergère (« Bergère ô Tour Eiffel, le troupeau des ponts bêle »)… Pour Éluard, « La terre est bleue comme une orange » (*L'Amour, la poésie*). Le poète a le pouvoir d'animer l'inanimé, notamment les objets. Rimbaud donne vie à un meuble, « Le Buffet », Verlaine à un instrument de musique. Francis Ponge dans *Le Parti pris des choses* tisse des liens étranges entre les petites choses du quotidien et le vaste cosmos : le pain, avec sa « croûte », devient une terre qui cuit dans le « four stellaire ». « La bicyclette » de Jacques Réda s'envole dans le ciel et devient un élément du firmament.

2. Le poète transforme la laideur en beauté

Le regard poétique va jusqu'à transformer, comme ferait un alchimiste, la laideur en beauté et un monde souvent sordide en un monde qui fait rêver. Baudelaire explique cette capacité de la poésie par une métaphore frappante : « Tu m'as donné ta boue et j'en ai fait de l'or ». Mieux encore, comme le suggère l'étymologie du mot « poésie » (du grec *poiein*, « créer »), le poète, à partir de son observation du monde, peut créer un univers nouveau, inexploré, par le recours aux images et par la juxtaposition de réalités diverses, voire hétéroclites. Le poète baroque Théophile de Viau fait descendre le lecteur dans un monde étrange, cauchemardesque, où un « ruisseau remonte en sa source » et « Un aspic s'accouple d'une ourse » (« Un corbeau croasse »). Rimbaud crée un monde féerique où « les pierreries regard[ent] » et « une fleur […] dit son nom » (« Aube »). André Breton évoque sa « femme au dos d'oiseau qui fuit vertical » (« L'Union libre »). Tous ces univers irréels se dessinent comme s'ils existaient sous les yeux du lecteur.

Conclusion

Le poète, par sa sensibilité et l'acuité de son regard, mais aussi par le langage poétique, parvient à peindre le monde en le dégageant de ce que Ponge appelle la « routine ». Plus encore, il saisit le monde dans son essence même. Mais, au-delà, en transformant ce qui nous entoure, il « crée » des mondes nouveaux qui permettent de s'évader de ce que notre vie peut avoir de banal. [Ouverture]. La

Conseil
Ajoutez aux textes du corpus des exemples personnels qui témoignent de votre culture littéraire et artistique. Ne vous bornez pas à citer des titres, commentez : un exemple non commenté n'a pas valeur de preuve.

poésie nous fait aimer le monde qui nous entoure, elle murmure secrètement à notre conscience que même si le monde est parfois dur et cruel, il faut l'aimer.

Pondichéry • Avril 2016

Séries ES, S • 16 points

Un regard renouvelé sur le monde

■ Écriture d'invention

▶ Vous ferez l'éloge poétique en prose ou en vers (libres ou réguliers) d'un objet du quotidien de votre choix. Vous devrez prendre appui sur des procédés d'écriture que vous aurez repérés dans le corpus.

Votre poème comportera au moins trente lignes.

Se reporter au document D du sujet n° 13.

LES CLÉS DU SUJET

■ Comprendre le sujet

• **Genre :** « poème en prose ou en vers ». Respectez-en les caractéristiques formelles.

• **Sujet :** « un objet du quotidien ».

• **Type de texte :** « éloge » = montrer les qualités de → texte argumentatif, mais aussi descriptif.

• **Niveau de langue :** vous devez adopter un langage poétique (images, rythme étudié, etc.).

• **Le registre :** « éloge » → épidictique (registre de l'éloge et du blâme).

• **Caractéristiques** du texte à produire, à définir à partir de la consigne :

> Poème en vers ou en prose (*genre*), qui décrit et argumente sur/fait l'éloge de (*type de texte*) un objet du quotidien (*thème*), épidictique (*registre*), poétique, élogieux, imagé, surprenant (*adjectifs*), pour montrer les qualités d'un objet usuel et en renouveler la vision (*buts*).

■ Chercher des idées

Le fond

• L'« **objet du quotidien** » : choisissez un objet utile ou qui vous tient à cœur, qui provoque en vous des émotions. Exemples : livre, lunettes, fourchette, stylo, téléphone portable, radiateur, brosse à dents ; mouchoir, réveil, souris informatique, élastique à cheveux…

• Cherchez ses **caractéristiques**. Posez-vous les questions : à quoi est-il utile ? en quoi est-il agréable ? que peut-il symboliser ?

• Étudiez les **sentiments** qu'il éveille en vous (joie, enthousiasme, impression de puissance…).

• Caractérisez l'objet pour constituer une banque de mots et expressions (forme, matière, couleur, texture, mouvement…).

La forme

• Vous pouvez recourir au **lyrisme** (hyperboles, images positives, exclamations…). L'**écriture poétique** implique que votre description dépasse la simple réalité, fasse voir différemment cet objet que, par habitude, on ne remarque plus.

• **Les images :**
– cherchez la définition de l'objet dans le dictionnaire, créez des « écarts » par rapport à elle ;
– laissez se faire des **associations d'idées poétiques** avec d'autres réalités quotidiennes proches de l'objet, parfois illogiques, affectives… Fermez les yeux et laisser les images défiler dans votre tête, à la manière des surréalistes.

• **D'autres faits d'écriture poétique :**
– jouez sur les rythmes, les figures de l'amplification, les sonorités, les jeux sur les mots ;
– pensez à la mise en page (jeu sur les blancs) et à la typographie (caractères). Ménagez des sortes de « versets », (par exemple voir le texte de Ponge) ;
– pensez à l'expression de sensations (lexique des cinq sens), d'émotions (lexique affectif).

• Avant de vous lancer, lisez des poèmes qui « évoquent » des objets quotidiens (Baudelaire, Rimbaud, Ponge, Delerm…) pour analyser comment les objets y sont transfigurés (images, associations entre des réalités peu souvent rapprochées, lexique affectif).

▶ **Pour réussir l'écriture d'invention** : voir lexique méthodologique.

▶ **La poésie** : voir mémento des notions.

POÉSIE

Qui suis-je ?

On m'appelle « la grande ». Je vis depuis ma naissance dans un cercle et je le parcours depuis que je sais marcher. La nuit, je l'éclaire. La journée, je le décore. Et à toutes les heures de la journée, on m'observe sporadiquement de courts instants.

J'ai une petite sœur ; on l'appelle « la petite ». Elle m'accompagne depuis que je fais partie de ce monde et m'épaule dans ma tâche. Bien qu'elle soit plus lente que moi, elle finit toujours par revenir à son point de départ en même temps que moi. Et à toutes les heures de la journée, on l'observe sporadiquement de courts instants.

J'ai une amie ; on la surnomme « la trotteuse ». Elle est infatigable, fait la course toute la journée, ne s'arrête jamais. Ses mouvements saccadés nous servent de référence, à ma sœur et à moi, pour rythmer nos mouvements journaliers. Et à toutes les heures de la journée, nous la suivons des yeux pendant de longues secondes pour vérifier qu'elle est toujours vivante.

Un grand couvercle de verre, oh ! si lourd en comparaison de notre taille insignifiante, pèse sur nous comme le ciel chez nos compagnons les titans. Notre paroi métallique nous entoure constamment. Nous nous sentons enfermées, opprimées, délaissées. La seule d'entre nous qui soit sortie c'est notre amie l'inépuisable. Son nez étant atrophié, un géant jugea bon de la remettre en état, hors de cette cage grisée. Heureux qui, comme elle, a fait une belle expédition ! Elle revint quelques tours de cadran plus tard, vivre entre nous deux le reste de ses jours.

Et depuis ce jour remarquable, nous veillons sans cesse – longtemps, longtemps... – sur la dimension du Temps, avide titan qui jamais ne suspend son vol ; 1 440 fois par jour, je chuchote à chaque humain : « Souviens-toi ! *Esto memor* ! » et, grâce à moi, on se rappelle qu'il faut cueillir le jour... et les roses de la vie !

Et demain, dès l'aube, à l'heure où s'illumine le ciel, nous aurons toutes les trois continué à tourner inlassablement. Sous nos corps allongés coulera alors le temps passé et inexorable, faut-il qu'on s'en souvienne...

Conseil
Utilisez vos connaissances littéraires et n'hésitez pas à emprunter des expressions à des écrivains. Ici : Baudelaire, « L'Horloge » ; Du Bellay, « Heureux qui comme Ulysse » ; Hugo, « Demain dès l'aube », etc.

Pondichéry • Avril 2016

Série L • 4 points

Célébrer les hommes et le monde

■ Question

Documents

A – **Blaise Cendrars**, *La Prose du Transsibérien et de la petite Jeanne de France*, 1913.

B – **Jean Follain**, « Vie urbaine », *Usage du temps*, 1941.

C – **Léopold Sédar Senghor**, « À New York », *Éthiopiques*, 1956.

D – **Jacques Réda**, « Hauteurs de Belleville », *Amen*, 1968.

▶ **Quelles émotions la ville suscite-t-elle chez les différents poètes du corpus ?**

Après avoir répondu à cette question, les candidats devront traiter au choix un des trois sujets nos 18, 19 ou 20.

DOCUMENT A   **« La prose du Transsibérien[1] et de la Petite Jeanne de France »**

En ce temps-là j'étais en mon adolescence
J'avais à peine seize ans et je ne me souvenais déjà plus
    de mon enfance
J'étais à 16 000 lieues du lieu de ma naissance
J'étais à Moscou, dans la ville des mille et trois clochers
    et des sept gares
5 Et je n'avais pas assez des sept gares et des mille et trois tours
Car mon adolescence était si ardente et si folle
Que mon cœur, tour à tour, brûlait comme le temple d'Éphèse[2]
    ou comme la Place Rouge de Moscou quand le soleil se couche.
Et mes yeux éclairaient des voies anciennes.
Et j'étais déjà si mauvais poète
10 Que je ne savais pas aller jusqu'au bout.

Le Kremlin était comme un immense gâteau tartare[3]
Croustillé d'or,
Avec les grandes amandes des cathédrales toutes blanches

Et l'or mielleux des cloches...
15 Un vieux moine me lisait la légende de Novgorode[4]
J'avais soif
Et je déchiffrais des caractères cunéiformes[5]
Puis, tout à coup, les pigeons du Saint Esprit s'envolaient
    sur la place
Et mes mains s'envolaient aussi, avec des bruissements d'albatros
20 Et ceci, c'était les dernières réminiscences[6]
Du dernier jour
Du tout dernier voyage
Et de la mer.

Pourtant, j'étais fort mauvais poète.
25 Je ne savais pas aller jusqu'au bout.
J'avais faim
[...]

Blaise Cendrars, *La Prose du Transsibérien*
et de la petite Jeanne de France, 1913.

---

1. Transsibérien : train qui traverse la Russie.
2. Temple d'Éphèse : temple situé dans l'actuelle Turquie, qui fut incendié dans l'Antiquité.
3. Tartare : qui se rapporte à un peuple de la Russie.
4. Novgorode : ville du Nord-Ouest de la Russie.
5. Caractères cunéiformes : système d'écriture très ancien.
6. Réminiscences : souvenirs qui remontent à la conscience.

DOCUMENT B   « Vie urbaine »

[...] C'était une occupation douce et mélancolique que de suivre, pour voir où ils allaient, les passants, de suivre la forme blême jusque sous un porche où elle s'engouffrait, jusqu'à la porte crevassée, couverte de fientes d'insectes et d'oiseaux. C'était une occupation douce
5 que de s'arrêter devant les petites épiceries sombres, éclairées le soir de reflets rouges irradiant d'une arrière-boutique où flambait un feu.

Fantomatiquement apparaît la ville où s'alignent à distance égale des réverbères, la ville où les jeunes demoiselles s'écoutent ; la petite ville où l'on compte, où l'on fait mesurer à dix reprises à la vendeuse
10 qui rêve la carpette de jonc. Il faut qu'elle mesure, la vendeuse toute chavirée d'amour avec les lèvres fiévreuses à la pensée du scandale que fera sa grossesse encore neuve.

Jean Follain, « Vie urbaine », issu du recueil l'épicerie
d'enfance, © Éditions Fata Morgana.

« À New York »

(pour un orchestre de jazz : solo de trompette)

New York ! D'abord j'ai été confondu par ta beauté, ces grandes
    filles d'or aux jambes longues
Si timide d'abord devant tes yeux de métal bleu, ton sourire
    de givre
Si timide. Et l'angoisse au fond des rues à gratte-ciel
Levant des yeux de chouette parmi l'éclipse du soleil.
5 Sulfureuse[1] ta lumière et les fûts[2] livides, dont les têtes
    foudroient le ciel
Les gratte-ciel qui défient les cyclones sur leurs muscles d'acier
    et leur peau patinée de pierres.
Mais quinze jours sur les trottoirs chauves de Manhattan[3]
    – C'est au bout de la troisième semaine que vous saisit la fièvre
    en un bond de jaguar
Quinze jours sans un puits ni pâturage, tous les oiseaux de l'air
10 Tombant soudain et morts sous les hautes cendres des terrasses.
Pas un rire d'enfant en fleur, sa main dans ma main fraîche
Pas un sein maternel, des jambes de nylon. Des jambes et
    des seins sans sueur ni odeur.
Pas un mot tendre en l'absence de lèvres, rien que des cœurs
    artificiels payés en monnaie forte
Et pas un livre où lire la sagesse. La palette du peintre fleurit
    des cristaux de corail.
15 Nuits d'insomnie ô nuits de Manhattan ! si agitées de feux
    follets, tandis que les klaxons hurlent des heures vides
Et que les eaux obscures charrient des amours hygiéniques, tels
    des fleuves en crue des cadavres d'enfants.
    [...]
    Léopold Sédar Senghor, « À New York », *Éthiopiques*, 1956.

_____

1. Sulfureuse : qui contient du soufre, traditionnellement associé à l'Enfer.
2. Fût : partie centrale d'une colonne ou d'un tronc.
3. Manhattan : quartier central de New York.

POÉSIE

DOCUMENT D   « **Hauteurs de Belleville¹** »

Ayant suivi ce long retroussement d'averses,
Espérions-nous quelque chose comme un sommet
Au détour des rues qui montaient
5 En lentes spirales de vent, de paroles et de pluie ?
Déjà les pauvres maisons semblaient détachées de la vie ;
Elles flottaient contre le ciel, tenant encore à la colline
Par ces couloirs, ces impasses obliques, ces jardinets
Où nous allions la tête un peu courbée, sous les nuages
10 En troupeaux de gros animaux très doux qui descendaient
Mollement se rouler dans l'herbe au pied des palissades
Et chercher en soufflant la tiédeur de nos genoux.
Nos doigts, nos bouches s'approchaient sans réduire l'espace
Entre nous déployé comme l'aire d'un vieux naufrage
15 Après l'inventaire du vent qui s'était radouci,
Touchait encore des volets, des mousses, des rouages
Et des copeaux de ciel au fond des ateliers rompus ;
Frôlait dans l'escalier où s'était embusquée la nuit
L'ourlet déchiré d'une robe, un cœur sans cicatrice.

Jacques Réda, « Hauteurs de Belleville »,
in *Amen*, © Éditions Gallimard, 1968.

1. Belleville est un quartier populaire de Paris, construit sur une colline, où l'on trouvait de nombreux ateliers d'artisans.

LES CLÉS DU SUJET

• Vous devez analyser les **réactions affectives** des poètes face à la ville.
• Cherchez sur quelles **caractéristiques de la ville** – qualités ou défauts – chacun d'eux met l'accent. Relevez les mots mélioratifs ou péjoratifs, selon le cas.
• Déduisez-en les émotions suscitées. Distinguez les émotions positives/ agréables des émotions négatives/désagréables.
• **Ne juxtaposez pas l'analyse** des textes ; essayez, dans la mesure du possible, de trouver des **points communs** entre les textes, en **classant les émotions** communes aux quatre textes.
• Cependant la question implique aussi que vous identifiiez la **spécificité** de chacun des textes dans la construction de l'image de la ville.
• Accompagnez chaque remarque d'**exemples précis** tirés des différents textes.

Les titres en couleur et les indications entre crochets ne doivent pas figurer sur la copie.

Introduction

[Amorce, présentation du corpus et problématique] La ville, en plein essor au XIXᵉ siècle, a inspiré des poètes comme Baudelaire, Rimbaud ou Apollinaire. Au XXᵉ siècle, alors que l'urbanisation s'intensifie, elle prend en littérature une importance particulière, inspirant l'admiration ou l'appréhension. Cendrars rend compte de sa première vision de Moscou dans *La Prose du Transsibérien* et Senghor décrit New York dans *Éthiopiques*. Follain, dans son poème en prose « Vie urbaine », évoque une « petite ville » sans nom et Réda ressuscite les « Hauteurs de Belleville », quartier de Paris qu'il a sans cesse arpenté. La ville, réalité protéiforme, suscite chez ces poètes des émotions contrastées.

Émerveillement et fascination

• La ville fascine les poètes qui expriment leur admiration et leur émerveillement. L'attrait de la nouveauté et de l'inconnu chez Cendrars et Senghor, et l'éblouissement initial se manifeste par des images saisissantes.

• Cendrars, émerveillé, décrit Moscou par de multiples comparaisons et métaphores, notamment la métaphore filée de la pâtisserie (« gâteau croustillé », « amandes », « mielleux ») qui répond à la curiosité insatiable de l'adolescence ; la métaphore du feu (« mon cœur [...] brûlait ») traduit sa fascination ; les chiffres hyperboliques (« mille et trois ») ou magiques (« sept ») suggèrent son exaltation.

• Senghor exprime son étonnement devant le gigantisme (« gratte-ciel », « muscles d'acier »), la modernité et la « beauté » de New York. Il personnifie la ville aux « yeux de métal » et au « sourire de givre ». Il se sent « timide », « confondu » comme face à une femme majestueuse et « sulfureuse ».

Doux plaisir et nostalgie

La ville « familière » qu'évoquent Follain et Réda leur procure un plaisir plus intime, en demi-teinte.

• Les errances de Follain dans la « petite ville » suscitent une joie paisible, une « occupation douce » : chaque recoin de la ville et les habitants (« les passants, la vendeuse toute chavirée ») lui sont familiers et leurs secrets stimulent son imagination.

• Réda éprouve de la tendresse pour un quartier qu'il connaît bien : d'abord comparé à une montagne (« sommet, montaient »), Belleville reprend ses dimensions modestes (« les pauvres maisons, les couloirs, les impasses, les jardinets »), dégage une impression de douceur (nuages animalisés, « gros » et « doux », vent « radouci ») et rassure le poète.

Un certain malaise : frustration et angoisse

Cependant les réactions du poète sont contrastées : la ville peut également susciter la frustration ou l'angoisse.

• La mention par Cendrars d'un éloignement « à 16 000 lieues du lieu de (sa) naissance » trahit son dépaysement et l'impression d'un manque angoissant. Ébloui par les « mille et trois clochers » de Moscou, l'adolescent exalté reste sur sa « faim » et prend conscience de son insignifiance (« j'étais fort mauvais poète »).

• Chez Senghor la répulsion vient de ce qu'il cherche en vain dans New York : le naturel et l'authenticité de son Afrique natale. Cette sensation poignante de manque se traduit par les mots négatifs (« sans… ; pas un… » en anaphore) qui soulignent « l'absence » de lumière (« éclipse du soleil »), de nature, de sensations (« sans sueur ni odeur »), de sentiments humains et de solidarité (« pas un rire d'enfant en fleur/pas un sein maternel/pas un mot tendre »).

Mélancolie et nostalgie

Pour Follain et Réda, les émotions négatives sont plus nuancées.

• La « petite ville » rend Follain mélancolique et sa curiosité se trouve parfois déçue par les secrets que ne livrent pas entièrement ce lieu « fantomatique » où tout semble un peu pitoyable ou monotone (« blême », « crevassée »).

• Réda laisse transparaître sa nostalgie, reflétée par le temps maussade, à travers l'imparfait qui ravive des souvenirs désormais estompés. La ville ne guérit pas du sentiment de solitude.

Conclusion

Les nuances dans les émotions des poètes devant la ville s'expliquent par la variété des circonstances et des identités : Cendrars parle en adolescent affamé d'aventures et insatisfait, Senghor en Africain proche de la nature et marqué par les traditions, Follain en observateur discret à l'affût de « petits riens » et Réda en grand arpenteur de Paris, amoureux et nostalgique.

18

Pondichéry • Avril 2016
Série L • 16 points

Célébrer les hommes et le monde

■ Commentaire

▶ **Vous ferez le commentaire du poème de Blaise Cendrars (texte A).**

Se reporter au document A du sujet n° 17.

LES CLÉS DU SUJET

■ Trouver les idées directrices

Faites la « définition » du texte pour trouver les axes.

> Poème en vers irréguliers (*genre*) qui raconte (*type de texte*) un voyage en train (*thème*), qui décrit (*type de texte*) Moscou (*thème*), qui rend compte (*type de texte*) des états d'âme du poète (*thème*) lyrique, (*registre*) auto-biographique, pittoresque, exotique, pictural, enthousiaste, nostalgique, critique (*adjectifs*), pour raconter un voyage, se remémorer son adolescence et suggérer sa conception de la poésie (*buts*).

■ Pistes de recherche

Première piste : Un guide touristique coloré et désordonné
• Analysez les composantes du « tableau » : d'où vient son pittoresque ?
• Étudiez le traitement des notations spatio-temporelles.
• Qu'est-ce qui rend cette description vertigineuse et éblouissante ?

Deuxième piste : Un autoportrait nostalgique et critique
• Qu'est-ce qui apparente ce poème à une autobiographie ?
• Quel portrait Cendrars dresse-t-il de lui adolescent ?
• Qu'est-ce qui traduit le regard critique qu'il jette sur lui-même ?

Troisième piste : Un art poétique : le manifeste du simultanéisme
• Quelle conception de la poésie révèle ce poème ? Comment se marque la revendication de liberté du poète ?
• Qu'est-ce qui donne au poème sa dimension quasi religieuse ?

• En quoi le voyage peut-il être l'allégorie de la destinée humaine ?

▶ **Pour réussir le commentaire :** voir guide méthodologique.

▶ **La poésie :** voir mémento des notions.

CORRIGÉ 18

Les titres en couleur et les indications entre crochets ne doivent pas figurer sur la copie.

Introduction

[Amorce] Comme Rimbaud, Cendrars fut un poète « aux semelles de vent ». Dès seize ans, il fugue vers la Russie, premier voyage d'une longue série d'aventures qui le mènent dans le monde entier. Explorateur du monde géographique et exotique, mais aussi de toutes les ressources de la poésie, il poursuit, après Baudelaire, Rimbaud et Apollinaire, la libération du vers et l'invention d'images insolites. [Présentation du texte] Dans *La Prose du Transsibérien*, le poète se souvient de sa découverte émerveillée de la Russie. Son poème n'est pas seulement un récit de voyage [I], c'est aussi un fragment d'autobiographie où le jeune homme se rappelle l'adolescent exalté qu'il était et le juge [II]. De ce récit halluciné et de cet autoportrait nostalgique se dégage un idéal poétique révolutionnaire que poursuit Cendrars, aventurier du vers [III].

I. Un guide touristique coloré et désordonné

1. Des nombres vertigineux pour un voyage exotique

• Dès le vers 3, les nombres font tourner la tête : « J'étais à 16 000 lieues du lieu de ma naissance » ; Moscou, ses « sept gares » et ses « mille et trois clochers ».

• L'idée de voyage s'impose par tout un réseau lexical avec « voies, lieu, s'envolaient, mer, voyage, gares... ». Les lieux exotiques défilent : « Place Rouge », « Moscou », « Kremlin », « Novgorode », « Saint Esprit »... Les images se succèdent parfois dans un fondu enchaîné dynamique, la vision des pigeons (v. 18) se substituant par exemple sans transition à celle du « vieux moine ».

• Bien que l'on roule sur des rails, on a l'effet d'une vision aérienne du monde comme si le poète volait avec les « pigeons » pour un tour d'horizon spectaculaire sur les cloches, les tours et les cathédrales.

2. Un guide insolite où temps et lieux se mélangent

• Dans ce guide insolite, l'ancien et le moderne, Orient et Occident se mélangent, Russie et monde occidental se rapprochent et s'éloignent.

• Le poème multiplie les références au passé : l'« immense gâteau tartare » fait allusion aux « Tatars » de Crimée qui ont souvent envahi la Russie, « la légende de Novgorode » à la plus ancienne ville de l'empire russe.

• Le poète réunit dans une double comparaison le « temple d'Éphèse », l'une des sept merveilles du monde dans la Grèce antique incendiée au début de notre ère, et « la Place Rouge de Moscou », cœur d'une ville moderne, illuminée par un coucher de soleil (v. 8).

II. Un autoportrait nostalgique et critique

Blaise Cendrars livre un autoportrait nostalgique et critique de sa vie adolescente, mouvementée et aventureuse.

1. Le poème autobiographique...

• Cendrars est âgé de vingt-six ans quand il écrit son poème, dix ans après le voyage qu'il évoque. Mais ici ce laps de temps écoulé, propre à l'autobiographie, sonne à la façon d'un conte, par la formule d'ouverture : « En ce temps-là ».

• Les repères autobiographiques sont nombreux et la première personne du singulier est mise en valeur, notamment dans les premiers vers, avec l'anaphore de « j'étais » (v. 1, 3-4) et « j'avais » (v. 2 et 5) ; il multiplie des adjectifs possessifs de la première personne (« mon », « mes », et « ma »).

• L'imparfait transforme ce séjour à Moscou en une légende personnelle, figée dans le passé, qui revient par vagues, rythmées par des repères temporels (l'« enfance », les « seize ans » de l'« adolescence »).

2. Un adolescent ardent, affamé de rêves et... de gâteaux

• Le voyage est marqué par l'élan de l'adolescent qui désire s'approprier le monde ouvert à lui, sans en être jamais rassasié : il n'a pas « assez des sept gares et des mille et trois tours »... L'exaltation de Cendrars se marque dans les hyperboles. Les « seize ans » se démultiplient en « seize mille lieues » et dans une surenchère de nombres avec « sept gares » et « mille tours ». Les procédés d'insistance sont nombreux : « si ardente et si folle » (v. 6), « si mauvais poète » (v. 10), « toutes blanches » (v. 14).

• Le long enjambement des vers 6 à 8 traduit une excitation fiévreuse, de même que les comparaisons monumentales : le cœur a l'ardeur de l'incendie du « Temple d'Éphèse » ou celle de « la Place Rouge » ; puis il devient la locomotive qui tire le Transsibérien ; les yeux ressemblent à des phares qui

« éclairaient des voies anciennes » (v. 9). Le poète se métamorphose même en « albatros » pour s'envoler avec les « pigeon du Saint-Esprit ».

• L'adolescent prétend en avoir fini avec son enfance, comme si elle ne l'intéressait pas parce qu'il cherche déjà autre chose (« je ne me souvenais déjà plus de mon enfance »). Mais sa boulimie « ardente et folle » pour tout savoir et découvrir conserve un parfum d'enfance, comme chez le Rimbaud de « Ma Bohême », « petit poucet rêveur ». Elle transparaît dans la métaphore pâtissière qui transforme les cathédrales de Moscou en un gigantesque « gâteau » « croustillé », « mielleux », constellé d'« amandes » et rappelle ainsi les contes de fées, Hansel et Gretel, le palais de Dame Tartine…

3. Un regard critique sur le poète adolescent

Cependant, tout en se présentant comme un adolescent passionné et tourné vers l'avenir, Cendrars porte un jugement sévère sur le poète précoce qu'il prétendait être alors. Pourquoi se qualifie-t-il de « fort mauvais poète » ? Serait-ce parce qu'il ne savait pas, parce qu'il n'osait pas « aller jusqu'au bout » de sa révolution poétique pour rompre avec la versification traditionnelle ?

III. Un art poétique : le manifeste du simultanéisme

La *Prose du Transsibérien* est aussi un manifeste de la poésie moderne. La peintre Sonia Delaunay illustra par un livre accordéon de deux mètres de long ce « Premier livre simultané », livre-objet qui raconte « le voyage […] de l'écriture associée à la peinture ».

Observez
Un art poétique est un texte – souvent un poème – dans lequel un poète explique sa conception de la poésie, ses buts et ses moyens.

1. Une liberté revendiquée : poésie, peinture et musique

• Cendrars revendique une totale liberté. Dans la typographie d'abord : il décale les vers, les regroupe en strophes ou met en valeur un ou deux mots dans un seul vers. Il s'autorise une syntaxe orale, invente des mots (« croustillé ») et comme Baudelaire, rend compte de toutes les sensations visuelles, gustatives, tactiles, auditives (v.11-19) par des synesthénies, comme ce Kremlin « croustillé » d'or et l'or « mielleux » des cloches…

• Il invente le « simultanéisme » pour reproduire et métamorphoser le réel dans toutes ses dimensions et simultanément. À la façon d'un « collage » en peinture, il juxtapose des images, souvent insolites, déjà surréalistes (v. 11 et v. 13), des souvenirs autobiographiques teintés de lyrisme, des images grandioses, des remarques triviales et prosaïques (« j'avais faim »).

• Par sa dédicace aux musiciens, Cendrars revendique une musicalité qui est l'essence même de la poésie : c'est paradoxal pour un poème qui se présente comme de la « prose », fait en réalité d'un mélange entre alexandrin (v. 1), décasyllabes (v. 9-10), vers de 14, 4, 16, 6, 13, 3 et 13 et même 26 syllabes (vers 7). Le poème reproduit, à sa manière, le rythme de la marche du train, avec des élans, des saccades, des arrêts. Des moments réguliers, avec la reprise en anaphore, par exemple du verbe « j'étais » (vers 1, puis 3 et 4), alternent avec des ruptures brutales (deuxième strophe). L'absence de ponctuation renforce cette impression de marche en avant irrégulière. Cendrars préfigure ici l'œuvre du musicien Arthur Honegger qui, dix ans plus tard, compose son célèbre *Pacific 231*, évocation symphonique d'une énorme locomotive.

2. Tradition et modernité : une dimension religieuse...

La modernité n'exclut pas la permanence de thèmes traditionnels de la poésie. *La Prose du Transsibérien* est un hymne quasi religieux à la découverte des splendeurs du monde. Le train devient le dieu du monde moderne, célébré dans « sept gares » (sept est un chiffre sacré) qui se dressent à côté des « cathédrales » ; un vieux « moine » lit des légendes ; les « pigeons du Saint-Esprit » évoquent la Pentecôte, l'Esprit Saint qui descend sur les apôtres. Cendrars n'a-t-il pas écrit, un an auparavant, « Les Pâques à New York » ?

3. Une quête métaphysique

• Plus symboliquement, le poème, fondé sur un rythme de train avançant par étapes, reproduit la progression d'une vie, de « l'enfance » à l'âge adulte, en passant par les rêves fous de l'adolescence.

• La fascination de Cendrars pour les mondes disparus (la Mésopotamie aux « caractères cunéiformes », le « temple d'Ephèse »), pour les vieux récits légendaires de la Russie médiévale où il est question d'affrontements contre les Tatars, reflète la conscience du caractère éphémère de toute vie.

• La triple répétition du mot « dernier » à la fin résonne comme un glas qui rythme avec mélancolie la fin annoncée d'un grand voyage vers la mort.

Conclusion

[Synthèse] Dans cet extrait de *La Prose du Transsibérien*, Cendrars raconte à la fois son ouverture enthousiaste au monde, sa nostalgie du passé, ses vagabondages dans les lieux réels et ses souvenirs, sa quête de soi-même et sa recherche d'une modernité poétique qu'exige « l'esprit nouveau » du début du XXe siècle, célébré par Apollinaire. [Ouverture] Cendrars, par son cosmopolitisme, préfigure le poète citoyen du monde et sa poésie-collage en liberté, qui illustre une esthétique simultanéiste, a contribué à façonner notre regard, à l'habituer à une autre perception du monde et des images.

Pondichéry • Avril 2016
Série L • 16 points

POÉSIE

Célébrer les hommes et le monde

■ Dissertation

▶ La poésie vise-t-elle seulement à célébrer les hommes et le monde ? Vous répondrez à cette question en un développement structuré, en vous appuyant sur les textes du corpus et sur ceux étudiés pendant l'année. Vous pouvez aussi faire appel à vos connaissances et lectures personnelles.

Les textes du corpus sont reproduits dans le sujet n° 17.

LES CLÉS DU SUJET

■ Comprendre le sujet

• **Problématique générale** : « Quelle est la fonction/la mission de la poésie ? » (« vise-t-elle »). La consigne donne une partie de réponse : « célébrer les hommes et le monde ».

• « **célébrer** » = honorer, faire l'éloge de, glorifier, chanter. Le mot a une connotation d'une part religieuse, d'autre part musicale. Cela met sur la voie du lyrisme.

• « **Le monde** » : ce qui nous entoure, la réalité, ce qui existe dans l'univers.

• « **seulement** » suggère une discussion, une prise de position.

• La **problématique** peut être reformulée ainsi : « La poésie doit-elle faire l'éloge de ce qui nous entoure ou a-t-elle d'autres fonctions ? ».

■ Chercher des idées

Scindez la problématique en plusieurs **sous-questions** : « *En quoi* la poésie permet-elle de célébrer le monde et les hommes ? » ; « *Pourquoi* la poésie est-elle apte à célébrer (les hommes et le monde) ? *De quels moyens* dispose-t-elle pour assurer ce rôle ? » ; « La poésie n'a-t-elle pas d'*autres fonctions* ? lesquelles ? ».

Exemples de poèmes

• Faites la liste des poèmes que vous connaissez et demandez-vous pour chacun d'eux : « Ce poème est-il une célébration ? de quoi ? » ; sinon : « Quel est le but du poète ? ».

• Cherchez des poèmes qui font *un éloge* :

– d'une personne aimée : surtout la poésie lyrique amoureuse (Ronsard : « Comme on voit sur la branche… » ; Verlaine, « Mon rêve familier ») ; Aragon, « Les yeux d'Elsa »…) ;

– d'un lieu, d'un paysage (Du Bellay, « Heureux qui comme Ulysse… » : son village natal ; Baudelaire, « L'Invitation au voyage »…) ;

– d'une notion (Baudelaire, « La Beauté »…) ;

– des objets les plus banals (voir corrigé de l'écriture d'invention ; Ponge, « Le pain », *Le Parti-pris des choses*…).

Choix du plan

• Votre réflexion pourra s'articuler en **deux volets** : intérêt de la poésie qui célèbre ; autres fonctions de la poésie.

• Vous pourrez aussi **dépasser l'alternative** et vous demander si les autres fonctions trouvées ne constituent pas aussi une sorte de « célébration ».

Se préparer à rédiger

Constituez-vous une **« réserve » de mots du champ lexical** de « célébrer » : exalter, exaltation ; glorifier, glorification ; louer, louange, laudatif ; éloge, élogieux ; honorer ; apologie ; chanter ; magnifier ; rendre hommage à ; réhabiliter, réhabilitation.

▶ **Pour réussir la dissertation :** voir guide méthodologique.

▶ **La poésie :** voir mémento des notions.

CORRIGÉ 19

Les titres en couleur et les indications entre crochets servent à guider la lecture mais ne doivent pas figurer sur la copie.

Introduction

[Amorce] De sa lyre et de ses chants élégiaques Orphée émouvait les dieux et la nature… Par cette origine orphique, la poésie n'a-t-elle pas pour vocation de célébrer le monde ? [Problématique] Quelle est la fonction de la poésie et du poète ? [Annonce du plan] La poésie par son origine est liée à la célébration des hommes et du monde [I]. Mais elle peut avoir d'autres fonctions, notamment celles de dénoncer, de redonner son sens au monde [II].

I. La poésie est célébration : que célèbre-t-elle ? pourquoi et comment ?

[Chapeau de partie] Chez les Anciens le poète était le *vates*, inspiré, enthousiaste (au sens étymologique : « plein du souffle divin »). Lié aux dieux et à la religion, le poète avait pour vocation de célébrer le monde, comme dans les hymnes homériques, les légendes scandinaves et germaniques, les cantiques de David dans la *Bible*… Cette fonction lui est restée.

1. Le poète célèbre les hommes

• La poésie lyrique a toujours, de manière privilégiée, chanté l'amour sous toutes ses formes. L'homme a du mal à « parler » en des termes quotidiens de l'exaltation intense qu'inspire l'être aimé. Pour cela, la poésie emprunte tous les registres. [Exemples : Cassandre ou Hélène chantées par Ronsard ; Gala célébrée par Éluard dans « la Courbe de tes yeux »…) ; Apollinaire qui décrit Lou de mille façons, par un calligramme représentant l'« ovale de son visage », par la courte fable humoristique « Troisième fable » ou par le poème acrostiche « Adieu » ; Elsa chantée par Aragon.]

[Transition] La poésie ne célèbre pas seulement l'être aimé mais tous les êtres humains.

• Elle exalte les exploits des hommes, leur héroïsme ou leur générosité, souvent dans un registre épique. [Exemples : *La Chanson de Roland* ; Hugo, *La Légende des Siècles*.]

• Elle célèbre certains grands événements de la vie, dont elle veut conserver la trace [naissance, mort… Exemples personnels].

• Le poète parle aussi pour ceux qui n'ont pas la parole, les oubliés, à qui il redonne leur dignité. [Exemple : « Les Effarés » de Rimbaud.]

2. Le poète célèbre le monde

• Le poète exprime souvent son admiration pour la Nature et ses mystères. [Exemples : les éléments naturels chez les Romantiques ; Baudelaire exaltant « La Nature (…) temple où de vivants piliers/Laissent parfois sortir de confuses paroles », où « Les parfums, les couleurs et les sons se répondent » ; « Aube » de Rimbaud ; Prévert « Pour faire le portrait d'un oiseau ».]

• Le poème, de façon plus abstraite, est un hymne à la beauté pure. Pour les Parnassiens, la poésie est vouée à la description artistique du monde, à la création d'une œuvre esthétique. [Exemples : Leconte de Lisle dans « Vénus de Milo » adresse une véritable prière à la « Beauté victorieuse » ; Baudelaire lui, fait parler la déesse Beauté qui indique au poète sa mission : « Je suis belle, ô mortels ! comme un rêve de pierre/Et mon sein, où chacun s'est meurtri tour à tour,/Est fait pour inspirer au poète un amour/Éternel et muet ainsi que la matière ».]

• La poésie, aventure de la pensée, de la sensibilité et du langage, célèbre tous les sentiments humains, notamment l'amour au sens large, avec toutes ses variations et ses objets. [Exemples : amour de la terre natale chez du Bellay, dans le sonnet « Heureux qui comme Ulysse… » ; amour de la liberté chez Hugo ; amour de la vie, des êtres et du monde saisis dans leur unité chez Saint-John Perse.]

3. Le poète célèbre la vie dans ce qu'elle a de plus humble

Comme il sait pénétrer, grâce à sa sensibilité, les mystères du monde et voir au-delà des apparences, le poète sait célébrer aussi ce qui ne retient pas notre attention, et notamment la vie quotidienne, les objets, les choses les plus banales : il leur redonne une valeur. Il fait redécouvrir tout un monde qui pourrait passer inaperçu. [Exemples : les bruits du matin dans « Fenêtres ouvertes » de Hugo ; éloge humoristique du « Cageot » ou du « Pain » dans *Le Parti pris des choses* de Ponge ; déclaration d'amour à la boue par le même, dans « Ode inachevée à la boue » ; Cadou « La maison du poète… »].

4. Un être sensible et un « instrument » parfait, le langage

• Qui d'autre mieux que le poète peut célébrer les hommes et le monde ? Être extraordinairement sensible, il ressent d'une façon plus intense tout ce qui l'entoure et surtout, il dispose pour l'exprimer d'un instrument idéal : le langage poétique.

• Les ressources du lyrisme excellent à communiquer au lecteur l'émotion ressentie, à rendre compte de l'exaltation et de la passion (hyperboles, images…) : vocabulaire affectif, dislocation des phrases en bouleversant la logique de la syntaxe (impossible dans le roman). Images et figures frappent davantage et transfigurent [exemples des textes du corpus].

• Genre proche de la musique (« Art poétique » de Verlaine), la poésie a à voir avec la chanson, elle-même proche de la célébration (on dit « chanter les louanges de… »). Le jeu sur les rythmes, les répétitions favorisent le lyrisme (la lyre : instrument de musique).

II. Mais la poésie doit aussi remplir d'autres fonctions...

Le poète qui se bornerait à célébrer ne remplirait qu'une partie de sa « mission ».

1. Le poète qui dénonce et fustige

• « Voyant », « prophète », il doit guider les peuples (« Fonction du poète », Hugo). Parce qu'il sait frapper les imaginations, il se met au service de grandes causes humaines. Homme engagé dans une époque dont il est le témoin, il ne peut rester muet ; il vit dans un monde qu'il doit rendre « meilleur » (Hugo) et peut (et doit ?) aussi s'engager, dénoncer la guerre, l'injustice ou les tyrans. [Exemples : Agrippa d'Aubigné révolté contre le fléau des guerres de religion et « peint la France une mère affligée » ; La Fontaine dénonce l'injustice dans « Les Animaux malades de la Peste » ; Hugo attaque dans ses *Châtiments* Napoléon le Petit ; Desnos crie « Révolte contre Hitler et mort à ses partisans ! » dans « Ce cœur qui haïssait la guerre »].

• La poésie est une arme de combat. Le poète sait frapper les imaginations, surprendre (par ses raccourcis, ses images saisissantes, ses allégories…) et persuader (sans passer par la logique) pour faire prendre conscience de la « vie », de la réalité sociale et politique. Il use de la poésie comme d'une arme redoutable dans la dénonciation : elle trouve sa force dans sa forme « dense » (plus que le roman), « condensée », incisive. Sa brièveté, ses rythmes, ses répétitions qui prennent parfois la forme d'anaphores ou de refrains, la font retenir plus facilement.

• Elle joue aussi de registres variés : la satire et le burlesque (« Fable ou Histoire » dans *Les Châtiments* de Hugo), le pathétique lorsque le poète combat le travail des « enfants dont pas un seul ne rit » (« Melancholia »), l'indignation : « Je serai (…) La voix qui dit : malheur ! la bouche qui dit : non ! » (« Ultima Verba »).

2. Le rôle du poète est aussi de jouer avec les mots et de les « déraciner »

• La poésie est aussi invention et recherche ; elle joue avec les mots, invente un nouveau langage. [Exemples : Rimbaud, dans « Voyelles » donne une couleur aux lettres par une cascade d'associations d'images.]

• Elle décrypte et réinvente le monde en « déracinant les mots ». Le poète sait donner au mot des sens insoupçonnés, par l'utilisation originale et inattendue qu'il en fait. Ce travail sur le mot est un moyen d'explorer le monde, en rompant avec l'habitude : « (La poésie) dévoile dans toute la force du terme. Elle montre nues, sous une lumière qui secoue la torpeur, les choses surprenantes qui nous environnent et que nos sens enregistraient machinalement » (Cocteau). Ainsi Ponge fait (re)découvrir « Le pain » et sa merveilleuse grandeur, digne d'une montagne que nous ne soupçonnions plus.

• Créer d'autres mondes ? Pour Baudelaire, le poète est un « traducteur, un déchiffreur » qui, sous le signe non plus d'Orphée mais d'Apollon – le dieu qui élucidait les secrets du monde –, a pour mission de « percer » le mystère des choses, par la création de liens inattendus (les « Correspondances », *Les Fleurs du mal*). Au-delà même, la poésie crée (*poésie* a pour

> **Conseil**
> Cherchez l'étymologie des mots-clés des divers objets d'étude (poésie, théâtre, tragédie…) ; ils peuvent fournir des pistes pour trouver des idées.

étymologie le verbe *poiein*, « créer » en grec ancien) des mondes nouveaux, inconnus et merveilleux dans lesquels « La terre est bleue comme une orange » (Éluard).

3. Mais tout cela n'a-t-il pas aussi à voir avec la « célébration » ?

• Dénoncer, n'est-ce pas célébrer indirectement, c'est-à-dire faire l'éloge en creux de ce pour quoi on combat ? Quand Hugo attaque Napoléon III, c'est pour clamer, par contraste, son amour de liberté et de la République. Dénoncer le travail des enfants, c'est célébrer leur innocence et leur jeunesse bafouées. [Autre exemple : Boris Vian dans « À tous les enfants » dénonce la guerre et l'enrôlement des enfants, manière de célébrer implicitement la paix et l'innocence].

• Jouer avec le langage, c'est aussi célébrer. Le poète artisan des mots rend hommage, en fait, au langage (il en montre les ressources infinies), à la musique (tout poème est musique…) et même aux arts graphiques : les *Calligrammes* d'Apollinaire sont à la fois une célébration de ce qu'ils représentent (son amante, la tour Eiffel…) et indirectement du dessin. La poésie célèbre l'art sous toutes ses formes.

Conclusion

Curieusement, le rôle principal du poète – même s'il n'est pas directement perceptible – , est sans doute de célébrer la vie et le monde, au sens large. Et parfois, alors même qu'il déplore son sort et sa marginalité, il se célèbre lui-même par la beauté du poème que lui inspire sa destinée (« L'Albatros » de Baudelaire, « Le Pin des Landes » de Gautier). [Ouverture] Mais les grands poètes ont su varier leur inspiration : Ronsard a écrit pour Marie, mais aussi pour soutenir la cause des Catholiques (dans les guerres de religion), Aragon a écrit pour les « yeux d'Elsa » mais aussi contre l'oppression allemande, Éluard a écrit pour Nush, mais aussi pour la « Liberté ». On ne peut enfermer la poésie dans une fonction. La richesse de la poésie tient moins à ce dont elle parle qu'à sa diversité et son originalité.

20

Pondichéry • Avril 2016
Série L • 16 points

Célébrer les hommes et le monde

■ Écriture d'invention

▶ Vous êtes chargé(e) de prononcer un discours pour l'inauguration de la semaine de la poésie. Vous y affirmerez que les poèmes peuvent trouver leur matière dans les sujets les plus ordinaires.

Vous illustrerez votre réflexion d'exemples tirés de vos lectures et de votre culture personnelle. Votre texte comportera 60 lignes au minimum.

Le candidat peut s'appuyer sur les textes reproduits dans le sujet n° 17.

■ LES CLÉS DU SUJET

■ Comprendre le sujet

• **Sujet** : « matière (= sujets)/poèmes ». Les sujets/thèmes de la poésie.

• **Genre du texte à produire** : « discours pour l'inauguration ». Vous devez respecter les caractéristiques formelles de ce genre : adresse au destinataire, implication de celui qui parle, du destinataire.

• **Forme de discours** : « affirmerez » indique un texte argumentatif. La thèse est : *Les poètes peuvent s'inspirer des thèmes les plus quotidiens.*

• **Situation d'énonciation** : *Qui ?* « vous » ; *à qui ?* un public de personnes intéressées par la poésie (poètes, intellectuels, critiques littéraires, élèves…).

• **Niveau de langue** : correct, voire soutenu.

• « **Définition** » du texte à produire, à partir de la consigne :

> Dialogue (*genre*), qui argumente sur (*type de texte*) les sujets d'inspiration des poètes (*thème*), ? (*registre*), vivant, documenté (*adjectifs*), pour déterminer la source de l'inspiration poétique (*but*).

■ Chercher des idées

La thèse

• **Problématique :** « Pourquoi les poètes ont-ils raison de s'inspirer de la réalité ordinaire ? ».

• Cela suggère que **l'orateur s'oppose à une thèse (inverse)** qui soutient que la poésie, genre essentiellement noble, doit s'inspirer de sujets élevés.

Quelques arguments

• Le poète vit dans **la réalité quotidienne** dont il doit rendre compte.

• Les objets, les événements, le **quotidien** présentent des **aspects poétiques que le poète doit** « **dévoiler** », « **redynamiser** » **et transfigurer.**

• Le poète pour cela dispose d'un **outil** magique : le **langage poétique.**

• La réalité quotidienne peut aborder **les sujets les plus sérieux.**

Choix à faire

• **Votre identité :** poète ou personnage officiel (ministre de la Culture…).

• **Le registre :** les circonstances suggèrent un ton lyrique par endroits.

▶ **Pour réussir l'écriture d'invention :** voir guide méthodologique.

▶ **La poésie :** voir mémento des notions.

CORRIGÉ 20

Mesdames, Mesdemoiselles, Messieurs,

Chaque année, après le long sommeil de l'hiver, les poèmes refleurissent grâce à notre Semaine de la Poésie, dont nous célébrons le dixième anniversaire.

Cette année, notre comité a choisi de braquer les projecteurs sur une poésie dont les créateurs se considèrent comme cet « anonyme […] vêtu comme n'importe quel autre homme soucieux » de peindre le monde tout simplement mais « si merveilleusement ». Oui, nous avons décidé d'oublier les sujets nobles et sublimes pour proposer un défi : les concurrents de notre concours devront trouver leur inspiration dans les réalités les plus quotidiennes, les plus insignifiantes : une « araignée », une « ortie », des « fenêtres », un « buffet », « les soirs bleus d'été », le pain, un « chiffon », un « soulier laissé là par quelque mendiant », un « père, homme de bien, pur, simple », illustres modèles signés Hugo, Baudelaire, Rimbaud, Ponge, Wexler ou F. Coppée…

Quelle idée, me direz-vous ! Hé bien, nous sommes partis du constat que les jeunes lisaient de moins en moins de poésie. « Qu'avons-nous à faire de ces grandes envolées ampoulées et dépassées ? » protestent-ils. Notre Semaine est une façon de tordre le cou à ces clichés et de montrer que « tout a droit de cité en poésie », comme le proclame Victor Hugo. Car qu'est-ce qu'un poète ? Un artiste, comme le peintre… Et que fait le peintre ? Il reproduit le monde qui l'entoure : Van Gogh peint des fleurs ou une nuit étoilée, Murillo un jeune mendiant, Cézanne des pommes et des biscuits. Pourquoi le poète n'agirait-il pas de même ? « Je ne trempe pas ma plume dans un encrier mais dans la vie », confessait Cendrars. « À ce compte, nous sommes tous poètes ! » direz-vous. Oui, nous sommes tous *poètes* ! Encore faut-il savoir « poétifier » le monde de tous les jours… La poésie réside non dans les sujets que l'on choisit, mais dans le « traitement » qu'on leur applique. Le poète les reproduit en les transfigurant… Pour reprendre une boutade récente du médiatique Daniel Picouly : « Les idées, c'est comme les gosses, il ne suffit pas de les avoir, il faut les élever ! »

Le poète ne décrit pas, il « dévoile » le monde, en traduit les secrets ! Écoutons Cocteau : « L'espace d'un éclair nous voyons un chien, un fiacre, une maison pour la première fois. Voilà le rôle de la poésie. Elle dévoile dans toute la force du terme. Elle montre nues, sous une lumière qui secoue la torpeur les choses surprenantes qui nous environnent et que nos sens enregistraient machinalement. » Cendrars nous fait voir dans « les chapeaux des femmes qui passent […] des comètes dans l'incendie du soir », Apollinaire transfigure notre tour Eiffel en « Bergère » entourée de son « troupeau des ponts [qui] bêle »… Évoquer dans un poème une fleur – violette ou colchique ! –, c'est façonner par la magie du langage un objet nouveau. « Je dis : une fleur ! et, hors de l'oubli où ma voix relègue aucun contour, […] musicalement se lève, idée même et suave, l'absente de tous bouquets. »… Voilà, nous dit Mallarmé, la véritable fonction créatrice du langage poétique. Est poète celui qui extrait les « Fleurs » du « mal », et peut s'exclamer comme Baudelaire apostrophant Paris : « Tu m'as donné ta boue et j'en ai fait de l'or ! »… À travers les sujets souvent méprisés du quotidien, le poète dessine insensiblement une allégorie et touche à l'essentiel de ce qui fait la condition humaine… « L'Horloge » de Baudelaire n'est plus un simple objet du quotidien ; elle devient le « dieu sinistre, effrayant, impassible », qui harcèle le poète, l'image allégorique de la fuite du temps qui conduit inéluctablement à la mort. Personnifiée par la magie de la poésie, elle lance son avertissement à tous les hommes !

N'oubliez pas, jeunes concurrents, que le poète est un créateur ! Véritable voyant, il sait rapprocher les réalités les plus diverses, tisser des liens étranges entre les petites choses de la réalité pour créer des mondes nouveaux qui enchantent ! Alors enchantez-nous ! Soyez voyants, soyez les magiciens qui nous font découvrir les arcanes insoupçonnés de notre quotidien ! Prenez le parti des choses !

Mais j'ai trop parlé… Place aux jeunes ! Et merci à vous tous de venir partager avec nous l'amour de la poésie.

Figures de pères

■ Question

Documents

A – **Molière**, *Dom Juan ou le Festin de pierre*, acte IV, scène 4, 1665.
B – **Marivaux**, *Le Jeu de l'Amour et du Hasard*, acte I, scène 2, 1730.
C – **Victor Hugo**, *Le Roi s'amuse*, acte II, scène 3, 1832.
D – **Jean Anouilh**, *Cécile ou l'École des pères*, 1951.

▶ **Quelles images du père ces extraits de pièces de théâtre nous présentent-ils ?**

Après avoir répondu à cette question, les candidats devront traiter au choix un des trois sujets nº 22, 23 ou 24.

DOCUMENT A

Le personnage de Dom Juan mène une vie de libertin, ce qui choque profondément son père. Ce dernier vient le voir pour lui dire ce qu'il en pense.

DOM LOUIS, DOM JUAN, LA VIOLETTE, SGANARELLE.

LA VIOLETTE. – Monsieur, voilà Monsieur votre père.

DOM JUAN. – Ah ! me voici bien : il me fallait cette visite pour me faire enrager.

DOM LOUIS. – Je vois bien que je vous embarrasse et que vous
5 vous passeriez fort aisément de ma venue. À dire vrai, nous nous incommodons étrangement l'un et l'autre ; et si vous êtes las de me voir, je suis bien las aussi de vos déportements[1]. Hélas ! que nous savons peu ce que nous faisons quand nous ne laissons pas au Ciel le soin des choses qu'il nous faut, quand nous voulons être
10 plus avisés que lui, et que nous venons à l'importuner par nos souhaits aveugles et nos demandes inconsidérées ! J'ai souhaité un fils

avec des ardeurs[2] nonpareilles ; je l'ai demandé sans relâche avec
des transports[2] incroyables ; et ce fils, que j'obtiens en fatiguant le
Ciel de vœux, est le chagrin et le supplice de cette vie même dont je
15 croyais qu'il devait être la joie et la consolation. De quel œil, à votre
avis, pensez-vous que je puisse voir cet amas d'actions indignes, dont
on a peine, aux yeux du monde, d'adoucir le mauvais visage, cette
suite continuelle de méchantes affaires, qui nous réduisent, à toutes
heures, à lasser les bontés du Souverain, et qui ont épuisé auprès de
20 lui le mérite de mes services et le crédit de mes amis ? Ah ! quelle
bassesse est la vôtre ! Ne rougissez-vous point de mériter si peu
votre naissance ? Êtes-vous en droit, dites-moi, d'en tirer quelque
vanité ? Et qu'avez-vous fait dans le monde pour être gentilhomme ?
Croyez-vous qu'il suffise d'en porter le nom et les armes[3], et que ce
25 nous soit une gloire d'être sorti d'un sang noble lorsque nous vivons
en infâmes ? Non, non, la naissance n'est rien où la vertu n'est pas.
Aussi nous n'avons part à la gloire de nos ancêtres qu'autant que
nous nous efforçons de leur ressembler ; et cet éclat de leurs actions
qu'ils répandent sur nous nous impose un engagement de leur faire
30 le même honneur, de suivre les pas qu'ils nous tracent, et de ne
point dégénérer de leurs vertus[4], si nous voulons être estimés[5] leurs
véritables descendants. Ainsi vous descendez en vain des aïeux dont
vous êtes né : ils vous désavouent pour leur sang, et tout ce qu'ils ont
fait d'illustre ne vous donne aucun avantage ; au contraire, l'éclat
35 n'en rejaillit sur vous qu'à votre déshonneur, et leur gloire est un
flambeau qui éclaire aux yeux d'un chacun la honte de vos actions.
Apprenez enfin qu'un gentilhomme qui vit mal est un monstre dans
la nature, que la vertu est le premier titre de noblesse, que je regarde
bien moins au nom qu'on signe qu'aux actions qu'on fait, et que je
40 ferais plus d'état du fils d'un crocheteur[6] qui serait honnête homme
que du fils d'un monarque qui vivrait comme vous.

Dom Juan. – Monsieur, si vous étiez assis, vous en seriez mieux
pour parler.

Dom Louis. – Non, insolent, je ne veux point m'asseoir, ni par-
45 ler davantage, et je vois bien que toutes mes paroles ne font rien

sur ton âme. Mais sache, fils indigne, que la tendresse paternelle est poussée à bout par tes actions, que je saurai, plus tôt que tu ne penses, mettre une borne à tes dérèglements, prévenir sur toi le courroux[7] du Ciel, et laver par ta punition la honte de t'avoir fait
50 naître. (*Il sort.*)

　　　　Molière, *Dom Juan ou le Festin de pierre*, acte IV, scène 4, 1665.

---

1. Déportements : mauvais comportements.
2. Ardeurs, transports : vives émotions, sentiments passionnés.
3. Armes : emblèmes d'une famille noble.
4. De ne point dégénérer de leurs vertus : de ne point perdre les qualités de leurs ancêtres.
5. Estimés : être considérés comme.
6. Crocheteur : personne exerçant une profession modeste, celle de porter des fardeaux avec des crochets.
7. Prévenir sur toi le courroux : anticiper la colère du Ciel.

DOCUMENT B

Monsieur Orgon désire marier sa fille, Silvia, à Dorante. Les deux jeunes gens ne se sont pas encore rencontrés. Lors d'une discussion précédente avec Lisette, sa femme de chambre, Silvia a manifesté son désaccord car elle désire voir et connaître Dorante avant de l'épouser.

Monsieur Orgon, Silvia, Lisette.

Monsieur Orgon. – Eh ! bonjour, ma fille ; la nouvelle que je viens t'annoncer te fera-t-elle plaisir ? Ton prétendu[1] arrive aujourd'hui, son père me l'apprend par cette lettre-ci. Tu ne me réponds rien ? tu me parais triste. Lisette de son côté baisse les yeux ;
5 qu'est-ce que cela signifie ? Parle donc, toi ; de quoi s'agit-il ?

Lisette. – Monsieur, un visage qui fait trembler, un autre qui fait mourir de froid, une âme gelée qui se tient à l'écart, et puis le portrait d'une femme qui a le visage abattu, un teint plombé, des yeux bouffis et qui viennent de pleurer ; voilà, Monsieur, tout ce
10 que nous considérons avec tant de recueillement[2].

Monsieur Orgon. – Que veut dire ce galimatias[3] ? une âme, un portrait ? Explique-toi donc ; je n'y entends rien.

Silvia. – C'est que j'entretenais Lisette du malheur d'une femme maltraitée par son mari ; je lui citais celle de Tersandre, que je trou-
15 vai l'autre jour fort abattue, parce que son mari venait de la querel-ler, et je faisais là-dessus mes réflexions.

Lisette. – Oui, nous parlions d'une physionomie qui va et qui vient, nous disions qu'un mari porte un masque avec le monde, et une grimace avec sa femme.

20 Monsieur Orgon. – De tout cela, ma fille, je comprends que le mariage t'alarme, d'autant plus que tu ne connais point Dorante.

Lisette. – Premièrement, il est beau ; et c'est presque tant pis[4].

Monsieur Orgon. – *Tant pis* ! rêves-tu avec ton *tant pis* ?

Lisette. – Moi, je dis ce qu'on m'apprend ; c'est la doctrine de
25 Madame ; j'étudie sous elle.

Monsieur Orgon. – Allons, allons, il n'est pas question de tout cela. Tiens, ma chère enfant, tu sais combien je t'aime. Dorante vient pour t'épouser. Dans le dernier voyage que je fis en province, j'arrêtai ce mariage-là[5] avec son père, qui est mon intime et ancien
30 ami ; mais ce fut à condition que vous vous plairiez à tous deux, et que vous auriez entière liberté de vous expliquer là-dessus ; je te défends toute complaisance[6] à mon égard : si Dorante ne te convient point, tu n'as qu'à le dire, et il repart ; si tu ne lui convenais pas, il repart de même.

35 Lisette. – Un *duo* de tendresse en décidera, comme à l'Opéra : vous me voulez, je vous veux, vite un notaire ! ou bien : m'aimez-vous ? non, ni moi non plus, vite à cheval !

Monsieur Orgon. – Pour moi, je n'ai jamais vu Dorante ; il était absent quand j'étais chez son père ; mais sur tout le bien qu'on
40 m'en a dit, je ne saurais craindre que vous vous remerciiez ni l'un ni l'autre[7].

Silvia. – Je suis pénétrée de vos bontés, mon père ; vous me défendez toute complaisance, et je vous obéirai.

Monsieur Orgon. – Je te l'ordonne.

45 Silvia. – Mais si j'osais, je vous proposerais, sur une idée qui me vient, de m'accorder une grâce qui me tranquilliserait tout à fait.

Monsieur Orgon. – Parle ; si la chose est faisable, je te l'accorde.

Silvia. – Elle est très faisable ; mais je crains que ce ne soit abuser de vos bontés.

50 Monsieur Orgon. – Eh bien, abuse. Va, dans ce monde, il faut être un peu trop bon pour l'être assez.

Lisette. – Il n'y a que le meilleur de tous les hommes qui puisse dire cela.

Monsieur Orgon. – Explique-toi, ma fille.

55   Silvia. – Dorante arrive ici aujourd'hui ; si je pouvais le voir, l'examiner un peu sans qu'il me connût ! Lisette a de l'esprit, Monsieur ; elle pourrait prendre ma place pour un peu de temps, et je prendrais la sienne.

   Monsieur Orgon, *à part.* – Son idée est plaisante. (*Haut.*)
60 Laisse-moi rêver un peu à ce que tu me dis là. (*À part.*) Si je la laisse faire, il doit arriver quelque chose de bien singulier[8] ; elle ne s'y attend pas elle-même… (*Haut.*) Soit, ma fille, je te permets le déguisement. […]

             Marivaux, *Le Jeu de l'Amour et du Hasard*, acte I, scène 2, 1730.

1. Ton prétendu : le jeune homme que Silvia doit épouser.
2. Cette réplique fait référence à la scène précédente et évoque l'épouse malheureuse de Tersandre dont il est question dans la première réplique de Silvia.
3. Galimatias : discours confus, embrouillé, inintelligible.
4. Tant pis : Lisette se moque ironiquement de Silvia pour laquelle la beauté d'un mari est suspecte.
5. J'arrêtai ce mariage-là : je décidai de ce mariage.
6. Complaisance : amitié, bienveillance, disposition à acquiescer aux sentiments de quelqu'un pour lui plaire.
7. Je ne saurais craindre que vous vous remerciiez ni l'un ni l'autre : je suis persuadé que vous vous plairez mutuellement.
8. Singulier : étrange, étonnant.

DOCUMENT C

Triboulet est le bouffon du roi François Ier. Il a fait élever loin de la cour sa fille Blanche. Celle-ci ignore l'identité réelle et la fonction de son père. Elle vient de le rejoindre après cette longue séparation.

Triboulet, Blanche.

Blanche
Mon père, qu'avez-vous ? Dites-moi votre nom.
Oh ! versez dans mon sein toutes vos peines !
Triboulet
                Non.
À quoi bon me nommer ? Je suis ton père. – Écoute,
Hors d'ici, vois-tu bien, peut-être on me redoute,
5 Qui sait ? l'un me méprise et l'autre me maudit.
Mon nom, qu'en ferais-tu quand je te l'aurais dit ?

Je veux ici du moins, je veux, en ta présence,
Dans ce seul coin du monde où tout soit innocence,
N'être pour toi qu'un père, un père vénéré,
10 Quelque chose de saint, d'auguste[1] et de sacré !

BLANCHE

Mon père !

TRIBOULET,
la serrant avec emportement dans ses bras.

Est-il ailleurs un cœur qui me réponde ?
Oh ! je t'aime pour tout ce que je hais au monde !
– Assieds-toi près de moi. Viens, parlons de cela.
Dis, aimes-tu ton père ? Et, puisque nous voilà
15 Ensemble, et que ta main entre mes mains repose,
Qu'est-ce donc qui nous force à parler d'autre chose ?
Ma fille, ô seul bonheur que le ciel m'ait permis,
D'autres ont des parents, des frères, des amis,
Une femme, un mari, des vassaux, un cortège
20 D'aïeux et d'alliés, plusieurs enfants, que sais-je ?
Moi, je n'ai que toi seule ! Un autre est riche. Eh bien,
Toi seule es mon trésor et toi seule es mon bien !
Un autre croit en Dieu. Je ne crois qu'en ton âme !
D'autres ont la jeunesse et l'amour d'une femme,
25 Ils ont l'orgueil, l'éclat, la grâce et la santé,
Ils sont beaux ; moi, vois-tu, je n'ai que ta beauté !
Chère enfant ! – Ma cité, mon pays, ma famille,
Mon épouse, ma mère, et ma sœur, et ma fille,
Mon bonheur, ma richesse, et mon culte, et ma loi,
30 Mon univers, c'est toi, toujours toi, rien que toi !
De tout autre côté ma pauvre âme est froissée.
– Oh ! si je te perdais !… Non, c'est une pensée
Que je ne pourrais pas supporter un moment !
– Souris-moi donc un peu. – Ton sourire est charmant.
35 Oui, c'est toute ta mère ! – Elle était aussi belle.
Tu te passes souvent la main au front comme elle,
Comme pour l'essuyer, car il faut au cœur pur

Un front tout innocence et des cieux tout azur.

Tu rayonnes pour moi d'une angélique[2] flamme,

40 À travers ton beau corps mon âme voit ton âme,

Même les yeux fermés, c'est égal, je te vois.

Le jour me vient de toi. Je me voudrais parfois

Aveugle, et l'œil voilé d'obscurité profonde,

Afin de n'avoir pas d'autre soleil au monde !

Victor Hugo, *Le Roi s'amuse*, acte II, scène 3, 1832.

---

1. Auguste : noble, respectable, vénérable.
2. Angélique : propre aux anges.

DOCUMENT D

MONSIEUR ORLAS. – Cécile, il faut que je vous parle. Voilà long-temps que je le désire – nous ne faisons pas grand-chose ni l'un ni l'autre de nos journées et je n'en ai positivement pas trouvé le temps. Les petits soucis de cette maison m'accablent. Vous êtes très jeune, 5 Cécile, vous apprendrez en grandissant que c'est toute une affaire de vivre. En fait, me direz-vous, il suffit de se lever le matin et de se coucher le soir et, avec un peu de patience, le jour passe... Pour peu qu'on prenne goût aux plaisirs de la table et qu'un ami ou deux vienne bavarder avec vous l'après-midi, le tour est joué. Il est l'heure 10 de retourner au lit et d'oublier. Malheureusement la tête travaille.

CÉCILE. – Oui, papa.

MONSIEUR ORLAS. – Oui, papa ! cela ne veut rien dire. Je ne vous demande pas de m'écouter bien poliment en pensant à autre chose, Cécile. Je vous demande de faire un effort pour comprendre 15 ce que je vous dis. C'est trop facile d'être une enfant, de penser : « Les pères sont bêtes, bornés par définition ; ils vivent avec leurs préjugés d'un autre âge, ils ne savent rien de ce qui est bon. Écou-tons-les bien respectueusement, puisque c'est l'usage. – Oui papa. Je vous le promets papa, – et n'en faisons qu'à notre tête, une fois 20 qu'ils ont le dos tourné. »

CÉCILE. – Non, papa.

MONSIEUR ORLAS. – Non, papa ! c'est la même chose. Je vous demande un peu moins de respect, Cécile, et une petite lumière dans vos yeux qui me montre que vous m'écoutez. Si je vous parle

25 comme un père et vous comme une petite fille, nous nous quitterons
tout à l'heure, vous avec une révérence, moi une petite tape amicale
sur votre joue, et nous n'aurons pas avancé d'un pas. J'aimerais que
vous renonciez aux privilèges de votre âge et que vous m'accordiez,
pour un moment, l'attention et la considération que vous auriez
30 pour un autre enfant.

CÉCILE. – Vous savez que je vous obéis toujours respectueusement en tout, papa.

MONSIEUR ORLAS. – Bon ! vous faites la sotte maintenant. Ce
n'est pas là ce que je vous demande, vous le savez fort bien. Mais
35 enfin quelque chose dans votre regard vous a trahie et je pense que
vous m'avez compris. Vous êtes un petit être vif, rusé, sage comme
un vieux Chinois avec vos airs de folie, mais des conventions millénaires ont dressé une barrière infranchissable entre nous. Parce que
je suis votre père et que vous êtes ma fille, nous nous croyons obligés
40 l'un et l'autre de jouer des rôles tout faits. Ce que je vais vous dire
est d'avance marqué dans votre esprit de banalité, de conformisme,
d'ennui. Vous êtes injuste, Cécile... Imaginez un instant que je ne
suis pas votre père, je vous assure que je suis un homme drôle et
charmant.

45 CÉCILE. – Oui, papa.

MONSIEUR ORLAS, *amer*. – Oui, papa ! Ne me répondez rien
du tout, je crois que nous avancerons plus vite. Je vais d'abord vous
faire un aveu Cécile, j'ai à peu de chose près le même âge que vous.

Il la regarde, satisfait.

50 Ah ! j'ai réussi à vous étonner, tout de même ! Mais vous vous
méfiez encore, je le vois bien. Vous vous dites que c'est un début
inhabituel ; mais restons tout de même sur nos gardes. Tout cela
va se transformer en interdictions et en morale comme d'habitude.
Rien d'autre ne peut sortir de la bouche d'un père, c'est connu.
55 Vous savez de quoi vous avez l'air en ce moment, Cécile ? D'un petit
prisonnier que l'état-major ennemi interroge... Pourtant vous êtes
grande et belle ; dans un an, dans un mois, qui sait, demain peut-
être, vous serez passée dans l'autre camp, vous aussi : vous serez une
femme. Nous pourrons nous comprendre alors, mais il sera peut-
60 être trop tard. J'aurais voulu trouver le chemin de votre cœur avant.

Jean Anouilh, *Cécile ou l'École des pères*,
© Éditions La Table Ronde, 1951.

LES CLÉS DU SUJET

■ Comprendre la question

• « images (du père) » : vous devez caractériser ces personnages de pères (image positive ? négative ?), puis en dégager les **traits particuliers**.

• Analysez leurs relations avec leur interlocuteur/interlocutrice, ainsi que leur façon de s'exprimer.

• N'analysez pas les textes l'un après l'autre, mais **construisez votre réponse par points abordés**, caractéristiques de ces pères. Commencez par dégager les **points communs** entre ces pères ; puis analysez ce qui fait les éventuelles **particularités de chacun**.

■ Construire la réponse

• **Grouper certains personnages** en identifiant deux catégories de pères.

• **Rédigez une introduction** et une brève **conclusion**. Accompagnez chaque remarque d'**exemples** tirés des différents textes.

CORRIGÉ 21

Les titres en couleurs et les indications entre crochets servent à guider la lecture mais ne doivent pas figurer sur la copie.

Introduction

[Présentation du corpus et problématique] Le père est une figure très importante dans l'organisation sociale mais aussi dans la littérature et les arts. Le théâtre, depuis l'Antiquité, lui réserve une place de choix : la variété des relations qu'il noue avec ses enfants est un puissant moteur de l'action. Au XVIIᵉ siècle, Molière oppose souvent dans ses comédies père et fils : dans *Dom Juan*, Dom Louis vient à l'acte IV réprimander son débauché de fils ; un siècle plus tard, Marivaux débute sa comédie *Le Jeu de l'Amour et du Hasard* par un dialogue entre Monsieur Orgon et sa fille Silvia au sujet d'un projet de mariage ; à l'époque romantique, Hugo dans son drame *Le Roi s'amuse* met face à face le bouffon Triboulet et sa fille Blanche qui sait peu de chose sur son père ; au XXᵉ siècle, dans *Cécile ou l'École des pères* d'Anouilh, Monsieur Orlas essaie de nouer avec sa fille un dialogue qui aille au-delà des relations stéréotypées. Toutes singulières, ces figures présentent cependant des points communs.

I. Des pères affectueux et aimants

Plusieurs pères sont très attentifs à leur enfant et expriment leur amour, mais suivant certaines nuances qui les distinguent. Ils ont notamment avec leur fille une attitude pleine de sollicitude. Ils utilisent un vocabulaire affectif, notamment le verbe « aimer » : « ma chère enfant, tu sais combien je t'aime » (Monsieur Orgon) ; Triboulet adresse une véritable déclaration d'amour à Blanche ; Monsieur Orlas est moins démonstratif mais il assure à sa fille qu'il aurait « voulu trouver le chemin de [son] cœur avant ». Cependant l'affection paternelle ne se manifeste pas de la même façon.

• Triboulet, chez Hugo, s'adresse à sa fille comme s'il parlait à une maîtresse, en la tutoyant, à grand renfort d'exclamations, d'interjections lyriques et d'accumulations exaltées (« Ma cité, mon pays, ma famille,/Mon épouse, ma mère, et ma sœur, et ma fille... rien que toi »).

• Monsieur Orgon est plein d'une attention bienveillante : il encourage sa fille à donner son avis (« Parle », « explique-toi ») et il se montre réceptif à son étrange demande (« Soit [...] je te permets le déguisement »).

• Monsieur Orlas a une relation affective plus complexe – et plus distante (vouvoiement) : il aspire à sortir des rapports père-fille traditionnels fondés sur des « préjugés » et le « respect » (« conventions millénaires », « rôles tout faits ») mais il a du mal à dialoguer comme il l'entend avec sa fille.

• Enfin Dom Louis, même s'il est en désaccord avec son fils adulte, évoque un passé où il était prêt à aimer ce fils qui devait être « la joie et la consolation » de sa vie.

II. Des figures d'éducateurs

Cet amour implique pour ces pères une responsabilité et la mission d'éduquer leur enfant pour que la vie leur sourie. Mais le ton et les relations diffèrent selon les personnages et les situations.

• Dom Louis se montre très autoritaire et sévère dans sa leçon de morale qui vise à remettre son fils dans le droit chemin. Il perd progressivement son calme et passe des conseils à l'exaspération, du vouvoiement au tutoiement : « la tendresse paternelle est poussée à bout par tes actions ».

• Monsieur Orgon est beaucoup plus serein : il donne les autorisations (« je te l'accorde », « je te permets ») mais il maintient un dialogue plein de sollicitude.

THÉÂTRE

• Monsieur Orlas lui aussi mène la discussion (ses répliques sont longues par rapport à celles, presque monosyllabiques, de sa fille), « parle comme un père », mais paradoxalement il demande « moins de respect », refuse toute soumission artificielle. Il modifie donc la relation de soumission père-fille pour la placer sous le signe de l'égalité (« j'aimerais que vous m'accordiez [...] la considération que vous auriez pour un autre enfant ».)

• Triboulet est le seul qui ne se positionne pas en éducateur, même si implicitement il exprime fermement sa conception de la vie qui doit être tout amour.

III. Des pères envahissants

Sévères ou affectueux, trois de ces pères se montrent plus ou moins envahissants (ils tendent à monopoliser la parole.)

• Dom Louis et Triboulet, pour des raisons diamétralement opposées, étouffent de paroles leur enfant : le flot de reproches de Dom Louis est une défense du code de l'honneur familial et social et des valeurs aristocratiques ; c'est par désir de ne pas perdre le « trésor » que Blanche est pour lui que Triboulet se livre à des manifestations d'amour débordantes qui réduisent sa fille au silence.

• Monsieur Orlas est moins étouffant : même s'il monopolise la parole, il fait des efforts (vains) pour ne pas se montrer trop pesant.

• Seul **Monsieur Orgon** évite ce défaut (comme l'indique le relatif équilibre des répliques entre lui et sa fille). Est-ce l'influence de l'esprit tolérant des Lumières ? Ou est-ce parce que la conversation se déroule devant une tierce personne, la servante Lisette ?

Conclusion

Les figures de pères dans les œuvres littéraires sont le plus souvent le reflet de l'époque à laquelle ils appartiennent et des valeurs prédominantes : honneur et famille au XVIIᵉ siècle, tolérance au XVIIIᵉ siècle, passion à l'époque romantique, refus des stéréotypes et désir de relations authentiques au XXᵉ siècle.

22

Asie • Juin 2017
Série L • 16 points

Figures de pères

■ Commentaire

Vous ferez le commentaire du texte de Victor Hugo (texte C).

Se reporter au document C du sujet n° 21.

■ Trouver les idées directrices

• Définissez les **caractéristiques** du texte pour trouver les axes.

> Scène de drame (*genre*) romantique (*mouvement*), dialogue entre un
> père et sa fille et déclaration d'amour paternel (*thèmes*) lyrique (*registre*),
> contrastée, émouvante, poignante, exaltée, passionnée, à tonalité reli-
> gieuse (*adjectif*), pour peindre la relation père-fille, pour susciter l'émo-
> tion, pour proposer une vision romantique du monde (*buts*).

■ Pistes de recherche

Première piste : Triboulet, du bouffon au père romantique
• Montrez que Triboulet se définit avant tout comme un père.
• Quelle conception de la paternité exprime-t-il ?
• Montrez qu'il définit sa fonction de père en opposition avec l'hostilité du
monde qui l'entoure en analysant les contrastes qu'il met en relief.

Deuxième piste : Une déclaration d'amour paternel lyrique
• Quelles sont les marques du lyrisme dans cette déclaration d'amour ?
• Analysez le rôle et l'attitude de Blanche dans la scène.
• En quoi l'amour paternel se révèle-t-il ici envahissant et exclusif ?

Troisième piste : Blanche, une figure angélique et sublimée
• Quel portrait de Blanche se dégage des propos de Triboulet ?
• En quoi s'agit-il d'un éloge ?
• En quoi la tirade de Triboulet transforme-t-elle Blanche en un personnage idéalisé et au-dessus de sa condition humaine ?

▶ **Pour réussir le commentaire :** voir guide méthodologique.
▶ **Le théâtre :** voir lexique des notions.

CORRIGÉ 22

Les titres en couleur et les indications entre crochets servent à guider la lecture mais ne doivent pas figurer sur la copie.

Introduction

[Amorce et présentation du texte] Les dramaturges romantiques privilégient les sujets historiques, notamment Hugo : *Hernani* et *Ruy Blas* se situent dans l'Espagne de la Renaissance et du XVII\ siècle. L'action de son drame en vers *Le Roi s'amuse* se déroule au XVI\ siècle, à la cour du roi François Ier dont Triboulet est le bouffon. Lors d'une conversation avec sa fille Blanche – ignorante de la véritable identité de son père qui la tient éloignée de la cour –, Triboulet déclare avec passion son amour paternel. [Problématique] Par ses longues tirades, il se peint lui-même et se révèle être un personnage profondément romantique : [Annonce du plan] de bouffon grotesque, il se métamorphose en père sublime [I] qui voue à sa fille un amour absolu, exprimé par des accents poignants et lyriques. [II] À travers ses propos exaltés, se dessine aussi une figure féminine parfaite et angélique [III].

I. Triboulet : du bouffon grotesque au père romantique

La scène comporte tous les « ingrédients » du drame romantique.

1. Un père qui construit son identité à travers sa fonction

• La question pleine d'anxiété (« qu'avez-vous ? Dites-moi votre nom ») qu'adresse Blanche à Triboulet est l'occasion pour le bouffon de définir son identité de façon peu commune et de se revendiquer comme père avant tout. Dans sa réponse il refuse toute identité sociale et toute désignation par son nom aux sonorités peu aristocratiques (« Triboulet »), sans doute par peur d'être avili aux yeux de sa fille – un refus ferme, souligné par la rime entre le « nom » dit par Blanche et le « non » catégorique de Triboulet.

• Au lieu de révéler son statut social dégradant de bouffon, Triboulet revendique sa fonction de « père », mot répété à plusieurs reprises. Il magnifie cette paternité qu'il érige en une sorte de religion – ce que révèlent quelques adjectifs (« vénéré », « saint », « auguste » et « sacré »). Blanche le reconnaît dans cette fonction sacralisée : ses deux courtes répliques débutent par l'apostrophe « mon père », réponse indirecte, avant même que Triboulet ne la pose, à la question « Aimes-tu ton père ? » (vers 14).

2. Un père qui se définit contre l'hostilité du monde

Triboulet se présente comme le parfait héros romantique qui affirme son identité et sa fonction par des contrastes chers à Hugo. Cette attitude est résumée par l'antithèse saisissante dans un alexandrin construit sur un parallélisme parfait : « Je t'aime pour tout ce que je hais au monde ».

• Hugo joue sur l'opposition, dans l'esprit de Triboulet, entre le monde extérieur (« hors d'ici », « ailleurs », « de tout autre côté ») hostile, perçu négativement, et l'espace de l'intimité, perçu comme un refuge (la scène se passe « dans ce seul coin du monde », la maison de Triboulet, loin de la Cour).

• D'un côté, il y a le lieu de l'anonymat peuplé d'êtres sans nom et hostiles désignés par des indéfinis (« d'autres », « l'un l'autre », « un autre », « on »), où Triboulet est rejeté et méprisé. De l'autre côté, il y a un lieu où domine l'unicité marquée par les formules restrictives (« Moi, je *n'*ai *que* toi seule », « je *n'*ai *que* ta beauté », « toi, rien que toi ») et les indices personnels de la première et de la deuxième personne constamment mêlés (mon/ma/mes, ta/ton ; moi/toi, je/te). Cet « univers », où Triboulet est en position de sujet (« je ») face à un « toi » emplissant l'espace (« Mon univers, c'est toi, toujours toi, rien que toi »), est le lieu du « nous » fusionnel (vers 14, 16).

II. Une déclaration d'amour paternel aux accents lyriques

1. L'amour sublime d'un père aux accents lyriques

Le lyrisme de Triboulet donne au bouffon une dimension sublime.

• La tirade de Triboulet est émaillée de termes affectifs (« je t'aime », « l'amour », « flamme », « chère »). L'expression du sentiment est rendue encore plus émouvante par le rappel d'un amour perdu : celui de la défunte mère de Blanche, suggéré par l'imparfait (« elle était belle ») et par l'expression de la peur de perdre l'être aimé (« Si je te perdais ! »).

• Nous sommes au théâtre : les gestes créent l'émotion et renforcent le lyrisme de la scène quand Triboulet évoque les manifestations visibles de ses sentiments (« la serrant [...] dans ses bras », « ta main entre mes mains », « souris-moi », « ton sourire est charmant »).

THÉÂTRE

• Soutenue par la majesté de l'alexandrin et par le souffle d'une tirade de 34 vers, l'intensité fiévreuse de la passion du père pour sa fille mobilise les ressources du lyrisme : interjections (« oh ! » en début de vers, « ô »), adverbes affirmatifs et négatifs en opposition (« Non »/« Oui »), exclamations multiples, énumérations en cascade, anaphores (« toi »), échos dans les termes et les sonorités (« Moi… » au vers 21, « Toi » au vers 22).

• Enfin, l'amour s'exprime aussi à travers les métaphores qui renvoient à la majesté de la nature (« tu rayonnes », « le jour me vient de toi », « d'autre soleil »), à un monde merveilleux (« tu es mon seul trésor ») ou au monde divin (« angélique flamme »), et transforment le bouffon grotesque en père sublime.

2. Une passion exclusive et sans bornes

Cependant, comme souvent chez les héros romantiques, l'amour immodéré pèse sur l'être aimé.

• L'amour de Triboulet peut paraître excessif tant il est exclusif, comme le marque le recours fréquent à des mots comme « seul(e) » (« seul bonheur », « toi seule » répété), à des formules restrictives (« ne… que », « rien que », « pas d'autres ») ou encore intensives (« toujours »).

• Face à telle démonstration d'amour, Blanche est réduite à la passivité autant dans sa parole que dans ses gestes : c'est Triboulet qui « la serr[e] avec emportement dans ses bras » ; ses autres gestes répondent à des injonctions de son père (« assieds-toi », « viens, parlons », « souris-moi »).

• La jeune fille est ainsi réduite à l'état d'objet comme en témoignent les métaphores empruntées au domaine de la propriété (« mon *trésor* […] mon *bien* ! » ; « ma richesse »), mais aussi le verbe « avoir » qui prend ici son sens plein de « posséder » (« je n'ai que toi », « je n'ai que ta beauté » ; « n'avoir pas »). Triboulet fait preuve d'un amour envahissant.

III. Blanche, une figure tutélaire angélique et sublimée

Cependant, à travers cette déclaration d'amour, Triboulet fait de sa fille un éloge dithyrambique et elle devient une figure sublime.

1. L'objet souverain de l'amour paternel

• Bien qu'elle parle à peine, Blanche rayonne sur la scène. Triboulet ne s'adresse qu'à elle, ne voit qu'elle. Les indices de la deuxième personne (vers 9, 13, 21, 22, 30), la répétition des possessifs (« mon », « ma ») qui réalisent la fusion entre père et fille, la placent au centre de la tirade de Triboulet.

ATTENTION
À l'origine chant religieux en l'honneur de Dionysos, le dithyrambe désigne maintenant un éloge enthousiaste, le plus souvent excessif. Ses synonymes sont : *éloge, panégyrique, glorification*.

• Blanche unit la « beauté » physique (elle a un « beau corps », un sourire « charmant », ses gestes sont pleins de « grâce ») à toutes les qualités affectives et morales (« cœur pur » et « front » innocent – à prendre au sens propre de « qui est incapable de faire le mal »). Le vocabulaire qui la qualifie est mélioratif, assorti d'hyperboles élogieuses, d'exclamations admiratives et de métaphores positives : de Triboulet, Blanche est le « seul bonheur » (le mot est répété au vers 29), « son trésor ». Elle surpasse tous les « autres » qui sont « riche[s] », jeunes et qui ont « l'éclat, la grâce », qui sont « beaux ». Et la comparaison avec sa « mère » dans ce qu'elle avait de plus charmant (« sourire » et « geste ») vient compléter ce portrait sublime.

2. Un être protéiforme, une figure angélique

• Par son exaltation Triboulet fait de sa fille un être merveilleux aux formes multiples : à la fois « pays », « cité », puis, par un élargissement épique, « univers », mais aussi mélange de figures familiales (« enfant », « femme », « fille », « épouse », « mère », « sœur », « aïeux ») ou sociales (« ami », « vassaux », « alliés », « loi »), ou encore élément naturel (« soleil »...).

• Ce portrait culmine à la fin de la tirade où Blanche – nom qui connote la pureté – prend une dimension religieuse. Cette métamorphose en ange est préparée tout au long de la scène par des mots du vocabulaire religieux (« vénéré », « saint », « sacré », « ciel », « croi[re] (en Dieu) »/« en ton âme », « culte »)...

• À la fin de la tirade, la symbolique de la lumière et de l'ombre, les champs lexicaux de la vue (« voit / vois, yeux, œil voilé, aveugle »), de l'éblouissement (« jour, rayonnes, flamme, soleil ») et la mention de « l'obscurité profonde » rappellent les images bibliques et achèvent la métamorphose de Blanche en figure « angélique » tutélaire, à laquelle Triboulet adresse une invocation qui commence par l'interjection « ô », propre à la prière.

Conclusion

Cette confrontation intime émouvante entre un père et sa fille permet à Hugo de définir en profondeur les deux personnages principaux de son drame : d'un côté Triboulet qui revendique avant tout son statut de père, contre les aléas du monde et l'hostilité de son entourage, et exprime son amour avec des accents poignants ; de l'autre, Blanche, idéalisée et presque sanctifiée par ce père qui, en voulant la préserver, pèse sur sa condition. [Ouverture] Il n'est pas étonnant que la force dramatique de ces deux personnages ait inspiré, quelque vingt années après la création du *Roi s'amuse*, le compositeur italien Verdi pour son opéra *Rigoletto* (1851), qui a connu un succès encore plus éclatant que son modèle théâtral.

THÉÂTRE

Figures de pères

■ Dissertation

▶ **Pensez-vous que la fonction essentielle du théâtre soit d'évoquer les relations intimes, qu'elles soient familiales ou amoureuses ?**

Les textes du corpus sont reproduits dans le sujet n° 21.

LES CLÉS DU SUJET

■ Comprendre le sujet

• Le **présupposé** est : « Une des fonctions du théâtre est de porter sur scène les relations intimes ».

• L'expression « **relations intimes** » est explicitée par « familiales » et « amoureuses ». Identifiez les **relations** familiales (couple, parents-enfants, frère-sœur, oncles, tantes…) ; amoureuses (amant, maîtresse, époux, rivaux…). Montrez que le théâtre doit évoquer ce type de relations et cherchez pourquoi.

• L'adjectif « **essentielle** » laisse entendre qu'il faut dépasser le présupposé, qu'il y a une **discussion possible** : on attend un plan dialectique, au moins une forme de concession : bien que le théâtre ait pour fonction de représenter les relations familiales et amoureuses, il sert aussi à…

• Il peut y avoir **discussion à deux niveaux** :
– le théâtre peut évoquer des relations qui ne sont pas intimes ;
– le théâtre peut avoir d'autres fonctions.

• Le sujet s'élargit donc aux diverses **fonctions** du théâtre.

■ **Chercher des idées**

Le plan

Subdivisez la problématique en sous-questions : *Pourquoi et comment le théâtre est-il propre à évoquer les relations intimes ? Quelles autres relations peut-il évoquer ? Pourquoi et comment ? Quelles autres fonctions le théâtre peut-il assurer ?*

Les idées

• Précisez le sens du mot « intime » : personnel, profond, caché, secret, privé, familier, qui se passe entre quelques personnes très liées.

Cherchez **ses antonymes** : public, ouvert, collectif, social, politique…

• Pour trouver pourquoi le théâtre est propre à évoquer les relations intimes, cherchez **quelles sont ses spécificités** (par rapport aux autres genres), ses **contraintes**, les **moyens** qu'il offre au dramaturge pour cela.

• Pour les **différentes fonctions du théâtre**, demandez-vous à quoi peut servir le théâtre pour le dramaturge et pour le spectateur.

THÉÂTRE

CORRIGÉ 23

Les titres en couleur et les indications entre crochets servent à guider la lecture mais ne doivent pas figurer sur la copie. Certains exemples ne sont que mentionnés : il faut les développer.

Introduction

[Amorce] « Une pièce de théâtre ne m'intéresse » que si elle « n'est qu'un prétexte à l'exploration de l'homme », écrit Henry de Montherlant dans *Notes de théâtre,* assignant au théâtre la fonction principale de peindre l'être humain. Mais plus précisément quelle facette de l'homme ? Le comédien Jean Le Poulain semble lui répondre sur le mode de la plaisanterie lorsqu'il affirme : « Le théâtre est l'endroit où on s'embrasse le plus et où on s'aime le moins » ! Il entend par cette boutade que les dramaturges ont pour but essentiel d'évoquer dans leurs pièces les relations intimes. [Problématique] Est-ce là un but primordial du théâtre ? [Annonce du plan] Le théâtre est un genre propice à rendre compte des rapports privés, familiaux et sentimentaux entre les hommes [I]. Cependant, le cœur de l'intrigue théâtrale dépasse parfois la sphère intime [II]. Par ailleurs, au-delà de sa fonction de miroir des relations humaines, le théâtre remplit bien d'autres missions [III].

I. Le théâtre propice à l'évocation de relations intimes ?

1. L'omniprésence de la famille, du couple et du trio amoureux

Giraudoux écrit : « La plupart des pièces que nous considérons comme les chefs-d'œuvre tragiques ne sont que des débats et des querelles de famille. »

• En effet, la multitude des pères, des mères et des enfants parmi les « types » théâtraux, l'omniprésence des « histoires d'amour » dans les comédies comme dans les tragédies indiquent clairement que la sphère familiale et amoureuse est au centre de toute intrigue théâtrale.

• Les familles et les couples (mariés ou non) fournissent au dramaturge un large éventail de personnages : père, mère, beau-père et belle-mère, enfants, rival amoureux, conjoints…

• Mettre en scène la vie intime d'une famille ou d'un couple permet d'aborder une infinité de sujets et de sentiments : amour, dévouement, jalousie, trahison, conflits, rébellion, incompréhension, ingratitude, rivalité, haine… qui lient ou opposent parents et enfants [exemples].

2. Pourquoi cette fréquence au théâtre ?

Cette fréquence s'explique en grande partie par le fait que le théâtre est un spectacle limité dans l'espace et dans le temps.

• Il privilégie les « petits groupes » de personnages : famille, couple, triangle amoureux [exemples].

• Même si les artifices du décor et de la scénographie permettent de représenter un grand espace (une forêt dans l'acte II de Dom Juan, par exemple), la cellule familiale ou les intrigues amoureuses impliquent un cadre réduit (maison, palais, place publique…).

• Les limites temporelles de l'action (24 heures dans le théâtre classique, plus étendues dans le théâtre moderne) impliquent une situation de crise. Or, les relations familiales et amoureuses sont génératrices de péripéties tumultueuses concentrées et intenses – conflits, trahisons, rivalités, jalousie… – et assurent une action mouvementée, comme en témoigne le sous-titre du Mariage de Figaro de Beaumarchais : la Folle Journée.

3. La capacité à éclairer les relations secrètes et intimes

Antoine Vitez définit le théâtre comme « un art, dont toute l'ambition semble se limiter à être le laboratoire des conditions humaines ». En effet, l'espace spatio-temporel fermé fonctionne comme un « laboratoire ».

• Le dramaturge peut ainsi mettre face à face les personnages, en un vase clos où les passions et les tensions s'exacerbent et deviennent plus visibles (exemple : Phèdre et Hippolyte dans Phèdre de Racine).

• Le théâtre, qui ne raconte pas mais montre la vie, permet aux personnages d'exprimer directement ce qu'ils éprouvent, de faire connaître le fond de leur cœur lors de dialogues où ils s'affrontent (Dom Juan et Dom Louis de Molière, les tragédies de Racine, *Le Jeu de l'Amour et du Hasard* de Marivaux) ou de monologues où ils se confient.

• Confronter un personnage à plusieurs personnes permet de faire surgir ses différentes facettes : exemple de Dom Juan face à Don Elvire, sa femme, aux paysannes qu'il veut séduire, à Sganarelle (son valet), à son père.

II. Quels autres types de relations le théâtre évoque-t-il ?

Le cœur de l'intrigue théâtrale dépasse souvent la sphère intime pour évoquer des relations plus étendues : sociales, politiques...

1. Mettre en scène des rapports sociaux

De nombreuses pièces tournent autour de rapports sociaux.

• Dans l'Antiquité, les comédies de Plaute et de Térence campent ce qui deviendra le couple traditionnel maître-valet de la *commedia dell'arte*, puis des comédies de Molière. Le théâtre rend compte alors des rapports de dépendance – entre Toinette et Argan dans *Le Malade imaginaire*, entre Scapin et son vieux maître Géronte ou entre Dom Juan et Sganarelle. Au siècle des Lumières, le théâtre, plus « social », met le valet au centre de l'intrigue (*Le Barbier de Séville* ou *Le Mariage de Figaro* de Beaumarchais).

• La scène théâtrale peut représenter un conflit entre des groupes sociaux, ethniques ou claniques. *Roméo et Juliette*, en marge de l'intrigue amoureuse, met en scène la rivalité entre deux familles, Capulet et Montaigu. *L'Atelier volant* de Valère Novarina met en scène une poignée d'employés, désignés par les lettres de l'alphabet et soumis à la domination des époux Boucot qu'obsède la peur d'une révolte des travailleurs. Koltès dans *Combat de nègre et de chiens* fait s'affronter les Noirs, ouvriers d'une entreprise de travaux publics, et les Blancs « toubabs » colonisateurs et dominateurs.

2. Mettre en scène des relations de pouvoir

Le théâtre peut aussi traiter de relations de pouvoir.

• Même s'il s'agit de liens au sein d'une famille, la pièce dépasse le simple enjeu intime en leur donnant une valeur symbolique emblématique de l'époque. Exemples : *Le Bourgeois Gentilhomme* de Molière, Ferrante et son fils dans la *Reine Morte* de Montherlant, Créon et Antigone chez Anouilh.

• Dans une sphère plus large, le théâtre représente un jeu de forces politiques et incite à réfléchir sur la légitimité du pouvoir ou sur ses dérives : c'est, chez Racine, Néron, le « monstre naissant » usurpateur face à Britannicus, le prince

THÉÂTRE

légitime ; c'est chez Musset, Alexandre de Médicis, duc de Florence débauché, face au tyrannicide Lorenzo dans *Lorenzaccio* ; c'est chez Jarry, le père Ubu qui fait « périr tous les nobles » et maltraite ses sujets.

3. Mettre en scène une parole engagée

Certains dramaturges enfin se donnent comme objectif essentiel de défendre une cause éthique, sociale ou politique et, en mettant en scène une parole engagée, ils cherchent à susciter chez le spectateur des sentiments d'adhésion, de révolte, etc. C'est ce que visent, par exemple, les pièces de Sartre (*Les Mouches, Les Mains sales*), de Camus (*Les Justes*), d'Anouilh (*Antigone*).

III. D'autres fonctions essentielles du théâtre : divertir, faire réfléchir, remettre en question le langage

Les fonctions du théâtre ne sauraient se limiter à « évoquer des relations ».

1. Le théâtre comme divertissement

• Dès sa naissance, le théâtre a eu pour fonction de divertir. Pour Pagnol, le public vient au théâtre pour « se faire des songes ».

• Plus profondément, le théâtre agit comme un instrument de « divertissement » au sens pascalien du terme, c'est-à-dire qu'il détourne le spectateur de la réalité, de son angoisse de la vie et de la mort, par exemple en lui proposant des fantaisies ou des féeries. Exemples : le surgissement de créatures surnaturelles chez Shakespeare, chez Giraudoux (les Euménides dans *Électre*, le spectre dans *Intermezzo*).

2. Fonction morale et philosophique du théâtre

Le théâtre peut, au contraire, engager le spectateur dans une réflexion consciente profonde.

• Depuis l'Antiquité, les dramaturges assignent au théâtre une fonction morale : mettre en lumière les vertus et les défauts humains, dans la tragédie qui par la « catharsis » « purge » le spectateur de ses passions et dans la comédie qui utilise l'arme du rire pour « corriger les vices des hommes » (préface du *Tartuffe*).

> **ATTENTION**
> La catharsis désigne un des effets de la tragédie (selon Aristote) : c'est la purification, la libération de l'âme du spectateur, la « purgation » de ses passions dont il se sent libéré par la « terreur et la pitié » qu'il éprouve devant le châtiment d'un coupable à la destinée tragique.

• Le théâtre peut s'attacher aux relations de l'homme avec lui-même : il prend alors une portée philosophique. Une de ses fonctions serait de « se regarder soi-même » (Claudel) et de susciter une réflexion existentielle sur l'être humain : qui est-il vraiment ? Qui « dirige » sa destinée (les dieux dans le théâtre antique, Dieu, le hasard...) ? Exemples : Dom Juan et son questionnement sur ses croyances (III, 1), Hamlet (« To be or not to be ? ») ; *Zoo ou l'Assassin philantrope* de Vercors pose la question : « Qu'est-ce qu'un homme ? » ; *En attendant Godot* de Beckett soulève la question de l'absurdité de la vie...

• Lechy Elbernon dans *L'Échange* de Claudel explique cette fonction du théâtre : « L'ignorance [...] est attachée [à l'homme] depuis sa naissance. Et ne sachant de rien comment cela [la vie] commence ou finit, c'est pour cela qu'il va au théâtre. »

3. Évoquer les relations de l'homme avec le langage

Le théâtre est aussi un art du langage et de la communication.

• Il soulève la question du rapport de l'homme avec le langage : en quoi celui-ci peut-il être trompeur, générateur de malentendus, d'incompréhension, donc de tragique ? Comment l'utiliser ? N'est-il pas parfois instrumentalisé à des fins idéologiques ? N'est-il pas absurde ?

• Pour mettre en valeur l'utilisation malhonnête de la parole, le dramaturge peut recourir à la mise en abyme, en mettant en scène des personnages qui eux-mêmes « jouent un rôle ». Exemples : le discours de Dom Juan, qui trompe et sa femme et son père (en feignant le repentir) ; les scènes 5 à 11 de l'acte II de *Caligula* de Camus (le jeu d'acteur de Caligula, très théâtral, successivement farceur, rêveur, en colère, qui trompe son entourage).

• Certains dramaturges – comme Sarraute, Ionesco, Beckett – font réfléchir sur l'absurdité du langage, l'incommunicabilité entre les êtres, en mettant en scène un langage déstructuré, des conversations décousues, une parole qui ne fonctionne pas et tourne à vide... [*exemples*]. Leur théâtre s'attache à dénoncer son fondement même : l'échange de paroles...

Conclusion

Si le théâtre est un lieu et un genre privilégié pour rendre compte des relations intimes, il ne saurait se limiter à la sphère familiale ou amoureuse : il élargit souvent son champ d'action aux rapports sociaux ou politiques. Mais surtout, il remplit bien d'autres rôles : tantôt sa fonction de divertissement prend le dessus ; tantôt sa fonction didactique l'emporte et c'est alors un tremplin vers une réflexion morale et existentielle. Mais peut-on vraiment désigner une de ces fonctions comme « essentielle », au détriment des autres ? N'est-ce pas leur combinaison, leur complémentarité qui font du théâtre un genre spécifique et qui explique que le public emplisse encore les salles ?

THÉÂTRE

24

Figures de pères

■ Écriture d'invention

▶ À l'issue de la scène de Jean Anouilh (texte D), Cécile rejoint sa grande sœur et lui raconte l'entretien qu'elle a eu avec leur père. Elle justifie la brièveté de ses répliques et explique ce qui l'a déroutée dans le discours de ce dernier. Son interlocutrice essaie de la raisonner. Imaginez cette scène.

Le candidat peut s'appuyer sur les textes reproduits dans le sujet nº 21.

LES CLÉS DU SUJET

■ Comprendre le sujet

• **Genre** : « scène ». Respectez les caractéristiques du texte de théâtre.

• **Sujet** : « l'entretien » entre Cécile et son père ; « le discours » du père.

• **Type de texte** : « raconte/explique/raisonne » → les répliques de Cécile seront en partie narratives, en partie argumentatives ; celles de sa sœur argumentatives.

• **Situation d'énonciation** : *qui* ? Cécile ; *à qui* ? à sa sœur, et inversement.

• **Niveau de langue** : le même que celui de Cécile dans la scène d'Anouilh ; elle est polie « respectueuse » → soutenu ou courant.

• **Caractéristiques du texte à produire** définies à partir de la consigne :

> Dialogue de théâtre (*genre*) qui argumente (*type de texte*) sur l'attitude de Cécile et de son père (*thème*), pour justifier son attitude (Cécile), pour « raisonner » Cécile et justifier le comportement du père (la sœur) (*buts*).

THÉÂTRE

■ **Chercher des idées**

Les contraintes à respecter

Respectez les caractéristiques de la scène d'Anouilh. Analysez : le **caractère** de Cécile ; sa **façon de parler** ; les **éléments de la discussion** entre Cécile et son père. Une partie de votre texte sera en effet une sorte de *réécriture* (« raconte l'entretien »).

Les choix à faire

• **La sœur** n'est pas dans la scène d'Anouilh : vous devez composer ce personnage. Il faut lui donner un **nom**. Mais tenez compte de ce qui en est dit dans la consigne : le fait que Cécile se confie à elle suggère une **complicité** entre elles ; « grande (sœur) », « raisonner » impliquent que, tout en étant une **alliée**, elle prend une position d'adulte, qu'elle est plus sensée et raisonnable face aux tensions entre père et fille, plus ouverte que Cécile.

• Imaginez des **gestes, mimiques** et **mouvements**.

Le fond

• **Les sentiments/le caractère des personnages** : sentiment d'injustice, de colère ou d'ironie de la part de Cécile ; tentative d'apaisement et d'explication raisonnée et posée de la part de sa sœur aînée.

• Avant de rédiger, faites une liste des **arguments des deux sœurs**.

La forme

• On attend dans un **dialogue argumentatif/explicatif** quelques **tirades** plutôt que de trop brèves répliques.

CORRIGÉ **24**

Dans la chambre d'Agnès, la sœur aînée de Cécile. Agnès, dix-sept ans, est en train de lire un carnet à sa table, sur laquelle est posé un cadre noir. La photographie qu'il contient montre une belle femme d'une trentaine d'années qui lui ressemble beaucoup. Cécile fait irruption dans la salle, impatientée.

CÉCILE, *pour elle-même.* – Que je fasse (*détachant les syllabes*) « un ef-fort pour com-pren-dre » ce qu'il dit ! Incroyable !

AGNÈS. – Qu'est-ce que …?

CÉCILE, *plus fort, sans faire attention à Agnès.* – Paraît-il, c'est (*même jeu*) « trop fa-ci-le d'être une en-fant » ! Comme si j'étais encore une enfant !

AGNÈS, *perplexe.* – Je ne comprends pas un traître mot de ce que…

CÉCILE, *exaspérée.* – Franchement, il ne faut pas s'étonner si je ressemblais à « un petit prisonnier que l'état-major ennemi interroge » !

AGNÈS, *d'une voix forte.* – Cécile !

CÉCILE, *s'arrêtant net.* – Hé quoi ? Tout cela est incroyable, non ?

AGNÈS, *gentiment mais fermement.* – « Tout cela » quoi ? (*s'approchant doucement pour ne pas heurter Cécile*). Calme-toi et explique-moi « tout cela » posément, veux-tu ?

CÉCILE. – Papa a voulu me parler.

AGNÈS. – Et ?

CÉCILE. – J'ai eu droit à une leçon soporifique avec des images bizarres. Il paraît que je suis « un vieux Chinois avec des airs de folie » et qu'il y a une « barrière infranchissable entre nous »… Ça n'appelait d'autre réponse que « oui », « non » et « je vous écoute avec respect, papa » ; et quand je lui répondais ainsi, il me querellait et reprenait sa leçon de plus belle !

AGNÈS. – On peut connaître le contenu de la leçon ?

CÉCILE. – Je pense que papa savait où il voulait aller, mais qu'il ne savait trop comment s'y prendre. Il a commencé en disant que les journées sont facilement remplies par les soucis ménagers et par les incidents de la vie. Que répondre d'autre que « oui, papa » ? C'était vrai, c'est tout.

AGNÈS. – Et après ?

CÉCILE. – Il m'a recommandé de me débarrasser de mes préjugés envers les adultes et de le considérer comme un enfant lui-même. En fait je ne suis pas sûre qu'il aurait été très content que je le traite comme un enfant ! Un enfant qui donne des ordres et prétend éduquer, ça n'a pas de sens ! J'ai failli lui rire au nez. Je me suis retenue, rassure-toi ! Je l'ai un instant imaginé sous les traits d'un enfant avec… une moustache et une barbe ! Il dit n'importe quoi ! Un père n'est pas un enfant ! Et puis, moi, les autres enfants qui m'embêtent, je les mords !

AGNÈS, *pince-sans-rire.* – Meilleur moyen de résoudre un problème, c'est connu…

CÉCILE, *la regarde sans rien dire avant de sourire et de reprendre.* – Enfin, il m'a dit qu'il nous fallait sortir des rôles stéréotypés de père et de fille, que j'étais injuste de penser que ce qu'il me disait était banal, conformiste et ennuyeux… Pouvais-je dire autre chose que « oui, papa » ?

AGNÈS. – Tu penses que ce qu'il disait était banal, conformiste et ennuyeux ?

CÉCILE, *surprise, après un silence de quelques secondes.* – Je ne sais pas... Non, je ne pense pas que ça l'était, au fond, mais ça en avait franchement l'air !

AGNÈS, *souriant.* – Ce n'est donc qu'une question de forme... Ce qui n'est pas bien grave, n'est-ce pas ? Vois-tu, Cécile, je ne suis pas sûre que c'était le contenu de la leçon qui importait à papa. Ce qu'il voulait, c'était discuter avec toi. Et il ne savait pas trop comment t'aborder...

CÉCILE, *légèrement impatientée.* – Hé bien, n'est-ce pas précisément ce que nous avons fait, *(imitant le ton didactique de sa sœur)* « dis-cu-ter » ?

AGNÈS. – Je ne le crois pas : parler à quelqu'un, ce n'est pas discuter avec lui. D'après ce que tu me racontes, papa a beaucoup parlé, mais toi, pas trop. C'est précisément, sans doute, ce qu'il te demandait de faire.

CÉCILE. – Mais m'a-t-il seulement laissé l'occasion de placer un mot ? Ce n'est tout de même pas de ma faute si tout ce qu'il disait n'appelait rien d'autre que *(faisant des révérences grotesques)* « oui » ou « non » !

AGNÈS. – Cécile, il faut être indulgente avec papa. Il fait un effort pour être un père plus « moderne », qui refuse les conventions artificielles... Mets-toi à sa place : il a l'habitude de parler avec des grandes personnes, pas avec nous. Tu le disais toi-même : il ne sait pas comment s'y prendre. Il ne faut pas s'en formaliser. *(Petit silence.)* Tu sais qu'il se sent seul ces derniers temps. C'est naturel qu'il cherche à se rapprocher de ses filles avant qu'il ne soit trop tard.

CÉCILE, *réfléchissant pour la première fois depuis le début de la scène.* – Tu veux dire trouver le chemin de notre cœur avant qu'il ne soit trop tard ?

AGNÈS. – On peut le dire de cette façon, oui. *(Silence.)* Pourquoi ?

CÉCILE, *continuant à réfléchir.* – Oh, rien, tu viens de me rappeler quelque chose... *(Silence.)* Je crois que je comprends...

AGNÈS. – Tu veux mon conseil de grande sœur ? Garde ta place de fille, mais évite de juger papa trop sévèrement, fais un effort pour communiquer avec lui et pour laisser s'exprimer sa spontanéité... Une fille peut aussi « éduquer son père » ! Tiens, au fait, j'ai trouvé ça. *(Agnès montre le carnet à Cécile qui le feuillette.)* Je te le passerai un de ces jours, si tu veux.

CÉCILE. – Oui je veux bien. Je te laisse tranquille, maintenant. À tout à l'heure.

AGNÈS. – À tout à l'heure, sœurette.

Cécile sort. Agnès soupire et referme le carnet. Elle se tourne vers la photo posée à côté et lui parle doucement.

AGNÈS. – Bon, je ne m'en suis pas trop mal tirée, qu'en penses-tu, maman ?

Les objets au théâtre

■ Question

Documents

A – Molière, *L'École des femmes*, acte III, scène 4, 1661.
B – Victor Hugo, *Lucrèce Borgia*, acte I, scène 4, 1833.
C – Edmond Rostand, *Cyrano de Bergerac*, acte V, scène 5, 1897.

▸ **En quoi ces trois lettres sont-elles dans chacun de ces extraits beaucoup plus que de simples objets ?**

Après avoir répondu à cette question, les candidats devront traiter au choix un des trois sujets n°s 26, 27 ou 28.

DOCUMENT A

Arnolphe a fait élever une orpheline, Agnès, en la maintenant dans l'igno-rance et la naïveté pour pouvoir l'épouser ensuite et ne pas craindre d'être trompé. Le jeune Horace, qui a rencontré la jeune fille, ignore les intentions d'Arnolphe. Il lui confie qu'il est amoureux d'Agnès et qu'elle lui a envoyé une lettre en cachette.

HORACE

Mais il faut qu'en ami je vous montre la lettre.
Tout ce que son cœur sent, sa main a su l'y mettre :
Mais en termes touchants et tous pleins de bonté,
De tendresse innocente, et d'ingénuité,
5   De la manière enfin que la pure nature
Exprime de l'amour la première blessure.

ARNOLPHE, bas

Voilà, friponne, à quoi l'écriture te sert,
Et contre mon dessein l'art t'en fut découvert.

HORACE lit

Je veux vous écrire, et je suis bien en peine par où je m'y pren-
10 *drai. J'ai des pensées que je désirerais que vous sussiez ; mais je ne sais*
comment faire pour vous les dire, et je me défie de mes paroles. Comme

je commence à connaître qu'on m'a toujours tenue dans l'ignorance,
j'ai peur de mettre quelque chose, qui ne soit pas bien, et d'en dire plus
que je ne devrais. En vérité je ne sais ce que vous m'avez fait ; mais je
15 *sens que je suis fâchée à mourir de ce qu'on me fait faire contre vous,*
que j'aurai toutes les peines du monde à me passer de vous, et que je
serais bien aise d'être à vous. Peut-être qu'il y a du mal à dire cela ;
mais enfin je ne puis m'empêcher de le dire, et je voudrais que cela se
pût faire, sans qu'il y en eût. On me dit fort que tous les jeunes hommes
20 *sont des trompeurs ; qu'il ne les faut point écouter, et que tout ce que*
vous me dites, n'est que pour m'abuser ; mais je vous assure que je n'ai
pu encore me figurer cela de vous ; et je suis si touchée de vos paroles,
que je ne saurais croire qu'elles soient menteuses. Dites-moi franche-
ment ce qui en est ; car enfin, comme je suis sans malice, vous auriez
25 *le plus grand tort du monde, si vous me trompiez. Et je pense que j'en*
mourrais de déplaisir.

Molière, *L'École des femmes*, acte III, scène 4, 1661.

THÉÂTRE

DOCUMENT B

Le jeune capitaine Gennaro dialogue avec Doña Lucrezia, une femme qu'il
vient de rencontrer et dont il ne sait rien. En réalité, elle est sa mère. Son
silence cache la naissance incestueuse de son fils, ainsi que les nombreux
crimes dont elle est l'instigatrice.

DOÑA LUCREZIA. – Ainsi tu ne sais rien de ta famille ?

GENNARO. – Je sais que j'ai une mère, qu'elle est malheureuse, et
que je donnerais ma vie dans ce monde pour la voir pleurer, et ma
vie dans l'autre pour la voir sourire. Voilà tout.

5 DOÑA LUCREZIA. – Que fais-tu de ses lettres ?

GENNARO. – Je les ai toutes là, sur mon cœur. Nous autres gens
de guerre, nous risquons souvent notre poitrine à l'encontre des
épées. Les lettres d'une mère, c'est une bonne cuirasse.

DOÑA LUCREZIA. – Noble nature !

10 GENNARO. – Tenez, voulez-vous voir son écriture ? Voici une
de ses lettres.

Il tire de sa poitrine un papier qu'il baise, et qu'il remet à doña
Lucrezia.

– Lisez cela.

15 DOÑA LUCREZIA, *lisant*. – « … Ne cherche pas à me connaître,
mon Gennaro, avant le jour que je te marquerai. Je suis bien à

plaindre, va. Je suis entourée de parents sans pitié, qui te tueraient comme ils ont tué ton père. Le secret de ta naissance, mon enfant, je veux être la seule à le savoir. Si tu le savais, toi, cela est à la fois si
20 triste et si illustre que tu ne pourrais pas t'en taire[1] ; la jeunesse est confiante, tu ne connais pas les périls qui t'environnent comme je les connais ; qui sait ? tu voudrais les affronter par bravade de jeune homme, tu parlerais, ou tu te laisserais deviner, et tu ne vivrais pas deux jours. Oh non ! contente-toi de savoir que tu as une mère qui
25 t'adore, et qui veille nuit et jour sur ta vie. Mon Gennaro, mon fils, tu es tout ce que j'aime sur la terre. Mon cœur se fond quand je songe à toi… »

Elle s'interrompt pour dévorer une larme.

GENNARO. – Comme vous lisez cela tendrement ! On ne dirait
30 pas que vous lisez, mais que vous parlez. – Ah ! Vous pleurez ! – Vous êtes bonne, madame, et je vous aime de pleurer de ce qu'écrit ma mère.

Il reprend la lettre, la baise de nouveau, et la remet dans sa poitrine.

Victor Hugo, *Lucrèce Borgia*, acte I, scène 4, 1833.

---

1. Tu ne pourrais pas te taire à ce sujet.

DOCUMENT C

Cyrano, au seuil de la mort dans cette scène, a toujours aimé Roxane sans le lui avouer. Il a écrit autrefois en secret les lettres d'amour que son ami Christian signait et envoyait à Roxane. Celle-ci porte sur elle la lettre qu'elle croit écrite par Christian juste avant sa mort.

ROXANE, *debout près de lui.*
Chacun de nous a sa blessure : j'ai la mienne.
Toujours vive, elle est là, cette blessure ancienne,
Elle met la main sur sa poitrine.
Elle est là, sous la lettre au papier jaunissant
5 Où l'on peut voir encor des larmes et du sang !
Le crépuscule commence à venir.
CYRANO
Sa lettre !… N'aviez-vous pas dit qu'un jour, peut-être,
Vous me la feriez lire ?
10 ROXANE
Ah ! vous voulez ?… Sa lettre ?

CYRANO

Oui… Je veux… Aujourd'hui…

ROXANE, *lui donnant le sachet pendu à son cou.*

15 Tenez !

CYRANO, *le prenant.*

Je peux ouvrir ?

ROXANE

Ouvrez… lisez !…

20 *Elle revient à son métier, le replie, range ses laines.*

CYRANO, *lisant.*

« Roxane, adieu, je vais mourir !… »

ROXANE, *s'arrêtant, étonnée.*

Tout haut ?

25 CYRANO, *lisant.*

« C'est pour ce soir, je crois, ma bien-aimée !

J'ai l'âme lourde encor d'amour inexprimée,

Et je meurs ! jamais plus, jamais mes yeux grisés,

Mes regards dont c'était… »

30 ROXANE

Comme vous la lisez,

Sa lettre !

CYRANO, *continuant.*

« … dont c'était les frémissantes fêtes,

35 Ne baiseront au vol les gestes que vous faites ;

J'en revois un petit qui vous est familier

Pour toucher votre front, et je voudrais crier… »

ROXANE, *troublée.*

Comme vous la lisez, – cette lettre !

40 *La nuit vient insensiblement.*

CYRANO

« Et je crie :

Adieu !… »

ROXANE

45 Vous la lisez…

CYRANO

« Ma chère, ma chérie,

Mon trésor… »

ROXANE, *rêveuse.*

D'une voix…

50 CYRANO

« Mon amour !… »

ROXANE

D'une voix…

55   *Elle tressaille.*

Mais… que je n'entends pas pour la première fois ![1]

Elle s'approche tout doucement, sans qu'il s'en aperçoive,
passe derrière le fauteuil, se penche sans bruit,
regarde la lettre. – L'ombre augmente.

60   CYRANO

« Mon cœur ne vous quitta jamais une seconde,
Et je suis et serai jusque dans l'autre monde
Celui qui vous aima sans mesure, celui… »

ROXANE, *lui posant la main sur l'épaule.*

65 Comment pouvez-vous lire à présent ? Il fait nuit.

Il tressaille, se retourne, la voit là tout près, fait un geste d'effroi,
baisse la tête. Un long silence. Puis, dans l'ombre complètement
venue, elle dit avec lenteur,
joignant les mains :

70 Et pendant quatorze ans, il a joué ce rôle
D'être le vieil ami qui vient pour être drôle !

CYRANO

Roxane !

ROXANE

75 C'était vous.

Edmond Rostand, *Cyrano de Bergerac*, acte V, scène 5 (1897).

---

1. Cyrano s'est aussi fait passer pour Christian, la nuit, dissimulé sous son balcon.

LES CLÉS DU SUJET

■ Comprendre la question

• La question invite à chercher en quoi les lettres ne sont pas seulement des objets de décor.

• Cherchez à quoi elles servent **par rapport aux différents éléments d'une scène de théâtre** : action/intrigue ; personnages (caractère et sentiments) ; registre de la scène ; sens symbolique.

• Pour mesurer leur importance, imaginez ce que serait la scène **en l'absence de ces lettres**.

■ Construire la réponse

• Dégagez les **points communs** entre les textes ; puis analysez les éventuelles **particularités de chacun**.

• **Structurez votre réponse** : encadrez-la d'une phrase d'**introduction**, qui situe les documents et reprend la question, et d'une brève **conclusion**.

• Accompagnez chaque remarque d'**exemples précis** tirés des textes.

CORRIGÉ 25

Les titres en couleur et les indications entre crochets servent à guider la lecture mais ne doivent pas figurer sur la copie.

Introduction

[Amorce et présentation du corpus] Ressort dramatique efficace dans le roman, la lettre a aussi sa place dans de nombreuses pièces de théâtre. Ainsi, dans la comédie *L'École des femmes* de Molière, le jeune Horace lit la lettre d'amour d'Agnès au vieil Arnolphe qui pensait épouser la jeune fille. Dans le drame romantique d'Hugo, *Lucrèce Borgia*, le jeune Gennaro fait lire une lettre ancienne de sa mère – qu'il ne connaît pas – par Dona Lucrezia, qui se trouve être cette mère ! Au dénouement de *Cyrano de Bergerac* de Rostand, Cyrano relit la lettre que Roxane conserve depuis dix ans et qu'elle croit de Christian alors que c'est Cyrano, secrètement amoureux d'elle, qui l'a composée. [Rappel de la question] Dans ces scènes, la lettre dépasse le simple statut d'objet scénique et remplit des fonctions très diverses.

I. Un révélateur psychologique

Objet porteur d'un message, la lettre éclaire la psychologie de son auteur, de son destinataire et aussi de ses auditeurs.

• Souvent liée à une intrigue amoureuse ou familiale, la lettre témoigne de l'amour de celui ou celle qui l'écrit. La personnalité d'Agnès jaillit de sa lettre : très amoureuse (« j'aurai toutes les peines du monde à me passer de vous »), un peu maladroite, elle est consciente de son « ingénuité ». Le spectateur mesure cependant ses progrès sur la voie de l'émancipation. Chez Hugo, la lettre fait surgir une Lucrèce mère qui « adore » son fils mais aussi femme « tendre » (« Comme vous lisez cela tendrement »). Enfin, l'amour de Cyrano apparaît dans le lyrisme de l'écriture (« Ma chérie, mon trésor, mon amour ») mais aussi parce qu'il connaît la lettre par cœur et la lit/dit avec ferveur (« Comme vous la lisez ! »).

• La lettre nous éclaire sur son destinataire et ses auditeurs. Chez Molière, l'enthousiasme d'Horace pour l'ingénuité mais aussi la « nature[e] » d'Agnès, contraste avec la rage d'Arnolphe contre cette « friponne ». Le fait que Gennaro garde la lettre sur « sa poitrine » et la « baise », qu'il s'émeut de l'entendre lue avec émotion témoigne de la force de son amour filial. De même, Roxane garde dans un « sachet pendu à son cou » la lettre de Christian et s'émeut à sa lecture. Lorsqu'elle comprend enfin que Cyrano en est le vrai auteur, Roxane exhale sa reconnaissance (« Et pendant quatorze ans... »).

• Objet travaillé et réfléchi, la lettre – surtout d'amour – a une valeur esthétique : sa lecture offre un moment de lyrisme, maladroit chez Molière, plus poignant chez Hugo et Rostand, qui parfois confine au poème d'amour (notamment chez Rostand).

II. Un outil dramatique

La lettre a aussi une fonction dramatique, créant tension et rebondissements dans l'action.

• Chez Molière, elle crée un coup de théâtre et complique la situation : le dévoilement d'un secret à la mauvaise personne – désormais en alerte –, va dresser les obstacles à l'amour des deux jeunes.

• Chez Rostand, la lettre provoque un coup de théâtre : la lecture à haute voix dévoile un secret gardé pendant dix ans et fonctionne comme une déclaration d'amour et un aveu indirects. C'est non le contenu de la lettre, mais l'intonation de la voix de Cyrano qui apprend la vérité à Roxane : Cyrano ne peut pas matériellement « lire » la lettre, la vérité éclate.

• Chez Hugo, la lecture de la lettre révèle à Lucrezia l'amour de son fils pour elle et sa « noble nature ».

III. Un moyen d'intensifier le registre de la scène

La présence et la lecture de la lettre créent ou soutiennent le registre de la scène.

• Chez Molière, les réactions d'Arnolphe en apartés (sans doute ses mimiques) et la franchise naïve d'Horace renforcent le comique de la scène.

• Au contraire, chez Hugo, le fait que Lucrèce ne puisse révéler qu'elle est l'auteure de la lettre, son émotion à sa lecture et la souffrance de Gennaro créent le pathétique. De même, chez Rostand, l'émotion naît de l'ambivalence de la lettre : une seule destinataire (Roxane) découvre, derrière le destinataire supposé (Christian), le véritable auteur (Cyrano) ; le quiproquo qui se dissipe peu à peu crée le pathétique. De plus, le spectateur sait que Cyrano est mortellement blessé et entend la lecture comme un chant d'adieu.

• Enfin, presque personnifiée, la lettre prend une fonction symbolique : chez Hugo et chez Rostand, elle devient une sorte de talisman, précieuse relique d'une personne absente ou morte, représentation métonymique de son auteur qui veille sur son destinataire (« elle est là », dit Roxane ; « Je les ai toutes là sur mon cœur » comme une « une bonne cuirasse »).

Conclusion

Parmi les divers accessoires qui occupent la scène, la lettre a donc un statut privilégié et joue un rôle primordial.

THÉÂTRE

Les objets au théâtre

■ Commentaire

▶ **Vous commenterez l'extrait de Victor Hugo, *Lucrèce Borgia* (texte B).**

Se reporter au document B du sujet n° 25.

Se reporter au document B du sujet n° 25.

LES CLÉS DU SUJET

■ Trouver les idées directrices

• Définissez les caractéristiques du texte pour trouver les axes (idées directrices).

Scène d'exposition de drame (*genre*) romantique (*mouvement*) sur le thème de l'amour filial/maternel, de la violence politique, de l'être et du paraître, du mensonge et de la vérité (*thèmes*) pathétique, dramatique, tragique (*registres*), contrastée, tendue, émouvante, poignante (*adjectifs*), pour informer (*exposition*) et peindre deux personnages, pour susciter l'émotion, pour proposer une vision du monde romantique (*buts*)

■ Pistes de recherche

Les éléments du drame romantique

• Étudiez le contexte spatio-temporel de la scène

• Identifiez et analysez la situation, les thèmes et montrez-en le romantisme.

• Montrez que la scène est efficace à la représentation. Imaginez son effet sur scène. Commentez l'intérêt de la lettre dans cette scène.

Des personnages à la fois proches et éloignés

• Comparez le « système » des deux personnages : ressemblances ? différences ?

• Analysez individuellement les deux personnages et montrez leur dualité.

Une scène pleine d'émotions aux enjeux profonds
• Analysez les registres de la scène : d'où vient son pathétique ? son tragique ? Quelle fatalité pèse sur les personnages ?
• Quels enjeux humains comporte la scène ?
▶ Pour réussir le commentaire : voir guide méthodologique.
▶ Le théâtre : voir lexique des notions.

CORRIGÉ 26

Les titres en couleur et les indications entre crochets servent à guider la lecture mais ne doivent pas figurer sur la copie.

Introduction

[Amorce et présentation du texte] Les dramaturges romantiques apprécient les sujets historiques, notamment Hugo (*Hernani* et *Ruy Blas* se situent dans l'Espagne de la Renaissance et du XVIIᵉ). L'action de son drame en prose *Lucrèce Borgia* se déroule à Venise, au XVᵉ siècle. Dans la scène 4 de l'acte I, le jeune soldat Gennaro est seul face à Dona Lucrezia, qu'il ne connaît pas mais qui est en fait sa mère ; celle-ci ne peut lui révéler son identité en raison de son passé criminel. [Annonce du plan] Le dialogue très théâtralisé, caractéristique du drame romantique [I], dessine le portrait de deux personnages à la fois proches et éloignés [II] qui suscitent la pitié et semblent promis à une destinée tragique : au seuil de son drame, à travers ce dialogue, Hugo aborde la question existentielle de l'identité et de la destinée humaine [III].

I. Les éléments d'un drame romantique

La scène comporte les « ingrédients » caractéristiques du drame romantique.

1. Un contexte historique troublé

• Hugo se fonde sur un contexte historique en partie réinventé (la Venise de la Renaissance aux temps troublés des Borgia) ; la lettre y fait allusion (« ils ont tué ton père » rappelle l'assassinat de Jean par son frère César par amour pour sa sœur incestueuse ; « nous autres gens de guerre » évoque le contexte conflictuel).

• Une situation… de drame romantique : un secret, une identité double et cachée – celle de Lucrèce – (comme dans *Hernani*, *Le roi s'amuse* et *Ruy Blas* plus tard) ; la violence politique (« les périls qui t'environnent »).

2. La théâtralité de la scène

Ce contexte et cette situation amènent à une scène qui est efficace à la représentation.

• Les jeux de scène ont un fort pouvoir émotionnel ; gestes et mouvements sont discrets mais signifiants, signalés par les didascalies (« Il tire de sa poitrine un papier qu'il baise », « il reprend la lettre, la baise de nouveau, et la remet dans sa poitrine » ; « Elle s'interrompt pour dévorer une larme » sorte de gros plan sur le visage de Lucrèce), doublées de didascalies internes (« je les ai toutes *là* sur mon cœur », « *Voici* une de ses lettres », « Vous pleurez »).

• Peu d'accessoires mais la « lettre » a une puissante efficacité dramatique : elle donne voix à Lucrèce en tant que mère, alors même qu'elle n'est pas connue comme telle par son fils. Lucrèce a donc deux voix (comme elle a deux facettes) : celle de son dialogue avec Gennaro et celle, remontant du passé, de la lettre.

• Comme dans *Cyrano*, la scène réactualise une déclaration d'amour (maternel) ancienne et permet, en retour, à un fils d'exprimer son amour. Le ton de la lecture, l'émotion qu'elle entraîne chez Lucrèce ont une grande efficacité dramatique (« Comme vous *lisez cela tendrement* »).

3. Une situation d'énonciation compliquée

• L'efficacité de la scène tient aussi à « l'ironie dramatique » : Gennaro ignore que Lucrèce est sa mère (« tu ne connais donc rient de ta famille ? »), mais le spectateur, lui, en situation privilégiée, le sait (dans les scènes qui précèdent son identité a été révélée). Ainsi Gennaro regrette de ne pas voir pleurer sa mère, alors que celle-ci est devant lui et « dévore une larme », et cela le spectateur le sait.

• Ce quiproquo produit une tension. En effet le spectateur se pose la question : « Gennaro va-t-il découvrir ce qu'il ignore ? », il goûte le double sens des paroles et fait des conjectures sur la levée à venir du quiproquo.

• La tension de la scène tient aussi à sa concentration (le dialogue est relativement court), à l'atmosphère intime mais solennelle, et à la lecture de la lettre, élément dramatique complexe (émotion palpable dans le ton de Lucrèce). Se combinent ici révélation et dissimulation : Lucrèce est masquée mais se dévoile au sens propre : la lecture lui fait ôter son masque, monter les larmes, son visage de mère apparaît.

II. Des personnages à la fois proches et éloignés...

Ce dialogue émouvant révèle des personnages intenses et tourmentés, animés de sentiments ardents et pleins de contrastes.

1. Des personnages en contraste, mais à l'unisson

La scène, fidèle à l'esthétique romantique des contraires, met en scène des personnages à la fois en contraste et à l'unisson.

• Contraste dans le sexe et l'âge : un « (jeune) homme » ignorant « les périls qui [l']environnent », une femme d'âge mûr qui a de l'expérience (« je les connais ») ; et dans la « nature » et le sort : « noble » (Gennaro), « bien à plaindre » (Lucrèce).

• Un point réunit ces contraires mais seuls le spectateur et Lucrèce le perçoivent : l'amour (filial pour l'un, maternel pour l'autre) empreint de sensibilité (« je vous aime de pleurer de ce qu'écrit ma mère »).

2. Lucrezia, un personnage double

• Le portrait de Lucrèce se dessine grâce aux paroles échangées avec Gennaro, à son attitude, au contenu et à la lecture de sa lettre. Elle est un personnage ambivalent, double et traversé de contrastes, contraint donc à ne pas se dévoiler.

• Elle est d'abord femme de pouvoir au lourd passé, indicible, « illustre ». Le poids et les horreurs de son passé sont révélés dévoilés indirectement par la lettre (« entourée de parents sans pitié », « ils ont tué ton père »), mais sans grande précision, ce qui permet d'imaginer la « difformité morale la plus hideuse » (Hugo, *Préface*). Néanmoins, la lettre ressemble à un plaidoyer, comme si Lucrèce, victime plus que bourreau, s'accordait des circonstances atténuantes (« je suis bien à plaindre »).

• Elle est aussi une mère aimante et sensible. C'est le sentiment maternel, ce « sentiment pur » (Hugo, *Préface*), qui la rachète. Le champ lexical de la maternité et de la filiation émaille la scène (répétition de « une mère », « fils, enfant, naissance »). Cet amour se marque par les paroles de la lettre (avec un vocabulaire affectif, des apostrophes, l'insistance sur certains indices personnels – « *mon* Gennaro », « *mon* enfant », « *mon* fils », des hyperboles – « tout ce que j'aime »), par le ton ému de sa lecture, par des gestes (« larme ») et par le sacrifice qui consiste à ne pas dévoiler son identité.

3. Gennaro, un jeune homme romantique

• Il est un soldat plein de passion. « Jeune », brave, il rappelle plusieurs fois son statut de soldat et les risques du métier (« nous autres gens de guerre »). Il semble que les « gens de guerre » forment la seule « famille » qu'il (re) connaisse. Sa mère parle de « bravade de jeune homme » et pressent que

THÉÂTRE

sa haine contre les Borgia éclaterait, violente, s'il connaissait le secret de sa naissance (« tu ne pourrais t'en taire »).

• C'est, en revanche, un fils aimant, sensible et doux, passionné dans son amour filial. Cet amour démesuré s'exprime par les paroles (hyperbole du « je donnerais ma vie dans ce monde pour [...] voir pleurer... sourire [ma mère] ») mais aussi par les gestes symboliques forts (« je les ai toutes là sur mon cœur », comme un talisman ; « il baise » la lettre). Il s'étend à ceux qui compatissent avec sa mère (« je vous aime de pleurer de ce qu'écrit ma mère »).

• Ces deux aspects se rejoignent dans l'aparté de Lucrèce par lequel Hugo souffle au spectateur l'expression qui résume le personnage : « Noble nature ».

III. Une scène pleine d'émotions aux enjeux profonds

1. Du pathétique au tragique

La scène ne présente pas le mélange habituel de sublime et de grotesque du drame romantique.

• La situation – une maternité cachée et interdite, l'impossibilité de partager un amour qui ne demanderait qu'à s'exprimer directement –, les aspirations contrariées des personnages (désir évident de rachat de la part de Lucrèce, recherche vaine de son identité de Gennaro) sont générateurs de pathétique et suscitent à la fois la pitié et l'admiration du spectateur – « Le monstre fera pleurer et cette créature qui faisait peur fera pitié et cette âme difforme deviendra presque belle à vos yeux... » (Hugo, *Préface*).

• Mais la scène est aussi tragique : la fatalité s'y concrétise dans l'interdiction de la confidence, du fait du poids du passé (fatalité politique, familiale). Lucrèce semble sur la voie du rachat, mais ce rachat par la maternité est impossible parce que, si elle découvrait son identité, Gennaro risquerait d'être tué. L'héroïne est prisonnière de son lignage (qu'elle rappelle dans sa lettre), de son passé, de l'image que les autres ont d'elle (y compris son fils). En outre, Hugo lui refuse tout confident, la laisse dans une solitude inéluctable.

2. Les enjeux humains

Le court dialogue introduit dans la pièce des questions humaines profondes

• Lucrèce pratique le mensonge depuis sa jeunesse (la lettre). Ici, encore une fois, elle dissimule alors que l'occasion lui était donnée de se révéler. Hugo pose la question : peut-on mentir indéfiniment à ceux qu'on aime pour les préserver ? (« ne cherche pas à me connaître [...] avant le jour que je te marquerai »).

• Le quiproquo pose le problème de l'identité : Gennaro ne connaît pas ses origines, alors même qu'il est face à sa mère. Par ailleurs, qui est Lucrèce : monstre ? mère sublime ? ou les deux ? Les personnages de Hugo sont des êtres fracturés, que la fatalité historique a fait doubles, ils ne sont pas en mesure de réaliser leur unité, qu'ils cherchent vainement à saisir. La fatalité historique redouble leur fatalité intérieure.

Conclusion

Lucrèce est certes un monstre criminel mais Hugo veut ici mettre en valeur son humanité, sensible à travers l'amour maternel et le sacrifice et il suscite notre pitié de spectateur pour deux personnages pris au piège de leur destinée ; à travers eux, il sonde les tréfonds de l'âme humaine. [Ouverture] Dans les romans de Hugo, on retrouve ce même désir de montrer que les mères, même si elles sont impures (comme la Fantine des *Misérables*, qui se prostitue), se rachètent par la permanence en elles d'un amour maternel qui est au-dessus des « autres espèces d'amour ».

THÉÂTRE

Antilles, Guyane • Septembre 2016
Série L • 16 points

Les objets au théâtre

■ Dissertation

▶ Au théâtre, les accessoires, les costumes et les éléments de décor ne sont-ils sur scène que pour représenter une réalité ?

Les textes du corpus sont reproduits dans le sujet n° 25.

LES CLÉS DU SUJET

■ Comprendre le sujet

• Analysez les **mots-clés** de la question :
– ce dont vous allez parler : « les accessoires, les costumes, [le] décor » ;
– « ne sont-ils sur scène que pour... » invite à réfléchir sur la fonction de ces éléments.
• **Présupposés** du sujet : 1. Ces éléments ont pour rôle de *représenter la réalité* (= faire vrai, créer l'illusion théâtrale) ; 2. Ils ont d'autres rôles.
• **Problématique** : Fonctions du décor, des costumes et des accessoires au théâtre ?
• Subdivisez-la en plusieurs **sous-questions** à partir des diverses composantes d'une pièce de théâtre : rôle pour l'action, les personnages, le registre, l'esthétique du spectacle...

■ Chercher des idées

Les arguments
• Quelques fonctions de l'objet au théâtre :
– il ancre dans une époque précise ou montre un souci d'intemporalité de l'auteur ;
– il a une valeur esthétique (il charme l'œil du spectateur) ;
– il influence l'action de la pièce (quiproquo, coup de théâtre...) ;
– il précise le registre de la pièce ;
– il révèle la psychologie des personnages ;
– il a une fonction symbolique.

Les exemples

– chez Molière : *L'Avare* (cassette d'Harpagon), *Les Fourberies de Scapin* (sac où est enfermé Géronte)...

– chez Beaumarchais : *Le Mariage de Figaro* (ruban de la comtesse, fauteuil derrière lequel se cachent Chérubin puis le Comte, billet de Suzanne attaché avec une épingle...)

– chez Marivaux : *Les Fausses confidences* (mystérieux portrait)

– chez Hugo : *Ruy Blas* (bouquet de petites fleurs bleues, morceau de dentelle ensanglanté...)

– chez Musset : *Lorenzaccio* (épée, cotte de maille)

– chez Beckett : *En attendant Godot* (chaussure, chapeau) ; *Oh les beaux jours* (sac, menus objets de Winnie.) ; *Fin de partie* (fauteuil, escabeau, lunette, réveil, poubelles...)

– chez Ionesco : *Les Chaises* (qui se multiplient)

– chez Feydeau : *On purge bébé* (pots de chambre)

CORRIGÉ 27

Les titres en couleur et les indications entre crochets servent à guider la lecture mais ne doivent pas figurer sur la copie.

Introduction

[Amorce] Récemment, on se précipitait à une vente de costumes de théâtre aussi sacrés que les « monstres » qui les avaient endossés – celui de Jouvet dans *Dom Juan* ou de De Funès dans *L'Avare*... Cela résume toute la valeur émotionnelle du costume – et, au-delà, des objets et décors de théâtre. [Problématique] Tous ces éléments sont-ils là pour représenter une réalité ou ont-ils, dans la dramaturgie, des fonctions plus essentielles ? [Annonce du plan] Ils donnent vie à la représentation, favorisent le plus possible l'illusion théâtrale, mettent le public « dans l'ambiance » [I]. Mais, au-delà, ils peuvent jouer un rôle dramatique primordial en éclairant ou révélant l'action et sur les personnages [II]. Parfois ils sont des personnages à part entière et, investis d'une valeur symbolique, ils modifient le sens de la pièce qui se joue [III].

I. Du côté du spectacle : représenter une réalité et informer

1. L'entrée en scène des accessoires au fil du temps

Les objets, au théâtre, ont pris une importance grandissante. Rares dans la tragédie au XVIIe siècle (il suffit d'un siège à la Phèdre de Racine : une didascalie indique qu'« elle s'assied »), plus fréquents dans les comédies qui obéissent à des règles moins strictes et dont l'action peut se dérouler en plusieurs lieux, ils « entrent en scène » au XVIIIe (*Le Mariage de Figaro* de Beaumarchais s'ouvre sur une pièce meublée d'un lit). Ils investissent davantage les plateaux avec le drame romantique de Musset ou de Hugo et envahissent parfois toute la scène du théâtre contemporain (Ionesco, *Les Chaises*).

2. Un élément du spectacle : représenter la réalité

• D'un point de vue purement scénique et concret, le décor et l'objet ont une fonction décorative. Ils participent à la première impression du spectateur et créent (ou non) la qualité esthétique du spectacle : les costumes du *Ruy Blas*, mis en scène par Brigitte Jaques-Wajeman dans un décor dépouillé, rappellent un tableau à la Vélasquez et sont une fête pour les yeux.

• Lors de la représentation, le spectateur doit comprendre vite. Décor, costumes et accessoires économisent discours narratif et description. Ils installent d'emblée la pièce dans un cadre spatial et temporel : les jeunes gens dont se moque Harpagon, avec « leurs perruques d'étoupe, leurs hauts-de-chausses tout tombants » situent la pièce au XVIIe siècle, sous Louis XIV. Certains auteurs ont le souci du détail précis (Hugo dans ses drames historiques ; Rostand qui, dans *Cyrano de Bergerac*, fait aller d'une salle de théâtre vers une rôtisserie puis un champ de bataille). En représentant la réalité, ces éléments favorisent l'illusion théâtrale qui donne à la pièce toute son efficacité et au public l'intense plaisir de « s'y croire ».

3. La fonction d'identification

À l'origine un masque indiquait si l'acteur jouait le rôle d'un vieillard ou d'un jeune homme, d'un maître ou d'un esclave… Plus tard, les objets, costumes et décors ont rempli de façon plus fine cette fonction d'identification : comme une carte d'identité, ils révèlent les caractéristiques des personnages, leur rang social ou leur profession (le médecin chez Molière se reconnaît à son habit et à son clystère, avant de se trahir par son jargon… ; Don Salluste – le maître – porte la décoration de la « Toison d'or », Ruy Blas la « livrée »).

II. Du côté de la dramaturgie : des éléments révélateurs et parfois indispensables au déroulement de la pièce

Mais tous ces éléments dépassent la fonction informative pour le public ; ils jouent un rôle au sein même la pièce, en sont une composante parfois indispensable.

1. Décor, costumes et accessoires donnent le ton

• Créateurs d'atmosphère, ils imposent d'emblée le genre, le ton, le registre de la pièce. Ainsi, dans l'Antiquité, couleurs pâles et masques, souvent blancs et sobres, qui marquaient le poids du destin pesant sur les épaules du personnage, signalaient la tragédie. Au contraire, colorés, souvent bouffants, les costumes signalaient la comédie.

• Certains éléments sont spécifiques de la tragédie : la porte, selon Roland Barthes, porte en elle la menace de l'échange entre les coulisses (l'extérieur du palais), lieu du pouvoir prédateur, et l'intérieur, lieu de confinement de la proie (*Britannicus, Bazajet* de Racine). À l'inverse, le placard – où se cache l'amant – signale le vaudeville dont la réplique type « Ciel, mon mari ! » promet de francs rires.

2. Fonction révélatrice psychologique

• Costumes et accessoires colorent aussi les personnages : ils les éclairent psychologiquement. Le ruban que Chérubin vole à la Comtesse (*Le Mariage de Figaro*), le portrait d'Araminte que Dorante regarde en secret sont révélateurs de leur amour passionné.

• Ils deviennent parfois même le prolongement emblématique du personnage. L'épée de Rodrigue est la marque de son courage, la pauvre « pelle d'enfant » de l'Antigone d'Anouilh est la marque de son obstination. Dans *Rhinocéros*, le costume tiré à quatre épingles de Jean trahit sa conformité aux normes, tandis que Bérenger, « décoiffé », sans cravate, révèle son laisser-aller et sa marginalité.

• Souvent, les acteurs soulignent la nécessité, pour bien jouer de « se mettre dans la peau » de leur personnage, expression à prendre au sens propre : endosser le costume du personnage, manier ses objets aide à s'identifier à lui. On ne se comporte pas dans un habit de roi comme dans celui d'un valet.

3. Des décors, des costumes et des accessoires indispensables

Supprimer les objets, parfois, et le texte et la pièce s'effondrent.

• « Que dites-vous de mes canons ? » « Vous ne me dites rien de mes plumes ? », lance Mascarille aux précieuses (ridicules) Magdelon et Cathos… L'accessoire devient sujet du discours, élément consubstantiel au texte. Il dicte même sa loi comme dans *En attendant Godot*, lorsqu'Estragon demande

THÉÂTRE

à Vladimir de l'« aide(r) à enlever cette saloperie » (sa chaussure). C'est lui qui introduit le « vivant » de la pièce.

• Les objets sont souvent aussi piliers de l'intrigue. Parfois, privée de changement de costumes, la pièce ne pourrait exister : dans *Le Jeu de l'Amour et du hasard*, un quadruple travestissement sert de base à l'« expérience » amoureuse de Silvia (la maîtresse), devenue Lisette (la servante), et de Dorante (le maître) devenu Arlequin (le valet)…, au point qu'ils ne savent plus par moments qui ils sont et qui ils aimeraient être. Seuls le spectateur et l'auteur peuvent démêler ce nœud complexe que les costumes ont créé.

• Adjuvants (les armes des meurtriers) ou obstacles au destin des personnages, les objets créent quiproquos et coups de théâtre (vol de la cassette d'Harpagon dans *L'Avare* de Molière, lettres révélatrices de trahison…) qui renversent la situation et en font des comédies qui finissent bien !

III. Quand décor et objets prennent vie

Le décor et les objets prennent parfois un pouvoir exorbitant et inattendu.

1. Quand les objets donnent un statut au spectateur

Un simple costume, une simple lettre donnent au public un statut privilégié et lui donne le plaisir d'en savoir plus que les personnages eux-mêmes, créant parfois une complicité entre le spectateur et l'un des personnages : quand Toinette joue le médecin sous la longue robe noire et le chapeau pointu qu'elle a revêtus pour faire une fausse consultation médicale, Argan n'y voit que du feu alors que le spectateur, au courant de ce subterfuge, se réjouit du travestissement.

2. Quand décor et objets deviennent personnages et envahissent la scène

• Certains objets ou éléments du décor deviennent « actants », partenaires de l'acteur, souvent mal intentionnés : une lettre s'égare, deux pots de chambre garantis incassables se brisent et font capoter le projet commercial de son inventeur dès lors ruiné (*On purge bébé* de Feydeau)… Parfois les éléments inanimés deviennent partenaires du personnage, voire son égal. Ils prennent vie et interagissent avec les personnages : la statue du commandeur invite Dom Juan à dîner, le précipite dans l'Enfer.

• Ils deviennent parfois gigantesques au point d'**occuper tout l'espace**. Chez Ionesco, les chaises qui envahissent le plateau « jouent toutes seules ».

• Dans les années 1970, de nouvelles formes de théâtre – théâtre d'objet ou d'effigie – substituent aux personnages/comédiens des objets manipulés qui ont leur vie propre – marionnettes, mais aussi capuchon de stylo, un robinet, une chaise, un arbre…

• Enfin, les objets peuvent prendre une valeur symbolique. Dans *La Cerisaie* de Tchekhov, le cerisier en fleur symbolise la jeunesse, le temps qui passe, le bonheur fugitif.

3. Costumes, décor et accessoires peuvent... tout changer

Le sens ou le registre d'une pièce peuvent changer selon les choix du metteur en scène : habiller Dom Juan en cuir et le jucher sur une moto l'écarte du « grand seigneur méchant homme » que lui donne, avec Jouvet, son costume espagnol. Ariane Mnouchkine procède ainsi quand elle transpose son *Tartuffe* dans un milieu nord-africain et en fait un islamiste intégriste masquant sous son voile son activisme politique...

Conclusion

[Synthèse] Décor, costumes et objets prennent des fonctions qui dépassent largement la simple représentation de la réalité. Précieux indicateurs, ils éclairent pour le spectateur les personnages, aident le dramaturge à construire sa pièce en soutenant ou en bousculant l'intrigue, viennent au secours du jeu de l'acteur et s'animent parfois d'une vie propre avant d'accéder au statut de symbole ou de venir bouleverser le sens de la pièce. [Ouverture] Cependant le danger existe de donner une importance excessive à ces éléments de mise en scène au détriment du « tissu humain », vrai sujet du théâtre.

THÉÂTRE

Antilles, Guyane • Septembre 2016
Série L • 16 points

Les objets au théâtre

■ Écriture d'invention

▶ **Vous écrirez une scène d'exposition durant laquelle un personnage découvre un objet de votre choix. Celui-ci révèle une information importante concernant son propriétaire. Vous placerez sur scène autant de personnages que vous le souhaitez.**

Se reporter au document D du sujet n° 25.

LES CLÉS DU SUJET

■ Comprendre le sujet

• **Genre :** « scène » → *théâtre.* Respectez-en les caractéristiques formelles (nom des personnages, répliques directes, didascalies...) ; « d'exposition » : la scène se trouve au début de la pièce, elle informe sur la situation et les personnages tout en captivant le spectateur.

• **Sujet :** « un objet »/ « information importante » sur le personnage auquel il appartient.

• **Niveau de langue :** il dépend de la situation et du statut des personnages choisis.

• **Caractéristiques** du texte à produire, à définir à partir de la consigne :

> Scène d'exposition de théâtre (*genre*), qui tourne autour d'un objet et révèle une information importante sur un personnage pour informer le spectateur sur les circonstances, la situation, les personnages, démarrer l'intrigue et créer de l'action et un coup de théâtre (*buts*).

■ Chercher des idées

Le fond

• Pour **l'exposition**, choisissez les circonstances spatio-temporelles (où ? quand ?), les personnages. Le personnage sur lequel on apprend une information importante peut être sur scène ou absent. Faites comprendre à travers les répliques ce qui s'est passé avant le début de la pièce. Créez des attentes chez le spectateur, donnez des indices pour la suite.

• Choisissez un **objet à potentiel dramatique** (lettre, journal intime, carte d'identité, arme, téléphone portable, ordinateur, vêtement, bijou...).

• Choisissez la nature de l'**information importante** : trahison/tromperie ; révélation d'une identité, d'un lien de parenté ; découverte d'un acte, d'un passé ou d'un projet funeste du personnage. Mettez en scène efficacement sa découverte : créez le suspense, le coup de théâtre ou le quiproquo pour que l'information « dynamise » la scène. Suggérez ses conséquences (heureuses ou malheureuses).

La forme

• **Le registre :** vous pouvez écrire une scène comique (Molière) ou pathétique/dramatique/tragique (Hugo, Rostand), d'action effrénée ou de suspense/tension.

• **Les marques de la surprise** à la suite de la découverte : interrogations, exclamations, interjections, mouvements et mimiques (dans des didascalies)...

CORRIGÉ 28

C'est le soir. On entend la porte d'entrée claquer. Le commissaire Bernard entre dans la pièce, ôte sa veste et dépose son revolver sur la table en soupirant d'aise.

LE COMMISSAIRE BERNARD – Chérie ? Chérie ! Je suis rentré ! *(Silence)* Ah, oui, c'est vrai, vendredi soir, elle a son bridge... *(On entend un miaulement en coulisses, côté jardin)* Oui, oui, elles arrivent, les croquettes ! *(Le téléphone sonne ; il décroche :)* Allô ? c'est moi. Bonsoir commandant. Alors on en est où pour notre tueur en série ? Qu'en dit le légiste ? *(Court silence. D'une voix lasse)* Oui, oui, toujours ce fil à couper le beurre : franchement, quelle idée saugrenue... Encore un jeudi, d'accord. Rien de nouveau, j'entendais ? *(Court silence, pendant lequel le chat miaule à nouveau bruyamment : il a manifestement trouvé quelque chose avec quoi jouer. Au chat :)* Non mais tu vas te taire ! *(Pendant le reste de la conversation téléphonique, le chat continue à faire du bruit en coulisses, de plus en plus fort. Au commandant :)* Mais non, pas vous, commandant, je parlais à mon chat qui fait un boucan de tous les diables dans la cuisine. *(Court silence)* Comment ça, une coïncidence amusante ? *(Court silence)* On a trouvé des poils de chat sur la dernière victime ? Et on est sûr que ce n'était pas le sien, j'imagine ? Bon, je ne vois vraiment pas comment cela pourrait nous aider à retrouver notre tueur… Enfin, notre tueuse, puisqu'il semblerait qu'il s'agisse d'une femme. (*Il pousse un profond soupir.*) Si vous voulez mon avis, commandant, on n'est pas près de la trouver, celle-là. Inventer le crime au fil à couper le beurre, c'est quand même quelque chose… Bref, merci pour le coup de téléphone. Si vous avez du nouveau, appelez-moi. (*On entend le chat casser de la vaisselle dans la cuisine.*) Non mais quelle sale bête ! Avec quoi tu joues ? C'est incroyable de faire un tel raffut !

On voit le chat traverser le salon ventre à terre : il laisse tomber un fil à couper le beurre taché de rouge sur les poignées. Le commissaire, perplexe, le regarde quelques instants.

LE COMMISSAIRE BERNARD – Mais où es-tu allé chercher ça ? C'est bien la peine de t'acheter des jouets si c'est pour saccager les placards de la cuisine ! Regarde un peu ce que tu as fait, c'est répugnant ! Ça dégouline de je ne sais quoi… Écœurant ! É-cœur… (*Il s'arrête brutalement. D'une voix changée*) Mais où es-tu allé chercher ça ? Qu'est-ce que c'est que… (*Il se penche et examine l'objet.*) Mais… C'est impossible. (*On entend le chat miauler dans la coulisse côté cour. Le regard du commissaire Bernard va du fil sanglant qui gît à terre à la coulisse. D'une voix blanche :*) Un fil à couper le beurre. Le jeudi. Un chat. Une femme. Un fil à couper le beurre, le jeudi, un chat, une femme. (*Il secoue la tête vivement :*) Ce n'est pas possible. Où était-elle déjà, hier matin ? Où était-elle… À la maison, c'est certain ! Certain… Mais non : elle est partie tôt, pour… Pour faire quoi, déjà ? Oui, aller voir Carole ! (*Il rit de soulagement.*) Comment ai-je pu l'oublier ? Carole ! Celle qui ne répond jamais au téléphone ! Ah, elle est terrible, celle-là, c'est à se demander si elle existe vraim… (*Il s'arrête brutalement.*) Nom de nom ! (*Il commence à perdre pied : sa voix se fait de plus en plus aiguë*) Ce n'est pas possible ! Ce n'est pas possible ! Ce n'est pas…

On entend la porte d'entrée claquer.

BLANCHE, *dans la coulisse* – Chéri ? Chéri ! Je suis rentrée !

Elle entre en scène, et voit son mari agenouillé devant le fil à couper le beurre ensanglanté. Son sourire meurt sur ses lèvres ; son regard se durcit.

BLANCHE – Bon, je vois que tu es au courant : alors, on fait quoi, maintenant ?

Le chat pousse un miaulement dans la coulisse.

Silence de mort.

Pondichéry • Mai 2018
Séries ES, S • 4 points

Le cadre romanesque, révélateur du personnage ?

■ Question

Documents

A – **Paul Scarron**, *Le Roman comique*, 1651.
B – **Gustave Flaubert**, *Madame Bovary*, troisième partie, chapitre 5, 1857.
C – **André Gide**, *Les Caves du Vatican*, livre IV, 1914.
D – **Philippe Besson**, *Les Passants de Lisbonne*, 2016.

▶ Quels rôles jouent les chambres d'hôtel dans les textes du corpus ?

Après avoir répondu à cette question, les candidats devront traiter au choix un des trois sujets n° 30, 31 ou 32.

ROMAN

DOCUMENT A

Une troupe de théâtre ambulante s'arrête dans un hôtel où Le Destin, l'un des comédiens, est invité par Madame Bouvillon à dîner dans sa chambre.

On desservit quand Le Destin cessa de manger, madame Bouvillon le fit asseoir auprès d'elle sur le pied d'un lit et sa servante;
qui laissa sortir celles[1] de l'hôtellerie les premières, en sortant de la
chambre tira la porte après elle. La Bouvillon, qui crut peut-être que
5 Le Destin y avait pris garde, lui dit : « Voyez un peu cette étourdie
qui a fermé la porte sur nous ! – Je l'irai ouvrir, s'il vous plaît, lui
répondit Le Destin. – Je ne dis pas cela, répondit la Bouvillon en
l'arrêtant, mais vous savez bien que deux personnes seules enfermées
ensemble, comme ils peuvent faire ce qu'il leur plaira, on en peut
10 aussi croire ce que l'on voudra. – Ce n'est pas des personnes qui
vous ressemblent que l'on fait des jugements téméraires, lui repartit
Le Destin. – Je ne dis pas cela, dit la Bouvillon, mais on ne peut
avoir trop de précaution contre la médisance. – Il faut qu'elle ait

quelque fondement, lui repartit[2] Le Destin ; et pour ce qui est de
15 vous et de moi, l'on sait bien le peu de proportion qu'il y a entre
un pauvre comédien et une femme de votre condition. Vous plaît-il
donc, continua-t-il, que j'aille ouvrir la porte ? – Je ne dis pas cela,
dit la Bouvillon en l'allant fermer au verrou ; car, ajouta-t-elle, peut-
être qu'on ne prendra pas garde si elle est fermée ou non ; et, fermée
20 pour fermée, il vaut mieux qu'elle ne se puisse ouvrir que de notre
consentement. » L'ayant fait comme elle l'avait dit, elle approcha du
Destin son gros visage fort enflammé et ses petits yeux fort étince-
lants, et lui donna bien à penser de quelle façon il se tirerait à son
honneur de la bataille que vraisemblablement elle lui allait présen-
25 ter. La grosse sensuelle ôta son mouchoir de col[3] et étala aux yeux du
Destin, qui n'y prenait pas grand plaisir, dix livres[4] de tétons pour
le moins, c'est-à-dire la troisième partie de son sein, le reste étant
distribué à poids égal sous ses deux aisselles. Sa mauvaise intention la
faisant rougir (car elles rougissent aussi, les dévergondées), sa gorge
30 n'avait pas moins de rouge que son visage et l'un et l'autre ensemble
auraient été pris de loin pour un tapabor d'écarlate[5]. Le Destin rougissait aussi, mais de pudeur, au lieu que la Bouvillon, qui n'en avait
plus, rougissait je vous laisse à penser de quoi. Elle s'écria qu'elle
avait quelque petite bête dans le dos et, se remuant en son harnais[6],
35 comme quand on y sent quelque démangeaison, elle pria Le Destin
d'y fourrer la main. Le pauvre garçon le fit en tremblant et cependant la Bouvillon, lui tâtant les flancs au défaut du pourpoint[7], lui
demanda s'il n'était point chatouilleux. Il fallait combattre ou se
rendre, quand Ragotin se fit ouïr de l'autre côté de la porte.

Paul Scarron, *Le Roman comique*, 1651.

---

1. Celles : les autres servantes.
2. Repartit : répondit.
3. Mouchoir de col : morceau d'étoffe dont les femmes se couvrent le cou.
4. Livres : mesure de poids.
5. Tapabor d'écarlate : bonnet, ici de couleur rouge, dont on peut rabattre les bords sur les épaules.
6. Harnais : bustier rigide.
7. Au défaut du pourpoint : là où s'arrête, au niveau de la taille, la veste courte du Destin.

Emma Bovary, épouse d'un médecin de campagne, retrouve tous les jeudis son amant Léon à Rouen.

Léon, sur le trottoir, continuait à marcher. Elle le suivait jusqu'à l'hôtel ; il montait, il ouvrait la porte, il entrait... Quelle étreinte ! Puis les paroles, après les baisers, se précipitaient. On se racontait les chagrins de la semaine, les pressentiments, les inquiétudes pour
5 les lettres ; mais à présent tout s'oubliait, et ils se regardaient face à face, avec des rires de volupté et des appellations de tendresse.

Le lit était un grand lit d'acajou en forme de nacelle[1]. Les rideaux de levantine[2] rouge, qui descendaient du plafond, se cintraient trop bas vers le chevet évasé ; – et rien au monde n'était beau comme sa
10 tête brune et sa peau blanche se détachant sur cette couleur pourpre, quand, par un geste de pudeur, elle fermait ses deux bras nus, en se cachant la figure dans les mains.

Le tiède appartement, avec son tapis discret, ses ornements folâtres et sa lumière tranquille, semblait tout commode pour les
15 intimités de la passion. Les bâtons se terminant en flèche, les patères[3] de cuivre et les grosses boules de chenets[4] reluisaient tout à coup, si le soleil entrait. Il y avait sur la cheminée, entre les candélabres[5], deux de ces grandes coquilles roses où l'on entend le bruit de la mer quand on les applique à son oreille.
20 Comme ils aimaient cette bonne chambre pleine de gaieté, malgré sa splendeur un peu fanée ! Ils retrouvaient toujours les meubles à leur place, et parfois des épingles à cheveux qu'elle avait oubliées, l'autre jeudi, sous le socle de la pendule. Ils déjeunaient au coin du feu, sur un petit guéridon incrusté de palissandre[6]. Emma décou-
25 pait, lui mettait les morceaux dans son assiette en débitant toutes sortes de chatteries ; et elle riait d'un rire sonore et libertin quand la mousse du vin de Champagne débordait du verre léger sur les bagues de ses doigts. Ils étaient si complètement perdus en la possession d'eux-mêmes, qu'ils se croyaient là dans leur maison particu-
30 lière, et devant y vivre jusqu'à la mort, comme deux éternels jeunes époux. Ils disaient notre chambre, notre tapis, nos fauteuils, même elle disait mes pantoufles, un cadeau de Léon, une fantaisie qu'elle avait eue. C'étaient des pantoufles en satin rose, bordées de cygne. Quand elle s'asseyait sur ses genoux, sa jambe, alors trop courte,

35 pendait en l'air ; et la mignarde chaussure, qui n'avait pas de quartier[7], tenait seulement par les orteils à son pied nu.

Gustave Flaubert, *Madame Bovary*,
troisième partie, chapitre 5, 1857.

1. En forme de nacelle : en forme de barque. 2. Levantine : étoffe de soie. 3. Patères : crochets muraux. 4. Chenets : supports métalliques pour surélever les bûches dans le foyer d'une cheminée. 5. Candélabres : grands chandeliers. 6. Guéridon incrusté de palissandre : petite table en bois exotique. 7. Quartier : partie de la chaussure qui couvre le talon.

DOCUMENT C

Amédée Fleurissoire, qui n'a encore jamais voyagé, arrive à Gênes, en Italie.

Devant la gare de Gênes stationnaient les omnibus des principaux hôtels ; il alla droit à l'un des plus cossus[1], sans se laisser intimider par la morgue[2] du laquais qui s'empara de sa piteuse valise ; mais Amédée ne s'en voulait point séparer ; il refusa de la laisser
5 poser sur le dessus de la voiture, exigea qu'on la mît, là, près de lui, sur le coussin de la banquette. Dans le vestibule de l'hôtel le portier en parlant français le mit à l'aise ; alors il se lança et, non content de demander « une très bonne chambre », s'enquit des prix de celles qu'on lui proposait, résolu, au-dessous de douze francs, à ne rien
10 trouver à sa convenance.

La chambre de dix-sept francs pour laquelle il se décida, après en avoir visité plusieurs, était vaste, propre, élégante sans excès ; le lit avançait dans la pièce, un lit de cuivre, net, assurément inhabité, à qui le pyrèthre[3] eût fait injure. Dans une sorte d'armoire énorme,
15 la toilette[4] était dissimulée. Deux larges fenêtres ouvraient sur un jardin ; Amédée, penché vers la nuit, contempla d'indistincts et sombres feuillages, longuement, laissant l'air tiède lentement calmer sa fièvre et le persuader au sommeil.

Au-dessus du lit, un voile de tulle retombait en brouillard exac-
20 tement de trois côtés ; de petits cordonnets, semblables aux ris d'une voile, le relevaient par-devant dans une courbe gracieuse. Fleurissoire reconnut là ce qu'on appelle : moustiquaire – dont il avait toujours dédaigné d'user.

Après s'être lavé, il s'étendit avec délices dans les draps frais. Il
25 laissait la fenêtre ouverte ; non toute grande assurément, par crainte du rhume et de l'ophtalmie, mais un des battants rabattu de manière

que ne lui parvinssent pas directement les effluves fit ses comptes et
ses prières, puis éteignit. (L'éclairage était électrique, qu'on arrêtait
en chavirant la chevillette d'un interrupteur de courant.)

30   Fleurissoire allait s'endormir lorsqu'un mince chantonnement
vint lui remémorer cette précaution, qu'il n'avait point prise, de
n'ouvrir la fenêtre qu'après avoir éteint ; car la lumière attire les
moustiques. Il lui souvint aussi d'avoir lu quelque part des remer-
35 ciements au bon Dieu pour avoir doué l'insecte volatile d'une petite
musique particulière, propre à avertir le dormeur à l'instant qu'il
allait être piqué. Puis, il fit retomber tout autour de lui la mousseline
infranchissable. « Combien cela ne vaut-il pas mieux, après tout,
pensait-il en s'assoupissant, que ces petits cônes en feutre d'herbe
sèche, que, sous le nom baroque de fidibus, débite le père Blafa-
40 phas ; on les allume sur une soucoupe de métal ; ils se consument
en répandant une grande abondance de fumée narcotique ; mais
devant que[6] d'engourdir les moustiques, ils asphyxient à demi le
dormeur. Fidibus ! quel drôle de nom ! Fidibus... » Il s'endormait
déjà quand, soudain, à l'aile gauche du nez, une vive piqûre. Il y
45 porta la main ; et tandis qu'il palpait doucement le cuisant soulè-
vement de sa chair : piqûre au poignet. Puis, contre son oreille un
zézaiement narquois... Horreur ! il avait enfermé l'ennemi dans la
place ! Il atteignit la chevillette et rétablit le courant.

    Oui ! le moustique était là, posé, tout en haut de la moustiquaire.
50 Un peu presbyte, Amédée le distinguait fort bien, fluet jusqu'à l'absurde, campé sur quatre pieds et portant rejetée en arrière la dernière
paire de pattes, longue et comme bouclée ; l'insolent ! Amédée se
dressa debout sur son lit. Mais comment écraser l'insecte contre un
tissu fuyant, vaporeux ?... N'importe ! il donna du plat de la main,
55 si fort, si vite, qu'il crut avoir crevé la moustiquaire. À coup sûr le
moustique y était ; il chercha des yeux le cadavre ; ne vit rien ; mais
sentit une nouvelle piqûre au jarret.

    Alors, pour protéger du moins le plus possible de sa personne,
il rentra dans son lit ; puis resta peut-être un quart d'heure, hébété,
60 n'osant plus éteindre. Puis, tout de même rassuré, ne voyant ni
n'entendant plus d'ennemi, éteignit. Et tout de suite la musique
recommença.

    André Gide, *Les Caves du Vatican*, livre IV, © Éditions Gallimard, 1914.

1. Cossus : luxueux. 2. Morgue : attitude méprisante. 3. Pyrèthre : poudre insecticide.
4. La toilette : le cabinet de toilette. 5. Débite : coupe et vend. 6. Devant que : avant que.

ROMAN

DOCUMENT D

Hélène et Mathieu, qui ne se connaissaient pas, se sont rencontrés par hasard à Lisbonne, au Portugal, dans le hall d'un hôtel où ils séjournent l'un et l'autre.

Elle a choisi de ne pas quitter sa chambre, a tiré les persiennes[1], s'est protégée du dehors, de ses rumeurs, de sa corrosive luminosité. Elle est allongée sur son lit, dans une semi-obscurité, dos bien à plat, jambes scellées, bras repliés sur le ventre, elle a l'air d'une gisante,
5 est-elle autre chose ? Elle demeure ainsi, pendant des heures, sans réellement perdre conscience, sans trouver le sommeil, ni même le repos. Les heures passent, dans cette position de cadavre. Elle serait incapable de mesurer le temps écoulé, elle ne compte pas, chasse une à une les pensées qui l'assaillent pour tenter d'accéder à une sorte
10 de vacuité[2], mais ce sont sempiternellement les mêmes obsessions qui reviennent. À un moment, une femme de ménage toque. En l'absence de réponse, celle-ci pousse la porte. Lorsque Hélène, tirée de ses rêveries, l'aperçoit, s'avançant dans la pièce, remarquant sa surprise, elle la congédie, sans ménagement, sans presque un mot,
15 avec un geste d'exaspération. Après coup, elle regrette sa rugosité, mais c'est trop tard. Elle redevient la gisante, la quasi-morte.

Dehors, à coup sûr, c'est encore l'été, le bleu de la ville, tout ce bleu, l'ombre trop rare sous les arcades de la place du Commerce, le pas exténué des touristes, elle s'en moque. Elle accompagne en
20 silence la chute des heures.

Et soudain, sans que rien ne l'ait laissé présager, elle se relève, saisie par une évidence impérieuse, ou une urgence. Elle s'empare du combiné téléphonique et compose le numéro de la chambre de Mathieu. Elle est persuadée qu'il ne va pas répondre. Elle l'imagine
25 vagabondant par les rues, sans but précis, et s'arrêtant aux terrasses des cafés pour manger une glace, lire les journaux français de la veille. Ou bien les pieds nus enfoncés dans le sable, ses pantalons retroussés jusqu'aux genoux, sur une plage non loin de Cacilhas[3], et contemplant négligemment de jeunes gens jouant au ballon ou
30 s'ébattant dans les vagues. Ou encore traînant le long du Tage, à proximité du port, pour apercevoir les cargos qui accostent, les voiliers qui croisent au large. Elle se prépare à lui laisser un message, à lui exprimer son souhait de le revoir, s'il en a le temps, s'il en a l'envie. Elle lui proposera un rendez-vous, lui indiquera une heure pour
35 la rappeler, le laissera libre de décliner l'invitation. Elle reposera le combiné, retournera s'étendre dans le silence. Mais il décroche à

la première sonnerie. Elle est déroutée, cherche ses mots. Elle était prête à inventer quelques phrases, à raccrocher, et à attendre. Pas à entamer un dialogue.

40 « Je ne pensais pas que vous seriez là. »

Elle balbutie. Pourtant elle sait parfaitement ce qu'elle veut dire. Elle a besoin de cet homme, besoin de sa présence, besoin de lui parler. Il suffirait de renoncer aux conventions. Il suffirait d'un peu de courage pour le lui avouer. Ou encore de s'abandonner, de cesser ce

45 petit jeu des apparences. Il perçoit son étonnement, sa maladresse.

Il la sauve : « J'espérais que vous appelleriez. »

Il n'a pas quitté sa chambre lui non plus. Il a résisté à l'appel de la ville, s'est contenté de jouer avec la télécommande comme le font les enfants, passant d'une chaîne de télévision à une autre, ne se fixant

50 sur aucune, recevant sans véritablement y prêter attention des bouts de phrases, des exclamations en portugais, en espagnol, en allemand. Il s'est installé au bureau, a extrait du joli classeur en cuir noir des feuilles de papier à en-tête de l'hôtel, s'est essayé à écrire une lettre, a finalement renoncé. Quoi écrire et à qui ?

Philippe Besson, *Les Passants de Lisbonne*, 2016.

1. Persiennes : volets. 2. Vacuité : vide. 3. Cacilhas : petit port situé sur la rive du Tage, fleuve qui borde Lisbonne.

ROMAN

LES CLÉS DU SUJET

• « Quels **rôles** » signifie quelle importance ? quelle utilité ?.

• Mesurez l'importance du **choix du lieu** très spécifique qu'est une chambre d'hôtel **par rapport aux divers éléments d'un roman** : à l'action, à l'atmosphère créée, au registre, aux personnages, mais aussi son utilité pour l'auteur et pour le lecteur.

• Organisez votre réponse de façon **synthétique** autour des différents « rôles ». Cherchez les **points communs** entre les textes.

• Interrogez-vous sur **ce qu'est une « chambre »** par rapport à d'autres lieux (ouverts ? fermés ? intimes ? collectifs ?...), puis sur la **spécificité de** l'« **hôtel** » par rapport à la maison (connu ? inconnu ? familier ? passager ? intime ? public ?), mais aussi sur l'utilisation qu'en font les personnages.

• Accompagnez chaque remarque d'**exemples précis** tirés des textes.

Les titres en couleur et les indications entre crochets servent à guider la lecture mais ne doivent pas figurer sur la copie.

Introduction

[Amorce] À la différence du théâtre où les contraintes le limitent, l'espace romanesque est varié et multiple, tantôt ouvert – la ville, la campagne… –, tantôt fermé – le logis, la chambre… [Présentation du corpus] Ainsi, au XVIIe siècle, dans son *Roman comique,* Scarron situe dans une chambre d'auberge la scène de séduction du jeune Destin par Madame Bouvillon ; deux siècles plus tard, Flaubert imagine que les rencontres adultères d'Emma Bovary et de son amant Léon ont lieu dans un « hôtel » de Rouen. Deux des extraits du corpus présentent des personnages dans une chambre d'hôtel en terre étrangère : dans *Les Caves du Vatican,* Gide raconte la nuit de son héros, Amédée Fleurissoire, dans un modeste hôtel italien ; tout récemment, dans *Les Passants de Lisbonne,* Philippe Besson retrace les réflexions et les hésitations d'Hélène dans sa chambre d'hôtel au Portugal. [Rappel de la question] Quel parti les romanciers tirent-ils de ce cadre particulier qu'est la chambre d'hôtel, lieu à la fois intime et public, provisoire et propice aux rencontres ?

I. Un lieu fertile en action : le rôle narratif

La chambre d'hôtel se prête aux péripéties et à la tension dans l'action.

• C'est un lieu intime, clos et secret où l'on se coupe de son cadre de vie ordinaire, où l'on peut se sentir bien, qui offre donc un moment de répit : Fleurissoire « s'étend avec délices » dans cette chambre « propre », Emma aime « cette bonne chambre pleine de gaieté », Hélène s'y protège « du dehors, de ses rumeurs ». Parce qu'elle introduit une rupture dans la routine, la chambre d'hôtel est l'occasion d'une pause dans l'action, d'une parenthèse dans l'intrigue.

• C'est aussi un lieu où l'on peut faire des rencontres intimes : chez Scarron, la Bouvillon peut, à l'insu de tous, y « cloîtrer » le jeune comédien inexpérimenté ; l'adultère d'Emma y est à l'abri de M. Bovary, le mari ; de même, Hélène, qui a rencontré par hasard Mathieu à Lisbonne, peut y amorcer, par téléphone, un dialogue amoureux. La chambre d'hôtel promet des infractions aux conventions sociales et aux interdits, elle est le théâtre de scènes sensuelles et érotiques.

• Cependant ce lieu n'est pas toujours sûr : il faut y craindre d'être découvert et victime de « médisance ». Ainsi la Bouvillon veut-elle fermer la porte derrière la servante pour ne pas faire « jaser ». Emma suit Léon avant d'entrer dans l'hôtel. Hélène est surprise quand une femme de ménage toque. Enfin le moustique, chez Gide, est « l'ennemi dans la place » qui perturbe le sommeil de Fleurissoire. La chambre d'hôtel introduit le suspense.

Elle joue donc un rôle important dans l'intrigue, pour créer des moments de pause, mais aussi des péripéties et des coups de théâtre.

II. Dévoiler les personnages : le rôle psychologique

La chambre d'hôtel est pour le romancier un outil précieux pour peindre ses personnages.

• Elle installe le personnage dans un isolement qui permet de prendre de la distance par rapport au-dehors, de contempler le monde extérieur (Fleurissoire se penche pour contempler le paysage ; Hélène imagine « dehors » la ville de Lisbonne), de mesurer aussi la distance entre son quotidien et la vie « ailleurs » (Fleurissoire et Emma). Cela favorise une réflexion du personnage sur le monde et sur lui-même.

• La chambre d'hôtel, lieu « protégé du dehors » (Besson) et des conventions, favorise le désir : le personnage y laisse libre cours à des passions, à des élans affectifs qu'il réprime en société. Ainsi la « sensuelle » Bouvillon y exprime son appétit charnel ; Hélène y ressasse ses « obsessions » avant de téléphoner à Mathieu ; Emma et Léon, « perdus en la possession d'eux-mêmes », s'y livrent aux « intimités de la passion » ; Fleurissoire se laisse aller « longuement » à son envie de contempler la nature.

• Enfin ce cadre permet au romancier d'établir une complicité entre narrateur, lecteur et personnages : le lecteur se trouve dans la position privilégiée du voyeur qui partage des secrets que les autres ne connaissent pas. Le romancier crée ainsi des liens forts entre le lecteur et les personnages : on partage la gêne du Destin devant les avances de la Bouvillon ; on pressent les dangers que court Emma ; on s'amuse de l'agacement de Fleurissoire en proie aux moustiques et on partage les hésitations d'Hélène.

Conclusion

La chambre d'hôtel, pour le romancier, est un cadre utile non seulement du point de vue de l'intrigue – à la fois pause et annonciatrice de changements – mais aussi pour peindre les personnages qu'elle dévoile.

ROMAN

30

Pondichéry • Mai 2018
Séries S, ES • 16 points

Le cadre romanesque, révélateur du personnage ?

■ Commentaire

Vous commenterez l'extrait de Gustave Flaubert (texte B).

Se reporter au document B du sujet n° 29.

LES CLÉS DU SUJET

■ Trouver les idées directrices

• Faites la « définition » du texte pour trouver les axes (idées directrices).

> Extrait de roman (*genre*) qui décrit (*type de texte*) une chambre d'hôtel (*sujet*), qui raconte (*type de texte*) un adultère (*sujet*), ironique, faussement lyrique (*registres*), réaliste, précis, objectif et subjectif à la fois, intense, ambigu (*adjectifs*), pour compléter le portrait des personnages et rendre compte de leurs sensations et émotions, pour donner une vision pessimiste de la comédie humaine, pour laisser présager de la suite du destin d'Emma (*buts*).

■ Pistes de recherche

Première piste : La description réaliste d'une chambre d'hôtel ?
• Analysez la construction et la progression de la description des lieux.
• La description des lieux est-elle toujours réaliste et objective ? Quelle atmosphère s'en dégage ?

Deuxième piste : Un couple d'amants adultères
• Appréciez l'érotisme de la scène.
• Quels sont les points de vue adoptés dans cette scène d'adultère ?
• Comment sont décrits les personnages et leurs gestes ?

Troisième piste : Le regard ironique et ambigu du narrateur
• Quel regard Flaubert porte-t-il sur : cette scène ? ses personnages ?
• Quelle vision de l'homme et du monde traduit cette scène ?
▶ Pour réussir le commentaire : voir guide méthodologique.
▶ Le roman : voir lexique des notions.

CORRIGÉ 30

Les titres en couleur et les indications entre crochets servent à guider la lecture mais ne doivent pas figurer sur la copie.

Introduction

[Amorce] Déchiré entre la tentation réaliste et la tentation romantique, Flaubert sentait en lui, selon ses termes, « deux bonshommes distincts », « l'un épris de lyrisme, un autre qui fouille et creuse le vrai ». De l'héroïne de son roman *Madame Bovary*, il aurait dit « Madame Bovary, c'est moi », reflétant sa propre dualité à travers l'histoire d'une jeune femme, fille d'un riche paysan, à l'imagination nourrie par des romans sirupeux et qui, mariée à un médecin de campagne peu séduisant, cherche à oublier la médiocrité de sa vie dans les bras d'amants conformes à ses rêves. [Présentation du texte] Dans cet extrait, le récit s'attarde sur la liaison d'Emma avec Léon, un jeune homme qu'elle rencontre régulièrement dans un hôtel de Rouen. [Annonce des axes] Flaubert décrit précisément les circonstances et les lieux de rencontres dont la régularité menace la pérennité et l'authenticité de la passion [I]. Tout en rendant sensible l'ardeur amoureuse des partenaires [II], Flaubert jette un regard ironique et lucide sur les illusions des amants et, d'une façon plus générale, sur la comédie humaine que se jouent hommes et femmes [III].

I. La description réaliste d'une chambre d'hôtel

Flaubert décrit avec une grande précision les lieux dans lesquels se déplacent ses personnages.

1. Des précisions objectives

• La description de la chambre vient après l'étreinte passionnée des amants, comme si Flaubert suivait la retombée de l'élan des amants : une fois leurs sens apaisés, les amants prêtent attention à ce qui les entoure.

ROMAN

• Flaubert se concentre d'abord en gros plan sur le lit, dont il précise en écrivain réaliste le matériau (« acajou ») et, par une métaphore, la forme de « nacelle », le tissu et la couleur des rideaux « pourpre ». Il élargit ensuite la description à l'ensemble de l'appartement, avec son « tapis », sa « pendule », ses « fauteuils », son « guéridon » en « palissandre ».

• Il s'attarde sur les accessoires en cuivre dont il précise le nom technique (« bâtons, patères, chenets ») et la forme (« en flèche, grosses boules »), il se sert de leur matériau pour souligner les reflets et les effets de lumière qu'ils produisent.

2. Une personnification amicale

• Mais la chambre est plus que le simple cadre utile à une liaison adultère : elle est comme personnifiée et, qualifiée par l'hypallage « pleine de gaieté » (l'expression devrait se rapporter aux deux amants), vue comme une « bonne » complice amicale, un témoin « discret ».

• Elle semble à l'unisson des « chatteries » débitées par Emma, mais aussi en harmonie avec les moments d'intimité apaisée, par l'atmosphère « tiède » qu'elle offre, sa « lumière tranquille ». Pas de bruits du monde extérieur, mais l'évasion sonore et exotique du « bruit de la mer » que procurent les coquillages roses sur la cheminée.

REMARQUE
L'hypallage est une figure de style, qui associe un terme à un terme différent de celui qui aurait convenu logiquement selon le sens. Ex. : *Ce marchand accoudé sur son comptoir avide.*

II. Un couple d'amants adultères

La scène d'adultère est naturellement empreinte d'érotisme mais Flaubert en varie l'intensité, à la fois pour ne pas effaroucher la censure (qui trouva cependant de quoi faire au roman un procès en immoralité) mais aussi parce que l'érotisme consiste à suggérer, non à dévoiler crûment.

1. Un érotisme esthétisé

• Le début de l'extrait décrit un rituel de rencontre bien rôdé : accès discret à l'hôtel, Emma suivant Léon à quelque distance comme s'ils n'étaient pas ensemble.

• Les phrases à l'imparfait d'habitude s'accélèrent sur un rythme crescendo, pour culminer sur une succession de trois verbes de mouvement (« il montait, il ouvrait la porte, il entrait ») qui traduit l'impatience physique. Enfin réunis, les amants s'isolent par l'ellipse suggestive des points de suspension et cette phrase nominale exclamative (« Quelle étreinte ! »).

• D'autres notations érotiques colorent plus légèrement la scène : la périphrase « les intimités de la passion », « les baisers » échangés, les « rires de volupté » ou le « rire libertin » d'Emma.

• Flaubert fait aussi le portrait pudique d'Emma allongée sur le lit après l'étreinte : on la voit à travers le regard admiratif de Léon, tel un amateur de peinture, qui se délecte des oppositions de couleurs, entre la « pourpre » des rideaux de lit et la blancheur du corps féminin, et de la grâce des mouvements « quand, par un geste de pudeur, [Emma] fermait ses deux bras nus, en se cachant la figure dans les mains ».

2. Un tableau libertin

L'extrait se termine sur un autre tableau libertin, à la manière des peintres du XVIIIe siècle qui ont souvent représenté des couples d'amants dans l'intimité d'une chambre. C'est d'abord un plan rapproché sur les mains d'Emma ; sa tenue légère pendant qu'ils déjeunent laisse entrevoir « sa jambe », et surtout « son pied nu ». Le lecteur du XXIe siècle ne doit pas sous-estimer la charge érotique de ce gros plan pour un lecteur du XIXe siècle.

3. Des amants hors du monde

• Pour les amants, le temps est comme suspendu, aboli : « tout s'oubliait » dans cette chambre. La « pendule » ne marque pas d'heure, effaçant le monde extérieur, terne qu'Emma retrouvera au sortir de la chambre.

• Les amants se voient comme « deux éternels jeunes époux » dans une sorte d'euphorie, marquée par des exclamations, des tournures hyperboliques (« y vivre jusqu'à la mort »), des mots de « tendresse », des « chatteries ».

• Ils sont réunis le plus souvent par un « on » ou un « ils », sujet commun de verbes d'action. Dans la dernière partie du texte, Emma est davantage mise en avant, plus individualisée, dans ses paroles et ses attitudes amoureuses.

III. Le regard ironique et ambigu du narrateur

Flaubert entretient une relation ambiguë avec les lieux et ses personnages. Lorsque l'univers réaliste qu'il crée prend trop d'importance, il cherche alors à s'en détacher. Il utilise pour cela quelques outils littéraires et jette aussi un regard ironique sur la comédie humaine qu'il met en scène.

1. Proximité et distance

• Dans les premières lignes, Flaubert semble suivre les amants sur le trottoir jusqu'à leur chambre, témoin extérieur de leur rencontre. Puis, le raccourci suggestif des points de suspension et de l'exclamation « quelle étreinte ! » abolit cette distance par l'ambiguïté du style indirect libre ; le narrateur entre désormais dans l'intimité des personnages ; narrateur et personnage se confondent.

ROMAN

• Dans le deuxième paragraphe, le lecteur entend, grâce au procédé du discours narrativisé, comme une synthèse des discussions entre les amants après leur « étreinte » : l'absence de paroles au style direct crée une atmosphère étrange, une sorte de halo intemporel puisque l'imparfait cohabite paradoxalement avec « mais à présent » !

2. Une distance ironique

• Flaubert souligne avec lucidité et ironie les illusions dont se bercent les amants qui « se croyaient » éternellement jeunes, s'appropriaient cette « bonne » chambre comme une demeure permanente et protectrice.

• C'est en fait un décor dans lequel chacun joue un rôle qui n'a pas plus de réalité que « le bruit de la mer » dans les coquillages posés sur la cheminée. Flaubert se moque d'Emma, nourrie des clichés des mauvais romans romantiques, avec ses « pantoufles de satin rose », cette « mignarde » chaussure, ses « chatteries ».

Conclusion

[Synthèse] Derrière le réalisme d'une scène érotique d'adultère, le lecteur perçoit dans cet extrait l'« ironie dramatique » dans son sens anglo-saxon, lorsque l'auteur (ou le spectateur) en sait plus sur les personnages, sur ce qui les attend et les menace qu'ils n'en savent eux-mêmes, mais aussi une ironie directe, une façon pour Flaubert de ne pas se laisser attendrir par ses créatures, de les tenir à distance [Ouverture] pour ne pas souffrir lui-même des malheurs qu'il leur prépare… Emma est seulement au début d'une déchéance qui la mènera au suicide. Pour Flaubert, cette scène intimiste pleine d'illusions confirme sa vision grinçante de l'homme et du monde.

Pondichéry • Mai 2018
Séries S, ES • 16 points

Le cadre romanesque, révélateur du personnage ?

■ Dissertation

Dans quelle mesure les lieux dans un roman nous aident-ils à connaître les personnages ?
Vous appuierez votre réflexion sur les textes du corpus, sur les œuvres que vous avez étudiées en classe et sur vos lectures personnelles.

Les textes du corpus sont reproduits dans le sujet n° 29.

ROMAN

LES CLÉS DU SUJET

■ Comprendre le sujet

• Le sujet porte sur « les lieux » et leur rapport aux personnages romanesques.

• Le **présupposé** est : « Les lieux environnant les personnages permettent au lecteur de mieux les connaître ».

• « **connaître** » = comprendre leur personnalité, leur caractère.

• « **dans quelle mesure** » laisse place à une discussion.

• La **problématique** générale est : Quels sont les rapports entre les lieux et personnages romanesques ? Les lieux reflètent-ils toujours la psychologie des personnages ?

■ Chercher des idées

• Subdivisez la problématique en sous-questions : *les lieux et la psychologie des personnages romanesques sont-ils toujours liés ? Pourquoi, comment (par quels moyens) les lieux éclairent-ils la psychologie des personnages romanesques ? Un personnage est-il nécessairement en harmonie avec les lieux qui l'environnent ?*

• On peut aussi dépasser cette alternative en élargissant la question : *quels autres moyens le romancier a-t-il d'éclairer ses personnages ?*

• Pensez aux différentes sortes de lieux : privés, intimes, fermés (chambre, pension, prison,…), publics (rue/place, salles de spectacles, lieux de travail…), proches, lointains, réels, imaginaires, naturels, civilisés…

CORRIGÉ 31

Les titres en couleur et les indications entre crochets servent à guider la lecture mais ne doivent pas figurer sur la copie. Ce corrigé doit être enrichi d'exemples personnels.

Introduction

[Amorce] « Dis-moi qui tu hantes, je te dirai qui tu es » dit la sagesse des nations. Ne pourrait-on dire, avec les romanciers : « Dis-moi quels lieux tu fréquentes, je te dirai qui tu es » ? [Problématique] Les lieux reflètent-ils toujours la psychologie du personnage romanesque ? [Annonce du plan] Certes, le cadre dans lequel vit le personnage le détermine, influe sur ses émotions et sa formation [I] mais l'harmonie entre eux n'est pas nécessaire, le personnage peut au contraire se démarquer de ce cadre [II]. En outre, le romancier dispose de bien d'autres moyens pour peindre ses personnages [III].

I. Les lieux aident à connaître les personnages

Les lieux où vit le personnage donnent de nombreux indices sur son statut social, sa psychologie et ses habitudes.

1. Les lieux façonnent le personnage

Les romanciers réalistes et naturalistes ont montré l'importance du milieu sur l'être humain (notion de déterminisme). Le personnage est façonné par les lieux :

• physiquement (ex. : Bonnemort, le vieux mineur dans *Germinal* de Zola, porte les marques physiques de ses « soixante ans de mine ») ;

• psychologiquement (ex. : dans *Regain* de Giono, Gaubert le forgeron qui ne vit qu'à travers sa forge et Panturle qui dans son village provençal déserté revient à la nature et oublie toute vie sociale) ;

• et moralement (ex. : le bagne de Toulon a fait du Vautrin du *Père Goriot* de *Balzac*, un truand immoral.)

2. Le personnage façonne les lieux, qui sont comme son reflet

Inversement les personnages créent un environnement à leur image. Les lieux reflètent concrètement :

• leurs goûts et leurs valeurs. Ex. : le goût pour la nature et la liberté que Julie manifeste dans le jardin de Clarens où elle a pris soin « d'effacer [...] toute trace de culture » (*La Nouvelle Héloïse* de Rousseau) ; l'hôtel de Saccard (*La Curée*, Zola) avec son « perron royal », ses « glands d'or », manifeste le goût de son propriétaire pour la richesse matérielle ;

• leur vision du monde. Ex : à la fin du roman de Balzac, la chambre du père Goriot « indifférent à sa pauvreté » est « sans doute la preuve de l'amour qu'il a pour ses filles ».

3. Les lieux à l'unisson des émotions et sentiments

Parfois c'est le romancier qui place son personnage dans un lieu à l'unisson de ses émotions ou de ses sentiments. Exemples : le champ de bataille de Waterloo (Stendhal, la *Chartreuse de Parme*) s'accorde avec l'exaltation héroïque de Fabrice (« Me voici un vrai militaire. ») ; la chambre d'hôtel décrépite où Gervaise anxieuse attend Lantier « avec une commode de noyer dont un tiroir manquait » et « la moisissure du plâtre » traduisent la dévastation psychologique de la femme (*L'Assommoir* de Zola) ; dans *Madame Bovary*, la chambre d'hôtel pleine d'objets mièvres où Emma rencontre son amant, fait écho à son goût pour les romans sentimentaux (« ces grandes coquilles roses où l'on entend le bruit de la mer quand on les applique à son oreille. »)

II. C'est surtout *dans ses rapports* avec les lieux que le personnage se dessine

Indépendamment de cette double interaction directe lieu-personnage, c'est surtout dans ses rapports originaux avec les lieux que le personnage se révèle.

1. Le personnage en opposition avec son environnement

Un personnage n'est cependant pas nécessairement en harmonie avec les lieux dans lesquels il évolue et qui sont en décalage avec ses sentiments. Exemple : Jean Valjean ancien bagnard chez Monseigneur Myriel (« le lit était trop bon », « la sensation était trop nouvelle », *Les Misérables*, Hugo). Mais paradoxalement, ce contraste révèle aussi le personnage : Valjean déshumanisé a perdu toute notion de vie en société.

ROMAN

2. Le regard du personnage sur les lieux comme révélateur de sa personnalité

• Le romancier dispose d'un outil subtil pour dévoiler le monde intérieur de ses personnages : la focalisation interne. Les lieux sont ainsi vus à travers le prisme déformant de la subjectivité du personnage : il les colore de ses émotions ou de ses sentiments. Exemple : la prison et le paysage décrits de façon idyllique par Fabrice del Dongo (*La Chartreuse de Parme*, Stendhal).

• Les faits d'écriture propres à ce point de vue sont multiples : utilisation du « je » ; monologue intérieur ; verbes de perception ; exagération/hyperboles *[exemples personnels]*. Cette ressource littéraire propre au roman rend subtilement compte de l'intériorité des créatures romanesques.

3. Certains lieux ne servent que de décor à la fiction

Cependant, certains lieux ne servent pas spécifiquement à éclairer les personnages, mais remplissent d'autres fonctions.

• Ils donnent de la réalité à la fiction (le Paris du XIXe siècle, la « rue Neuve-Sainte-Geneviève » et « le faubourg Saint-Marceau » au début du *Père Goriot*).

• Ils recréent une époque *[exemples personnels]*.

• Ils créent l'atmosphère du roman *[exemples personnels* ; romans de science-fiction]

[Transition] Les lieux, s'ils sont le plus souvent révélateurs des personnages, ne sauraient cependant suffire à faire connaître le personnage.

Cette troisième partie est facultative mais enrichit la réflexion sur la problématique. Il faut l'alimenter d'exemples personnels.

III. Quels autres éléments éclairent le personnage ?

Le romancier dispose de nombreuses autres ressources à cet effet.

1. Le personnage est éclairé par le narrateur sans effet de miroir

À travers le narrateur, le romancier fait connaître directement le personnage en traçant son portrait physique (l'apparence physique révélant parfois l'être profond, le caractère ; *exemples personnels*) ; et son portrait moral (l'analyse psychologique dévoile la personnalité ; *exemples personnels*). Ce sont des pauses dans l'action qui révèlent les tréfonds du personnage.

2. Le personnage est éclairé par lui-même

La connaissance d'un personnage passe aussi par ce qu'il révèle lui-même de sa personnalité, de son milieu, de son caractère, notamment à travers ses paroles, sa façon de parler, son niveau de langue *[exemples personnels]* et à travers sa façon d'agir, ses réactions devant les événements *[exemples personnels]*.

3. Le personnage est éclairé par les autres personnages

Les personnages s'éclairent aussi les uns les autres, par ressemblance (Rieux/Tarrou dans *La Peste* de Camus) ou par contraste (Don Quichotte/ Sancho Pança de Cervantès). Certains personnages servent de repoussoir à d'autres en les mettant en valeur (Javert /Jean Valjean, *Les Misérables* de Hugo) ; d'autres sont des initiateurs qui guident le personnage dans son parcours et le révèlent à lui-même (Vautrin/Rastignac, *Le Père Goriot* de Balzac).

Conclusion

[Synthèse] Les lieux sont donc bien essentiels pour la connaissance du personnage romanesque : ils influent sur lui et sont modelés par lui, et, vus à travers son regard, ils suscitent ses réactions qui dévoilent son intériorité. Cependant, ils ne sont qu'un élément parmi les multiples moyens dont le romancier dispose pour aider le lecteur à connaître les personnages. [Ouverture] Il existe en ce sens une similitude entre le roman et le cinéma qui, par des plans et des mouvements de caméra, réussit à éclairer la vie intérieure des personnages.

ROMAN

Le cadre romanesque, révélateur du personnage ?

■ Écriture d'invention

Comme un romancier, vous décrirez un personnage dont le portrait passe par la description de la chambre qu'il occupe. Votre texte comportera au moins une soixantaine de lignes.

■ Comprendre le sujet

• **Genre** : « comme un romancier » → extrait de roman. Respectez-en les caractéristiques formelles.
• **Sujet** : « un personnage », « la chambre ».
• **Type de texte** : « décrirez/portrait » → texte descriptif.
• « **Définition** » du texte à produire, à partir de la consigne : extrait de roman (*genre*) qui décrit (*type de texte*) un personnage et sa chambre (*thèmes*), détaillé, subjectif, éclairant/informatif (*adjectifs*) pour mettre en relation le personnage et son décor, pour éclairer le personnage (*buts*).

■ Chercher des idées

Contraintes de fond
Peu de contraintes : un personnage ; sa chambre, lieu intime ; les liens et l'harmonie entre cet environnement et le caractère du personnage.

Contraintes de forme
• Toute **description d'un lieu** doit :
– suivre une **progression**, diversifier les angles de vue (plan d'ensemble, plan rapproché, gros plan…) : du général au particulier.
– permettre de **visualiser** le lieu avec précision et de l'appréhender avec tous les sens : utilisez le **vocabulaire des sensations** (sons, odeurs…).

- Le **portrait** : la chambre doit refléter la **personnalité** du personnage ; vous devez donc : **choisir** les détails les plus significatifs ; exploiter le **vocabulaire des émotions et des sentiments** ; recourir aux faits d'écriture qui rendent compte de ses **pensées** (discours indirect libre, monologue intérieur, flash-back sous forme de souvenirs…).

Les choix à faire

- Le **type de roman** : roman psychologique ? d'aventures ? policier ?
- Le **statut du narrateur** : extérieur à l'action ou narrateur personnage (témoin, secondaire, principal…).
- Le « **personnage** » : déterminez son identité (sexe, âge, statut…) et les traits de sa personnalité, puis choisir les **détails** de sa chambre : situation, objets (photos, vêtements,….), état d'entretien, esthétique…
- Le **point de vue** : uniquement interne ? omniscient ?
- Le **registre** dépend du personnage et de l'atmosphère à créer.

CORRIGÉ 32

ROMAN

Pensive sur le chemin de retour du lycée, elle se demandait quel intérêt pouvait bien avoir pour elle, adolescente née du soleil de Martinique et du cœur de l'hiver parisien, la lecture analytique de « l'incipit du *Père Goriot* » qu'elle avait à faire. Et pourtant, malgré elle, alors qu'elle regagnait sa chambre, perchée et isolée tout en haut au troisième niveau sous les combles de sa maisonnette, la phrase de ce sacré Balzac (« Toute sa personne explique la pension, comme la pension implique sa personne ») faisait insidieusement son chemin et, en gravissant les escaliers qui sentaient bon le bois et craquaient sous ses pas, elle ne put s'empêcher de se demander distraitement : « Est-ce que *toute ma personne explique ma chambre* ? est-ce que *ma chambre implique ma personne* ? ». Mais bien vite, elle oublia ces pensées pour s'affaler dans son vaste lit – double ! – vaste comme une nef sur un océan… qui, lorsqu'elle fermait ses yeux fatigués, semblait voguer au large, vers les Antilles. Toujours défait… Les draps froissés et chiffonnés avaient le roulis des vagues qui la faisaient voyager au loin… Elle *n'avait que* quinze ans et elle avait *déjà* quinze ans ! Plus enfant, mais pas encore adulte.

D'origine martiniquaise et parisienne, elle était entre deux, ses racines étaient doubles… et elle ne savait plus où elle en était, qui elle était… mais pourquoi faudrait-il choisir ? Sa chambre, *elle*, n'avait pas eu à choisir…

Certes, elle s'était débarrassée depuis ses douze ans de ses jouets ; mais un œil averti aurait remarqué la queue rose d'une souris qui dépassait de coussins négligemment jetés çà et là… C'était celle de Gentouille, son « doudou » de petite fille. Et comme il était doux parfois de retrouver sa fourrure et de humer son odeur qui lui rappelait le parfum de sa maman !

Et d'autres fois, quelle poignante nostalgie lorsqu'elle balayait du regard le fouillis de son « pêle-mêle » de photos : ce petit garçon noir à l'air espiègle, c'était son papa parti loin et qu'elle n'avait pas revu depuis si longtemps. Plus haut, de dos, ils partaient tous deux à son premier jour d'école, sa première rentrée !, main dans la main… Et sur le mur, il côtoyait cette petite fille ronde et rose endormie qui, dans son berceau suçote l'oreille d'un ours en peluche : sa maman – oh si petite ! – qui pourtant l'énervait à être toujours sur son dos… Et là, cette très vieille dame antillaise sur un fauteuil planteur : c'était sa grand-mère dont elle avait peur que la maladie ne l'emporte sans qu'elle ait pu la revoir… Pourquoi fallait-il que des milliers de kilomètres séparent sa chambre-donjon dont le velux s'ouvrait sur un ciel capricieux et l'allée de palmiers tropicaux en fleurs ? C'était un petit miracle : son pêle-mêle, envers et contre tout, réunissait ce que la vie avait injustement séparé.

Le visiteur indiscret qui se serait aventuré dans sa chambre aurait sursauté, croyant s'immiscer dans un monde à part : pas moins de huit perruques de couleurs et de tailles variées étaient suspendues à la balustrade de l'escalier, devant le rideau qui faisait office de porte : ondulée châtain, crépue noire, longue et lisse, dreadlocks, mèches afros… Elle avait des cheveux magnifiques mais elle s'était constitué là comme un coffre à trésors, un grenier à costumes qui lui permettait de se « choisir » elle-même, de se transformer face à un miroir en pied, de multiplier ses identités… Elle pouvait enfin choisir !

Mais le miroir reflétait aussi un fouillis de cahiers entassés, de copies écornées, de classeurs épars, un agenda griffonné, à même le sol. Quelques livres sur son étagère, lui rappelaient que les examens approchaient.

Certains jours sa chambre était méconnaissable : rangée, récurée, lit au cordeau, papiers classés, perruques remisées… Sa maman était passée par là… Merci, maman ! Mais ces jours-là, elle ne pouvait s'empêcher de penser : « Ce n'est pas ça MA chambre », sa chambre bien-aimée qui mariait ses deux racines, fouillis à l'image de la confusion qui habitait ses quinze ans. Et ce soir de décembre justement, tout était « nickel » ! « Je n'y retrouve plus rien…, ce n'est pas moi ! ». L'espace d'un éclair, elle s'aperçut qu'elle venait de dire à sa façon ce que ce vieux Balzac avait voulu lui faire comprendre avec sa description.

33

Amérique du Nord • Juin 2017
Séries ES, S • 4 points

La description des lieux

■ Question

Documents

A – **Stendhal**, *La Chartreuse de Parme*, chapitre deuxième, 1839.
B – **Émile Zola**, *Paris*, livre cinquième, chapitre V, 1898.
C – **André Gide**, *L'Immoraliste*, première partie, chapitre IV, 1902.
D – **Marguerite Yourcenar**, *Mémoires d'Hadrien*, troisième partie, 1951.

▶ **Comment sont montrés, dans chacun de ces quatre textes, les sentiments positifs ressentis par les personnages ?**

Après avoir répondu à cette question, les candidats devront traiter au choix un des trois sujets n° 34, 35 ou 36.

DOCUMENT A

Veuve à l'âge de trente et un ans, la comtesse Pietranera retourne vivre dans le château familial de Grianta, sur les bords du lac de Côme dans le nord de l'Italie, où elle retrouve son neveu préféré, Fabrice.

La comtesse se mit à revoir, avec Fabrice, tous ces lieux enchanteurs voisins de Grianta, et si célébrés par les voyageurs : la villa Melzi de l'autre côté du lac, vis-à-vis le château, et qui lui sert de point de vue ; au-dessus le bois sacré des *Sfondrata*, et le hardi pro-
5 montoire qui sépare les deux branches du lac, celle de Côme, si voluptueuse, et celle qui court vers Lecco, pleine de sévérité : aspects sublimes et gracieux, que le site le plus renommé du monde, la baie de Naples, égale, mais ne surpasse point. C'était avec ravissement que la comtesse retrouvait les souvenirs de sa première jeunesse et les
10 comparait à ses sensations actuelles. Le Lac de Côme, se disait-elle, n'est point environné, comme le lac de Genève, de grandes pièces de terre bien closes et cultivées selon les meilleures méthodes, choses qui rappellent l'argent et la spéculation. Ici de tous côtés je vois des collines d'inégales hauteurs couvertes de bouquets d'arbres plantés

15 par le hasard, et que la main de l'homme n'a point encore gâtés et forcés *à rendre du revenu.* Au milieu de ces collines aux formes admirables et se précipitant vers le lac par des pentes si singulières, je puis garder toutes les illusions des descriptions du Tasse et de l'Arioste[1]. Tout est noble et tendre, tout parle d'amour, rien ne rap-
20 pelle les laideurs de la civilisation. Les villages situés à mi-côte sont cachés par de grands arbres, et au-dessus des sommets des arbres s'élève l'architecture charmante de leurs jolis clochers. Si quelque petit champ de cinquante pas de large vient interrompre de temps à autre les bouquets de châtaigniers et de cerisiers sauvages, l'œil
25 satisfait y voit croître des plantes plus vigoureuses et plus heureuses là qu'ailleurs. Par-delà ces collines, dont le faîte[2] offre des ermitages[3] qu'on voudrait tous habiter, l'œil étonné aperçoit les pics des Alpes, toujours couverts de neige, et leur austérité sévère lui rappelle des malheurs de la vie et ce qu'il en faut pour accroître la volupté pré-
30 sente. L'imagination est touchée par le son lointain de la cloche de quelque petit village caché sous les arbres : ces sons portés sur les eaux qui les adoucissent prennent une teinte de douce mélancolie et de résignation, et semblent dire à l'homme : La vie s'enfuit, ne te montre donc point si difficile envers le bonheur qui se présente,
35 hâte-toi de jouir. Le langage de ces lieux ravissants, et qui n'ont point de pareils au monde, rendit à la comtesse son cœur de seize ans. Elle ne concevait pas comment elle avait pu passer tant d'années sans revoir le lac. Est-ce donc au commencement de la vieillesse, se disait-elle, que le bonheur se serait réfugié !

Stendhal, *La Chartreuse de Parme*, chapitre deuxième, 1839.

---

1. Le Tasse et L'Arioste : poètes italiens de la Renaissance. 2. Faîte : le point le plus élevé.
3. Ermitage : demeure isolée.

DOCUMENT B

Dans son roman Paris, Émile Zola raconte la quête de justice sociale de son personnage principal, Pierre Froment. À la fin du livre, le héros est réuni avec toute sa famille : son épouse Marie, son fils Jean, sa mère (Mère-Grand), son frère Guillaume et les trois fils de ce dernier. Tous contemplent, depuis les hauteurs de Montmartre, le paysage de la ville.

Marie eut un léger cri d'admiration, montrant Paris du geste.

« Voyez donc ! Voyez donc ! Paris tout en or, Paris couvert de sa moisson d'or ! »

Chacun s'exclama, car l'effet était vraiment d'une extraordi-
5 naire magnificence, cet effet que Pierre avait déjà remarqué, le soleil
oblique noyant l'immensité de Paris d'une poussière d'or. Mais,
cette fois, ce n'étaient plus les semailles, le chaos des toitures et des
monuments tel qu'une brune terre de labour, défrichée par quelque
charrue géante, le divin soleil jetant à poignées ses rayons, pareils
10 à des grains d'or, dont les volées s'abattaient de toutes parts. Et ce
n'était pas non plus la ville avec ses quartiers distincts, à l'est les
quartiers du travail embrumés de fumées grises, au sud ceux des
études d'une sérénité lointaine, à l'ouest les quartiers riches, larges
et clairs, au centre les quartiers marchands, aux rues sombres. Il
15 semblait qu'une même poussée de vie, qu'une même floraison avait
recouvert la ville entière, l'harmonisant, n'en faisant qu'un même
champ sans bornes, couvert de la même fécondité. Du blé, du blé
partout, un infini de blé dont la houle d'or roulait d'un bout de
l'horizon à l'autre. Et le soleil oblique baignait ainsi Paris entier d'un
20 égal resplendissement, et c'était bien la moisson, après les semailles.

« Voyez donc ! Voyez donc ! reprit Marie, pas un coin qui ne
porte sa gerbe, jusqu'aux plus humbles toitures qui sont fécondes, et
partout la même richesse d'épis, comme s'il n'y avait plus là qu'une
même terre, réconciliée et fraternelle… Ah ! mon Jean, mon petit
25 Jean, regarde, regarde comme c'est beau ! »

Pierre, frémissant, était venu se serrer contre elle. Et Mère-Grand
souriait, ainsi que Bertheroy[1], à tout cet avenir qu'ils ne verraient
pas ; tandis que, derrière Guillaume attendri, les trois grands fils,
les trois colosses, restaient graves, en plein labeur et en plein espoir.

30 Alors, Marie, d'un beau geste d'enthousiasme, leva son enfant
très haut, au bout de ses deux bras, l'offrit à Paris immense, le lui
donna en auguste cadeau.

« Tiens ! Jean, tiens ! mon petit, c'est toi qui moissonneras tout
ça et qui mettras la récolte en grange ! »

Émile Zola, *Paris*, livre cinquième, chapitre V, 1898.

1. Bertheroy est un ami de la famille Froment.

DOCUMENT C

Michel, le narrateur, tombe malade au cours de son voyage de noces en Algérie. Son épouse Marceline l'emmène profiter du grand air.

Marceline, cependant, qui voyait avec joie ma santé enfin revenir, commençait depuis quelques jours à me parler des merveilleux vergers de l'oasis. Elle aimait le grand air et la marche. La liberté que lui valait ma maladie lui permettait de longues courses dont elle
5 revenait éblouie ; jusqu'alors elle n'en parlait guère, n'osant m'inciter à l'y suivre et craignant de me voir m'attrister au récit de plaisirs dont je n'aurais pu jouir déjà. Mais, à présent que j'allais mieux, elle comptait sur leur attrait pour achever de me remettre. Le goût que je reprenais à marcher et à regarder m'y portait. Et dès le lendemain
10 nous sortîmes ensemble.

Elle me précéda dans un chemin bizarre et tel que dans aucun pays je n'en vis jamais de pareil. Entre deux assez hauts murs de terre il circule comme indolemment ; les formes des jardins, que ces hauts murs limitent, l'inclinent à loisir ; il se courbe ou brise sa
15 ligne ; dès l'entrée, un détour vous perd ; on ne sait plus ni d'où l'on vient, ni où l'on va. L'eau fidèle de la rivière suit le sentier, longe un des murs ; les murs sont faits avec la terre même de la route, celle de l'oasis entière, une argile rosâtre ou gris tendre, que l'eau rend un peu plus foncée, que le soleil ardent craquelle et qui durcit à la
20 chaleur, mais qui mollit dès la première averse et forme alors un sol plastique où les pieds nus restent inscrits. — Par-dessus les murs, des palmiers. À notre approche, des tourterelles y volèrent. Marceline me regardait.

J'oubliais ma fatigue et ma gêne. Je marchais dans une sorte
25 d'extase, d'allégresse silencieuse, d'exaltation des sens et de la chair. À ce moment, des souffles légers s'élevèrent ; toutes les palmes s'agitèrent et nous vîmes les palmiers les plus hauts s'incliner ; — puis l'air entier redevint calme, et j'entendis distinctement, derrière le mur, un chant de flûte. — Une brèche au mur ; nous entrâmes.

30 C'était un lieu plein d'ombre et de lumière ; tranquille, et qui semblait comme à l'abri du temps ; plein de silences et de frémissements, bruit léger de l'eau qui s'écoule, abreuve les palmiers, et d'arbre en arbre fuit, appel discret des tourterelles, chant de flûte dont un enfant jouait. Il gardait un troupeau de chèvres ; il était
35 assis, presque nu, sur le tronc d'un palmier abattu ; il ne se troubla pas à notre approche, ne s'enfuit pas, ne cessa qu'un instant de jouer.

André Gide, *L'Immoraliste*, © Mercure de France, 1902.

DOCUMENT D

Dans les Mémoires d'Hadrien, *Marguerite Yourcenar fait revivre le person-nage historique d'Hadrien, empereur de Rome au IIᵉ siècle, en rédigeant, à la première personne, les mémoires fictifs qu'il aurait pu écrire. Dans cet extrait, Hadrien se remémore une nuit qu'il a passée à la belle étoile dans le désert de Syrie.*

Une fois dans ma vie, j'ai fait plus : j'ai offert aux constellations le sacrifice d'une nuit tout entière. Ce fut après ma visite à Osroès[1], durant la traversée du désert syrien. Couché sur le dos, les yeux bien ouverts, abandonnant pour quelques heures tout souci humain, je
5 me suis livré du soir à l'aube à ce monde de flamme et de cristal. Ce fut le plus beau de mes voyages. Le grand astre de la constellation de la Lyre[2], étoile polaire[3] des hommes qui vivront quand depuis quelques dizaines de milliers d'années nous ne serons plus, resplen-dissait sur ma tête. Les Gémeaux luisaient faiblement dans les der-
10 nières lueurs du couchant ; le Serpent précédait le Sagittaire ; l'Aigle montait vers le zénith, toutes ailes ouvertes, et à ses pieds cette constellation non désignée encore par les astronomes, et à laquelle j'ai donné depuis le plus cher des noms[4]. La nuit, jamais tout à fait aussi complète que le croient ceux qui vivent et qui dorment dans
15 les chambres, se fit plus obscure, puis plus claire. Les feux, qu'on avait laissé brûler pour effrayer les chacals, s'éteignirent ; ce tas de charbons ardents me rappela mon grand-père debout dans sa vigne, et ses prophéties devenues désormais présent[5], et bientôt passé. J'ai essayé de m'unir au divin sous bien des formes ; j'ai connu plus
20 d'une extase ; il en est d'atroces ; et d'autres d'une bouleversante douceur. Celle de la nuit syrienne fut étrangement lucide. Elle ins-crivit en moi les mouvements célestes avec une précision à laquelle aucune observation partielle ne m'aurait jamais permis d'atteindre.

Marguerite Yourcenar, *Mémoires d'Hadrien*, troisième partie,
© Éditions Gallimard 1951.

---

1. Osroès est le chef de l'Empire parthe, voisin et rival de l'Empire romain, à qui Hadrien vient de rendre une visite officielle.
2. La Lyre, les Gémeaux, le Serpent, le Sagittaire et l'Aigle sont des constellations.
3. Hadrien fait allusion au pôle nord céleste, dont la position exacte change lentement avec les siècles.
4. Plusieurs années après cette nuit syrienne, Hadrien nommera cette constellation du nom de son amant : Antinoüs.
5. Son grand-père avait prédit à Hadrien qu'il serait empereur.

ROMAN

LES CLÉS DU SUJET

■ Comprendre la question

- Dégagez d'abord les **sentiments éprouvés** par les personnages.
- Partez des **mots affectifs** (désignant des **sentiments**).
- Ne vous bornez pas à nommer les sentiments mais indiquez comment les auteurs les traduisent par les **faits d'écriture** (images, champs lexicaux, rythme des phrases…). Cherchez les **faits d'écriture** qui soulignent que ces sentiments sont **positifs**.
- Établissez des **correspondances** entre la description des lieux (nature, désignation, éléments mentionnés…) et les sentiments des personnages.
- Cherchez aussi **ce qui révèle indirectement les sentiments** des personnages (attitudes et comportements).
- Repérez les **ressemblances**, mais aussi les **différences**, les **particularités** des sentiments de chacun de ces personnages. Pour cela, relevez et comparez les expressions qui traduisent les **réactions** des personnages.

■ Construire la réponse

- **Structurez votre réponse** : encadrez-la d'une **introduction** et d'une brève **conclusion**.
- Accompagnez chaque remarque d'**exemples précis** tirés des textes du corpus.

CORRIGÉ 33

Les titres en couleurs et les indications entre crochets servent à guider la lecture mais ne doivent pas figurer sur la copie.

Introduction

[Amorce] Le corpus rassemble quatre extraits de roman où les personnages expriment leur émotion admirative pour des paysages. [Présentation du corpus] Dans *La Chartreuse de Parme*, la comtesse Pietranera s'enchante du spectacle naturel que lui offrent les Alpes. Dans *Paris* de Zola, la famille de Pierre Froment admire le paysage urbain d'un coucher de soleil sur Paris. Michel, le narrateur-personnage de l'*Immoraliste* de Gide, raconte comment une promenade dans une oasis algérienne le bouleverse. Enfin dans l'extrait des *Mémoires d'Hadrien* de Marguerite Yourcenar, l'empereur romain

Hadrien se souvient d'une nuit passée dans le désert syrien à contempler la splendeur du firmament. [Rappel de la question] Personnages, paysages et circonstances diffèrent, mais la façon dont sont exprimés les sentiments suscités présente de nombreuses ressemblances.

I. Des sentiments positifs

Les sentiments des personnages sont clairement positifs : « ravissement », « bonheur » de la Comtesse, « enthousiasme » et « admiration » de Marie Froment, « extase », « allégresse », « exaltation des sens et de la chair » de Michel, « extase [...] lucide » d'Hadrien sous le ciel nocturne.

• **Un lexique hyperbolique.** La force des émotions se traduit par un lexique hyperbolique : « enchanteurs », « sublimes », « admirables », « ravissants » (Stendhal), « extraordinaire magnificence », « resplendissement », « divin soleil » (Zola). Michel, chez Gide, découvre les « merveilleux vergers » de l'oasis. Hadrien se souvient que ce fut « le plus beau de [...] ses voyages » et que la constellation de la Lyre « resplendissait ».

• **Rythmes et modalités des phrases.** L'émotion se traduit aussi par l'usage fréquent de la modalité exclamative, surtout chez Stendhal et Zola, et par des phrases qui s'épanouissent dans des groupes ternaires, des gradations qui traduisent la force du sentiment : « Tout est noble, [...] de la civilisation » (Stendhal), « Du blé, du blé partout, un infini de blé » (Zola), « je marchais [...] chair » (Gide), « Couché sur le dos, les yeux bien ouverts, abandonnant pour quelques heures tout souci humain [...] » (Yourcenar). Quant à l'émotion d'Hadrien, elle se traduit par un groupe ternaire dont les composantes successives s'allongent.

> **CONSEIL**
> Il faut autant que possible intégrer grammaticalement les citations entre guillemets dans vos propres phrases (évitez les parenthèses ou les deux points, suivis d'une liste de mots).

• **Comparaisons, métaphores et personnifications.** Les paysages ne sont pas des « natures mortes », mais des lieux vivants, personnifiés par des comparaisons et des métaphores ; les personnages leur prêtent des sentiments, parfois ceux-là mêmes qu'ils éprouvent. La comtesse voit un promontoire « hardi », une branche d'un lac « voluptueuse », des plantes « heureuses »... Elle entend « le langage » des lieux ! Zola métamorphose, dans une longue métaphore filée, les toits de Paris en un champ de blé plein de promesses. Michel personnifie l'oasis dont l'« eau fidèle » « abreuve » maternellement les palmiers. Le firmament devient pour Hadrien un « monde de flammes et de cristal » où les constellations s'animent (« l'Aigle montait vers le zénith, toutes ailes ouvertes »).

ROMAN

II. Des émotions semblables colorées par des personnalités différentes

Chacun des personnages exprime son admiration selon sa sensibilité, et l'authenticité des sentiments est renforcée par les marques d'affectivité, les gestes qui accompagnent les paroles.

• Stendhal donne la parole à la Comtesse ; on l'entend décrire, comparer les beautés qui s'offrent à elle (« je vois... je puis garder ») et le romancier ajoute ses propres commentaires admiratifs, comme s'il était aussi présent devant ce paysage. Marie Froment chez Zola commente au style direct, avec un lyrisme poétique enthousiaste, le coucher de soleil sur Paris (« Voyez donc ! Voyez donc ! »), moment privilégié, qui rassemble dans la même ferveur toute la famille. L'attitude de Marie et du reste de la famille traduit aussi la façon dont chacun ressent ce moment privilégié (« Pierre, frémissant, était venu se serrer contre elle », « geste d'enthousiasme » de Marie, « Mère-Grand souriait ») ; Zola semble lui-même assister ébloui à ce spectacle par la tonalité épique et visionnaire qu'il donne à sa description.

• Les deux autres récits sont faits à la première personne ce qui confère toute sa force à la confidence des souvenirs : Michel, narrateur-personnage, découvre les exigences de sa sensualité ; Hadrien se penche sur son passé et analyse ses émotions en philosophe et homme de culture.

• Certains des personnages s'expriment avec volubilité – la Comtesse, Marie Froment –, Michel marche silencieusement mais avec une énergie retrouvée alors que Hadrien reste immobile, tout entier concentré sur sa contemplation mystique des « constellations » par laquelle il s'« uni[t] au divin ».

Conclusion

Le paysage, dans un roman, ne se réduit pas à un simple décor. Il permet aussi de révéler la personnalité du personnage qui le colore de sa sensibilité et en reçoit en retour un supplément d'émotion... L'auteur, par les ressources du style, rend compte de cette interaction féconde.

34

Amérique du Nord • Juin 2017
Séries ES, S • 16 points

La description des lieux

■ Commentaire

▶ **Vous commenterez l'extrait de** *L'Immoraliste* **d'André Gide (texte C).**

Se reporter au document C du sujet n° 33.

ROMAN

LES CLÉS DU SUJET

■ Trouver les idées directrices

• Définissez les **caractéristiques** du texte pour trouver les axes.

> Extrait de roman d'inspiration autobiographique (*genre*) qui décrit (*type de texte*) un lieu (*sujet*), qui raconte (*type de texte*) sa découverte et une métamorphose intime du narrateur (*sujet*) lyrique (*registre*), hyperbolique et élogieux (*adjectifs*), pour rendre compte de sensations et d'émotions nouvelles, pour faire entrer le lecteur dans le cœur du personnage (*buts*).

■ Pistes de recherche

Première piste : Acteurs et circonstances d'un moment-clé
• Analysez la **construction** et la **progression** du passage.
• Précisez comment Gide présente les **personnages** et les **circonstances**.
• Analysez les **rapports** entre les deux personnages (proximité ? distance ?) et leur progression.

Deuxième piste : Évocation d'un lieu enchanté et unique
• Selon quel **point de vue** (focalisation) sont décrits les lieux ?
• Quel **regard** le narrateur porte-t-il sur ces lieux ?
• En quoi est-il **exceptionnel** pour le narrateur ?

Troisième piste : L'expression lyrique d'une métamorphose
• En quoi la description de son état par le narrateur et des lieux est-elle empreinte de **lyrisme** ?
• Montrez que le lieu favorise l'éveil des sens (notations sensorielles).

• Quelle **conception de la vie** se dégage de cette description ?
• Quelle **métamorphose** s'est opérée chez le narrateur ?

▶ **Pour réussir le commentaire :** voir guide méthodologique.
▶ **Le roman :** voir lexique des notions.

CORRIGÉ **34**

Les titres en couleurs et les indications entre crochets servent à guider la lecture mais ne doivent pas figurer sur la copie.

Introduction

[Amorce] L'œuvre de Gide reflète les contradictions d'un homme : il est tiraillé entre une éducation protestante austère qui le pousse vers une spiritualité mystique, et une volonté de s'affranchir de la morale traditionnelle pour affirmer une sensualité panthéiste. [Présentation du texte] Gide, dans *L'Immoraliste,* introduit des éléments autobiographiques, notamment l'influence déterminante qu'a eue, dans son évolution morale et sexuelle, un voyage en Tunisie. Il transpose ici ce bouleversement : le narrateur, conva-

> **CONSEIL**
> Si vous connaissez des éléments biographiques sur l'auteur et son œuvre qui éclairent le texte à commenter, tirez-en profit et utilisez-les dans l'introduction (ou dans votre commentaire).

lescent, est conduit par sa jeune femme dans une oasis. [Annonce des axes] La promenade, censée lui redonner des forces, le bouleverse : la beauté et l'étrangeté du lieu [I], font de ce récit un moment clé [II] où le narrateur s'éveille à une nouvelle vie et a la révélation des exigences de ses sens [III].

I. Un lieu enchanté et unique

Michel, le narrateur-personnage de *L'Immoraliste*, souligne dès son entrée dans l'oasis le caractère unique et « bizarre » de ce lieu dont il ne vit « jamais de pareil ».

1. Un lieu étrange et exceptionnel

• C'est un univers merveilleux, tel qu'on en trouve dans les contes, où la nature est vivante, personnifiée : le chemin « circule comme indolemment », l'eau de la rivière est « fidèle », elle « abreuve » maternellement les palmiers qui « s'inclinent ». Les promeneurs semblent se déplacer dans un labyrinthe enchanté où on se « perd » et où les lignes et les formes ne servent pas à limiter, à borner mais, du sol à la cime des arbres, dessinent un tableau mouvant.

• La syntaxe elle-même s'assouplit pour décrire ce lieu exceptionnel et le narrateur à plusieurs reprises se sert de phrases nominales – taches de couleur posées sur une toile – comme pour rendre compte d'impressions dans leur immédiateté : « Par-dessus les murs, des palmiers », « une brèche au mur ».

• Michel associe son lecteur à cette découverte par l'usage du pronom indéfini derrière lequel il s'efface (« on ne sait plus [...] on va ») et par le « vous » (« un détour vous perd ») dont on ne sait s'il est de politesse ou pluriel.

2. Un lieu universel et paradisiaque

• Paradoxalement, ce lieu unique est aussi universel, associant harmonieusement les quatre éléments fondamentaux, la « terre », « l'eau », le feu du « soleil ardent » et « l'air » des « souffles légers »...

• C'est donc un paradis mais aussi le jardin originel de la genèse, l'Éden d'Adam et Ève, jardin du bonheur, de l'innocence, de la chute aussi et de la révolte de l'homme contre son dieu, en même temps que de l'indépendance et, pour Michel, de la révélation de sa personnalité profonde.

II. Un moment-clé

Michel prépare le récit de la révélation de sa vraie personnalité.

1. Une découverte personnelle et directe

• Le premier paragraphe, par un flash-back et par les récits enthousiastes de Mathilde (« éblouie », « merveilleux vergers »), prépare progressivement (pendant « quelques jours ») le moment de la découverte de l'oasis.

• Le personnage multiplie les allusions à sa « maladie » et sa nouvelle situation de convalescent : sa « santé » revient, il allait « mieux », se « remet[tait] », il reprenait des forces et du « goût » pour l'exercice physique. Le lexique hédoniste de l'activité physique et des sens est d'abord employé par Mathilde (« elle aimait le grand air et la marche », « longues courses », « plaisirs », « attraits », « jouir »).

• Désormais, c'est Michel qui fera l'expérience de la « liberté » et des « plaisirs » dont seule Mathilde a profité jusqu'alors.

2. Des personnages proches...

• Les premières lignes font de Mathilde l'initiatrice involontaire du bouleversement que va vivre Michel, mais sa présence est comme voilée par le discours narrativisé qui rapporte ses promenades. On perçoit l'attention affectueuse dont elle entoure son jeune mari mais aussi sa délicatesse (« n'osant », « craignant ») qui lui fait éviter ce qui pourrait l'« attrister ».

• Michel contrairement à Mathilde, ne manifeste pas de sentiments nettement affirmés tels que la reconnaissance ou l'amour à l'égard de la jeune femme.

• C'est un « nous » assez neutre qui réunit le couple pour sa première sortie. En revanche, l'irruption du passé simple (« nous sortîmes ») isole l'action et la met en relief dans un récit jusqu'alors à l'imparfait de durée.

3. ... et lointains

• Dans la suite du récit, les deux personnages ne semblent pas vraiment communiquer : Mathilde précède Michel, se contente de le regarder.

• Michel s'impose désormais comme le personnage principal et redevient sujet à part entière : « j'oubliais ma fatigue », « je marchais » et cette métamorphose annonce la distance qui peu à peu s'installera dans le couple.

III. L'expression lyrique d'une métamorphose

Ce qui devait être une simple promenade bouleverse la vie de Michel, le métamorphose et lui révèle sa véritable nature. Et il évoque ce moment avec des accents lyriques, à la fois mystiques et chargés d'une sensualité païenne.

1. Un marcheur extatique ...

• Michel décrit son état comme le ferait un mystique touché par la grâce divine, parlant de son « extase », de son « exaltation » ; il est transporté dans un monde animé de phénomènes étranges que semble susciter sa marche sur ce chemin « bizarre » : envol de « tourterelles », « souffles légers », « palmes » qui s'inclinent à son passage, musique mystérieuse.

• Paradoxalement, Michel décrit cette expérience voluptueuse nouvelle pour lui en puisant dans les références de son éducation religieuse. Termes et notations renvoient en effet à l'Ancien et au Nouveau Testaments : entrée du Christ à Jérusalem, descente du Saint-Esprit sur un baptisé sous la forme d'une colombe ou d'un « souffle » (*spiritus* en latin)...

• Le temps lui-même ne s'inscrit plus dans les repères habituels. Michel associe passé simple et imparfait pour rendre compte de sa progression sur le chemin, ce qui est logique dans un récit au passé. Mais il emploie aussi un présent intemporel pour dessiner le chemin qui « circule indolemment », le parcours de l'eau qui « s'écoule », la transformation de la terre sous l'effet du soleil ou de la pluie. Le temps est suspendu : le lieu est « à l'abri du temps ».

2. Le réveil des sens et de « la chair »

• Le bouleversement est émotionnel, sensoriel et sensuel, Michel en distingue les différentes phases : « extase », « allégresse » et « exaltation des sens et de la chair ». Le terme « exaltation » qualifie d'ordinaire un état affectif, mais ici il garde son sens étymologique pour exprimer l'acuité inhabituelle des sens et de la sensualité. La gradation même de la phrase (« je marchais [...] chair ») reproduit, par l'allongement progressif des trois groupes compléments, la surabondance des émotions, de plus en plus fortes.

• Impressions visuelles, tactiles, auditives se succèdent, exprimées par des verbes de perception des notations de « formes », de mouvement, de couleurs, de textures (la terre est « plastique »), de sons (« chant de flûte », « appel des tourterelles », bruit de l'eau et « souffles légers »).

• Les récits qui rapportent un moment de fusion avec la divinité troublent parfois par des images au lyrisme ambigu : l'expérience mystique se charge d'une dimension érotique sublimée dans un contexte religieux. Michel assume cette dimension dans cet hymne à la beauté naturelle de l'oasis : c'est bien sa « chair » qui est troublée, son corps, sa sensualité.

• Dans ce jardin d'Éden, Michel abandonne les interdits de son éducation sociale, morale et religieuse ; il se met littéralement à « nu » pour retrouver son identité profonde. Il semble que le chemin n'ait eu d'autre but que de le mener près du jeune berger « presque nu » vers lequel le guidait l'« appel discret des tourterelles », oiseaux traditionnellement associés à l'amour.

Conclusion

[Synthèse] Le récit de la découverte d'un lieu nouveau, unique et paradisiaque, qui éveille sens et conscience de soi, révèle la personnalité du personnage principal : au terme de cette expérience mystique, poétique et sensuelle, Michel est prêt à devenir un « immoraliste », notamment à accepter son homosexualité jusqu'alors refoulée.

[Ouverture] Cette révélation compromet évidemment son mariage et sa libération se fera au prix du malheur et de la vie de sa jeune femme, source d'accablement pour la conscience de Michel.

CONSEIL
Si vous connaissez la suite de l'œuvre dont est extrait le texte à commenter, vous pouvez utiliser vos connaissances pour assurer l'ouverture dans votre conclusion.

ROMAN

35

Amérique du Nord • Juin 2017
Séries ES, S • 16 points

La description des lieux

■ Dissertation

▶ Dans un roman, la description des lieux environnant les personnages a-t-elle pour seule fonction de traduire les sentiments de ces personnages ? Vous répondrez à cette question en vous aidant d'exemples tirés du corpus et de vos connaissances personnelles.

Les textes du corpus sont reproduits dans le sujet nᵒ 33.

LES CLÉS DU SUJET

■ Comprendre le sujet

• Le sujet porte sur « la description des lieux » qui entourent les personnages romanesques.

• Le **présupposé** est : « La description des lieux environnant les personnages sert à traduire leurs sentiments ».

• « **traduire** » c'est révéler, dévoiler, éclairer, faire connaître.

• « **seule** (fonction) » laisse entendre qu'il faut dépasser le présupposé, qu'il y a une **discussion** possible, que la description des lieux peut avoir d'autres fonctions.

• La **problématique** générale est : *La peinture des sentiments des personnages est-elle le seul but de la description des lieux qui les environnent ?*

■ Chercher des idées

Les questions à se poser

• Subdivisez la problématique en **sous-questions** :

– *Pourquoi, comment (par quels moyens) la description des lieux qui l'environnent révèle-t-elle les sentiments/la vie affective du personnage ?*

– *Quelles autres fonctions* la description des lieux peut-elle prendre : par rapport à d'autres éléments (que les sentiments) du personnage ? par rapport au lecteur ? par rapport à l'auteur ? à l'action ? au sens du roman ?

Les exemples

• Ce sont surtout les romanciers réalistes (Balzac, Flaubert, Stendhal) et naturalistes (Maupassant, Zola) qui peuvent fournir des exemples.

• Mais on peut aussi s'appuyer sur les « premiers » romans français (*La Princesse de Clèves*, roman historique) ou sur les ouvrages romantiques (Hugo), les romans de science-fiction (*1984* et *La Ferme des animaux* d'Orwell, *Fahrenheit 451* de Bradbury, *La Nuit des temps* de Barjavel, *Le Meilleur des mondes* d'Huxley)...

CORRIGÉ 35

Les titres en couleurs et les indications entre crochets servent à guider la lecture mais ne doivent pas figurer sur la copie.

Introduction

[Amorce] Le mot « roman » évoque péripéties et rebondissements, conformément à la définition que Sade donne du genre : « On appelle *roman* l'ouvrage fabuleux composé d'après les plus singulières *aventures de la vie* des hommes. ». Mais certains écrivains assignent au genre d'autres fonctions : « Le but suprême du romancier est de nous rendre sensible *l'âme humaine* », écrit Georges Duhamel. Dans cette optique, les descriptions de lieux qui environnent les personnages ont le pouvoir d'éclairer leur « âme ». [Problématique] Ont-elles pour seule fonction de révéler la vie affective des personnages ? [Annonce du plan] Le romancier établit la force du lien entre lieux et personnages : la description des premiers constitue de véritables portraits intimes des seconds [I]. Mais décrire les lieux est aussi une façon de s'adresser au lecteur, de donner l'illusion de la réalité et de procurer des émotions particulières [II]. Enfin, les lieux sont les révélateurs de la personnalité créatrice du romancier : ils traduisent sa vision du monde et sa conception de l'art [III].

ROMAN

I. Les lieux traduisent les sentiments des personnages

La description du cadre dans lequel évolue le personnage joue parfois le même rôle qu'une analyse psychologique.

1. Les lieux révélateurs des personnages et de leur destinée

De nombreux romanciers établissent une analogie entre le décor et l'individu.

• Au XIXᵉ siècle, les romanciers réalistes et naturalistes, comme Balzac ou Zola, font du lieu un miroir de celui qui l'habite et inversement. Au début du *Père Goriot* qui présente la pension Vauquer, Balzac justifie sa description détaillée : la « personne [de Mme Vauquer] » est « en harmonie avec cette salle où suinte le malheur, où s'est blottie la spéculation » : « toute sa personne *explique* la pension, comme la pension implique sa personne », renfrognée et amère, mesquine et calculatrice. L'auteur en peignant ces lieux par la voix du narrateur dévoile le « cœur » de ses personnages.

• La description des lieux sert aussi à éclairer le parcours du personnage. Elle explique son passé, accompagne son évolution affective, morale, sociale ou politique. La succession de lieux parisiens dans *Bel-Ami* permet de suivre le parcours du héros depuis son anonymat jusqu'à son triomphe social.

• Enfin, la description des lieux peut contenir en germe les éléments du destin à venir du personnage : la description du Voreux (*Germinal*) annonce la révolte des mineurs à venir ; celle de la nuit dans le désert syrien (corpus) préfigure les bouleversements de la destinée d'Hadrien.

2. Le regard du personnage sur les lieux

• Parfois la description est faite à travers le regard subjectif du personnage. Elle nous apprend alors autant sur celui qui regarde que sur ce qui est décrit. Il peut s'agir d'émotions et de sentiments plaisants et positifs. Dans *La Chartreuse de Parme*, la description que Fabrice fait de la « vue [...] sublime » depuis sa prison est colorée de son amour fou pour Clélia. Le tableau lyrique et épique de Paris sous les yeux de Marie (Zola) traduit son espoir enthousiaste dans la « moisson future de vérité et de justice ».

• Au contraire, il peut s'agir de sentiments désagréables et négatifs, signes du mal-être du personnage. Dans *Madame Bovary* de Flaubert, la description des villes de Tostes et Yonville à travers les yeux d'Emma marque sa désillusion et son ennui, tandis que celle de Rouen et de son opéra traduit son désir d'évasion et d'aventures romanesques. Dans ce type de description subjective qui limite la perception du décor à la vision du personnage, le décor prend le relais de la voix du narrateur pour suggérer les impressions du personnage.

[Transition] Cependant la description des lieux a d'autres intérêts, non seulement par rapport aux personnages, mais aussi pour le lecteur.

II. Donner l'illusion du réel et émouvoir

1. Donner au lecteur l'illusion du réel

• Souvent, la description des lieux permet au lecteur d'entrer dans la fiction et de se repérer (début du *Père Goriot*, de la plupart des romans réalistes ou naturalistes et même de science-fiction), mais aussi d'imaginer le cadre dans lequel évoluent les personnages [exemples personnels]. En ce sens, la description des lieux a une fonction informative : elle fournit des connaissances sur un milieu, une époque que le lecteur découvre. Exemples : la cour des Valois dans *La Princesse de Clèves* ; *93* de Hugo ; les lieux de la presse dans *Bel-Ami*, la mine et la révolution industrielle dans *Germinal*...

La description des lieux peut ainsi donner l'illusion du vrai (comme un décor de théâtre), même à des mondes qui n'existent pas (science-fiction) pour que le lecteur croie à une action même irréelle !

• En insérant des personnages fictifs dans un cadre qui paraît réel (comme en peinture), le contexte spatial donne au lecteur l'illusion que ces personnages sont eux-mêmes réels. Cela s'applique aussi bien aux romans réalistes qu'aux romans de science-fiction : Jules Verne décrit avec précision le *Nautilus* du capitaine Nemo avec une abondance de détails qui le font « exister ».

• La description des lieux individualise des types généraux. Ainsi, le Père Goriot imaginé par Balzac représente le type (général) du père dévoué, mais le cadre dans lequel il est représenté fait de lui un être incarné, singulier.

2. Susciter des émotions chez le lecteur

• Au-delà de cette fonction intellectuelle, la description des lieux a aussi pour rôle de créer une atmosphère et de susciter l'émotion du lecteur. La description des maisons de jeu « dont l'effet est assuré comme celui d'un drame sanguinolent » (Balzac), puis de la boutique de l'antiquaire où les objets les plus étranges (« instruments de mort, poignards, pistolets curieux, armes à secret, étaient jetés pêle-mêle ») qui ouvrent la *Peau de Chagrin* créent le suspense et l'épouvante chez le lecteur.

• Comme une peinture, la description des lieux peut enfin être un ornement avec des qualités poétiques qui font naître une émotion esthétique chez le lecteur et le font rêver. Exemples : description des rives du Meschacebé, en Louisiane, et de sa luxuriante végétation dans *Atala* de Chateaubriand ; descriptions de l'océan dans *Les Travailleurs de la mer* de Hugo.

[Transition] Au-delà de ces fonctions centrées sur les personnages et sur le lecteur, la description des lieux sert aussi le projet personnel et littéraire de l'auteur.

ROMAN

III. La description des lieux, révélatrice d'une vision

Elle est souvent l'expression de la personnalité, des sentiments, des idées ou de la conception littéraire de l'auteur.

1. Traduire les sentiments de l'auteur, porter son projet et son engagement

• À travers la peinture des lieux et milieux, teintée de sa subjectivité, le romancier transmet sa perception du monde et ses sentiments. Les descriptions de Paris dans *Les Rougon-Macquart* traduisent l'ambiguïté du regard de Zola sur le Paris du Second Empire, à la fois son admiration pour le renouveau urbain (*Le Ventre de Paris*) et sa révolte contre la misère (*L'Assommoir*). Autre exemple : l'Algérie vue par Camus dans *L'Étranger* ou *La Peste*, textes empreints des souvenirs de l'auteur et de l'amour pour sa terre natale.

• Elle sert aussi à traduire l'engagement du romancier. La description de la mine et du coron est un plaidoyer pour les mineurs par le socialiste Zola. Céline dans *Voyage au bout de la nuit* décrit les usines Ford aux États-Unis pour dénoncer l'inhumanité du capitalisme moderne.

2. Une fonction symbolique et prophétique

• Les lieux prennent parfois une valeur symbolique. La description qui clôt *Germinal* avec « les bourgeons [qui crèvent] en feuilles vertes » et les « graines [qui se gonflent] », développe la valeur métaphorique du titre. La mer peut être symbole de danger (Hugo, *Les Travailleurs de la mer*), figure maternelle protectrice (Le Clézio, *Le Chercheur d'or* et *Mondo*), symbole de purification (Camus), d'évasion et de liberté (pour Jeanne, *Une Vie*, Maupassant).

• Enfin, la description des lieux se charge d'une fonction prophétique lorsque le romancier donne une image du monde tel qu'il sera, pour qu'on s'en émerveille ou qu'on prenne garde. Exemple : *Paris* de Zola (corpus : Paris annonciateur de « la moisson future de vérité et de justice »). Cette fonction a une valeur d'avertissement, dans les romans de science-fiction qui dépeignent le futur (progrès de la science et ses dangers avec le « Centre d'incubation et de conditionnement de Londres » dans *Le Meilleur des mondes...*).

3. S'inscrire dans une esthétique littéraire, porter une conception du roman

La description des lieux en dit autant sur le romancier en tant qu'homme qu'en tant qu'écrivain, à travers elle il revendique ses choix littéraires, sa conception du roman ou son appartenance à un mouvement littéraire.

• Le choix des lieux peut être un moyen de manifester ses goûts personnels ou artistiques (l'exotisme, la nature chez les romantiques comme Chateaubriand, Hugo) ou son projet littéraire (reproduire la réalité, éclairer les personnages comme chez Balzac, Zola).

• L'absence de description est aussi significative que sa présence. Les auteurs du Nouveau Roman (*Le Planétarium* de Nathalie Sarraute par exemple) et les surréalistes, en refusant la description, revendiquent leur désir de bannir tout réalisme. Ils estiment que le vraisemblable, l'effet de réel ne sont pas indispensables au roman. A. Breton (*Manifeste du surréalisme*) : « Et les descriptions ! Rien n'est comparable au néant de celles-ci ! »

> **CONSEIL**
> Faites-vous un « stock » de citations significatives pour rendre vos arguments plus probants par des exemples précis ou pour soutenir votre réflexion par des arguments d'autorité.

Conclusion

[Synthèse] Même si elle a été mise à mal par l'avènement du cinéma, la description des lieux dans le roman remplit des fonctions importantes, non seulement pour les personnages qu'elle éclaire, mais aussi pour le lecteur qu'elle seconde dans sa lecture et pour le romancier qui s'exprime à travers elle. [Ouverture] Les romanciers contemporains l'ont bien compris et sont revenus à cet élément essentiel des romans. Certains ont même fait des lieux le personnage central de leur œuvre, comme Lawrence Durrell dans son *Quatuor d'Alexandrie*.

ROMAN

La description des lieux

■ Écriture d'invention

▶ Imaginez que le texte d'Émile Zola commence par : « Marie eut un cri d'effroi, montrant Paris du geste ». À partir de cette phrase d'amorce, proposez une autre vision de la ville ; vous décrirez ce que voit et ressent le personnage.

Le candidat peut s'appuyer sur les textes reproduits dans le sujet n° 33.

LES CLÉS DU SUJET

■ Comprendre le sujet

• **Genre** : « le texte d'Émile Zola » → extrait de roman.

• Vous devez produire un texte « à la manière de Zola ».

• **Sujet** : « vision de la ville », « Paris » ; « ce que voit et ressent » Marie.

• **Type de texte** : « vision/décrirez » → texte descriptif.

• **Point de vue** : « ce que ressent » → point de vue interne et omniscient.

• **Niveau de langue** : celui du texte de Zola : soutenu ; courant pour les paroles rapportées directement.

• **Caractéristiques** du texte à produire, à partir de la consigne :

> Extrait de roman/réécriture de Zola (*genre*) qui décrit (*type de texte*) Paris vue de Montmartre et les émotions/sentiments de Marie (*thème*), lyrique ? élégiaque ? pathétique ? mélancolique ? (*registres*), détaillé, subjectif (*adjectifs*) pour mettre en relation le regard porté sur le monde et des sentiments (*buts*).

■ **Chercher des idées**

Il s'agit d'une « réécriture » du texte de Zola. Vous devez être fidèle à certaines caractéristiques du texte de base.

Contraintes de fond

• **Le personnage** qui voit Paris, Marie, doit conserver son tempérament extraverti.

• Les **circonstances spatio-temporelles** :

– *le lieu :* situation, configuration, éléments ;

– *l'époque :* le second Empire, avec son développement industriel, économique, luxe de la bourgeoisie (banquiers), détresse de la classe ouvrière, travaux dans Paris, contraste entre la ville du luxe et la ville de la misère.

• Présence des **autres personnages** mentionnés chez Zola : Pierre, Mère-Grand, Bertheroy, Guillaume, ses trois fils, le fils de Marie...

Contraintes de forme

• Utilisez quelques faits d'écriture du texte de Zola : description détaillée avec des images frappantes ; hyperboles, exclamations ; notations sensorielles ; mention des réactions et gestes des autres personnages présents ; paroles rapportées ; temps verbaux (le passé : passé simple, imparfait) ; **vocabulaire** affectif des émotions, du jugement ; mots mélioratifs ou péjoratifs marqués subjectivement.

• **Le statut du narrateur :** en dehors de l'histoire comme chez Zola.

Les choix à faire

• La « **vision** » (c'est-à-dire l'image) de la ville doit être « autre » que celle du texte du corpus, où Paris est vu dans un avenir « radieux ».

• Mais il faut trouver les éléments suivants.

– Un **aspect négatif de la ville** : la misère, la pollution (mais le texte se situe au XIXe siècle, attention aux anachronismes), le vice (ambition sans scrupule, débauche...), la toute-puissance de l'argent.

– Une **métaphore filée** (comme dans le texte de Zola) adéquate pour rendre compte de cet aspect négatif et faire sentir le regard « déformant » presque épique ou fantastique des personnages : vous pouvez partir d'un phénomène naturel « effrayant » (cf. « effroi »), comme une tempête, un orage, la grêle, une inondation, un tremblement de terre.

– Un **comparant** : animaux, monstres, maladie (épidémie), guerre...

• **Les émotions :** partir de l'expression, « cri d'effroi » (= épouvante, frayeur). Selon la vision choisie : appréhension ? dégoût ? révolte ? Manifestations de ces émotions : pleurs ? rire nerveux ? panique ? cris ? gestes ?

• **Le registre** dépend des émotions. Lyrique ? pathétique ? dramatique ?

ROMAN

CORRIGÉ 36

Nous avons choisi de décrire Paris à travers le regard de personnages qui éprouvent dégoût et panique face à une ville envahie par les pollutions industrielles, qui la rend irrespirable et invivable.

Marie eut un cri d'effroi, montrant Paris.

« Voyez donc ! Paris souillé, Paris noir de crasse et de suie, Paris enseveli sous des vapeurs répugnantes ! »

Tous eurent un mouvement de recul, horrifiés par le spectacle d'une capitale naguère moderne, belle, aérée, aujourd'hui étouffée sous une pollution si épaisse qu'elle masquait le ciel, recouvrait tout de

sa grisaille sinistre et réduisait les rayons obliques du couchant à de pâles lueurs jaunâtres et maladives. L'horizon était barré par un hérissement de cheminées d'usines qui vomissaient des fumées lourdes et sombres ; celles-ci prenaient en grossissant des formes aussi monstrueuses et imprévisibles que des explosions volcaniques. Les toits de la ville formaient un océan d'une couleur gris plombé, d'où s'échappaient des milliers de fines volutes de gaz qui serpentaient vers le haut comme des reptiles lancés à l'assaut du ciel pour le mordre et lui inoculer leurs poisons.

« Voyez donc ! reprit Marie. Pas un coin de la ville n'échappe à cette infection ! Elle enveloppe les bâtiments, elle asphyxie les êtres. » Il n'y avait presque aucun souffle d'air. Tout semblait figé, englué dans un sirop poisseux. Mais, par moments, à la faveur d'un très lent mouvement de l'air, apparaissait le profil tronqué d'un monument : une tour de Notre-Dame semblait un bloc à la dérive, le Panthéon laissait voir son dôme en partie gommé comme si un acide l'avait rongé... D'un seul coup, produite par des macérations accumulées toute la journée, une odeur infecte de pourriture envahit l'air. Les Froment se regardèrent tétanisés, saisis par la même nausée. Ils commencèrent à suffoquer, les narines et la bouche emplis par la puanteur. Marie dénoua le fichu qui lui couvrait les épaules. Elle entoura le corps et le visage de l'enfant qu'elle portait dans ses bras. Puis elle soupira. Sur le visage de Mère-Grand, creusé par les rides, coulèrent quelques larmes tandis que Pierre et Bertheroy restaient immobiles, pétrifiés par l'horreur de ce qu'ils découvraient. « Viens ! Jean, viens ! Mon petit ! s'écria Marie. Nous allons quitter ce lieu d'épouvante. Nous irons ailleurs, loin d'ici, où il fait bon vivre, où tu pourras grandir et respirer. »

Pendant ce temps, Paris continuait de suffoquer.

France métropolitaine • Juin 2017
Séries ES, S • 4 points

La découverte d'un univers fictif

■ Question

Documents

A – **Marcel Proust**, *Du côté de chez Swann*, « Combray », 1913.
B – **Marguerite Duras**, *Un barrage contre le Pacifique*,
deuxième partie, 1951.
C – **Albert Camus**, *Le Premier Homme*, première partie, chapitre 6,
« La famille », 1994, publication posthume.

▶ **Les personnages de ces romans sont-ils touchés de la même
manière par l'univers fictif qu'ils découvrent ?**

*Après avoir répondu à cette question, les candidats devront traiter au choix un
des trois sujets n⁰ˢ 38, 39 ou 40.*

ROMAN

DOCUMENT A

À travers ce roman, le narrateur livre des souvenirs d'enfance.

À Combray, tous les jours dès la fin de l'après-midi, longtemps
avant le moment où il faudrait me mettre au lit et rester, sans dor-
mir, loin de ma mère et de ma grand-mère, ma chambre à coucher
redevenait le point fixe et douloureux de mes préoccupations. On
5 avait bien inventé, pour me distraire les soirs où on me trouvait l'air
trop malheureux, de me donner une lanterne magique[1], dont, en
attendant l'heure du dîner, on coiffait ma lampe ; et, à l'instar des
premiers architectes et maîtres verriers de l'âge gothique, elle substi-
tuait à l'opacité des murs d'impalpables irisations[2], de surnaturelles
10 apparitions multicolores, où des légendes étaient dépeintes comme
dans un vitrail vacillant et momentané. Mais ma tristesse n'en était
qu'accrue, parce que rien que le changement d'éclairage détruisait
l'habitude que j'avais de ma chambre et grâce à quoi, sauf le supplice
du coucher[3], elle m'était devenue supportable. Maintenant je ne
15 la reconnaissais plus et j'y étais inquiet, comme dans une chambre

d'hôtel ou de « chalet », où je fusse arrivé pour la première fois en
descendant de chemin de fer.

Au pas saccadé de son cheval, Golo[4], plein d'un affreux dessein[5],
sortait de la petite forêt triangulaire qui veloutait d'un vert sombre
20 la pente d'une colline, et s'avançait en tressautant vers le château
de la pauvre Geneviève de Brabant. Ce château était coupé selon
une ligne courbe qui n'était autre que la limite d'un des ovales de
verre ménagés dans le châssis qu'on glissait entre les coulisses de la
lanterne. Ce n'était qu'un pan de château et il avait devant lui une
25 lande où rêvait Geneviève qui portait une ceinture bleue. Le château
et la lande étaient jaunes et je n'avais pas attendu de les voir pour
connaître leur couleur car, avant les verres du châssis, la sonorité
mordorée[6] du nom de Brabant me l'avait montrée avec évidence.
Golo s'arrêtait un instant pour écouter avec tristesse le boniment[7] lu
30 à haute voix par ma grand-tante, et qu'il avait l'air de comprendre
parfaitement, conformant son attitude, avec une docilité qui n'ex-
cluait pas une certaine majesté, aux indications du texte ; puis il
s'éloignait du même pas saccadé. Et rien ne pouvait arrêter sa lente
chevauchée. Si on bougeait la lanterne, je distinguais le cheval de
35 Golo qui continuait à s'avancer sur les rideaux de la fenêtre, se bom-
bant de leurs plis, descendant dans leurs fentes.

Marcel Proust, *Du côté de chez Swann*, « Combray », 1913.

---

1. Lanterne magique : instrument d'optique qui permet de projeter des images sur un écran
ou un mur à l'aide d'une lentille de verre.
2. Irisations : reflets colorés produits par la dispersion de la lumière.
3. L'enfant est sujet à des angoisses au moment du coucher.
4. L'histoire de Geneviève de Brabant et de Golo figurait sur de petites plaques de verre
coloré que l'on glissait dans la lanterne ; G. de Barbant est une héroïne du Moyen Âge,
épouse du comte Siegfried. En l'absence de celui-ci, elle est victime du harcèlement et des
calomnies de l'intendant Golo, qui, par vengeance, obtiendra sa mise à l'écart. Elle connaîtra
un sort tragique.
5. Dessein : but, intention.
6. Mordorée : d'un brun chaud, avec des reflets dorés.
7. Boniment : discours animé visant à susciter l'intérêt du public.

DOCUMENT B

L'action se situe en Indochine, péninsule d'Asie du Sud-Est, dans les années 1920. La famille de Suzanne, l'héroïne du roman, mène une existence misérable. Désœuvrée et livrée à elle-même, Suzanne erre dans les quartiers de la ville à la recherche de son frère Joseph.

[…] Elle ne trouva pas Joseph, mais tout à coup une entrée de cinéma, un cinéma pour s'y cacher. La séance n'était pas commencée. Joseph n'était pas au cinéma. Personne n'y était, même pas M. Jo[1].

5   Le piano commença à jouer. La lumière s'éteignit. Suzanne se sentit désormais invisible, invincible et se mit à pleurer de bonheur. C'était l'oasis, la salle noire de l'après-midi, la nuit des solitaires, la nuit artificielle et démocratique, la grande nuit égalitaire du cinéma, plus vraie que la vraie nuit, plus ravissante, plus consolante que
10 toutes les vraies nuits, la nuit choisie, ouverte à tous, offerte à tous, plus généreuse, plus dispensatrice de bienfaits de toutes les institutions de charité et que toutes les églises, la nuit où se consolent toutes les hontes, où vont se perdre tous les désespoirs, et où se lave toute la jeunesse de l'affreuse crasse d'adolescence.

15 C'est une femme jeune et belle. Elle est en costume de cour. On ne saurait lui en imaginer un autre, on ne saurait rien lui imaginer d'autre que ce qu'elle a déjà, que ce qu'on voit. Les hommes se perdent pour elle, ils tombent sur son sillage comme des quilles et elle avance au milieu de ses victimes, lesquelles lui matérialisent
20 son sillage, au premier plan, tandis qu'elle est déjà loin, libre comme un navire, et de plus en plus indifférente, et toujours plus accablée par l'appareil immaculé de sa beauté[2]. Et voilà qu'un jour de l'amertume lui vient de n'aimer personne. Elle a naturellement beaucoup d'argent. Elle voyage. C'est au carnaval de Venise que l'amour l'at-
25 tend. Il est très beau l'autre. Il a des yeux sombres, des cheveux noirs, une perruque blonde, il est très noble. Avant même qu'ils se soient fait quoi que ce soit on sait que ça y est, c'est lui. C'est ça qui est formidable, on le sait avant elle, on a envie de la prévenir. Il arrive tel l'orage et tout le ciel s'assombrit. Après bien des retards,

entre deux colonnes de marbre, leurs ombres reflétées par le canal
qu'il faut, à la leur d'une lanterne qui a, évidemment, d'éclairer ces
choses-là, une certaine habitude, ils s'enlacent. Il dit je vous aime.
Elle dit je vous aime moi aussi. Le ciel sombre de l'attente s'éclaire
d'un coup. Foudre d'un tel baiser. Gigantesque communion de la
35 salle et de l'écran. On voudrait bien être à leur place. Ah ! comme
on le voudrait. […]

Marguerite Duras, *Un barrage contre le Pacifique*, deuxième partie,
1951, © Éditions Gallimard, www.gallimard.fr

1. M. Jo : un jeune Chinois, amoureux de la jeune fille.
2. L'ensemble de ses qualités physiques proches de la perfection.

DOCUMENT C

Ce roman se présente comme le récit de la vie de Jacques Cormery. Dans cet épisode se situant dans les années 1920, l'enfant se rend avec sa grand-mère au cinéma d'un quartier populaire d'Alger.

[…] Jacques escortait sa grand-mère qui, pour l'occasion, avant lissé ses cheveux blancs et fermé son éternelle robe noire d'une broche d'argent. Elle écartait gravement le petit peuple hurlant qui bouchait l'entrée et se présentait à l'unique guichet pour prendre des
5 « réservés ». À vrai dire, il n'y avait le choix qu'entre ces « réservés » qui étaient de mauvais fauteuils de bois dont le siège se rabattait avec bruit et les bancs où s'engouffraient en se disputant les places les enfants à qui on n'ouvrait une porte latérale qu'au dernier moment. De chaque côté des bancs, un agent muni d'un nerf de bœuf[1] était
10 chargé de maintenir l'ordre dans son secteur, et il n'était pas rare de le voir expulser un enfant ou un adulte trop remuant. Le cinéma projetait alors des films muets, des actualités d'abord, un court film comique, le grand film et pour finir un film à épisodes, à raison d'un bref épisode par semaine. La grand-mère aimait particulièrement ces
15 films en tranches dont chaque épisode se terminait en suspens. Par exemple le héros musclé portant dans ses bras la jeune fille blonde et blessée s'engageait sur un pont de lianes au-dessus d'un cañon[2] torrentueux. Et la dernière image de l'épisode hebdomadaire montrait une main tatouée qui, armée d'un couteau primitif, tranchait
20 les lianes du ponton. Le héros continuait de cheminer superbement malgré les avertissements vociférés des spectateurs des « bancs ». La question n'était pas alors de savoir si le couple s'en tirait, le doute

à cet égard n'étant pas permis, mais seulement de savoir comment il s'en tirerait, ce qui expliquait que tant de spectateurs, arabes et
25 français, revinssent la semaine d'après pour voir les amoureux arrêtés dans leur chute mortelle par un arbre providentiel. Le spectacle était accompagné tout au long au piano par une vieille demoiselle qui opposait aux lazzis[3] des « bancs » la sérénité immobile d'un maigre dos en bouteille d'eau minérale capsulée d'un col de dentelle. [...]

Albert Camus, *Le Premier Homme*,
première partie, chapitre 6, « La famille », 1994,
© Éditions Gallimard, www.gallimard.fr

---

1. Nerf de bœuf : ligament desséché du bœuf dont on se sert comme d'une cravache ou d'une matraque.
2. Cañon : canyon.
3. Lazzis : plaisanteries moqueuses.

LES CLÉS DU SUJET

■ Comprendre la question

• « **touchés** » renvoie à la fois aux sensations, aux émotions, aux sentiments, aux pensées et au jugement (critique ou non) des personnages.

• « **de la même manière** » suggère de repérer les **ressemblances** (points communs) entre le ressenti des personnages face à l'univers fictif qu'ils découvrent, mais aussi les **différences**, les **particularités** des réactions de ces personnages.

• Pour cela, relevez et comparez les **expressions** qui traduisent les **réactions** des personnages.

■ Construire la réponse

• **Structurez** votre réponse : encadrez-la d'une introduction et d'une brève conclusion.

• Accompagnez chaque remarque d'**exemples précis** tirés des poèmes.

ROMAN

Les titres en couleur et les indications entre crochets servent à guider la lecture mais ne doivent pas figurer sur la copie.

Introduction

[Amorce] L'apparition du cinéma, au début du XXe siècle, a bouleversé les habitudes des spectateurs : plongés dans le noir de la salle et fascinés par les images lumineuses de l'écran, ils n'ont plus cette distance relative que leur laissait l'illusion du spectacle théâtral. Le film s'impose comme une image du réel, mais paradoxalement plus vraie, plus forte. [Présentation du corpus] C'est cette expérience que décrivent les extraits de trois romans autobiographiques. Le narrateur de Proust, dans *Du côté de chez Swan*, se souvient des projections d'images de conte qu'on lui faisait pour l'aider à s'endormir avec une lanterne magique – ancêtre rudimentaire du cinéma – ; Marguerite Duras revit, à travers son héroïne d'*Un Barrage contre le Pacifique*, sa propre fascination d'adolescente à la dérive pour le cinéma et Camus raconte dans *Le premier homme* les séances animées auxquelles l'emmenait sa grand-mère à Alger. Cette plongée dans un univers fictif n'est pas vécue de la même manière pas les personnages de ces romans.

I. Contexte affectif et spatial

• Les trois romans sont autobiographiques mais seul le récit de Proust est à la première personne, assumant l'identification du narrateur et du personnage et les rapprochant ainsi du lecteur. Les deux autres extraits, bien que largement inspirés par les souvenirs des auteurs, sont vécus par un personnage prête-nom, auquel l'auteur/narrateur adulte s'identifie tout en gardant une certaine distance par rapport à ces moments et ces émotions vécus à l'adolescence.

• Le narrateur chez Proust est seul avec sa grand-mère dans sa chambre d'enfant – univers familier – à la campagne ; Suzanne et Jacques – lui aussi avec sa grand-mère – sont dans une salle de cinéma au milieu d'un public dont ils partagent les réactions collectives Ces deux extraits se déroulent dans des pays étrangers mais seul le récit de Camus comporte quelques touches d'exotisme et de couleur locale. On est encore au temps du cinéma muet avec un accompagnement musical « en direct » par un pianiste.

II. Détachement et adhésion

Les narrateurs et leurs personnages ne vivent pas ces moments avec des émotions identiques.

• L'enfant à Combray est « inquiet », comme dépaysé dans sa chambre qui ne lui est plus familière lorsqu'on lui projette ces images des légendes médiévales. Son angoisse l'empêche de rentrer pleinement dans ces récits, malgré la présence rassurante de se grand-mère, et il semble plus attentif aux aspects matériels de la projection (manque de fluidité ou déformation des images selon l'endroit de leur projection) qu'à leur pouvoir d'évasion.

• Le petit Jacques du *Premier Homme* escortait sa grand-mère au cinéma. Ses souvenirs portent uniquement sur les conditions matérielles de la projection, sur les réactions enthousiastes et subjuguées du public – notamment de sa grand-mère qui « aimait particulièrement » les films à épisode. La façon détachée, ironique et même négative dont le narrateur décrit le cinéma et son service d'ordre, les réactions primaires du public devant les films « en tranches » aux intrigues et aux personnages stéréotypés, laissent penser que l'enfant n'adhérait pas vraiment à cet univers fictif improbable.

• Marguerite Duras rapporte une expérience bien différente. La jeune Suzanne s'immerge littéralement dans ce monde fictif dans lequel elle se régénère et se lave de « l'affreuse crasse d'adolescence ». Elle vient au cinéma pour oublier, se « cacher », devenir « invisible » mais aussi « invincible », pour avoir enfin un moment de « bonheur ». Certes, on sent bien de l'ironie du narrateur qui évoque l'adhésion sans esprit critique de Suzanne à une histoire idiote (Duras nous fait entendre les pensées, les émotions de l'adolescente en les rapportant avec ses propres mots, plats et banals) mais la jeune fille n'est plus seule, elle entre dans cette « gigantesque communion de la salle et de l'écran ». Le narrateur fait un éloge lyrique de la magie du cinéma, consolateur des affligés et des désespérés qui vivent un moment d'apaisement dans la nuit artificielle de la salle obscure.

Conclusion

Ce corpus renvoie au cinéma des origines : en plus d'un siècle, le cinéma s'est donné un langage de plus en plus élaboré pour toucher ses spectateurs. Ces textes pourtant semblent contenir, comme en filigrane, les réflexions, les sentiments mêlés du romancier, notamment sa perplexité, sa défiance et sa propre fascination pour un moyen d'expression concurrent de son domaine qui dispose d'une telle capacité de séduction pour raconter des histoires qu'André Malraux prophétisait qu'au XXIe siècle il remplacerait le roman.

ROMAN

38

France métropolitaine• Juin 2017
Séries ES, S • 16 points

La découverte d'un univers fictif

■ Commentaire

▶ **Vous proposerez un commentaire du texte de Marguerite Duras (texte B).**

Se reporter au document B du sujet n° 37.

LES CLÉS DU SUJET

■ Trouver les idées directrices

• Définissez les caractéristiques du texte pour trouver les axes (idées directrices).

> Extrait de roman autobiographique (*genre*) qui raconte (*type de texte*) une séance de cinéma et (*sujet*), qui décrit (*type de texte*) le public (*sujet*), lyrique, ironique (*registres*), à la fois élogieux, hyperbolique, et critique, détaché (*adjectifs*), pour rendre compte de l'émotion enthousiaste de l'adolescente fascinée et du pouvoir du cinéma et de la magie de l'écran (*buts*)

■ Pistes de recherche

Première piste : Un éloge du cinéma

• Analysez comment Duras met en place l'anecdote (personnages et circonstances) et la **construction** de son texte (récit dans le récit).
• D'où vient le **lyrisme** du passage ?
• Quelle **atmosphère** se dégage de cette séance ?
• Analysez les **effets** de la projection sur Suzanne et sur le public.

Deuxième piste : Immersion et mise à distance

• Selon quel **point de vue** (focalisation) est « raconté » le film ?
• **Quel regard** l'auteur/narratrice porte-t-elle : sur le film ? sur son héroïne et le public ?
• À quoi repère-t-on l'**ironie** de l'auteur ? Sur qui s'exerce-t-elle ?

• Quels **rapports** établit-elle entre Suzanne et elle ?
▶ **Pour réussir le commentaire** : voir guide méthodologique.
▶ **Le roman** : voir lexique des notions.

CORRIGÉ **38**

Les titres en couleur et les indications entre crochets servent à guider la lecture mais ne doivent pas figurer sur la copie.

Introduction

[Amorce] La deuxième moitié du XXᵉ siècle voit à la fois l'avènement du Nouveau Roman et l'explosion de l'art cinématographique, deux phénomènes auxquels Marguerite Duras participe activement. [Présentation du texte] Romancière, dramaturge et cinéaste, elle écrit en 1951 *Un barrage contre le Pacifique*, roman nourri de son expérience d'adolescente prématurément mûrie par une vie familiale difficile en Indochine. Elle y raconte, entre autres, la fascination exercée par un film sur Suzanne, son héroïne, entrée par hasard dans une salle de cinéma, pour son plus grand bonheur. [Annonce des axes] L'auteure/narratrice fait partager au lecteur la fascination de son personnage pour l'atmosphère des salles obscures dont elle fait un éloge lyrique [I]. Mais on sent, derrière cet éloge, le regard et la distance ironiques de la narratrice sur l'adhésion naïve de Suzanne aux personnages caricaturaux et à l'action simpliste du film [II].

I. Un éloge du cinéma

1. Insertion et progression du passage dans le roman

• Trois lignes relient l'anecdote à l'intrigue du roman et à quelques-uns de ses personnages : l'héroïne cherche son frère « Joseph » et entre dans un cinéma où il pourrait se « cacher » (à moins que ce ne soit Suzanne qui pense s'y cacher). L'absence d'un autre personnage, « M. Jo », est rapidement évoquée. La triple répétition du mot « cinéma » dans ce court paragraphe marque l'importance du moment, parenthèse de « bonheur » dans la vie de l'adolescente.

• Le texte lui-même est construit comme la mise en abyme d'un récit romanesque filmé auquel on assiste à travers le regard de Suzanne subjuguée, tout en observant Suzanne et le public à travers le regard distancié de la narratrice...

ROMAN

• Duras donne peu d'indications sur les conditions matérielles de la projection. On est à l'époque du cinéma muet, accompagné par un piano. Suzanne vit ce moment comme un instant de magie puisqu'elle se glisse dans la salle sans passer par un caissier, une ouvreuse. Le pianiste n'est pas mentionné (« le piano [...] commença à jouer ») et le verbe pronominal « s'éteindre » (« La lumière [...] s'éteignit ») fait disparaître toute présence humaine : instrument et lumière semblent animés d'une vie propre. Le réel s'estompe peu à peu.

2. L'éloge lyrique de la nuit

• Le deuxième paragraphe prolonge cette impression de temps suspendu hors du monde extérieur, dans la « nuit artificielle » de la salle. Ce n'est pas la nuit naturelle, génératrice d'angoisse, mais une nuit amicale, protectrice, dans laquelle Suzanne se sent « invisible, invincible ». Cette paronomase discrète – mais étudiée – marque l'empathie de la narratrice pour son personnage.

• Dans une période lyrique qui s'étend sur plusieurs lignes, elle fait l'éloge de la nuit paradoxale des cinémas. Elle multiplie les termes affectifs positifs (« consolante, ravissante, généreuse »), soutenus par une cascade de comparatifs de supériorité (« plus..., plus... »), la transforme par des métaphores ou des personnifications inattendues, en « oasis », en divinité tutélaire quasi mythologique, « dispensatrice de bienfaits », l'oppose aux « institutions » charitables traditionnelles, aux « églises », pour en faire une puissance moderne et révolutionnaire « égalitaire, démocratique ».

• Construite sur la répétition hypnotique de la « nuit », comme une invocation religieuse, la période se conclut sur un groupe ternaire qui donne toute la mesure des pouvoirs de la nuit du cinéma, capable d'annihiler « hontes », « désespoirs » de la « jeunesse » et de régénérer « l'affreuse crasse de l'adolescence ».

3. Une catharsis individuelle et collective

• Suzanne prend ici une dimension universelle et Duras se fait la porte-parole de ces donnés de la terre, les adolescents avec leur mal-être.

• Suzanne vit une véritable catharsis, une purification selon l'étymologie du mot. Les « larmes » qu'elle verse la « lav[ent] » de ses malheurs, dont elle se défait aussi en s'identifiant à la parfaite « femme jeune et belle » de l'écran. Le discours indirect libre qui débute par une interjection lyrique (« Ah ») et qui clôt l'extrait, souligne l'emprise du film sur la jeune fille, libérée, régénérée, emplie de « bonheur » dans cette nuit personnifiée à la générosité quasi maternelle.

• La catharsis individuelle est aussi collective, comme le suggèrent le présent de vérité générale (« consolent », « vont (se perdre) », « se lave »), l'adjectif hyperbolique et la répétition de l'adjectif indéfini « tout/toute/tous » : dans une « gigantesque communion », le public suit le film comme une cérémonie initiatique moderne, renouant avec la dimension religieuse du théâtre antique. Le film restaure ainsi l'harmonie et la nuit des « solitaires » devient « égalitaire » (la rime souligne cet effet bienfaisant).

[Transition] La suite contraste fortement avec cet éloge. Sans transition, Duras immerge son lecteur dans le film auquel assiste Suzanne ; le lecteur pour le film a les yeux de Suzanne mais la narratrice superpose, entremêle ses propres commentaires ironiques dans un cocktail savoureux.

II. Immersion et mise à distance

1. Le regard de Suzanne et du public

• Le récit romanesque est au présent, un présent d'énonciation immédiate, à laquelle Suzanne adhère totalement, mais aussi, peut-être, un présent d'habitude pour souligner que personnages et péripéties s'inscrivent dans une « certaine habitude », et savent d'avance (comme le soulignent les adverbes modalisateurs « naturellement » « évidemment ») ce qui va se passer... Le film apparaît comme un lieu commun de l'art cinématographique.

> **Définition**
> En art, un lieu commun désigne une idée, une scène, un sujet commun, rebattu qui a perdu son originalité pour avoir été abondamment repris (la rencontre amoureuse dans le roman, la Crucifixion en peinture...). Synonymes : cliché, poncif, topos.

• Le plus souvent, le texte reproduit la façon de parler (de penser ?) de Suzanne : elle commente assez platement (répétitions : « il dit, elle dit, elle a, il est ») ; le vocabulaire est familier (« c'est ça »), la syntaxe et la ponctuation grammaticalement incorrectes (« il est très beau l'autre »). Suzanne est aussi indifférente aux incorrections du style qu'aux incohérences du scénario avec ce personnage fortement contrasté, aux « yeux sombres », aux « cheveux noirs » sous « une perruque blonde ».

• Quand l'émotion devient trop forte, Suzanne et le public ne font plus qu'un, réunis par un même pronom indéfini « on » (« On voudrait bien être à leur place. Ah ! Comme on le voudrait »).

2. Le regard de la narratrice : ironie et compréhension

• Manifestement Duras, narratrice omnisciente et distanciée, ne partage pas l'enthousiasme de la salle pour ce cinéma des origines qui – tels les drames romantiques du XIXᵉ siècle –, multiplie les effets spectaculaires, les situations convenues, les décors faussement exotiques, les personnages schématiques et stéréotypés.

• Elle s'amuse même à valoriser – ironiquement – cette intrigue et ces personnages peu convaincants pour le spectateur d'aujourd'hui (ils sont en « costume de cour » !) par des comparaisons poétiques, avec ce personnage qui

ROMAN

se déplace comme un « navire » traçant un « sillage » dans la foule des admirateurs. Elle file la métaphore météorologique en mêlant le concret et l'abstrait avec le « ciel sombre de l'attente », l'arrivée comme un « orage » du héros qui « assombrit » le ciel, jusqu'à l'éclair du coup de « foudre » d'un baiser... qui opère la fusion entre la créature évanescente et pure et le « beau ténébreux ».

• Le cadre spatio-temporel lui-même – Venise, lieu cliché des amoureux, et le « carnaval », moment de l'illusion onirique –, avec ses jeux de lumière (« ombres reflétées par le canal », « lueur d'une lanterne », « ciel sombre » qui « s'éclaire »), mais aussi la trame narrative (de la « mélancolie » et de l'indifférence pathétique à l'extase finale) dont l'artifice est souligné par les familiers « Et voilà... », « ça y est », donnent au texte une allure de parodie... Tout ici est procédés, clichés et recettes.

• Duras souligne l'ironie de son propos par un commentaire trivial et décalé sur les amoureux de l'héroïne qui « tombent comme des quilles » – la comparaison est inattendue – ou sur cette « lanterne » personnifiée qui a « une certaine habitude » d'éclairer ces rencontres amoureuses ! Cependant, si Duras ironise sur ce film, elle ne se moque pas de Suzanne ni du public qui vivent pleinement ce moment d'évasion collectif et de revanche sur un quotidien misérable. C'est la résolution du paradoxe initial : « la nuit... du cinéma, plus vraie que la vraie nuit »...

Conclusion

On peut lire ce texte de plusieurs façons : d'abord comme un témoignage documentaire sur le cinéma à ses débuts, qui emprunte son langage et ses codes à la littérature populaire et comble ainsi l'attente d'un public friand d'évasion immédiate ; c'est aussi l'éloge et l'hommage d'un écrivain pour une forme d'art concurrente de la sienne mais dont il reconnaît la puissance, parfois plus forte que les moyens dont la littérature dispose. C'est enfin la complicité de l'adulte avec l'adolescent qu'il fut et la façon dont l'écriture permet à l'écrivain de revivre le passé et peut-être d'aider à cicatriser les plaies qu'il a gardées. [Ouverture] Le cinéma de Duras fut à l'extrême opposé de ce que nous raconte ce texte romanesque : il privilégiait la lenteur, l'allusion, le refus des péripéties.

39

La découverte d'un univers fictif

■ Dissertation

▶ Le personnage de roman se construit-il exclusivement par son rapport à la réalité ?

Vous appuierez votre réflexion sur les textes du corpus, sur les œuvres que vous avez étudiées en classe et sur vos lectures personnelles.

Les textes du corpus sont reproduits dans le sujet n° 37.

LES CLÉS DU SUJET

■ Comprendre le sujet

• Le **présupposé** est : « Le personnage de roman se construit par son rapport à la réalité. »

• « réalité » : le monde qui nous entoure (objets, phénomènes de la nature, habitudes sociales, activités de la vie…). Cela s'oppose à imaginaire, rêve, illusion, fiction, vision, idéal…

• **Attention** : la **question est ambiguë** et peut déboucher sur deux problématiques différentes.

« **Se construire** » dans sa forme pronominale peut prendre deux sens.

– Sens actif de « se former » → Le sujet agissant est « le personnage ». La problématique est alors interne au personnage et renvoie à son évolution par confrontation à la réalité : « Le personnage doit-il se confronter à la réalité pour donner l'illusion d'exister ? »

– Sens passif de « est créé » (par son auteur) → La perspective est alors externe au personnage ; vous adoptez le point de vue de l'auteur : « Pour créer un personnage de roman, l'auteur doit-il s'appuyer sur le réel ou sur l'imaginaire ? »

Les deux interprétations sont acceptables ; on peut même combiner les deux. Mais l'adjectif possessif « son » (rapport) et le texte de Duras poussent à privilégier la première : Suzanne, plongée dans un monde très réel et frustrant, s'évade dans un autre univers, imaginaire (cf. Emma Bovary) : elle existe par sa confrontation au réel *et* par ses rêves.

• « exclusivement » laisse entendre qu'il faut dépasser le présupposé, qu'il y a une **discussion possible** : le personnage peut se construire par d'autres éléments (le rêve notamment).

On attend un plan dialectique, au moins une forme de concession dans la réponse (bien que le personnage de roman se construise dans la réalité, il peut aussi s'en échapper).

• La **problématique** est : « Par rapport à quoi se construit un personnage romanesque ? »

■ Chercher des idées

• Subdivisez la problématique en **sous-questions** :

– **Pourquoi, comment** la réalité aide-t-elle un personnage à exister, évoluer ?

– **En quoi, comment** le rêve, l'imaginaire jouent-ils aussi ce rôle ?

• Dépassement suggéré : c'est l'interaction entre réalité et rêve, la tension entre les deux qui construisent un vrai personnage romanesque plus complexe et profond.

Les exemples

• Des personnages qui sont confrontés à la réalité : romans d'apprentissage, romans réalistes (Balzac), naturalistes (Maupassant, Zola)…

• Des personnages qui ne s'inscrivent pas dans la réalité humaine (Rabelais) ou de déconstruction du personnage (Nouveau Roman).

CORRIGÉ 39

Les titres en couleur et les indications entre crochets servent à guider la lecture mais ne doivent pas figurer sur la copie. Les exemples ne sont que mentionnés : il faut les développer.

Introduction

[Amorce] Un personnage de roman emporte le lecteur dans des aventures fictives souvent péjorativement qualifiées de « romanesques »,

Remarque
Nous avons opté pour la problématique « Le personnage doit-il se confronter à la réalité pour donner l'illusion d'exister ? »

le fait rêver ; il ne semble pas entretenir de rapports avec la réalité. Ainsi, Don Quichotte, qui se construit en « rêvant sa vie », a perdu la notion du réel et prend les fameux moulins pour des chevaliers... Cependant, l'on pourrait dire, en parodiant Aragon, que « la fiction ne suffit pas à caractériser le [personnage de] roman, mais un certain rapport entre cette fiction et la réalité ». [Problématique] Par rapport à quoi se construit un personnage romanesque : à la réalité ? à l'imaginaire ? [Annonce du plan] Sa confrontation avec le réel lui donne, certes, son épaisseur, assure sa formation, le fait évoluer et « exister » [I], mais il ne peut véritablement prendre vie que s'il nourrit des rêves et d'une vie intérieure [II]. En fait, c'est la tension entre ses rêves et son expérience concrète du monde qui lui assure une vraie profondeur, au point que le lecteur croit à sa véritable existence. [III].

I. L'interaction avec le réel

Le personnage de roman se structure par sa confrontation avec le réel et ses expériences forgent son caractère.

1. Les difficultés de la vie forgent le personnage

• Lorsque le monde ne correspond pas à l'idée que s'en fait le personnage, son rapport à la réalité peut devenir conflictuel. Les difficultés matérielles, les catastrophes, les expériences douloureuses, les échecs affectifs et professionnels, la cruauté des hommes l'obligent à réagir et à trouver en lui des ressources pour résister et subsister, elles forgent son caractère.

• Le roman d'apprentissage retrace l'évolution du personnage, qui, à la fin de son parcours, a pris de l'expérience a « appris » la vie, parce qu'il a mesuré la distance entre ses rêves et la réalité. Exemples : Julien Sorel (*Le Rouge et le Noir*), Rastignac et Vautrin (*Le Père Goriot*), Frédéric (*L'Éducation sentimentale*), Bel-Ami, Robinson Crusoé...

2. Action et réflexion face à la complexité du monde

• Le personnage évolue également en expérience et en sagesse parce qu'il découvre dans la durée la complexité du monde qui l'entoure. Les romanciers, notamment naturalistes, peignent l'individu confronté au réel parfois tout au long de sa vie ou sur une période importante de son existence (exemples).

• Le héros multiplie les rencontres et les relations sociales, les expériences complexes, les situations embrouillées : cela nourrit sa réflexion, retranscrite soit dans des dialogues, souvent contradictoires, soit dans des monologues intérieurs – *stream of consciousness* – et délibérations) (exemples). Le lecteur assiste à sa progressive formation intellectuelle, culturelle, morale ou philosophique, qui passe souvent par ses désillusions. Il voit une personnalité riche et singulière se structurer.

ROMAN

• Dans le roman autobiographique, le narrateur-personnage, qui passe par toutes les phases réelles de la vie (enfance, adolescence, âge mûr…), se structure à partir des situations réelles de chacune d'elles. La confrontation de l'esprit à la réalité rend le personnage de plus en plus complexe et intéressant (la trilogie de Vallès, *Une vie* de Maupassant, textes du corpus).

3. Vers l'ascension ? Vers la chute ?

Le personnage prend ainsi une consistance qui se concrétise par la trajectoire de son parcours, résultat de ses tentatives pour transformer le réel.

• S'il est actif et combatif, il s'agit d'une véritable ascension qui construit une « figure » sociale, politique ou historique, qui prend une stature supérieure, devient parfois un meneur (Étienne Lantier, *Germinal* ; Georges Duroy, Bel Ami). Sa confrontation à la réalité se concrétise dans ses interventions auprès de son entourage sur lequel il agit et prend de l'ascendant (discours d'Étienne) et se matérialise dans les hautes fonctions auxquelles il accède (exemples).

• Il arrive aussi qu'il s'agisse d'une déchéance, d'une chute, soit à cause d'événements contraires (Gervaise chez Zola), soit parce que le personnage est déchiré par ses contradictions devant la réalité (qui se traduisent par des délibérations : Valmont des *Liaisons dangereuses* ; Javert de Hugo ; cas des anti-héros).

II. La nécessité d'une vie intérieure

Cependant, se frotter à la réalité ne suffit pas pour que le personnage prenne vie et suscite l'identification du lecteur : ses rêves, ses idéaux, son imagination, sa vie intérieure et leur confrontation avec le monde le construisent.

1. L'épaisseur du personnage

• Le personnage de roman est souvent un être sensible, habité par des émotions complexes, et son épaisseur tient aussi à la subtilité de son intériorité. Ses zones d'ombre, ses contradictions, ses aspirations, parfois folles et irréalisables complètent son caractère (Emma Bovary, Mme de Tourvel dans *Les Liaisons dangereuses*, Mathilde de la Mole dans *Le Rouge et le Noir*).

• L'empathie et l'attachement qu'il peut susciter chez le lecteur – qui a l'impression de voir en lui un véritable humain, son semblable – naît de la connaissance de ses blessures, de ses illusions, de ses rêves qui font partie intégrante de son identité (Julien Sorel).

2. La part nécessaire de rêve

• Le lecteur attend que le personnage soit confronté, comme lui-même l'est, à la question de tout être humain : les (mes) rêves peuvent-ils devenir réalité ?

• Comme la lecture d'un roman, les moments de rêverie sont des plages de plaisir, de désir, de fuite, des respirations nécessaires qui consolent de l'amère ou désespérante réalité (Duras, Camus ; Julien Sorel...), surtout quand les rêves – « où vont se perdre tous les désespoirs » (Duras) – deviennent plus réels que... la réalité elle-même !

• Sans possibilité de rêver, l'être humain se désespère, le personnage romanesque perd de sa substance (exemples).

3. Le refus du réel

• Don Quichotte ou Emma Bovary sont des personnages à part entière ; or ils refusent la réalité et vivent volontiers dans l'imaginaire, celui des romans de chevalerie pour l'un, des romans d'amour... sentimentaux pour l'autre ! Leurs illusions les éloignent du réel et c'est ce désir de s'adonner au rêve qui les définit, les caractérise et cause leur perte (mort de Don Quichotte, suicide d'Emma).

• D'autres personnages, désireux de surpasser la réalité et de vivre selon des valeurs supérieures à celles du monde qui les entoure, privilégient leur rêve d'absolu : ce sont des idéalistes qui se construisent hors de la réalité (exemples).

• Enfin, d'autres se sentent étrangers, indifférents au monde réel dans lequel ils passent sans le voir vraiment (*L'Étranger*).

• Paradoxalement, c'est leur marginalité par rapport au réel qui fait la consistance de ces personnages romanesques.

III. Le personnage construit par la tension entre rêve et réalité

Mais le personnage ne se construit ni à partir de la réalité ni à partir de ses rêves. C'est la tension et l'interaction entre ces deux éléments qui le font vraiment exister.

1. Ni repli sur soi ni refus du rêve..., mais les deux

• Il manque une dimension à tout personnage qui ne se construit que sur une de ces composantes : le réel *ou* l'imaginaire. Il restera un être de papier, artificiel – fou s'il se borne à rêver, écrasé par la vie ou vidé de substance s'il ne s'appuie que sur la réalité. Toute exclusive mène au drame et le personnage n'est pas « viable », le lecteur ne peut pas s'identifier à lui (Meursault dans *L'Étranger* de Camus).

• Il se construit en fait dans cette tension permanente entre ses rêves et son expérience du réel (exemples), leur confrontation et leur interaction sont nécessaires.

ROMAN

2. L'oscillation entre rêve et réalité, la perte des illusions au contact du réel

• C'est l'alternance, l'oscillation entre la confrontation avec la réalité et les moments de fuite hors du monde qui non seulement nourrissent l'intrigue du roman mais enrichissent la personnalité des héros romanesques (Julien Sorel).

• Ce sont aussi les instants où le personnage prend conscience que les illusions le cèdent à la réalité qui lui donnent sa profondeur, son épaisseur psychologique et le font mûrir (Mme de Clèves, Fabrice del Dongo...).

3. Le vrai personnage de roman : celui qui domine la réalité et ses rêves

• Les personnages les plus intéressants ? Ce sont ceux qui arrivent, par un effort conscient que le lecteur suit pas à pas, à analyser et à dominer à la fois le monde réel qui les entoure et leurs illusions avec leur utopie. Comme le lecteur par rapport à eux, ils arrivent à prendre de la distance par rapport à eux-mêmes et au monde (corpus : Proust, Camus) et s'expliquent à leur lecteur, leur « frère »,

• L'ironie, l'humour sur soi, parfois la dérision sont les marques de cette capacité à se dédoubler et à se regarder vivre et rêver, à ne pas renoncer au monde ni à son propre jardin secret, à accepter l'antagonisme entre la réalité et les illusions (Jacques le fataliste, Gil Blas) qui font un vrai personnage de roman captivant.

• Ces personnages éclairent ainsi le « cœur humain » et font appréhender des vérités humaines et existentielles. Le roman devient alors un laboratoire vivant de l'analyse de l'Homme.

Conclusion

Le personnage de roman est un composé de réalité et d'imaginaire, dont le dosage est complexe et a varié au cours des siècles, selon les goûts esthétiques de l'époque (romantisme *versus* naturalisme...). [Ouverture] Le romancier se voit lui aussi, comme ses créations, contraint de jongler avec la réalité et la fiction : « Les héros de romans naissent du mariage que le romancier contracte avec la réalité. » (Mauriac)

France métropolitaine • Juin 2017
Séries ES, S • 16 points

La découverte d'un univers fictif

■ Écriture d'invention

▶ À la manière des auteurs de ces romans, vous imaginerez le récit que pourrait faire un spectateur/une spectatrice d'une séance de cinéma qui l'aurait particulièrement marqué(e).
Votre texte, d'une cinquantaine de lignes, comportera les références au film, la description des émotions ressenties et des réflexions diverses suscitées par la représentation.

LES CLÉS DU SUJET

■ Comprendre le sujet

• **Genre** : « à la manière des auteurs de ces romans » → extrait de roman, article de presse critique, lettre, passage de journal intime...
• **Sujet** : « une séance de cinéma/(un) film » ; « émotions » et « réflexions ».
• **Type de texte** : « récit » → texte narratif ; « description » → texte descriptif ; « réflexions » → texte argumentatif.
• **Registre** : non précisé.
• **Point de vue** : « émotions/réflexions » → interne et omniscient.
• **Caractéristiques** du texte à produire, à partir de la consigne :

> Extrait de roman sur ? (*genre*), qui raconte (*type de texte*) une séance de cinéma/un film (*sujet*), décrit (*type de texte*) le public, les émotions (*sujet*), argumente (*type de texte*) la qualité du film, les réactions du public (*sujet*), pour rendre compte des circonstances d'une projection, donner un aperçu du film, analyser les émotions et en tirer des réflexions (*buts*).

■ Chercher des idées

Le fond
• **Le film** : choisissez un film que vous connaissez bien. Vous ne devez pas le raconter du début à la fin mais relater les scènes marquantes.

• **Les circonstances** de la séance : où ? (salle…) ; quand ?

• **Le statut du narrateur** : narrateur hors de l'histoire (Duras/Camus) ? narrateur-témoin ou narrateur personnage (Proust) ?

• **Le personnage principal** à travers lequel est « vu » et « vécu » le film : sexe ? âge ? milieu ? Faites sentir sa personnalité.

• **Les émotions** (du personnage principal et du public) : selon le film enthousiasme, peur, dégoût, identification aux personnages, incompréhension, révolte…

Manifestations de ces émotions : pleurs, rire, panique, cris…

• **Les réflexions** : celles du spectateur et/ou celles du narrateur (cf. Duras). Sur quoi ? Sur le film, sur soi-même, sur le public ?

Précisez en quoi cette séance a marqué la vie du personnage.

• **Le registre** dépend des émotions : lyrique, ironique, humoristique…

La forme

• Analysez les **faits d'écriture** des textes du corpus (utilisez-en quelques-uns) et du registre que vous aurez choisi (lyrisme : hyperboles, exclamations, mots mélioratifs, images…).

• **Temps verbaux** : récit mené au présent ou au passé (ou mélange : cf. Duras).

• Utilisez le **vocabulaire** affectif des émotions, le vocabulaire du jugement.

CORRIGÉ **40**

« Dis donc, tu as fini de lire *The Color Purple*, tu sais, le roman de la romancière noire féministe, Alice Walker, qu'il faut lire pour lundi ? N'oublie pas : il y aura un contrôle de lecture ! »

Un contrôle de lecture lundi… un contrôle de lecture lundi !… Tandis que, quittant Stéphanie, j'empruntai la 5e Avenue pour me diriger notre nouvel appartement au 25e étage, la menace tournait en boucle dans ma tête… Je venais de déménager à New York où j'avais été parachutée dans une classe bilingue, malgré un niveau d'anglais assez médiocre… Et oui, il fallait que j'aie terminé ce satané roman dans trois jours, un roman en anglais en plus ! Si encore il avait été écrit en américain !

La Couleur pourpre, La Couleur pourpre… Rassemblant mes connaissances sur la signification des couleurs, j'essayais d'imaginer de quoi il pouvait s'agir : sans doute une histoire de roi ou d'empereur puisque cette couleur, autrefois utilisée pour les vêtements de personnes de haut rang, symbolisait la richesse.

Tout à coup, au niveau de la 42e Rue, une enseigne lumineuse attira mon attention : *Now playing... The Color Purple*. Je n'en croyais pas mes yeux. J'enfonçai ma main dans ma poche et, ô miracle, j'y sentis, tout froissé, un billet de 10 dollars – je devais rapporter deux pizzas pour le dîner... Tant pis pour les pizzas !

Je me glissai dans la file devant le guichet. Une histoire d'empereur ? Pas vraiment, si l'on en croyait l'affiche aux tons pourpres, à l'entrée du cinéma : dans un intérieur modeste, derrière une grande baie éclairée par le soleil couchant, la silhouette d'une femme noire, assise sur un rocking-chair, en train de lire une lettre. L'image évoquait un de ces États du sud des États-Unis dans lesquels l'esclavage a si longtemps sévi.

Dans la file d'attente, des Noirs, des Blancs, des accents multiples se mélangeaient, il faisait chaud...

En me rapprochant de l'affiche, j'aperçus le nom du réalisateur : Spielberg ! Le créateur des *Dents de la mer* et d'*E. T.* ? Non ! Était-il possible que le film soit un thriller ou un film de science-fiction bourré d'effets spéciaux ? Ça ne collait pas avec l'affiche... Tant pis, il fallait se décider ! Je payai donc mon billet et entrai dans la salle.

Celle-ci était agréablement fraîche et imprégnée de cette odeur si caractéristique de Coca-Cola, de pop-corn renversé et de fauteuils matelassés... Je m'installai au deuxième rang, entre un jeune homme à la mise impeccable de « golden-boy » et une femme noire accompagnée de deux adolescents. Je me demandais quelle commune intention pouvait les avoir réunis dans cette salle.

Soudain, extinction des lumières ! L'obscurité n'avait d'égale que mon ignorance du livre que je devais lire et du film qui m'attendait...

Les premières images me transportent en Géorgie, au début du XXe siècle. Sur l'écran, une nature magnifique avec un coucher de soleil somptueux. La caméra s'attarde sur des fleurs de couleur pourpre filmées en gros plan – je fais le lien avec le titre du film... – et deux petites filles, deux sœurs, qui gambadent en riant, telles des fleurs – noires – parmi les autres fleurs. Tout à coup s'élève ce chant d'amour qui les lie depuis leur plus tendre enfance :

You and me, Us never part
Makidada
You and me, Us have one heart
Makidada
Ain't no ocean, ain't no sea
Makidada
Keep my sistah way from me
Makidada.

ROMAN

À ma droite, j'entends ma voisine fredonner l'air, qu'elle semble connaître par cœur.

Mais très vite, l'enchantement des premières images se ternit... Je reste pétrifiée, collée à mon siège ! Non, ce n'est pas possible... Celie, la jolie Celie... – qui n'a que quatorze ans – est enceinte et pour la deuxième fois... de son père ! Et puis la voilà mariée de force à un veuf ! Une brute qui la bat et la considère comme la bonne à tout faire. Les deux sœurs doivent également se séparer. Je pleure de compassion.

Heureusement, l'horizon s'éclaircit pour Celie grâce à d'autres femmes, porte-parole du combat contre l'injustice, de la lutte pour l'émancipation des femmes. Parmi elles, Shug, la maîtresse au grand cœur, avec qui Celie a noué une tendre relation. C'est elle qui entonne ce sublime gospel *Miss Celie's blues*, où elle incite Celie à s'affirmer et à mener sa vie comme elle l'entend.

Et puis c'est le *happy end* que j'appelais de mes vœux : les deux sœurs, adultes, se rejoignent dans le champ où elles couraient autrefois toutes les deux. Toute la salle respire, soulagée. À l'exception de mon voisin de gauche, visiblement agacé, qui se lève brusquement pour quitter la salle. Il n'a vraiment rien compris !

Les lumières reviennent. Je reste là, comme transportée dans un autre monde, loin des pizzas et de la 5e Avenue... Je sens en moi pêle-mêle toutes les émotions charriées par le film : la tristesse, la colère et la rage, mais aussi la joie et l'espoir. Ce film est comme un chant d'amour pour toutes ces femmes noires meurtries, mais battantes et solidaires, qui se rebellent contre la domination des hommes et réclament leur part de bonheur ! Grâce à leur combat, le monde est moins laid...

Lundi, les questions du contrôle me semblent d'une simplicité désarmante. Après les cours ; je retrouve Candida, une élève de la classe. La tête encore pleine des images du film, je me risque : « Tu as vu le film *The Color Purple* ?

– Évidemment ! Je suis une black ! C'est un de mes films culte, mon encyclopédie de vie à moi ! »

Nous nous sommes alors surprises à entonner toutes les deux dans la cour :

So, sister, I'm keepin' my eye on you.

Sister, you've been on my mind

Sister, we're two of a kind...

Depuis ce jour, Candida et moi sommes devenues deux amies inséparables.

Polynésie française • Juin 2017
Séries ES, S • 4 points

Efficacité de la beauté d'un récit

■ Question

Documents

A – **Fénelon**, « Le Chat et les Lapins », *Fables et opuscules pédagogiques*, 1718 (édition posthume).

B – **Florian**, « Le Savant et le Fermier », *Fables*, 1792.

C – **Marguerite Yourcenar**, « Kâli décapitée » (extrait), *Nouvelles orientales*, 1936.

D – **Maxence Fermine**, *Neige*, 1999.

▶ **Comment les auteurs mettent-ils en valeur les qualités dont font preuve les sages présentés dans les quatre textes ?**

Après avoir répondu à cette question, les candidats devront traiter au choix un des trois sujets n° 42, 43 ou 44.

DOCUMENT A   **Le Chat et les Lapins**

Fénelon (1651-1715) a composé des fables destinées à l'éducation du jeune duc de Bourgogne, né en 1682, petit-fils de Louis XIV.

Un chat, qui faisait le modeste, était entré dans une garenne[1] peuplée de lapins. Aussitôt toute la république alarmée ne songea qu'à s'enfoncer dans ses trous. Comme le nouveau venu était au guet auprès d'un terrier, les députés de la nation lapine, qui avaient
5 vu ses terribles griffes, comparurent dans l'endroit le plus étroit de l'entrée du terrier, pour lui demander ce qu'il prétendait. Il protesta d'une voix douce qu'il voulait seulement étudier les mœurs de la nation, qu'en qualité de philosophe il allait dans tous les pays pour s'informer des coutumes de chaque espèce d'animaux. Les députés,
10 simples et crédules, retournèrent dire à leurs frères que cet étranger, si vénérable par son maintien modeste et par sa majestueuse fourrure, était un philosophe, sobre, désintéressé, pacifique, qui

voulait seulement rechercher la sagesse de pays en pays, qu'il venait de beaucoup d'autres lieux où il avait vu de grandes merveilles, qu'il
15 y aurait bien du plaisir à l'entendre, et qu'il n'avait garde de croquer les lapins, puisqu'il croyait en bon Bramin[2] la métempsycose[3], et ne mangeait d'aucun aliment qui eût eu vie. Ce beau discours toucha l'assemblée. En vain un vieux lapin rusé, qui était le docteur[4] de la troupe, représenta combien ce grave philosophe lui était suspect :
20 malgré lui on va saluer le Bramin, qui étrangla du premier salut sept ou huit de ces pauvres gens. Les autres regaignent[5] leurs trous, bien effrayés et bien honteux de leur faute. Alors dom Mitis[6] revint à l'entrée du terrier, protestant, d'un ton plein de cordialité, qu'il n'avait fait ce meurtre que malgré lui, pour son pressant besoin, que
25 désormais il vivrait d'autres animaux et ferait avec eux une alliance éternelle. Aussitôt les lapins entrent en négociation avec lui, sans se mettre néanmoins à la portée de sa griffe. La négociation dure, on l'amuse[7]. Cependant un lapin des plus agiles sort par les derrières du terrier, et va avertir un berger voisin, qui aimait à prendre dans
30 un lacs[8] de ces lapins nourris de genièvre. Le berger, irrité contre ce chat exterminateur d'un peuple si utile, accourt au terrier avec un arc et des flèches. Il aperçoit le chat qui n'était attentif qu'à sa proie. Il le perce d'une de ses flèches, et le chat expirant dit ces dernières paroles : « Quand on a une fois trompé, on ne peut plus être cru de
35 personne ; on est haï, craint, détesté, et on est enfin attrapé par ses propres finesses. »

Fénelon, « Le chat et les lapins », *Fables et opuscules pédagogiques*, 1718 (édition posthume).

---

1. Garenne : endroit où l'on élève des lapins, ou terrain où était réservé un droit de chasse.
2. Bramin : nom que l'on donne aux prêtres chez les Hindous.
3. Croire la métempsycose : croire en la réincarnation de l'âme après la mort dans un corps humain ou animal.
4. Docteur : savant.
5. Regaignent : regagnent.
6. Mitis : nom souvent donné aux chats dans les fables.
7. On l'amuse : on fait durer la négociation.
8. Lacs : corde dont le nœud sert à piéger le gibier.

Le Savant et le Fermier

Que j'aime les héros dont je conte l'histoire !
Et qu'à m'occuper d'eux je trouve de douceur !
J'ignore s'ils pourront m'acquérir de la gloire,
    Mais je sais qu'ils font mon bonheur.
5 Avec les animaux je veux passer ma vie ;
    Ils sont si bonne compagnie !
Je conviens cependant, et c'est avec douleur,
    Que tous n'ont pas le même cœur.
Plusieurs que l'on connaît, sans qu'ici je les nomme,
10   De nos vices ont bonne part :
Mais je les trouve encor moins dangereux que l'homme,
Et, fripon pour fripon, je préfère un renard.
    C'est ainsi que pensait un sage,
    Un bon fermier de mon pays.
15 Depuis quatre-vingts ans, de tout le voisinage
    On venait écouter et suivre ses avis.
Chaque mot qu'il disait était une sentence.
Son exemple surtout aidait son éloquence ;
Et, lorsque environné de ses quarante enfants,
20   Fils, petits-fils, brus, gendres, filles,
Il jugeait les procès ou réglait les familles,
Nul n'eût osé mentir devant ses cheveux blancs.
Je me souviens qu'un jour, dans son champêtre asile,
    Il vint un savant de la ville
25 Qui dit au bon vieillard : Mon père, enseignez-moi
    Dans quel auteur, dans quel ouvrage,
    Vous apprîtes l'art d'être sage.
Chez quelle nation, à la cour de quel roi,
    Avez-vous été, comme Ulysse,
30   Prendre des leçons de justice ?
Suivez-vous de Zénon la rigoureuse loi ?
Avez-vous embrassé la secte d'Épicure,
Celle de Pythagore ou du divin Platon[1] ?
– De tous ces messieurs-là je ne sais pas le nom,
35 Répondit le vieillard : mon livre est la nature ;
    Et mon unique précepteur[2],
    C'est mon cœur.
Je vois les animaux, j'y trouve le modèle
    Des vertus que je dois chérir :

40 La colombe m'apprit à devenir fidèle ;
   En voyant la fourmi, j'amassai pour jouir ;
      Mes bœufs m'enseignent la constance,
   Mes brebis la douceur, mes chiens la vigilance ;
      Et, si j'avais besoin d'avis
45   Pour aimer mes filles, mes fils,
   La poule et ses poussins me serviraient d'exemple.
   Ainsi dans l'univers tout ce que je contemple
   M'avertit d'un devoir qu'il m'est doux de remplir.
   Je fais souvent du bien pour avoir du plaisir,
50 J'aime et je suis aimé, mon âme est tendre et pure ;
      Et, toujours selon ma mesure,
      Ma raison sait régler mes vœux :
      J'observe et je suis la nature,
      C'est mon secret pour être heureux.

                    Florian, « Le Savant et le Fermier », *Fables*, 1792.

---

1. Zénon, Épicure, Pythagore, Platon : philosophes antiques.
2. Précepteur : éducateur, maître.

DOCUMENT C   **Kâli décapitée**

Dans l'Inde ancienne, les dieux rendus jaloux par la perfection de la déesse Kâli se vengèrent : un soir, un éclair la décapita. Regrettant leur crime, les dieux descendirent dans le monde des morts, retrouvèrent la tête de Kâli et la posèrent sur le corps d'une prostituée. Ramenée ainsi à la vie, la déesse ressent alors un terrible conflit intérieur. Cet extrait est la fin de la nouvelle.

À l'orée d'une forêt, Kâli fit la rencontre du Sage.

Il était assis jambes croisées, les paumes posées l'une sur l'autre, et son corps décharné était sec comme du bois préparé pour le bûcher. Personne n'aurait pu dire s'il était très jeune ou très vieux ;
5 ses yeux qui voyaient tout étaient à peine visibles sous ses paupières baissées. La lumière autour de lui se disposait en auréole, et Kâli sentit monter des profondeurs d'elle-même le pressentiment du grand repos définitif, arrêt des mondes, délivrance des êtres, jour de béatitude[1] où la vie et la mort seront également inutiles, âge où Tout se
10 résorbe en Rien, comme si ce pur néant qu'elle venait de concevoir tressaillait en elle à la façon d'un futur enfant.

Le Maître de la grande compassion leva la main pour bénir cette passante.

« Ma tête très pure a été soudée à l'infamie, dit-elle. Je veux et
15 ne veux pas, souffre et pourtant jouis, ai horreur de vivre et peur de
mourir.

— Nous sommes tous incomplets, dit le Sage. Nous sommes tous
partagés, fragments, ombres, fantômes sans consistance. Nous avons
tous cru pleurer et cru jouir depuis des séquelles de siècles.

20 — J'ai été déesse au ciel d'Indra[2], dit la courtisane.

— Et tu n'étais pas plus libre de l'enchaînement des choses, et ton
corps de diamant pas plus à l'abri du malheur que ton corps de boue
et de chair. Peut-être, femme sans bonheur, errant déshonorée sur
les routes, es-tu plus près d'accéder à ce qui est sans forme.

25 — Je suis lasse », gémit la déesse.

Alors, touchant du bout des doigts les tresses noires et souillées
de cendres :

« Le désir t'a appris l'inanité[3] du désir, dit-il ; le regret t'enseigne
l'inutilité de regretter. Prends patience, ô Erreur dont nous sommes

30 tous une part, ô Imparfaite grâce à qui la perfection prend conscience
d'elle-même, ô Fureur qui n'es pas nécessairement immortelle… »

Marguerite Yourcenar, « Kâli décapitée » (extrait), in *Nouvelles orientales*,
© Éditions Gallimard, 1936.

---

1. Béatitude : bonheur, sérénité de nature religieuse et mystique.
2. Indra : roi des dieux dans la mythologie de l'Inde ancienne.
3. Inanité : caractère de ce qui est vain, inutile, voué à l'échec.

DOCUMENT D | **Neige**

*Yuko, jeune homme japonais, qui compose de brefs poèmes appelés
haïkus, cherche à perfectionner son art auprès d'un vieux maître aveugle
nommé Soseki.*

Chaque jour, le maître se contentait de le saluer et commençait
son cours. Puis il demeurait invisible le reste de la journée et restait
muet lors du dîner.

Or, ce matin-là, debout près de la rivière argentée, le vieil aveugle
5 lui dit :

— Yuko, tu deviendras un poète accompli lorsque, dans ton
écriture, tu intégreras les notions de peinture, de calligraphie, de
musique et de danse. Et surtout lorsque tu maîtriseras l'art du
funambule.

10 Yuko se mit à sourire. Le maître n'avait pas oublié.

– Pourquoi l'art du funambule pourrait-il me servir ?

Soseki posa sa main sur l'épaule du jeune homme, comme il l'avait déjà fait un mois plus tôt.

– Pourquoi ? En vérité, le poète, le vrai poète, possède l'art du
15 funambule. Écrire, c'est avancer mot à mot sur un fil de beauté, le fil d'un poème, d'une œuvre, d'une histoire couchée sur un papier de soie. Écrire, c'est avancer pas à pas, page après page, sur le chemin du livre. Le plus difficile, ce n'est pas de s'élever du sol et de tenir en équilibre, aidé du balancier de sa plume, sur le fil du langage.
20 Ce n'est pas non plus d'aller tout droit, en une ligne continue parfois entrecoupée de vertiges aussi furtifs que la chute d'une virgule, ou que l'obstacle d'un point. Non, le plus difficile, pour le poète, c'est de rester continuellement sur ce fil qu'est l'écriture, de vivre chaque heure de sa vie à hauteur du rêve, de ne jamais redescendre,
25 ne serait-ce qu'un instant, de la corde de son imaginaire. En vérité, le plus difficile, c'est de devenir un funambule du verbe.

Yuko remercia le maître de lui enseigner l'art d'une façon si subtile, si belle.

Soseki se contenta de sourire.

Maxence Fermine, Neige, 1999.

LES CLÉS DU SUJET

■ Comprendre la question

• Attention au sens de « **sage** » : il ne s'agit pas de docilité (d'un enfant) mais du sens littéraire et philosophique (*sapiens*, en latin : raisonnable) : qui a de l'expérience, dont le jugement et la conduite sont fondés en raison, qui se conduit avec prudence et décence, qui peut être un modèle.
• Repérez les **qualités** de ces sages. Ne vous bornez pas à les nommer mais indiquez **comment** (= **par quels faits d'écriture**) les auteurs les traduisent (portrait, schéma narratif, champs lexicaux, comparaison…).
• Cherchez aussi **ce qui révèle les qualités** des personnages.
• Repérez les **ressemblances (points communs)** entre ces sages, mais aussi les **différences, les particularités** de chacun.

■ Construire la réponse

• **Rédigez une introduction** et une brève **conclusion**.
• **Accompagnez chaque remarque d'exemples précis** tirés du corpus.

CORRIGÉ 41

Les titres en couleur et les indications entre crochets servent à guider la lecture mais ne doivent pas figurer sur la copie.

Introduction

[Présentation du corpus] L'apologue est un court récit à visée argumentative morale. Les textes du corpus s'inscrivent dans cette tradition narrative. Certes les sujets diffèrent : Fénelon, dans sa fable en prose « Le Chat et les Lapins », énonce un conseil de vie pour un jeune prince (les trompeurs finissent par être punis) ; Florian, dans sa fable en vers « le Savant et le Fermier », propose un idéal de vie : suivre la nature pour être heureux. Dans la nouvelle de Marguerite Yourcenar *Kâli décapitée*, le Sage indien rappelle que nos erreurs sont une voie vers « la perfection ». Dans le roman *Neige* de Fermine, Soseki se place dans une autre perspective en enseignant à son disciple les secrets de l'art et de la poésie. [Rappel de la question] Mais tous les textes mettent en scène une figure de sage, modèle à imiter. Par quels moyens les qualités de ce personnage y sont-elles soulignées ?

I. Mettre en résonance le « Corps » et « l'Âme » de l'apologue

• Selon La Fontaine, un apologue se compose d'une « Âme » (la morale) et d'un « Corps » (le récit). Les quatre auteurs, pour mettre en scène et en valeur la figure du sage, opèrent des choix narratifs – cadre spatio-temporel, identité des personnages – différents.

• Fénelon et Florian situent leur récit dans un univers familier pour le lecteur occidental, avec loup, lapins, bergers et la description de la vie d'un paysan.

• Yourcenar et Fermine donnent à leur apologue un contexte spatio-temporel exotique, oriental : l'Inde mythologique et le Japon avec sa tradition artistique. Les auteurs d'apologue savent bien qu'un peu de dépaysement retient l'attention du lecteur en lui apportant une leçon venue de terres lointaines !

II. Des sages physiquement et moralement proches

• Tous ont un âge avancé qui force le respect. Chez Fénelon le sage est un vieux lapin. Le « fermier » de Florian a au moins « quatre-vingts ans ». Marguerite Yourcenar dit du « Sage » qui accueille Kâli qu'on ne sait s'il est « très jeune ou très vieux » mais son « corps décharné et sec » n'est pas celui d'un jeune homme ! Soseki est décrit comme un « vieil aveugle ».

• La vieillesse confère à ces personnages les certitudes de l'expérience, la connaissance des hommes et de leurs défauts : en témoignent les « cheveux blancs » (symbole d'expérience) du paysan de Florian, le statut de « maître » (qui a le savoir) chez Fermine.

• Présentés pour la plupart dans une attitude hiératique et sereine, « paumes posées l'une sur l'autre », « assis jambes croisées », « paupières baissées » (Yourcenar), « debout près de la rivière » (Soseki), ces sages ont, par leur expérience, accédé aux voies vers le bonheur et à la maîtrise des arts.

III. Des interlocuteurs valorisants, des réponses adaptées

Les quatre textes présentent un groupe ou des individus qui viennent chercher une solution à leurs difficultés : à chaque fois, le vieux sage apporte une réponse qui prouve ses qualités supérieures.

• Les jeunes lapins naïfs sont en butte aux ruses du chat et finissent par écouter les conseils du « vieux lapin ». Le « savant de la ville » de Florian voudrait apprendre du « bon vieillard » « l'art d'être sage », mais, prisonnier de son savoir livresque (il cite les philosophes « Zénon, Pythagore, Épicure »), il s'est artificiellement coupé de la « nature » : le vieux paysan a, lui, conservé ce contact essentiel au bonheur et il décline avec simplicité les principes de son art de vivre qui lui ont apporté réussite familiale, renommée sociale. Kâli est à la recherche de la paix et de son harmonie perdue : le « Sage » lui apporte du réconfort en relativisant ses malheurs de déesse tombée du « ciel d'Indra » pour vivre avec le corps d'une prostituée ; il projette une aura apaisante par son attitude méditative et Kâli entrevoit la fin de ses malheurs et le « grand repos définitif ». Yuko, soucieux de devenir un « poète accompli », interroge son maître et reçoit une belle leçon : le poète est un funambule de la vie et de l'art.

• Ces sages savent s'adapter à leurs interlocuteurs. Le personnage et les propos du vieux lapin rusé sont à peine esquissés. La réponse du vieux fermier est, elle, beaucoup plus didactique, comme s'il se mettait à la portée de ce philosophe un peu bavard. Les sages orientaux délivrent leur enseignement d'une façon plus énigmatique pour que le disciple – déesse déchue ou aspirant poète – ait à faire un effort d'interprétation.

Conclusion

L'apologue permet aux auteurs de varier les moyens de mettre en valeur ces personnages de sages : le choix de leur statut, de leur apparence physique, leurs réactions et leurs propos, la confrontation avec des personnages peu expérimentés... Le lecteur, tout comme les personnages, se laisse persuader par ces « modèles » qui doivent lui servir d'« exemple ».

42

Polynésie française • Juin 2017
Séries ES, S • 16 points

Efficacité de la beauté d'un récit

■ Commentaire

▶ **Vous commenterez la fable de Fénelon « Le Chat et les Lapins » (texte A).**

Se reporter au document A du sujet n° 41.

LES CLÉS DU SUJET

■ Trouver les idées directrices

• Définissez les **caractéristiques** du texte pour trouver les axes.

> Fable en prose (*genre*) qui raconte (*type de texte*) les menées et les mésaventures de lapins et d'un chat (*sujet*), qui argumente sur (*type de texte*) la tromperie et les dangers d'une confiance excessive (*sujet*) humoristique, didactique (*registre*), simple, vivante, animée, instructive (*adjectifs*), pour plaire à un enfant, mais aussi pour éduquer un futur roi (*buts*).

■ Pistes de recherche

Première piste : Un récit pour plaire à un enfant
• Analysez la construction et la **progression** du récit.
• D'où viennent sa simplicité, sa vivacité, sa **théâtralité**, son **humour** ?
• En quoi peut-on parler d'un monde **fantaisiste** et **merveilleux** ?
• Montrez que les personnages sont mi-animaux mi-humains.

Deuxième piste : Un récit pour éduquer
• Étudier le statut du **narrateur**. Est-il objectif ou intervient-il dans le récit ? Comment guide-t-il son lecteur vers la morale ?
• Quel type de **leçon** l'auteur propose-t-il dans la fable ? Est-elle seulement morale ? Quelle en est la teneur ?
• En quoi la leçon est-elle adaptée à son **destinataire** ?

▶ **Pour réussir le commentaire :** voir guide méthodologique.
▶ **La question de l'homme :** voir lexique des notions.

QUESTION DE L'HOMME

CORRIGÉ 42

Les titres en couleur et les indications entre crochets servent à guider la lecture mais ne doivent pas figurer sur la copie.

Introduction

[Amorce] L'archevêque Fénelon fut choisi par Louis XIV pour être précepteur de son petit-fils, le duc de Bourgogne, père du futur Louis XV. Pour son élève, il composa des œuvres « pédagogiques » : le roman didactique *Télémaque*, inspiré de l'*Odyssée*, et des fables. Sans prétendre rivaliser avec *Les Fables* de La Fontaine, il essaya de guider son élève princier en lui proposant sous la forme de fables plaisantes un contenu didactique moral et politique. Son objectif était d'abord pédagogique, mais en homme du XVIIe siècle, il appliquait le principe du classicisme : « plaire et instruire ». [Présentation du texte] La fable en prose « Le Chat et les Lapins » met en scène un chat qui rassure hypocritement des lapins naïfs pour mieux les croquer. Un vieux lapin rusé les met en garde vainement. Finalement, les lapins comprennent leur erreur et trouvent à leur tour une ruse pour tuer le trompeur.

[Annonce des axes] Fénelon, pour composer un récit qui retienne l'attention d'un enfant tout en l'amusant, recourt aux procédés dont se sert La Fontaine [I] mais il donne à sa fable un tour personnel, adapté à son objectif : éduquer un futur roi de France [II].

> **CONSEIL**
> Pour annoncer le plan évitez les formules maladroites du type « Dans le premier axe, nous montrerons que ».

I. Un récit pour plaire

1. Une action adaptée à la logique enfantine

La structure narrative de la fable est simple et linéaire, adaptée à l'âge de son destinataire.

• Personnages, lieux et situation sont présentés dans une brève phrase d'introduction. Puis il ménage une phase d'attente avec l'enquête des lapins, le discours du chat, la mise en garde du vieux lapin suivi d'une première péripétie dramatique : l'assassinat des émissaires-lapins.

• Suit logiquement la contre-offensive stratégique des lapins avec une recherche d'alliance auprès du berger.

• La dernière péripétie débouche sur un dénouement heureux (pour les lapins !) : la mort du chat. Tout est bien qui finit bien, le méchant est puni et les petits sont vainqueurs.

2. Une mini tragi-comédie aux personnages variés

La fable a la vivacité d'un moment de théâtre.

• Lieux, attitudes et intonations sont précisés, comme par des didascalies. On voit les lapins « s'enfoncer » dans leurs « trous », ou venir « saluer le bramin », on entend la « voix douce » du chat, la colère du berger « irrité ».

• L'alternance passé simple/présent de narration et les verbes d'action des dernières lignes (« accourt », « aperçoit », « le perce ») contribuent à la dynamique du récit, dont le rythme s'accélère et la violence s'intensifie.

• Une bonne part de la fable repose sur les **discours**. Fénelon choisit de rapporter les paroles des lapins et du chat au style indirect ou se sert du discours narrativisé pour concentrer et accélérer son récit. Le discours de mise en garde du vieux lapin se réduit à : il « représenta combien ce brave philosophe lui était suspect », et la négociation stratégique des lapins se résume à un mot : « on l'amuse ». On n'entend qu'une réplique au style direct : ce sont les dernières paroles, en guise de morale, du « chat expirant ».

REMARQUE
Quand le narrateur veut rendre globalement la teneur de paroles, sans les rapporter précisément, il recourt au discours « narrativisé » : Le Renard [...] vous lui fait/ Un beau sermon/Pour l'exhorter à patience.

3. Des animaux humanisés dans un monde de fantaisie

• Les différents **personnages** (chat, lapins…) appartiennent à l'univers familier des contes pour enfants et Fénelon, selon la très ancienne tradition de la fable, mélange les éléments animaliers et humains.

• Les lapins, présentés par des noms collectifs (« l'assemblée ») ou par un pronom indéfini (« on »), vivent dans une « garenne », habitent un « terrier » ou « des trous », se nourrissent de baies de « genièvre » qui leur donnent un goût succulent, mais, comme les hommes, ils parlent, vivent en « république », forment « une nation » de « pauvres gens », de « frères », se retrouvent en « assemblée », envoient des « députés ».

• Le chat a des « griffes », une belle « fourrure » mais il parle « d'une voix douce », se présente comme « un philosophe » à la recherche de « la sagesse », il a voyagé « de pays en pays », il est revenu avec la « sagesse » tout orientale d'un « bramin » et propose « une alliance » aux lapins.

• Fénelon, avec fantaisie, fait se rencontrer un chat, animal domestique, et des lapins, animaux sauvages qui s'entendent avec un « berger », qui répond à leur appel à l'aide (il n'a pas envie de partager ce peuple « si utile » avec un autre « exterminateur »).

QUESTION DE L'HOMME

II. Un récit pour éduquer

1. Des choix pédagogiques

• Fénelon écrit une fable en prose pour en rendre plus aisée la compréhension : pas de rimes, donc une syntaxe plus simple ; pas d'inversions de mots ni de compléments. Paradoxalement, cette recherche de la lisibilité est en partie altérée par une mise en page compacte : des alinéas auraient aéré le texte et distingué les différentes péripéties du récit pour un jeune lecteur.

• Le narrateur de la fable ne se comporte pas en témoin distant. Il intervient à plusieurs reprises et colore son récit par ses commentaires amusés ou ironiques sur les événements, les agissements et les propos des uns et des autres. Son jeune lecteur est ainsi préparé et guidé vers la morale.

• Les lapins, d'entrée de jeu, sont qualifiés, de façon assez péjorative, de « simples et crédules » ; il ne faut pas être dupe de la duplicité du chat qui joue de sa « voix douce » et d'un ton « plein de cordialité », puis fait « le modeste » et utilise hypocritement un langage religieux (« alliance éternelle, faute, meurtre ») ; le narrateur souligne par une antiphrase la fausseté de son « beau discours ». Il anoblit ce chat en l'appelant ironiquement « dom » (= seigneur), lui accole un surnom latin, *mitis,* qui signifie « doux, aimable » !

• Il s'amuse à donner une couleur exotique à son chat voyageur en le comparant à « un bramin », un prêtre indien appartenant à la caste aristocratique, et profite de ce travestissement pour familiariser son élève avec un sujet religieux et philosophique, la croyance hindoue en la « métempsycose ».

• Narrateur omniscient, il n'a pas d'illusions sur ce qui pousse le berger à venir à la rescousse de ce « peuple si utile » de délicieux lapins à la chair au goût de « genièvre ».

2. Un enseignement moral et politique

• L'intention morale de la fable est très claire. Le récit met en scène un trompeur qui dissimule ses projets criminels sous un « beau discours », et, face à lui, des personnages naïfs et sans défense qui n'écoutent pas les avertissements d'un vieux sage mais recourent finalement à l'aide d'un berger qui les croquera à son tour.

• Transposée dans le monde humain, c'est une lecture claire des rapports de force entre les individus et des limites de la confiance que l'on accorde à ses semblables et, réciproquement, des risques que l'on prend à trahir cette confiance. Fénelon veut, sans trop de brutalité, ouvrir les yeux de son jeune élève sur le monde qui l'entoure.

• Au chat revient la mission de formuler (au discours direct) la morale : est-il le mieux placé pour tirer la leçon de sa mésaventure (il est en très mauvaise posture...) ? Il le fait sur un mode un peu grandiloquent, didactique : il multi-plie les marques impersonnelles (« on ») et ajoute un groupe ternaire hyper-bolique et redondant (« haï, craint, détesté ») auquel un enfant n'est peut-être pas très sensible...

• Derrière l'enseignement moral, on devine aussi une leçon politique pour un futur chef d'État. De nombreux termes politiques créent un contexte bien particulier avec la « nation » des lapins, qui semblent vivre sous un régime démocratique, « une république » où les « députés » entrent en « négocia-tion », concluent des « alliances », rendent compte à leur « assemblée ». Le chat est manifestement une puissance ennemie qui cherche à endormir la méfiance d'un peuple pour le mettre à sa merci. Le « vieux lapin rusé [...] doc-teur de la troupe » a bien des traits qui préfigurent les philosophes du siècle des Lumières... La leçon que donne Fénelon n'a rien de machiavélique : elle est faite de conseils de bon sens, dont le jeune prince ferait bien de s'inspirer plus tard.

3. Une réflexion sur les pouvoirs du langage

• L'enfant pourra enfin tirer un dernier enseignement de cette fable qui illustre une fois encore les pouvoirs du langage. Ésope, la référence antique pour les fabulistes modernes, affirme : « la langue est la pire et la meilleure des choses ». La Fontaine, dans « Le Pouvoir des fables » démontre la façon dont un apologue peut agir sur un auditoire.

• Maîtriser la parole est un atout considérable ; il faut en user avec sagesse et honnêteté et l'auditoire doit recevoir les discours qu'on lui fait avec attention pour ne pas tomber, comme les lapins, dans le pièges des beaux discours.

Conclusion

[Synthèse] On pourrait avoir la tentation d'apprécier ce texte en le comparant aux fables de La Fontaine sur les thèmes du trompeur trompé (« Le Loup déguisé en berger »), les dangers de la naïveté (« Le Chat, le Cochet et le Souriceau »), le pouvoir de la parole, mais ce ne serait pas rendre justice à Fénelon qui n'a pas les mêmes ambitions, les mêmes buts que son illustre prédécesseur. Il s'adresse uniquement à un enfant et sait se mettre à son niveau tout en lui donnant un texte d'une bonne tenue littéraire. [Ouverture] Il se situe harmonieusement entre la sécheresse des fabulistes antiques et la richesse de La Fontaine : un bel équilibre classique chez ce prélat partisan des Anciens mais déjà ouvert à l'esprit des Lumières.

QUESTION DE L'HOMME

Efficacité de la beauté d'un récit

■ Dissertation

▶ « Yuko remercia le maître de lui enseigner l'art d'une façon si subtile, si belle » est-il écrit dans *Neige* de Maxence Fermine (texte D). Selon vous, que peut apporter à l'argumentation la beauté d'un récit ?

Vous répondrez à la question en vous fondant sur les textes du corpus, ainsi que sur les textes et œuvres que vous avez étudiés et lus.

Les textes du corpus sont reproduits dans le sujet nº 41.

LES CLÉS DU SUJET

■ Comprendre le sujet

• Le sujet comporte **une citation et une consigne**. La citation vous invite à réfléchir à partir des textes du corpus ; c'est cependant la consigne qui vous indique la problématique.

• Le **présupposé** est : *Le recours au récit littéraire est efficace pour argumenter.*

• L'expression « **que peut apporter…** » n'implique pas de discussion (plan dialectique) mais un **plan thématique**.

• « **beauté** » suggère que le récit doit avoir des qualités artistiques, littéraires, qu'il s'agit de « plaire ». Cela renvoie au principe de La Fontaine : « En ces sortes de feintes il faut instruire et plaire ».

• Reformulez la **problématique** avec vos propres mots : *Quels sont les avantages, les intérêts d'un récit – avec ses qualités esthétiques – pour transmettre ses idées/ses thèses ?*

■ Chercher des idées

• Implicitement le sujet renvoie à **l'argumentation indirecte** (mais uniquement celle qui repose sur un récit).

• Précisez **la notion de récit** : « Quels sont les éléments d'un récit ? » (personnages, péripéties, merveilleux, paroles rapportées…).

Le plan

• **Subdivisez la problématique** en sous-questions :

– *Quels sont les* **atouts** d'une argumentation qui repose sur un récit : pour le lecteur ? pour l'auteur ?

– *Pourquoi, comment* **(par quels moyens)** *le récit peut-il donner plus d'efficacité à une argumentation ?*

– *Quels sont les* **effets d'un récit** *sur le lecteur ?*

Les exemples

Répertoriez les **genres littéraires** *argumentatifs* qui recourent à un *récit* : les apologues (parabole, fabliau, fable, conte, conte philosophique, utopie…), éventuellement le roman et la nouvelle, la poésie narrative. Mais cela exclut le théâtre.

CORRIGÉ **43**

Les titres en couleur et les indications entre crochets servent à guider la lecture mais ne doivent pas figurer sur la copie.

Introduction

[Amorce] Dans « Le Pouvoir des fables », La Fontaine raconte comment un orateur grec dans l'Antiquité peine à capter l'attention de son auditoire jusqu'à ce qu'il fasse un récit sous forme de fable : tout le monde se met alors à l'écouter avec attention. [Problématique] Comment expliquer ce revirement ? D'où vient l'efficacité de l'art du récit pour faire prévaloir une opinion ? [Annonce du plan] C'est que le récit a pour vertu de « plaire » au lecteur qui pourrait dire, comme l'avoue le fabuliste : « Si *Peau d'Âne* m'était conté,/J'y prendrais un plaisir extrême. » [I] Mais La Fontaine précise aussi que « conter pour conter [lui] semble peu d'affaire » : il faut aussi « instruire » ; or argumenter à travers un récit propose une démarche pédagogique très efficace sur le lecteur [II]. Le détour narratif offre aussi à l'auteur de nombreuses ressources que l'argumentation directe ne lui procure pas [III].

QUESTION DE L'HOMME

I. « Une morale nue apporte de l'ennui »

« Une morale nue apporte de l'ennui ;/Le conte [le récit] fait passer le précepte [la thèse] avec lui. » (La Fontaine, « Le Pâtre et le Lion »). Le récit est nécessaire : il satisfait le goût des hommes pour les « histoires ».

1. Pour l'imagination : distraire et captiver

• Le récit sollicite l'imagination. Il transporte le lecteur ailleurs, dans des mondes étranges ou lointains qui font rêver. Au XVIIIe siècle, Voltaire répond au goût de ses contemporains pour l'exotisme, notamment oriental, dans ses contes philosophiques [exemples à développer : La *Princesse de Babylone, Zadig*]. *Le Petit Prince* de Saint-Exupéry, les romans de science-fiction aux XXe et XXIe siècles (*1984* de Orwell) emmènent dans espaces interstellaires qu'affectionnent les lecteurs d'aujourd'hui.

• Pourquoi cela rend-il le récit efficace ? Parce que le lecteur est pris d'emblée par les sensations que sollicitent les descriptions (parfois très esthétiques), par les sentiments que suscite la découverte d'un monde nouveau, sans avoir à mobiliser la réflexion : il se laisse charmer.

2. Pour le « cœur » : émotion et art de persuader

• Le récit comporte des péripéties et des personnages. Des émotions naissent alors au gré des péripéties, des rebondissements de l'action. Le lecteur s'intéresse au sort des personnages. Un récit bien mené, qui ménage le suspense, crée des renversements de situation, intrigue le lecteur : que va-t-il arriver à Candide chassé du château de Thunder-ten-Tronk ? retrouvera-t-il Cunégonde ? est-elle morte ou vivante ?

• Le lecteur se lie affectivement aux personnages. Il éprouve pour eux sympathie [exemples à développer : Le Petit Prince, le Renard dans le roman de Saint-Exupéry], pitié (l'Âne dans « Les Animaux malades de la Peste »), admiration (l'habileté du Cerf dans « Les Obsèques de la Lionne »). Parfois, au contraire, il se révolte du comportement de certains d'entre eux (Le Lion et les courtisans dans « Les Animaux malades de la peste », le Père tout-à-tous dans *L'Ingénu* de Voltaire, la sorcière dans *Blanche-Neige*…). Les uns servent de modèles, les autres de contre-modèles.

II. Les qualités du récit pour « instruire » le lecteur

Au-delà du plaisir qu'il procure, le récit a des vertus didactiques qui en font un moyen efficace pour mieux faire comprendre ses idées, pour « instruire ».

1. La simplicité du concret

• Fondé sur des péripéties concrètes et sur des personnages que le lecteur peut visualiser, le récit, qui touche d'abord les sens et l'affectivité, est facile à suivre et à imaginer. Les personnages, souvent allégoriques, sont l'image incarnée des abstractions, matérialisent des idées et rendent ainsi le message de l'auteur plus facile à appréhender.

• Ainsi, certains personnages ou éléments du récit prennent une valeur symbolique facilement identifiable. Dans les fables, le Lion incarne la force, la cruauté, le pouvoir ; le Loup le mal et l'injustice ; l'Agneau la jeunesse et l'innocence. Dans les contes, le loup est l'image de l'homme dangereux et pervers. Les lieux sont symboliques : la forêt est le lieu emblématique des dangers (*Le Petit Chaperon rouge*, *Le Petit Poucet*) ; le sérail oriental, chez Montesquieu (*Lettres persanes*) et Voltaire est synonyme de volupté et de despotisme…

[Transition] Néanmoins, le récit argumentatif met aussi la raison et les qualités intellectuelles à l'épreuve.

2. Faire réfléchir et participer le lecteur

• Que les récits soient ancrés dans une réalité (roman qui recrée un monde et donne l'illusion de la réalité : Zola) ou dans un univers fictif fantaisiste qui crée l'impression du vrai, formuler des arguments abstraits sous la forme d'exemples concrets leur confère la valeur de preuves irréfutables.

• Cette dualité abstrait/concret implique un double niveau de lecture : le sens « premier », l'histoire, et son sens métaphorique et symbolique. Au lecteur donc de dégager ce sens second, de fournir l'effort intellectuel pour « traduire » l'histoire, en extraire la thèse, la « morale », les enseignements. Or, ce que le lecteur trouve par lui-même s'ancre mieux dans son esprit.

• Cette démarche inductive – qui va d'un exemple particulier à l'idée générale – est celle des sciences expérimentales : le lecteur observe, analyse et tire des conclusions du récit. Ainsi, à la lecture des utopies (*Utopia* de Thomas More, l'Eldorado dans *Candide*, le pays des Troglodytes dans *Lettres persanes*…), est-on amené à comparer ces pays merveilleux avec notre propre société, à en discerner les défauts et les vices. Argumenter à travers un récit aiguise l'esprit critique.

[Transition] Bénéfique pour le lecteur, l'argumentation à travers un récit offre aussi à son auteur des ressources multiples.

III. Les multiples ressources du récit

1. Un déguisement commode

• Dans la mesure où le récit se présente comme fictif et offre un premier niveau de lecture ludique, apparemment inoffensif, dans la mesure où l'auteur ne « parle » pas en son nom mais s'exprime à travers ses personnages, la fiction sert de masque et permet à son auteur de déjouer la censure et de critiquer même violemment les autorités le pouvoir, la religion.

• Même si de nombreux ouvrages argumentatifs fondés sur des récits n'y ont pas échappé (parce que les autorités en avaient compris le sens et les dangers : *Lettres Persanes* de Montesquieu, *1984* d'Orwell interdit en Union soviétique…), ils sont beaucoup moins exposés que les ouvrages d'argumentation directe (*L'Encyclopédie*, *L'Esprit des lois* de Montesquieu, *Le Dictionnaire philosophique* de Voltaire).

2. Une variété inépuisable et une liberté propice à la création

• Le récit offre aussi à l'auteur une variété inépuisable. Variété des personnages – humains mais aussi animaux, végétaux (« Le Chêne et le Roseau »), objets (« Le Pot de terre et le Pot de fer »), êtres surnaturels (dieux et déesses, fées et génies…), concepts (la Mort, la Fortune). Variété des situations, qui multiplie les expériences : cela permet de donner plusieurs points de vue (*Candide, L'Ingénu* de Voltaire ; *Le Paysan parvenu* de Marivaux), de croiser les opinions et d'éclairer selon de multiples perspectives le sujet abordé. Variété des registres aussi : pathétique, tragique, comique, ironique… [*exemples personnels*]. Cette variété permet à l'auteur de toucher un large public, de tous âges (les fables « plaisent » aux enfants comme aux adultes).

• Enfin l'auteur jouit d'une liberté totale dans la composition de son récit, liberté qui est une aide précieuse pour donner de l'efficacité à la « démonstration » : il peut en effet créer sans contrainte personnages et situations en fonction de son projet argumentatif, de ses thèses : l'Ingénu de Voltaire rencontre le père Tout-à-tous, parce que Voltaire veut faire la satire des Jésuites. Dans *Candide*, Pangloss l'optimiste est disciple de Leibniz parce que Voltaire veut s'en prendre aux théories de ce philosophe allemand ; mais Candide côtoie aussi Martin, philosophe pessimiste radicalement opposé à Pangloss ; en fait tous deux, par leur conception de la vie extrême, sont là pour servir le projet de Voltaire qui prône une attitude intermédiaire, défendue à travers Candide.

3. Le plaisir d'artiste : la « beauté » du récit

Enfin, en utilisant le récit, l'argumentateur laisse libre cours à sa créativité artistique. À la différence de ses inspirateurs Ésope et Phèdre, qui « sacrifient » le récit à la morale, La Fontaine prend plaisir à faire du récit une véritable œuvre d'art, fruit d'un travail littéraire qui lui donne sa « beauté » par des moyens variés.

• Comme un peintre, l'auteur y déploie l'art de la description (description des lieux dans les contes, dans les utopies, les fables, les romans… ; *exemples personnels*).

• Il y insère des dialogues vivants et dynamiques [*exemples personnels*], qui mobilisent des qualités d'un dramaturge (La Fontaine voit dans ses fables « une ample comédie aux cent actes divers »).

• L'art du récit réside aussi dans la peinture des sentiments des personnages (notamment l'amour et l'amitié) qui offre une large gamme de tons : lyrique (La Fontaine : « Les Deux Amis », « Les Deux Pigeons »), dramatique ou pathétique [*exemples personnels*].

• Enfin, le récit privilégie la beauté du style, secondaire dans l'argumentation directe, depuis les ressources de l'art oratoire, jusqu'à celles de la poésie : les images, personnifications, métaphores et allégories [*exemples*]. Les fabulistes tirent parti des ressources des vers, dont la longueur épouse le sens ou l'impression à produire : vers courts pour précipiter l'action, longs pour l'expression des sentiments lyriques (« Les Deux Pigeons »), de la nostalgie ou de la majesté (discours du Lion dans les « Animaux malades de la peste »).

Plaisir d'artiste pour l'auteur, la beauté d'un récit ajoute de l'agrément à l'argumentation pour le lecteur.

Conclusion

[Synthèse] La beauté d'un récit quand il s'agit d'argumenter procède d'un détour (l'argumentation indirecte), qui présente bien des intérêts à la fois pour le lecteur et pour l'écrivain. [Ouverture] Il n'en reste pas moins que cette « façon si subtile et si belle » peut aussi avoir ses limites et même présenter des inconvénients. L'idéal pour emporter l'adhésion des lecteurs réside peut-être dans l'alliance habile entre argumentation directe et argumentation indirecte.

44

Polynésie française • Juin 2017
Séries ES, S • 16 points

Efficacité de la beauté d'un récit

■ Écriture d'invention

▶ Un jeune personnage rend visite à un vieux sage dont il attend qu'il lui révèle les voies d'accès au bonheur. Vous raconterez cette rencontre sous forme de fable ou de conte. Votre récit à visée argumentative s'achèvera sur la formulation suivante : « C'est mon secret pour être heureux. »
Votre texte comportera au moins une soixantaine de lignes.

LES CLÉS DU SUJET

■ **Comprendre le sujet**

• **Genre :** « fable » ou « conte », « récit à visée argumentative » → apologue.
• **Sujet :** partie narrative : « rencontre » ; partie argumentative : « voies d'accès au *bonheur* », « secret pour être *heureux* »
• **Type de texte :** « raconterez, récit » → texte narratif ; « visée argumentative » → texte argumentatif
• **Registre :** non précisé, mais « vieux sage » et « révéler les secrets » suggèrent le registre didactique de la part du Sage.
• **Point de vue :** « ce que ressent » → point de vue interne et omniscient.
• **Niveau de langue :** correct ou soutenu.
• **Caractéristiques du texte à produire** définies à partir de la consigne :

Apologue (fable ou conte) (*genre*) qui raconte (*type de texte*) une rencontre (*sujet*), qui argumente (*type de texte*) sur le bonheur et ses voies d'accès (*sujet*), en partie didactique (*registre*), détaillé, subjectif (*adjectifs*) pour exposer une conception du bonheur et donner des conseils pour y accéder (*buts*).

■ **Chercher des idées**

Contraintes de fond

• **Le sujet :** le bonheur et les moyens d'y parvenir.

• Les **caractéristiques** et **composantes d'un récit** :

– Un cadre spatio-temporel : différent pour la fable (monde animal, vie quotidienne…) et le conte (pays lointain ou merveilleux, pas de précision temporelle).

– Les circonstances de la rencontre, la rencontre elle-même.

– Les personnages, ici définis : « un vieux sage »/« un jeune personnage ».

• Une « **morale** »/conception du bonheur.

Contraintes de forme

• Celles de l'apologue : un narrateur, des personnages, des péripéties, des descriptions, des paroles rapportées, une thèse ou une « morale ».

• La **dernière phrase** vous est imposée.

Les choix à faire

• **Genre :** Fable ? en vers ou en prose ? ou conte ?

• L'identité du « **jeune personnage** » : humain ? animal ?

• Les **relations entre les personnages** : intimes ? cordiales ? distantes ?

• **La conception du bonheur :** plutôt stoïcien ? épicurien ? l'harmonie, l'optimisme, la paix, le retrait du monde…

• **Le registre** peut être lyrique ? pathétique ? dramatique ? ironique ? humoristique ? didactique (quand le vieux Sage parle).

• **La morale :** explicite ? implicite ?

CORRIGÉ 44

Le corrigé est un pastiche des fables de La Fontaine sur le même thème (« Le Philosophe scythe », « Le Savetier et le Financier », « l'Homme qui court après la Fortune et l'Homme qui l'attend dans son lit », « Le Rat de ville et le Rat des champs »…)

L'Apprenti Philosophe et le Vieux Sage

Le Jeune avait marché longtemps dans la nuit noire,

      Beaucoup peiné, beaucoup lutté.

Pressé par le désir d'un unique savoir,

Il marchait vers le mont où le Sage siégeait.

Il espérait beaucoup de cet Ancien reclus,

De ce noble penseur empreint de gravité,

Tout empli de douceur et de sérénité.

      On disait qu'il avait tout vu, tout lu.

Le Jeune enfin parvient à l'humble cabanon

Que le Sage habitait au plus haut du vieux mont,

L'aborde avec respect puis, le saluant bas,

      Le fait arbitre de son cas.

« Noble Maître, dit-il, je viens te consulter

Non pour du monde obscur savoir les destinées,

Non pour devenir riche ou pour être admiré,

Non plus pour de ma vie connaître la durée.

      Ô Sage, pour dire le vrai,

Je me lasse à chercher partout ce qui pourrait

      Me rendre heureux.

Où donc est le bonheur, ô Sage, où donc est-il ?

      – La question n'est pas futile,

Répondit l'Ancien en le fixant des yeux.

Puis il se tut, rêvant quelques instants en soi.

      Le Jeune était tout aux abois.

« Il faut, reprit le Sage, il faut abandonner

Famille, amis et biens, tout quitter pour me suivre.

Imitez-moi, jeune homme, et vous pourrez mieux vivre.

      Méprisez la société.

Retirez-vous du monde, installez-vous ici,

Embrassez d'un reclus l'humble et modeste vie.

      Contemplez toute la vanité

      De votre état passé. »

Il se tut à nouveau, contemplant son disciple

À qui ne plaisait guère une telle réponse.

« Quoi, pensait ce dernier, faut-il que je renonce

      À tout ? À quoi bon ce périple ?

Ai-je donc tant marché pour m'enterrer ici ?

Ne peut-on être heureux sans renier la vie ? »
Toujours silencieux, le Sage contemplait
L'apprenti philosophe ainsi terrorisé.

       Puis il sourit :

« Ne souhaitez-vous donc pas demeurer ici ?
Cela se pourrait-il, vous qui cherchez cet heur[1]

       Parfait qu'en cet endroit je goûte,

Oui, se pourrait-il bien que votre âme redoute

       Cette joie, à cette heure ? »

Tout honteux, tout confus, le Jeune ne savait

       Où se mettre.

Les yeux rivés au sol, il osa enfin : « Maître,
Je suis bien jeune encore, et, quoique âme bien née,
Je ne puis imiter un sage comme vous.
Vous conviendrez, je crois, qu'il est un temps pour tout. »
Le sourire du vieux se fit plus large encore
« Pour ma part j'en conviens : convenez-en vous-même !
Que venez-vous chercher d'un vieux Sage l'accord ?
Je ne prétendrai pas être un vrai Nicodème[2].

       J'ai quelque science, il est vrai,

       Mais vous dire où est le bonheur ?

Me préserve le Ciel d'être un bonimenteur !
Je sais où est le mien, c'est tout ce que je sais.
Méfiez-vous, jeune homme, et fuyez comme peste
Quiconque vous dira "le secret d'être heureux".
Il sera bien hardi et bien présomptueux.
Retournez dans le monde et sans nulle conteste[3],
Cherchez votre bonheur. Quand vous l'aurez trouvé,

       Revenez.

Et vous pourrez me dire, apaisé et joyeux :
« C'est mon secret pour être heureux ! ».

---

1. Heur : bonheur.
2. Nicodème : homme simple et niais.
3. Sans nulle conteste : indéniablement, sans discussion possible.

45

Amérique du Nord • Juin 2016
Série L • 4 points

Littérature et vision du monde

■ Question

Documents

> A – **Michel de Montaigne**, *Essais*, livre Ier, chapitre 31 : « Des Canni-
> bales » (fin), 1580-1595 (traduction en français moderne de Guy de
> Pernon, 2009).
> B – **Cyrano de Bergerac**, *L'Autre Monde ou Histoire comique des États
> et Empires de la Lune et du Soleil*, 1657-1662.
> C – **Voltaire**, *Micromégas*, chapitre VII : « Conversation avec les
> hommes » (début), 1752.
> D – **Michel Tournier**, *Vendredi ou La Vie sauvage*, chapitre 25, 1971.

▶ **Quels choix ont faits les quatre auteurs dans les textes du
corpus pour amener le lecteur à réfléchir sur lui-même et sur
son monde ?**

*Après avoir répondu à cette question, les candidats devront traiter au choix un
des trois sujets n°s 46, 47 ou 48.*

DOCUMENT A

*Montaigne, dans cet essai, évoque la découverte du continent américain
et décrit les coutumes des peuples indigènes, dont certains mangent de la
chair humaine à l'occasion de cérémonies rituelles. Il y fait preuve d'ouverture d'esprit face à la différence et incite le lecteur à réfléchir sur ce qui fait
l'humanité. Dans la dernière page de l'essai, Montaigne choisit de rapporter la venue à la cour de France de trois Amérindiens.*

    Trois d'entre eux vinrent à Rouen, au moment où feu le roi
Charles IX s'y trouvait. Ils ignoraient combien cela pourrait nuire
plus tard à leur tranquillité et à leur bonheur que de connaître les
corruptions de chez nous, et ne songèrent pas un instant que de cette
5 fréquentation puisse venir leur ruine, que je devine pourtant déjà
bien avancée (car ils sont bien misérables[1] de s'être laissés séduire par
le désir de la nouveauté, et d'avoir quitté la douceur de leur ciel pour

venir voir le nôtre). Le roi leur parla longtemps ; on leur fit voir nos
10 manières, notre faste[2], ce que c'est qu'une belle ville. Après cela,
quelqu'un leur demanda ce qu'ils en pensaient, et voulut savoir ce
qu'ils avaient trouvé de plus surprenant. Ils répondirent trois choses,
j'ai oublié la troisième et j'en suis bien mécontent. Mais j'ai encore
les deux autres en mémoire : ils dirent qu'ils trouvaient d'abord très
15 étrange que tant d'hommes portant la barbe, grands, forts et armés
et qui entouraient le roi (ils parlaient certainement des Suisses de
sa garde), acceptent d'obéir à un enfant[3] et qu'on ne choisisse pas
plutôt l'un d'entre eux pour les commander.

Deuxièmement (dans leur langage, ils nomment les hommes
« moitiés » les uns des autres) ils dirent qu'ils avaient remarqué qu'il
20 y avait parmi nous des hommes repus et nantis de toutes sortes de
commodités[4], alors que leurs « moitiés » mendiaient à leurs portes,
décharnés par la faim et la pauvreté ; ils trouvaient donc étrange que
ces « moitiés » nécessiteuses puissent supporter une telle injustice,
sans prendre les autres à la gorge ou mettre le feu à leurs maisons.

25 J'ai parlé à l'un d'entre eux fort longtemps ; mais j'avais un interprète qui me suivait si mal, et que sa bêtise empêchait tellement de
comprendre mes idées, que je ne pus tirer rien qui vaille de cette
conversation. Comme je demandais à cet homme quel bénéfice il
tirait de la supériorité qu'il avait parmi les siens (car c'était un capi-
30 taine, et nos matelots l'appelaient « Roi »), il me dit que c'était de
marcher le premier à la guerre. Pour me dire de combien d'hommes
il était suivi, il me montra un certain espace, pour signifier que
c'était autant qu'on pourrait en mettre là, et cela pouvait faire quatre
ou cinq mille hommes. Quand je lui demandai si, en dehors de la
35 guerre, toute son autorité prenait fin, il répondit que ce qui lui en
restait, c'était que, quand il visitait les villages qui dépendaient de
lui, on lui traçait des sentiers à travers les fourrés de leurs bois, pour
qu'il puisse y passer commodément.

Tout cela n'est pas si mal. Mais quoi ! Ils ne portent pas de
40 pantalon.

Montaigne, *Essais*, « Des Cannibales », 1580-1595.

---

1. Misérables : malheureux.
2. Faste : luxe.
3. En 1562, Charles IX n'avait que 12 ans, et c'était un enfant à la constitution fragile.
4. Des hommes riches et bien nourris.

DOCUMENT B

Cet ouvrage peut être considéré comme l'ancêtre français de la « science-fiction ». Il présente les voyages imaginaires du héros-narrateur, qui après avoir visité la Lune, se retrouve sur le Soleil. Là, il va être jugé par les oiseaux civilisés qui peuplent cet astre et qui considèrent les hommes comme des ennemis. Une pie compatissante qui a séjourné sur Terre prend sa défense. Mais voici qu'arrive un aigle.

Elle[1] achevait ceci, quand nous fûmes interrompus par l'arrivée d'un aigle qui se vint asseoir entre les rameaux d'un arbre assez proche du mien. Je voulus me lever pour me mettre à genoux devant lui, croyant que ce fût le roi, si ma pie de sa patte ne m'eût contenu
5 en mon assiette[2]. « Pensiez-vous donc, me dit-elle, que ce grand aigle fût notre souverain ? C'est une imagination de vous autres hommes, qui à cause que vous laissez commander aux plus grands, aux plus forts et aux plus cruels de vos compagnons, avez sottement cru, jugeant de toutes choses par vous, que l'aigle nous devait
10 commander.

« Mais notre politique est bien autre ; car nous ne choisissons pour notre roi que le plus faible, le plus doux, et le plus pacifique ; encore le changeons-nous tous les six mois, et nous le prenons faible, afin que le moindre à qui il aurait fait quelque tort, se pût venger
15 de lui. Nous le choisissons doux, afin qu'il ne haïsse ni ne se fasse haïr de personne, et nous voulons qu'il soit d'une humeur pacifique, pour éviter la guerre, le canal de toutes les injustices.

« Chaque semaine, il tient les États[3], où tout le monde est reçu à se plaindre de lui. S'il se rencontre seulement trois oiseaux mal
20 satisfaits de son gouvernement, il en est dépossédé, et l'on procède à une nouvelle élection.

« Pendant la journée que durent les États, notre roi est monté au sommet d'un grand if sur le bord d'un étang, les pieds et les ailes liés. Tous les oiseaux l'un après l'autre passent par-devant lui ; et si
25 quelqu'un d'eux le sait coupable du dernier supplice, il le peut jeter à l'eau. Mais il faut que sur-le-champ il justifie la raison qu'il en a eue, autrement il est condamné à la mort triste. »

Je ne pus m'empêcher de l'interrompre pour lui demander ce qu'elle entendait par le mot triste et voici ce qu'elle me répliqua :
30 « Quand le crime d'un coupable est jugé si énorme, que la mort est trop peu de chose pour l'expier, on tâche d'en choisir une qui contienne la douleur de plusieurs, et l'on y procède de cette façon :

« Ceux d'entre nous qui ont la voix la plus mélancolique et la plus funèbre, sont délégués vers le coupable qu'on porte sur un
35 funeste cyprès. Là ces tristes musiciens s'amassent autour de lui, et lui remplissent l'âme par l'oreille de chansons si lugubres et si tragiques, que l'amertume de son chagrin désordonnant l'économie de ses organes et lui pressant le cœur, il se consume à vue d'œil, et meurt suffoqué de tristesse.

40 « Toutefois un tel spectacle n'arrive guère ; car comme nos rois sont fort doux, ils n'obligent jamais personne à vouloir pour se venger encourir une mort si cruelle.

« Celui qui règne à présent est une colombe dont l'humeur est si pacifique, que l'autre jour qu'il fallait accorder[4] deux moineaux, on
45 eut toutes les peines du monde à lui faire comprendre ce que c'était qu'inimitiés[5]. »

Cyrano de Bergerac, L'Autre Monde ou Histoire comique
des États et Empires du Soleil, 1657-1662.

---

1. La pie.
2. Ne m'eût fait conserver ma position.
3. Il tient une assemblée.
4. Accorder : mettre d'accord, réconcilier.
5. Inimitié : dispute, hostilité, haine.

Micromégas, géant de trente-deux kilomètres de haut, originaire de la planète Sirius, voyage à travers l'univers. Parvenu sur terre en compagnie d'un habitant de Saturne – un « nain » de deux kilomètres de haut –, il recueille dans sa main le navire d'un groupe de savants qui revient d'une expédition scientifique au cercle polaire. Il réussit à converser avec ces « insectes » presque invisibles pour lui et découvre avec admiration leur intelligence et leurs connaissances scientifiques. Il les croit en conséquence aussi doués de toutes les qualités morales.

« Ô atomes[1] intelligents, dans qui l'Être éternel s'est plu à vous manifester son adresse et sa puissance, vous devez sans doute goûter des joies bien pures sur votre globe : car, ayant si peu de matière, et paraissant tout esprit, vous devez passer votre vie à aimer et à pen-
5 ser ; c'est la véritable vie des esprits. Je n'ai vu nulle part le vrai bonheur ; mais il est ici, sans doute. » À ce discours, tous les philosophes secouèrent la tête ; et l'un d'eux, plus franc que les autres, avoua de bonne foi que, si l'on en excepte un petit nombre d'habitants

fort peu considérés, tout le reste est un assemblage de fous, de
10 méchants et de malheureux. « Nous avons plus de matière qu'il ne
nous en faut, dit-il, pour faire beaucoup de mal, si le mal vient de la
matière ; et trop d'esprit, si le mal vient de l'esprit. Savez-vous bien,
par exemple, qu'à l'heure que je vous parle, il y a cent mille fous de
notre espèce, couverts de chapeaux, qui tuent cent mille autres ani-
15 maux couverts d'un turban, ou qui sont massacrés par eux, et que,
presque par toute la terre, c'est ainsi qu'on en use de temps immé-
morial ? » Le Sirien frémit, et demanda quel pouvait être le sujet de
ces horribles querelles entre de si chétifs animaux. « Il s'agit, dit le
philosophe, de quelques tas de boue grands comme votre talon. Ce
20 n'est pas qu'aucun de ces millions d'hommes qui se font égorger
prétende² un fétu³ sur ces tas de boue. Il ne s'agit que de savoir s'il
appartiendra à un certain homme qu'on nomme Sultan, ou à un
autre qu'on nomme, je ne sais pourquoi, César. Ni l'un ni l'autre
n'a jamais vu ni ne verra jamais le petit coin de terre dont il s'agit,
25 et presque aucun de ces animaux qui s'égorgent mutuellement n'a
jamais vu l'animal pour lequel ils s'égorgent.

– Ah ! malheureux ! s'écria le Sirien avec indignation, peut-on
concevoir cet excès de rage forcené ? Il me prend envie de faire
trois pas, et d'écraser de trois coups de pied toute cette fourmilière
30 d'assassins ridicules. – Ne vous en donnez pas la peine, lui répon-
dit-on ; ils travaillent assez à leur ruine. Sachez qu'au bout de dix
ans, il ne reste jamais la centième partie de ces misérables ; sachez
que, quand même ils n'auraient pas tiré l'épée, la faim, la fatigue ou
l'intempérance⁴ les emportent presque tous. D'ailleurs, ce n'est pas
35 eux qu'il faut punir, ce sont ces barbares sédentaires qui, du fond
de leur cabinet, ordonnent, dans le temps de leur digestion, le massacre d'un million d'hommes, et qui ensuite en font remercier Dieu
solennellement. » Le voyageur se sentait ému de pitié pour la petite
race humaine, dans laquelle il découvrait de si étonnants contrastes.

Voltaire, *Micromégas*, chapitre VII :
« Conversation avec les hommes » (début), 1752.

---

1. C'est ainsi que Micromégas s'adresse aux hommes, qu'il doit observer au travers d'un microscope.
2. Prétendre : revendiquer.
3. Fétu : brin de paille.
4. Intempérance : abus, excès.

DOCUMENT D

Robinson, échoué seul il y a des années sur une île déserte, a d'abord essayé d'y reconstruire en petit un modèle de société à l'européenne. Et lorsqu'il a eu pour compagnon d'infortune l'Indien Vendredi, il l'a d'abord traité comme un domestique. Mais un jour, Vendredi provoque, sans le vouloir, une explosion qui détruit les constructions de Robinson et presque tous les éléments sauvés du naufrage. Cet événement marque un tournant dans la vie des deux hommes et dans leurs relations.

Un jour, Vendredi revint d'une promenade en portant un petit tonneau sur son épaule. Il l'avait trouvé à proximité de l'ancienne forteresse[1], en creusant le sable pour attraper un lézard.

Robinson réfléchit longtemps, puis il se souvint qu'il avait
5 enterré deux tonneaux de poudre reliés à la forteresse par un cordon d'étoupe[2] qui permettait de les faire exploser à distance. Seul l'un des deux avait explosé peu après la grande catastrophe. Vendredi venait donc de retrouver l'autre. Robinson fut surpris de le voir si heureux de sa trouvaille.

10 – Qu'allons-nous faire de cette poudre, tu sais bien que nous n'avons plus de fusil ?

Pour toute réponse, Vendredi introduisit la pointe de son couteau dans la fente du couvercle et ouvrit le tonnelet. Puis il y plongea la main et en retira une poignée de poudre qu'il jeta dans le feu.
15 Robinson avait reculé en craignant une explosion. Il n'y eut pas d'explosion, seulement une grande flamme verte qui se dressa avec un souffle de tempête et disparut aussitôt.

– Tu vois, expliqua Vendredi, le fusil est la façon la moins jolie de brûler la poudre. Enfermée dans le fusil, la poudre crie et devient
20 méchante. Laissée en liberté, elle est belle et silencieuse.

Puis il invita Robinson à jeter lui-même une poignée de poudre dans le feu mais, cette fois, il sauta en l'air en même temps que la flamme, comme s'il voulait danser avec elle. Et ils recommencèrent, et encore, et encore, et il y avait ainsi de grands rideaux de feu verts
25 et mouvants, et sur chacun d'eux la silhouette noire de Vendredi dans une attitude différente.

Plus tard, ils inventèrent une autre façon de jouer avec la poudre. Ils recueillirent de la résine de pin dans un petit pot. Cette résine – qui brûle déjà très bien – ils la mélangèrent avec la poudre. Ils
30 obtinrent ainsi une pâte noire, collante et terriblement inflammable. Avec cette pâte, ils couvrirent le tronc et les branches d'un arbre mort qui se dressait au bord de la falaise. La nuit venue ils y mirent

le feu : alors tout l'arbre se couvrit d'une carapace d'or palpitant, et il brûla jusqu'au matin, comme un grand candélabre[3] de feu.

35   Ils travaillèrent plusieurs jours à convertir toute la poudre en pâte à feu et à en enduire tous les arbres morts de l'île. La nuit, quand ils s'ennuyaient et ne trouvaient pas le sommeil, ils allaient ensemble allumer un arbre. C'était leur fête nocturne et secrète.

Michel Tournier, *Vendredi ou La Vie sauvage*, chapitre 25, 1971,
© Éditions Gallimard, www.gallimard.fr

---

1. Robinson, au début de son séjour, s'était déclaré gouverneur de l'île, avec le grade de général, et avait bâti une forteresse pour se protéger d'éventuels assaillants.
2. Étoupe : matière textile grossière, non tissée, et très inflammable, dont Robinson s'était servi pour faire des mèches.
3. Candélabre : grand chandelier à plusieurs branches.

LES CLÉS DU SUJET

■ Comprendre la question

• Par « quels choix », il faut entendre **choix littéraires**.

• **Ces choix peuvent être** : le genre littéraire adopté ; le registre ; la situation imaginée ; les faits d'écriture…

• Ne juxtaposez pas l'analyse des textes, **procédez synthétiquement** en menant les textes de front.

■ Construire la réponse

• Accompagnez chaque remarque d'**exemples précis** tirés des différents textes.

• **Structurez votre réponse** : encadrez-la d'une phrase d'**introduction**, qui situe les documents et reprend la question, et d'une brève **conclusion**, qui rappelle l'intérêt des éléments analysés.

CORRIGÉ **45**

Les titres en couleur et les indications entre crochets servent à guider la lecture mais ne doivent pas figurer sur la copie.

Introduction

[Présentation du corpus et problématique] La littérature dispose de moyens très variés pour faire réfléchir le lecteur sur lui-même et sur son monde. Tantôt un écrivain part de son expérience vécue comme le philosophe humaniste Montaigne qui, au XVIe siècle, relate dans ses *Essais* une rencontre originale qu'il fit à Rouen ; tantôt il invente des fictions qui suscitent la réflexion : le libertin du XVIIe Cyrano de Bergerac imagine un monde de fantaisie dans *L'Autre Monde ou Histoire comique des États et Empires de la Lune et du Soleil* ; Voltaire, au siècle des Lumières, raconte dans son conte philosophique *Micromégas* les tribulations d'un géant sur terre et M. Tournier, dans son roman *Vendredi ou La Vie sauvage*, réécrit l'histoire de Robinson inventée par Defoe. Quels choix ont opérés ces divers écrivains pour susciter la réflexion sur l'être humain et le monde ?

I. La confrontation de mondes et de personnages étrangers

Observez
Vous devez présenter les textes du corpus et en donner brièvement le contenu dans l'introduction de votre réponse.

• Les quatre auteurs confrontent deux mondes, le monde humain occidental et un « autre » monde, étranger, au mode de vie différent, à l'occasion d'un voyage d'un des personnages mentionnés.

• Tantôt c'est un humain qui se rend dans un pays étranger : le héros narrateur de *L'Autre monde…* (Cyrano) s'est envolé vers le Soleil, dans un monde fictif animal d'oiseaux civilisés ; dans le roman de Tournier, Robinson a échoué dans une île lointaine, présenté comme réelle, mais sauvage et déserte où il rencontre un indigène, Vendredi.

• Tantôt au contraire c'est un étranger qui voyage dans l'Europe civilisée : dans les *Essais*, ce sont « trois [Cannibales] » – bien réels, car Montaigne les a réellement rencontrés – qui visitent Rouen ; dans *Micromégas*, il s'agit d'un personnage fictif, un géant extraterrestre, qui parcourt la Terre.

QUESTION DE L'HOMME

• Ce procédé permet de jeter un regard neuf, naïf et décapant sur ce qui, vu d'ici, ne nous choque plus par habitude : le respect inconditionnel dû au roi (Montaigne et Bergerac), la guerre (Voltaire et Tournier)... et d'opérer un renversement des clichés et des certitudes. Ce décalage du regard incite à la réflexion.

II. Une argumentation indirecte proche de l'apologue

• Les quatre auteurs adoptent la forme narrative, ce qui donne à leurs textes l'allure d'apologues, avec des personnages et des paroles rapportées qui rendent la démonstration vive et efficace.

• Le système des personnages s'organise en deux « partis » : ceux qui, contre toute attente, ont le savoir (la pie, les sauvages, le philosophe du conte), et les autres qui, eux, « apprennent » (les Européens et le philosophe Montaigne, le héros-narrateur de Bergerac, le géant, Robinson). Derrière les paroles didactiques de ces « maîtres » fictifs se profilent indirectement les opinions des auteurs.

III. Registres divers et vocabulaires contrastés

Mais les auteurs ne recourent pas aux mêmes registres.

• Bergerac et Voltaire optent pour un registre plaisant : le géant du conte de Voltaire fait sourire et le monde surprenant d'animaux qui « singent » la société des hommes chez Cyrano est plein de fantaisie. Montaigne (à part dans la dernière phrase, ironique) et Tournier choisissent un registre sérieux qui donne de l'authenticité au récit.

• Par le jeu sur les mots péjoratifs (pour le vieux monde civilisé) et les mots mélioratifs (pour le monde « nouveau » de « l'autre »), les auteurs font d'une part la critique de notre société (« corruptions, ruine, décharnés, pauvres, nécessiteuses » ; « aux plus cruels, guerre, injustices » ; « fous, méchants, malheureux, rage forcenée » ; « la moins jolie, méchante ») et d'autre part l'éloge d'une société idéale utopique (« tranquillité, bonheur » ; « le plus pacifique, fort doux » ; « joies bien pures, bonheur » ; « belle et silencieuse, fête ») qui met en valeur les dysfonctionnements de notre société.

Conclusion

Ces quatre textes mettent en évidence l'efficacité du procédé de l'œil neuf et de la confrontation entre deux mondes pour faire réfléchir le lecteur sur lui-même et son monde dont l'habitude l'empêche de discerner les défauts, les vices et les absurdités.

Amérique du Nord • Juin 2016
Série L • 16 points

Littérature et vision du monde

■ Commentaire

▶ **Vous commenterez le texte B (Cyrano de Bergerac).**

Se reporter au document B du sujet n° 45.

LES CLÉS DU SUJET

■ Trouver les idées directrices

• Identifiez les caractéristiques du texte pour trouver les **idées directrices**.

> Roman de science-fiction (*genre*) qui raconte (*type de texte*) une rencontre entre le narrateur et une pie (*thème*) et argumente (*type de texte*) sur l'organisation politique (*thème*), humoristique, satirique (*registres*), pittoresque, vivant, amusant, critique, utopique (*adjectifs*), pour dépayser le lecteur, pour décrire une société idéale, pour critiquer le système politique européen civilisé (*buts*).

■ Pistes de recherche

L'attrait du dépaysement et de l'exotisme
• Analysez les caractéristiques du récit : situation, décor, personnages.
• Étudiez d'où vient l'étrangeté et l'**humour** de ce récit.
• Analysez le personnage du **roi** et les **pratiques** décrites.

Une république utopique idéale
• Étudiez les différentes composantes du régime politique des oiseaux.
• Quelles sont les valeurs de cette société idéale ?

Une satire politique implicite mais virulente de notre monde
• Quels sont les **rapports** entre la pie et le narrateur ?
• Montrez que la pie dresse le **réquisitoire** des sociétés humaines.
• Quels **griefs** leur adresse-t-elle ?
▶ **Pour réussir le commentaire** : voir guide méthodologique.
▶ **La question de l'homme** : voir mémento des notions.

CORRIGÉ 46

Les titres en couleur et les indications entre crochets servent à guider la lecture mais ne doivent pas figurer sur la copie.

Introduction

[Amorce] Dans la lignée de l'*Histoire véritable* de l'écrivain grec Lucien (IIe siècle), où le personnage voyage sur la Lune, ou de l'*Utopia* de l'humaniste Thomas More, Cyrano de Bergerac, écrivain et scientifique libertin du XVIIe siècle, écrit *L'Autre Monde* ou *Histoire comique des États et Empires du Soleil*, roman burlesque et fantaisiste, précurseur de la science-fiction : le narrateur-héros, un humain, voyage sur la Lune et sur le Soleil. Au fil de ses découvertes, il a des conversations philosophiques avec les habitants de ces mondes lointains. [Présentation du texte] Sur le Soleil, au cours d'une discussion avec une pie, il découvre un nouveau système politique et social, la République des Oiseaux. [Problématique] Mais le texte dépasse l'anecdote, il prend des allures d'apologue et propose plusieurs niveaux de lecture. [Annonce des axes] Le récit qui dépayse le lecteur en le faisant voyager dans un monde fantaisiste [I] dessine, à travers le discours de la pie, les contours d'une société idéale, utopique, très en avance sur son temps [II] et dresse implicitement la satire de l'organisation sociale et politique de notre monde [III].

> **Conseil**
> Pensez à prendre en compte dans votre analyse la date à laquelle le texte a été écrit. En effet, le contexte peut vous apporter des éléments de compréhension.

I. L'attrait du dépaysement et de l'exotisme

1. Mi-oiseaux, mi-humains

• Le pittoresque du passage tient au cadre et à la nature des personnages. Le lecteur se trouve transporté dans un monde où toutes sortes d'« oiseaux » – « pie, aigle, moineaux, colombe » – vivent dans les « rameaux » des arbres – « if, cyprès » au bord d'un « étang ». Ces oiseaux ont des « ailes » ; la pie interrompt le narrateur de sa « patte » ; et, tout logiquement, ils se distinguent par leur « voix » (leur chant).

• Mais, en même temps, ces oiseaux semblent étrangement humains. L'aigle vient « s'asseoir » (et non se percher), il a les « pieds » liés ; les moineaux sont des « musiciens ». Ils sont aussi dotés de la parole – ils savent même « justifie[r] » la raison de leurs démarches – et de sentiments : il est question de « haine », de vengeance, de « chagrin », d'« humeur pacifique », de « tristesse », de « tragique »… Ils ont aussi un système « politique » qui semble organisé selon des critères humains : ils tiennent des « États » (= des assemblées), ils ont un « gouvernement », des « élections », un « roi ».

• Ce mélange de caractéristiques animales et humaines amène Cyrano à modifier avec humour certaines expressions figurées de notre monde pour les adapter à ce nouvel univers : ainsi « mourir de chagrin » devient alors l'amusant pléonasme « mort triste » ; « être pieds et poings liés » devient « pieds et ailes liés » et l'expression « jeter à l'eau [le roi] » rappelle l'expression « faire tomber un roi » !

2. Un étrange monarque

• Mais, s'il répond bien au titre de « roi », leur « souverain » doit paraître bien étrange aux Européens de l'époque car en tout point opposé au roi qui règne alors en France, comme le souligne l'erreur du narrateur qui prend l'aigle pour le roi et qui, « sottement » – comme le lui dit la pie – veut se « mettre à genoux devant lui ». « Notre politique est bien autre », avertit-elle.

• Le groupe ternaire de superlatifs qui qualifie leur roi – « le plus faible, le plus doux, le plus pacifique », trois qualités explicitées et justifiées dans la fin du paragraphe – crée la surprise et s'oppose à un autre groupe ternaire qui caractérise en contraste les souverains des hommes : « aux plus forts, aux plus grands, aux plus cruels ».

3. D'étranges pratiques

• Enfin, certaines pratiques semblent fort curieuses, comme le « supplice de la mort triste ». La musique et le chant ont le pouvoir non de divertir et de plaire, mais produisent des effets « psychosomatiques » qui « désordonn[ent] l'économie [des] organes et press[ent] le cœur » jusqu'à la mort.

II. Une république utopique idéale

Mais derrière cette fantaisie, à travers le discours didactique de la pie, se dessine l'image d'une vie politique et sociale idéale, pleine de sagesse, mais en tout point contraire à celle des hommes, comme le marquent l'opposition entre les indices personnels de la deuxième et de la première personne (« vous, vous autres hommes, vos/notre, nous ») et les antithèses.

1. Une république démocratique

• L'organisation politique décrite correspond en tout point à celle d'une république démocratique. En effet, elle repose sur une « élection » (et non sur une monarchie héréditaire de droit divin) à laquelle participe tout le peuple : « nous […] choisissons » renvoie au suffrage universel, comme le soulignent la fréquence du pronom « nous » et les expressions « où tout le monde est reçu » et « tous les oiseaux ».

QUESTION DE L'HOMME

• Cette vie politique est précisément balisée et réglée. L'élection est relativement fréquente : « tous les six mois » et c'est « chaque semaine » que se « tiennent les États » qui durent « une journée » et se déroulent toujours dans un même lieu (« au sommet d'un grand if » qui n'est pas sans rappeler, de façon humoristique le « grand chêne » au pied duquel Saint Louis rendait la justice !). Les procès se tiennent lors de ces États.

2. Un roi soumis et sous surveillance

• C'est la volonté de tous et de chacun (« seulement trois oiseaux », quelqu'un d'« eux ») qui peut infléchir la vie politique en cas d'erreur, comme en témoignent les champs lexicaux du choix et du changement : « choisissons (deux fois), dépossédé, nouvelle (élection), changeons, prenons, voulons ».

• Ainsi le roi, loin d'être un monarque absolu, est soumis « pieds et ailes liés » – l'expression est amusante ! – à la décision de son peuple qui peut s'en « venger » ; il peut être destitué à tout moment.

3. Une république pacifique et mesurée

• L'identité du monarque qui guide ce monde d'oiseaux lors de la visite du narrateur est symbolique : il s'agit d'une « colombe », emblème de la paix et de la concorde, « dont l'humeur est si pacifique » (l'adjectif est utilisé deux fois) qu'elle ne conçoit pas l'existence de la violence et ne comprend pas « ce que c'était qu'inimitiés ».

• Du reste son rôle est « d'accorder » (= réconcilier) deux moineaux », preuve qu'elle est, comme le souhaitent les oiseaux, « fort dou[ce] ». C'est aussi un monde dont les passions sont exclues : le roi est choisi tel qu'il « ne haïsse ni ne se fasse haïr de personne ».

• Certes, la peine de mort existe mais elle n'est utilisée que dans le but de punir le roi s'il est vraiment « coupable du dernier supplice » ou de châtier tout oiseau qui l'aurait accusé à tort. Quoi qu'il en soit, tous essaient d'éviter « une mort si cruelle » et « un tel spectacle n'arrive guère ». Elle n'existe donc que comme menace et pour sa force dissuasive.

III. Une satire implicite mais virulente de notre monde

En filigrane se dessine une satire implicite du monde des humains.

1. Une pie critique et un narrateur-homme remis à sa place

La pie semble donner une leçon au narrateur.

• Son discours, très didactique, est rigoureusement structuré. Après avoir remis à sa place son auditeur, elle progresse de la théorie à l'exemple : elle explique l'organisation politique générale des oiseaux, puis l'illustre par la description de la « mort triste » pour conclure sur le portrait du roi idéal. Elle observe une progression du plus général au plus précis, marquée par les précisions temporelles : « tous les six mois », « chaque semaine », « la journée ».

• En face de cette pie qui sait raisonner, le narrateur (et avec lui les hommes) ne fonde son jugement que sur des croyances ou des imaginations (« pensiez-vous donc », « c'est une imagination », « vous avez sottement *cru* »).

2. La critique des humains

• Mais l'exposé tient aussi du réquisitoire. La pie ne cesse d'égratigner la société des humains qu'elle désigne avec mépris par l'expression « vous autres hommes », dénonçant ainsi leur anthropocentrisme et leur intolérance (« vous avez sottement cru, jugeant de toutes choses par vous »).

• La pie condamne la guerre de façon très explicite comme le pire des fléaux à travers la périphrase et la métaphore qui la désignent en fin de paragraphe : « le canal de toutes les injustices ». Elle la présente comme la conséquence du mauvais choix des rois chez les humains. En effet, si les deux adjectifs qui les désignent comme « [les] plus grands, [les] plus forts » peuvent paraître laudatifs, le dernier qualificatif « [les] plus cruels » annule toute connotation positive des deux premiers et établit le lien entre le monarque et la guerre.

• Par ailleurs, la description du système politique des oiseaux comme une république montre bien que la monarchie est présentée comme obsolète : le roi des oiseaux n'a en fait plus rien d'un roi européen.

• Enfin, à la base de cette situation, la pie met en cause la soumission aveugle des hommes qui « laisse[nt] commander » à ceux qui ne le méritent pas.

Conclusion

Le roman de Cyrano, apparemment plaisant et pittoresque, aborde en fait des sujets très sérieux et osés. Parodie des récits de voyage et des éloges à la mode, mais aussi apologue ; [Ouverture] il ouvre la voie, par sa stratégie, son humour et sa fantaisie, au conte philosophique du XVIIIe siècle, comme *Candide*, et aussi au roman de science-fiction du XIXe siècle.

QUESTION DE L'HOMME

Littérature et vision du monde

■ Dissertation

▶ **Comment la littérature amène-t-elle le lecteur à faire évoluer sa vision du monde ?**
Vous appuierez votre développement sur les textes du corpus et les textes étudiés pendant l'année, ainsi que sur vos lectures personnelles.

Les textes du corpus sont reproduits dans le sujet n° 45.

LES CLÉS DU SUJET

■ Comprendre le sujet

• Les mots qui indiquent le **thème général** sont : « faire évoluer sa vision du monde ». Cela renvoie à la question de l'homme et vous met aussi sur la voie de la littérature d'idées (éventuellement engagée).

• « La littérature » = les textes qui témoignent d'un travail sur la langue et les mots et d'une mise en « forme » (cela exclut les textes de « consommation », scientifiques ou techniques).

• La **perspective, l'angle d'attaque** : « amène-t-elle à » = permet-elle de (faire évoluer). Il s'agit de juger l'efficacité de la littérature.

• « comment » signifie : *par quels moyens* mais aussi *pour quelles raisons* ? et suggère de chercher les atouts et les avantages qui rendent la littérature efficace.

• La **problématique générale** est : par quels moyens, grâce à quelles caractéristiques/comment la littérature permet-elle de changer la vision que nous avons du monde ?

• Le sujet n'invite pas à la discussion (pas de plan dialectique : thèse-antithèse-synthèse). On ne vous demande pas : « **Est-ce que** la littérature amène à faire évoluer… » mais « **comment… ?** ». Le plan s'articulera autour des différents moyens de la littérature pour argumenter.

■ **Chercher des idées**

• Mettez en relation cette question avec **les grands thèmes de la question de l'Homme**. Le « **monde** » signifie : l'homme, moi et l'autre, la nature, la société (famille, milieu et mœurs, travail, nation…) et les valeurs d'ordre religieux, éthique… qui fondent les notions de bonheur, pouvoir, liberté…

• La littérature est un art aux **moyens multiples** – genre, registre, type de texte, mais aussi type de raisonnement pratiqués, procédés de style…

• Les réponses à « par quels moyens… ? » débuteront par « *par*… » (*par* la variété des approches possibles)/(*par* le recours à l'imagination)/… ; les réponses à « comment… ? » débuteront par « *en + un verbe* » (*en faisant* appel à l'imagination)/(*en simplifiant*)/…

• **Les exemples.** Faites la liste des genres et des registres, des textes que vous connaissez qui abordent la condition de l'homme. Utilisez le corpus mais ne vous limitez pas à ses textes. Pensez au roman, au théâtre, à la poésie.

CORRIGÉ 47

Les titres en couleur et les indications entre crochets servent à guider la lecture mais ne doivent pas figurer sur la copie. Certains passages du corrigé se présentent sous forme de plan que vous pouvez vous exercer à rédiger.

Introduction

[Amorce] « On lit pour découvrir une vision du monde », affirme la romancière Amélie Nothomb. [Problématique] Si la littérature, par la mise en forme et le travail sur le langage qu'elle implique, est un support privilégié pour se forger une vision du monde et explorer en profondeur les questions graves de l'homme, c'est que les écrivains disposent de formes et de moyens extrêmement variés pour mener cette réflexion. [Annonce des axes] À la fois hommes et artistes, ils peuvent, par diverses stratégies, amener le lecteur à une nouvelle *perception* esthétique et sensorielle de la réalité qui l'entoure, [I] et, en conséquence, le pousser à faire évoluer sa *conception* du monde [II]. La littérature pourrait alors faire prévaloir de nouvelles valeurs morales et nous inciter à l'*action* [III].

QUESTION DE L'HOMME

I. La littérature fait évoluer *notre perception* esthétique et sensorielle du monde

1. L'écrivain, un homme autre, s'implique et présente *sa* vision du monde

• Le lecteur n'a qu'une vision du monde, la sienne. L'écrivain, qui est homme lui aussi, mais qui est autre, par son implication personnelle, propose une autre vision du monde, la sienne propre (exemple à rédiger : texte de Montaigne) et invite le lecteur à la partager.

• Pierre Emmanuel : « Chaque grand [écrivain] intègre le monde d'une façon qui n'est qu'à lui » (*Les Nouvelles littéraires*).

2. L'écrivain, en artiste, invente et propose une autre façon de voir le monde

• L'écrivain est aussi un artiste : plus sensible, comme le peintre, le compositeur ou le cinéaste, il nous propose une autre vision, travaillée et inspirée : il réinvente le monde et change notre façon de le voir.

• Il sait, comme le dit Cocteau, « montre[r] nues, sous une lumière qui secoue la torpeur, les choses surprenantes qui nous environnent et que nos sens enregistraient machinalement » (*Le Secret professionnel*). (Exemples personnels).

• Par sa vision originale, grâce à la littérature (la poésie par exemple), « le monde (qui n'a pas été créé une fois, mais aussi souvent qu'un artiste original est survenu) nous apparaît entièrement différent de l'ancien, mais parfaitement clair » (Proust, *Le Côté de Guermantes*, II, chap. 1, 1920).

• La preuve en est que la langue invente alors des mots qui caractérisent la vision originale des grands écrivains (« rabelaisien, voltairien, hugolien, proustien… ») ou marquent l'originalité d'une création (on parle d'« un Gavroche », d'« un Tartuffe »…).

3. Les moyens ?

L'écrivain dispose de multiples moyens dans sa façon d'écrire et de décrire pour ouvrir les yeux du lecteur sur le monde.

• La description inhabituelle grâce aux images : Ponge dans *Le Parti pris des choses* nous fait voir le pain différemment. Montaigne donne à imaginer « ce cours admirable de la voûte céleste, la lumière éternelle de ces flambeaux roulant si fièrement sur sa tête ». Pascal, évoquant les deux Infinis, conduit le lecteur dans la contemplation vertigineuse de l'infiniment grand et de l'infiniment petit par des images saisissantes.

• Le recours à l'imagination : La Fontaine et son monde animal (fables) ; texte de Cyrano de Bergerac. La vision épique du monde : Zola et le monde de la mine (Le défilé des mineurs : « Du pain ! Du pain ! » dans *Germinal* ; les Halles dans *Le Ventre de Paris*...)

II. La littérature fait évoluer *notre conception* du monde d'un point de vue humain

Cette nouvelle *perception* entraîne une nouvelle *conception* de soi et du monde.

1. À travers la littérature, le lecteur se découvre lui-même

• L'homme ne se voit pas lui-même. L'écrivain, par sa réflexion, lui renvoie son image et lui permet de mieux se découvrir lui-même. Il le fait :

– en renvoyant à des textes philosophiques (essais, dialogues... ; voir le « Connais-toi toi-même » de Socrate) ;

– ou en se peignant comme un exemple de la condition humaine, ce qui permet au lecteur de se reconnaître (principe de l'autobiographie : Montaigne, « Je suis moi-même la matière de mon livre »/« Chaque homme porte la forme entière de l'humaine condition » ; Préambule des *Confessions* de Rousseau) ;

– ou encore en opérant une plongée au fond de l'âme humaine et de ses mystères, donc de nous-mêmes (exemple des grands romanciers – Dostoïevski, Balzac – mais aussi des dramaturges qui analysent par exemple dans la tragédie la violence des passions).

2. À travers la littérature, le lecteur découvre l'Autre

• L'homme, par nature, est souvent intolérant, persuadé d'avoir la vérité, agressif et ne « voit » pas, ne regarde pas vraiment le monde et l'Autre. L'écrivain par sa sensibilité, sa réflexion, dépasse ce niveau primitif et lui fait découvrir l'Autre.

• En montrant au lecteur d'autres personnalités, d'autres cultures, d'autres mondes (qu'il ne côtoierait pas dans la vie réelle), la littérature l'invite à la comparaison, à l'autocritique, au relativisme. Exemples : romans, textes du corpus.

3. Les moyens ?

Les moyens littéraires pour proposer une nouvelle conception du monde sont variés.

• Les genres de l'argumentation directe (essai, traité ou discours) se prêtent à l'examen méthodique d'une notion, envisagent le pour et le contre avec rigueur. Exemples : les grands humanistes (XVIᵉ) ; Descartes, Pascal (XVIIᵉ) ; Rousseau ; voir aussi les dialogues qui organisent un débat de façon dialectique et éclairante (*Le Dialogue du Chapon et de la Poularde* de Voltaire aborde la cruauté des hommes, plus bestiaux que les bêtes).

QUESTION DE L'HOMME

• Les genres de l'argumentation indirecte et de la fiction (apologues – fables, conte philosophique, utopie ; cf. textes de Bergerac, de Voltaire…) mêlent plaisir du récit et réflexion. Ils abordent avec fantaisie des sujets sérieux (malheur/bonheur ; pouvoir ; place de l'homme dans l'univers – *Micromégas* de Voltaire, *Le Petit Prince* de Saint-Exupéry) et incitent le lecteur à tirer lui-même la « leçon » du récit.

• Au théâtre, les diverses visions du monde sont d'autant plus frappantes qu'elles sont incarnées par les personnages (parfois véritables porte-parole de l'auteur). Marivaux ou Beaumarchais font la satire du monde politique ou social en donnant la parole aux « opprimés » (femmes, domestiques, esclaves).

III. Faire évoluer notre vision du monde pour inciter à l'action

Cette partie est volontairement réduite, car elle doit exploiter les connaissances apprises en cours au fil des textes étudiés. Elle donne des pistes.

1. La littérature comme remise en question de soi-même et comme ouverture

• Ces multiples moyens dont disposent les écrivains – qui ouvrent de nouveaux horizons au lecteur – l'amènent à prendre conscience de ses erreurs, éventuellement de son aveuglement [exemples].

• Ils lui ouvrent les yeux sur les bons côtés du monde qui l'entoure mais aussi sur des défauts et l'incitent à modifier en conséquence ses valeurs humaines pour mieux vivre en société avec ses semblables (tolérance, bonheur…).

• Cependant leur efficacité sera d'autant plus grande que l'écrivain adapte judicieusement sa stratégie au public qu'il vise et au contexte de son écriture : on n'écrit pas pour des lecteurs du XVIIe siècle comme pour ceux du XXe siècle, pour des philosophes comme pour un large public… [idée à développer à l'aide d'exemples].

2. La littérature incite à l'action : l'écrivain comme modèle à suivre

• La littérature cherche à faire évoluer le lecteur dans sa conception morale du monde ; elle peut aussi l'inciter à tirer les conclusions concrètes de son expérience littéraire et à modifier son comportement dans ce monde qu'il connaît désormais mieux.

• La littérature engagée, dont l'efficacité vient de son impact sur nos émotions (recours au pathétique, par exemple), fait prendre conscience en dénonçant les abus (travail des enfants dans « Melancholia » de Hugo), les atteintes à la liberté (voir les poètes résistants : Aragon, Desnos…), mais son but profond est de nous inciter à l'action.

• L'écrivain peut alors devenir un guide éclairé, voire un modèle à suivre (exemple : Hugo et sa défense des « misérables », son combat contre la peine de mort).

Conclusion

[Synthèse] Le vrai écrivain, homme et artiste, sait, en faisant feu de tout bois, éveiller les sens, les émotions, l'intelligence et la conscience de son lecteur pour l'amener à faire évoluer sa vision du monde et l'aider à mettre sa vie en conformité avec son appréhension de la réalité qui l'entoure.

[Élargissement] Mais n'est-ce pas là la mission de tout artiste – peintre, musicien ou cinéaste –, même si les moyens dont il dispose diffèrent selon l'art qu'il pratique ? Benigni dans son film *La vie est belle* et Primo Levi dans son témoignage autobiographique *Si c'est un homme* ont su, chacun selon des stratégies différentes, nous faire méditer profondément sur l'homme.

Méthode
Terminez votre conclusion par un élargissement de la problématique ; pour cela, faites appel à vos connaissances scolaires et extrascolaires (autres arts, actualité…)

QUESTION DE L'HOMME

48

Amérique du Nord • Juin 2016
Série L • 16 points

Littérature et vision du monde

■ Écriture d'invention

▶ Imaginez que Robinson, depuis son naufrage, tient un journal, sorte de carnet de bord où il consigne les événements marquants qui se produisent sur l'île, ses réflexions, ses états d'âme…

Vous rédigerez les pages de ce journal intime qui correspondraient à différents moments de découverte et de partage tels que celui évoqué dans le texte de Michel Tournier (texte D). Vous enrichirez cette évocation par une réflexion autour des éléments importants de l'existence humaine.

Le candidat peut s'appuyer sur les textes du corpus reproduits dans le sujet nº 45.

LES CLÉS DU SUJET

■ Comprendre le sujet

• **Genre du texte à produire :** « journal intime/carnet de bord ». Respectez-en les caractéristiques formelles.

• **Sujet/thème :** « les événements marquants qui se produisent sur l'île, ses réflexions, ses états d'âme… » ; « l'existence humaine ».

• **Type de texte :** « événements », « découverte », « expérience » → texte narratif ; « réflexions » : → texte argumentatif.

• **Niveau de langue :** ni trop soutenu ni trop familier.

• **Caractéristiques du texte à produire, à définir à partir de la consigne :**

> Extrait de journal intime (*genre*) de Robinson (*situation d'énonciation/auteur*) qui raconte (*type de texte*) des événements sur l'île (*thème*), qui rend compte (*type de texte*) de ses états d'âme (*thème*), qui argumente (*type de texte*) sur la condition humaine (*thème*), (*registre*) pour garder le souvenir de son séjour et réfléchir sur l'homme (*buts*).

■ Chercher des idées

• Il reste **des choix à faire**. C'est une réelle écriture d'invention, une sorte de réécriture, dans laquelle vous pouvez vraiment montrer votre créativité.

Le fond

• Chaque événement raconté doit être le départ d'une **analyse intérieure** psychologique (émotions, sentiments) mais aussi d'une **réflexion** (« éléments… de l'existence humaine »).

La forme

• **Journal intime** : dates précises ; utilisation de la 1re personne du singulier ; vocabulaire affectif ; vocabulaire de la réflexion.

• **Le registre** : au choix. Mais il peut être lyrique, pathétique, didactique.

CORRIGÉ 48

Nous vous proposons des extraits d'un devoir d'une élève de 1re L (L. C.) qui a composé en temps limité.

Mercredi 21 novembre 1759

Aujourd'hui nous avons terminé la forteresse. Nous y avons travaillé deux semaines, Vendredi et moi – je l'appelle ainsi car je l'ai trouvé un vendredi, c'est toujours mieux que « Eh ! » ou « Oh toi je te parle ! ». Je lui ai expliqué à quoi servait une forteresse, mais il ne comprend toujours pas son utilité. Ce n'est pas compliqué pourtant : défendre ses biens et ses propriétés est vital dans une société. Vendredi a encore beaucoup à apprendre ! Avec son aide j'ai aussi commencé à cultiver du maïs ; la période des moissons arrive dans quatre mois. Grâce à la poudre trouvée dans la caisse de Tenn j'ai fabriqué de la dynamite. J'en ai placé à des endroits précis autour de la forteresse, inaccessibles à Tenn pour qu'il ne fasse rien exploser et j'ai expliqué à Vendredi de ne pas marcher par là. La valeur d'un homme se mesure à sa force et à sa capacité à se défendre et, moi qui ai créé une nouvelle société dans mon île, je tiens à ne pas la voir détruite.

Jeudi 29 novembre 1759

Comme le temps passe vite ! Il y a exactement deux mois je suis arrivé ici. Je n'ai encore pas vu de bateau au loin, mais j'ai préparé des feux partout autour de l'île au cas où j'en apercevrais un. Vendredi a hâte de voir le « monde des barbus » comme il l'appelle – il est toujours fasciné par ma barbe. Bien qu'il progresse de jour en jour et semble mieux comprendre son rôle dans notre société, il se comporte parfois comme un enfant de cinq ans. L'autre jour, je l'ai retrouvé caché dans la fosse où j'avais découvert Tenn, en train de fumer un de mes cigares et de converser avec quelqu'un..., bien qu'il n'y eût personne.

Vendredi 7 décembre 1759

Je suis abasourdi, furieux et désespéré. J'ai tout perdu ! Tout mon travail parti en fumée ! Bien que Vendredi s'excuse depuis des heures, je n'ose lui répondre de peur de le frapper au sang, car je sais qu'il ne l'a pas fait exprès. Je l'avais prévenu mais il ne retient rien. Je suis comme lui maintenant : un simple sauvage prisonnier d'une île qu'il croyait sienne. L'explosion n'a duré qu'une seconde mais je peux encore entendre son bruit fracassant. Il ne me reste que mon carnet, un pot d'encre et ma plume que je garde toujours sur moi. Maintenant je ne vois plus l'utilité de m'appliquer : la vérité est que la société n'est qu'illusion ! Les calendriers ne me servent plus... De toute manière, qui me sauvera d'ici ? La supériorité entre moi et Vendredi n'a plus aucun sens quand je suis aussi démuni que lui. Dans la pauvreté, tous les hommes se ressemblent...

Un jour ensoleillé, je dirais en avril... ou mars, 1760

Cela fait longtemps que je n'ai pas utilisé ce carnet. Je l'ai retrouvé aujourd'hui dans la poche de mon pantalon, que je ne porte plus, car j'ai toujours chaud. Sa lecture m'a redonné l'envie d'écrire. Je me suis rendu compte que c'étaient cette « belle vie » et cette « société » qui m'empêchaient de trouver le bonheur. La dernière fois que j'ai écrit, le 7 décembre 1759, j'étais désespéré, je suis très heureux aujourd'hui. Vendredi et moi sommes devenus très proches depuis l'explosion. Voyant ma désolation, il m'a aidé à considérer la vie autrement. Au début, je refusais de la vivre comme lui, comme un « vulgaire jeu », mais j'ai finalement compris qu'il était peut-être cent fois plus intelligent que moi. Je ne regrette pas de m'être échoué ici et je ne me verrais heureux nulle part ailleurs. C'est seulement ici que je peux goûter à la liberté, sans règles et sans contraintes inutiles. J'ai réalisé que Vendredi n'est pas un sauvage, c'est un savant ami de la nature. Je me sens comme un jeune étudiant avide de savoir à côté de lui, toujours à l'écoute de ses récits. Il a su m'apprendre quelque chose que je n'aurais jamais cru ressentir un jour : l'émerveillement. Voilà ce qu'est « l'homme véritable » : celui qui ne cesse de s'émerveiller.

Célébrer la grandeur de l'être humain

■ Question

Documents

A – **Victor Hugo**, *Discours prononcé aux funérailles de M. Honoré de Balzac*, 29 août 1850.
B – **Émile Zola**, *Discours prononcé aux obsèques de Guy de Maupassant*, 7 juillet 1893.
C – **Anatole France**, *Éloge funèbre d'Émile Zola*, 5 octobre 1902.
D – **Paul Éluard**, *Allocution prononcée à la légation de Tchécoslovaquie à l'occasion du retour des cendres de Robert Desnos*, 15 octobre 1945.

▶ **Quelles sont les qualités des écrivains célébrés dans les textes du corpus ?**

Après avoir répondu à cette question, les candidats devront traiter au choix un des trois sujets n°s 50, 51 ou 52.

DOCUMENT A

Balzac est l'auteur de nombreux romans réunis sous le titre de Comédie humaine, somme de ses observations sur l'ensemble de la société de son temps.

M. de Balzac était un des premiers parmi les plus grands, un des plus hauts parmi les meilleurs. Ce n'est pas le lieu de dire ici tout ce qu'était cette splendide et souveraine intelligence. Tous ses livres ne forment qu'un livre, livre vivant, lumineux, profond, où
5 l'on voit aller et venir et marcher et se mouvoir, avec je ne sais quoi d'effaré et de terrible mêlé au réel, toute notre civilisation contemporaine ; livre merveilleux que le poète a intitulé comédie et qu'il aurait pu intituler histoire, qui prend toutes les formes et tous les styles, qui dépasse Tacite et qui va jusqu'à Suétone, qui traverse
10 Beaumarchais et qui va jusqu'à Rabelais[1] ; livre qui est l'observation et qui est l'imagination ; qui prodigue le vrai, l'intime, le bourgeois, le trivial, le matériel, et qui par moment, à travers toutes les réalités

brusquement et largement déchirées, laisse tout à coup entrevoir le plus sombre et le plus tragique idéal.

15 À son insu, qu'il le veuille ou non, qu'il y consente ou non, l'auteur de cette œuvre immense et étrange est de la forte race des écrivains révolutionnaires. Balzac va droit au but. Il saisit corps à corps la société moderne. Il arrache à tous quelque chose, aux uns l'illusion, aux autres l'espérance, à ceux-ci un cri, à ceux-là un masque.
20 Il fouille le vice, il dissèque la passion. Il creuse et sonde l'homme, l'âme, le cœur, les entrailles, le cerveau, l'abîme que chacun a en soi. Et, par un don de sa libre et vigoureuse nature, par un privilège des intelligences de notre temps qui, ayant vu de près les révolutions, aperçoivent mieux la fin de l'humanité[2] et comprennent mieux la
25 providence[3], Balzac se dégage souriant et serein de ces redoutables études qui produisaient la mélancolie chez Molière et la misanthropie chez Rousseau. Voilà ce qu'il a fait parmi nous. Voilà l'œuvre qu'il nous laisse, œuvre haute et solide, robuste entassement d'assises de granit, monument, œuvre du haut de laquelle resplendira désor-
30 mais sa renommée. Les grands hommes font leur propre piédestal ; l'avenir se charge de la statue.

Sa mort a frappé Paris de stupeur. Depuis quelques mois, il était rentré en France. Se sentant mourir, il avait voulu revoir la patrie, comme la veille d'un grand voyage on vient embrasser sa mère.
35 Sa vie a été courte, mais pleine ; plus remplie d'œuvres que de jours.

Hélas ! ce travailleur puissant et jamais fatigué, ce philosophe, ce penseur, ce poète, ce génie, a vécu parmi nous de cette vie d'orages, de luttes, de querelles, de combats, commune dans tous les temps
40 à tous les grands hommes. Aujourd'hui, le voici en paix. Il sort des contestations et des haines. Il entre, le même jour, dans la gloire et dans le tombeau. Il va briller désormais, au-dessus de toutes ces nuées qui sont sur nos têtes, parmi les étoiles de la patrie ! [...]

Victor Hugo, *Discours prononcé aux funérailles de M. Honoré de Balzac*, 29 août 1850.

---

1. Tacite, historien latin du Iᵉʳ siècle, auteur des *Annales* ; Suétone, biographe et auteur de la *Vie des douze César* (Iᵉʳ siècle) ; Beaumarchais, homme de lettres et dramaturge du XVIIIᵉ siècle ; Rabelais, humaniste du XVIᵉ siècle.
2. La fin de l'humanité : ce vers quoi tend l'humanité, sa finalité.
3. La providence : puissance supérieure, qui gouverne le monde, qui veille sur le destin des individus.

DOCUMENT B

Maupassant est un écrivain français né en 1850 et mort en 1893.

Messieurs,

C'est au nom de la Société des Gens de Lettres et de la Société des Auteurs dramatiques que je dois parler. Mais qu'il me soit permis de parler au nom de la littérature française, et que ce ne soit pas
5 le confrère, mais le frère d'armes, l'aîné, l'ami qui vienne ici rendre un suprême hommage à Guy de Maupassant.

J'ai connu Maupassant, il y a dix-huit à vingt ans déjà, chez Gustave Flaubert. Je le revois encore, tout jeune, avec ses yeux clairs et rieurs, se taisant, d'un air de modestie filiale, devant le maître. Il
10 nous écoutait pendant l'après-midi entière, risquait à peine un mot de loin en loin ; mais de ce garçon solide, à la physionomie ouverte et franche, sortait un air de gaîté si heureuse, de vie si brave, que nous l'aimions tous, pour cette bonne odeur de santé qu'il nous apportait. Il adorait les exercices violents ; des légendes de prouesses
15 surprenantes couraient déjà sur lui. L'idée ne nous venait pas qu'il pût avoir un jour du talent.

Et puis éclata *Boule-de-Suif*, ce chef-d'œuvre, cette œuvre parfaite de tendresse, d'ironie et de vaillance. Du premier coup, il donnait l'œuvre décisive, il se classait parmi les maîtres. Ce fut une de
20 nos grandes joies ; car il devint notre frère, à nous tous qui l'avions vu grandir sans soupçonner son génie. Et, à partir de ce jour, il ne cessa plus de produire, avec une abondance, une sécurité, une force magistrale, qui nous émerveillaient. Il collaborait à plusieurs journaux. Les contes, les nouvelles se succédaient, d'une variété infi-
25 nie, tous d'une perfection admirable, apportant chacun une petite comédie, un petit drame complet, ouvrant une brusque fenêtre sur la vie. On riait et l'on pleurait, et l'on pensait, à le lire. Je pourrais citer tels de ces courts récits qui contiennent, en quelques pages, la moelle même de ces gros livres que d'autres romanciers auraient
30 écrits certainement. Mais il me faudrait tous les citer, et certains ne sont-ils pas déjà classiques, comme une fable de La Fontaine ou un conte de Voltaire ?

Maupassant voulut élargir son cadre, pour répondre à ceux qui le spécialisaient, en l'enfermant dans la nouvelle ; et, avec cette énergie
35 tranquille, cette aisance de belle santé qui le caractérisait, il écrivit des romans superbes, où toutes les qualités du conteur se retrouvaient comme agrandies, affinées par la passion de la vie. Le souffle lui était venu, ce grand souffle humain qui fait les œuvres passionnantes et

vivantes. Depuis *Une vie* jusqu'à *Notre Cœur*, en passant par *Bel-*
40 *Ami*, par *La Maison Tellier* et *Fort comme la Mort*, c'est toujours la
même vision forte et simple de l'existence, une analyse impeccable,
une façon tranquille de tout dire, une sorte de franchise saine et
généreuse qui conquiert tous les cœurs. Et je veux même faire une
place à part à *Pierre et Jean*, qui est, selon moi, la merveille, le joyau
45 rare, l'œuvre de vérité et de grandeur qui ne peut être dépassée. [...]

Émile Zola, *Discours prononcé aux obsèques*
de Guy de Maupassant, 7 juillet 1893.

DOCUMENT C

Chef de file du naturalisme, Zola est l'auteur d'une vaste fresque roma-
nesque, Les Rougon-Macquart. *À travers les nombreux personnages de*
cette famille, il dépeint la société française sous le Second Empire.

Messieurs,

Rendant à Émile Zola au nom de ses amis les honneurs qui lui
sont dus, je ferai taire ma douleur et la leur. Ce n'est pas par des
plaintes et des lamentations qu'il convient de célébrer ceux qui
5 laissent une grande mémoire, c'est par de mâles louanges et par la
sincère image de leur œuvre et de leur vie.

L'œuvre littéraire de Zola est immense. Vous venez d'entendre le
président de la Société des gens de lettres en définir le caractère avec
une admirable précision. Vous avez entendu le ministre de l'Ins-
10 truction publique en développer éloquemment le sens intellectuel et
moral. Permettez qu'à mon tour je la considère un moment devant
vous.

Messieurs, lorsqu'on la voyait s'élever pierre par pierre, cette
œuvre, on en mesurait la grandeur avec surprise. On admirait, on
15 s'étonnait, on louait, on blâmait. Louanges et blâmes étaient pous-
sés avec une égale véhémence[1]. On fit parfois au puissant écrivain
je le sais par moi-même des reproches sincères, et pourtant injustes.
Les invectives[2] et les apologies[3] s'entremêlaient. Et l'œuvre allait
grandissant.

20 Aujourd'hui qu'on en découvre dans son entier la forme colossale, on reconnaît aussi l'esprit dont elle est pleine. C'est un esprit de
bonté. Zola était bon. Il avait la candeur et la simplicité des grandes
âmes. Il était profondément moral. Il a peint le vice d'une main
rude et vertueuse. Son pessimisme apparent, une sombre humeur
25 répandue sur plus d'une de ses pages cachent mal un optimisme

réel, une foi obstinée au progrès de l'intelligence et de la justice.
Dans ses romans, qui sont des études sociales, il poursuivit d'une
haine vigoureuse une société oisive, frivole, une aristocratie basse
et nuisible, il combattit le mal du temps : la puissance de l'argent.
30 Démocrate, il ne flatta jamais le peuple et il s'efforça de lui montrer les servitudes de l'ignorance, les dangers de l'alcool qui le livre
imbécile et sans défense à toutes les oppressions, à toutes les misères,
à toutes les hontes. Il combattit le mal social partout où il le rencon-
tra. Telles furent ses haines. Dans ses derniers livres, il montra tout
35 entier son amour fervent de l'humanité. Il s'efforça de deviner et de
prévoir une société meilleure. [...]

Anatole France, Éloge funèbre d'Émile Zola, 5 octobre 1902.

---

1. Véhémence : emportement.
2. Invectives : discours violents et injurieux contre quelqu'un ou quelque chose.
3. Apologie : discours ou écrit ayant pour objet de défendre, de justifier et, le cas échéant, de
faire l'éloge d'une personnalité ou d'une cause contre des attaques publiques.

DOCUMENT D

*Paul Éluard et Robert Desnos ont tous deux participé à la Résistance.
Desnos a été interné dans le camp de concentration de Terezin. Très affai-
bli par les conditions de sa détention, il est mort du typhus peu de temps
après la libération du camp au printemps 1945.*

[...] Robert Desnos, lui, n'aura connu votre pays que pour y mourir. Et ceci nous rapproche encore plus de vous. Jusqu'à la mort, Desnos
a lutté pour la liberté. Tout au long de ses poèmes, l'idée de liberté court
comme un feu terrible, le mot de liberté claque comme un drapeau
5 parmi les images les plus neuves, les plus violentes aussi. La poésie de
Desnos, c'est la poésie du courage. Il a toutes les audaces possibles de
pensée et d'expression. Il va vers l'amour, vers la vie, vers la mort sans
jamais douter. Il parle, il chante très haut, sans embarras. Il est le fils
prodigue d'un peuple soumis à la prudence, à l'économie, à la patience,
10 mais qui a quand même toujours étonné le monde par ses colères
brusques, sa volonté d'affranchissement et ses envolées imprévues.

Il y a eu en Robert Desnos deux hommes, aussi dignes d'admiration l'un que l'autre : un homme honnête, conscient, fort de ses
droits et de ses devoirs et un pirate tendre et fou, fidèle comme pas
15 un à ses amours, à ses amis, et à tous les êtres de chair et de sang dont
il ressent violemment le bonheur et le malheur, les petites misères et
les petits plaisirs.

QUESTION DE L'HOMME

Desnos a donné sa vie pour ce qu'il avait à dire. Et il avait tant à dire. Il a montré que rien ne pouvait le faire taire. Il a été sur la place
20 publique, sans se soucier des reproches que lui adressaient, de leur tour d'ivoire, les poètes intéressés à ce que la poésie ne soit pas ce ferment[1] de révolte, de vie entière, de liberté qui exalte les hommes quand ils veulent rompre les barrières de l'esclavage et de la mort.

Paul Éluard, *Allocution prononcée à la légation de Tchécoslovaquie à l'occasion du retour des cendres de Robert Desnos*, 15 octobre 1945. DR.

_____

1. Ferment : germe qui fait naître un sentiment.

LES CLÉS DU SUJET

■ Comprendre la question

• Les discours sont tous des **éloges funèbres, genre épidictique**, qui insistent généralement sur les points positifs, les « **qualités** » du défunt, aussi bien celles de l'homme (qualités physiques et morales) que celles de l'écrivain (qualité littéraires et artistiques). Il s'agit de considérer « **l'homme et l'œuvre** ».

■ Construire la réponse

• Relevez et analysez les **expressions mélioratives** – hyperboles, images positives – et classez-les selon le type de qualités qu'elles soulignent.
• **Ne juxtaposez pas l'analyse des textes**, mais procédez par comparaison entre ceux-ci.
• Accompagnez chaque remarque d'**exemples précis** tirés des différents textes.

CORRIGÉ 49

Les titres en couleurs et les indications entre crochets servent à guider la lecture mais ne doivent pas figurer sur la copie.

Introduction

[Présentation du corpus] L'éloge funèbre est un genre auquel s'exerçaient déjà les orateurs de l'Antiquité. Les discours proposés ici sont assez proches chronologiquement (entre 1850 à et 1945) et ils sont prononcés en public par des écrivains qui célèbrent les qualités d'un confrère disparu : Hugo, en 1850, rend hommage à Balzac, auteur de la *Comédie Humaine* ; Zola évoque, en 1893, son « frère d'armes » en littérature, le romancier Maupassant ; neuf ans plus tard, Anatole France prononce l'éloge funèbre de Zola, créateur des *Rougon Macquart* ; enfin, en 1945, Éluard commémore le « retour des cendres de Robert Desnos », le poète. Les orateurs ne se bornent pas à louer l'œuvre du défunt, ils font aussi l'éloge de l'homme.

Les qualités des écrivains : l'homme

• Les orateurs dressent le portrait d'un homme dont ils ont été proches : Zola a « connu » Maupassant, « ami » et « frère d'armes » (ils font partie du mouvement naturaliste) ; Anatole France se met au rang des « amis » de Zola ; Éluard et Desnos ont été des poètes résistants.

• Les éloges mentionnent peu de qualités physiques (seul, Zola insiste sur la vigueur physique de Maupassant, « garçon solide », aux « yeux clairs et rieurs », amateur d'« exercices violents »). Ils insistent sur les qualités morales et intellectuelles : « énergie tranquille », « passion de la vie », franchise et « gaîté » de Maupassant ; « souveraine intelligence » et sérénité de Balzac ; bonté de Zola, qui « avait la candeur et la simplicité des grandes âmes » et qu'animaient un « optimisme réel », « une foi obstinée au progrès » et un « amour fervent de l'humanité » ; « courage » d'un Desnos « honnête homme », « tendre et fou », engagé « pour la liberté » et « fidèle comme pas un à ses amours, à ses amis », « à tous les êtres ».

Les qualités d'écrivain : l'artiste et son œuvre

Cependant les orateurs, qui parlent « au nom de la littérature française », soulignent surtout les qualités littéraires de l'« œuvre » et, « par de mâles louanges », ils recourent aux figures de l'art oratoire – hyperboles, énumérations, images saisissantes, rythmes amples des phrases.

• Les défunts possèdent les ressources qui font les grands écrivains : dons d'« observation » et d'« imagination » conjugués à une puissance de travail phénoménale et à des qualités d'analyse minutieuse pour Balzac qui « creuse et sonde l'homme, l'âme, le cœur » avec la perspicacité d'un voyant ; Maupassant combine « génie », « talent », « force magistrale » et « analyse impeccable » ; Zola compose dans ses romans des « études sociales » qui révèlent ses dons d'analyste et sa clairvoyance ; Desnos « a toutes les audaces [...] de pensée et d'expression ».

• En conséquence leurs œuvres sont dignes des plus grands éloges (« merveilleu[se] », « parfaite », « décisive », « admirable », « superbe », passionnante », « immense ») et sont de vrais « monument[s] » au sens propre

(« robuste entassement d'assises de granit » pour Balzac, œuvre élevée « pierre par pierre » pour Zola).

• À cette « grandeur » s'ajoutent l'abondance et la « variété infinie » soulignées par de nombreuses énumérations : l'œuvre de Balzac « prend toutes les formes, tous les styles » ; Maupassant est à fois « conteur » et romancier au « souffle » puissant ; Zola raconte « toutes les oppressions, [...] toutes les misères, [...] toutes les hontes... » ; la poésie de Desnos traduit « le bonheur et le malheur, les petites misères et les petits plaisirs ».

Plus que des écrivains : des penseurs et des philosophes

• Ces discours donnent aux défunts la stature de penseurs et de philosophes qui, dépassant les contingences de leur époque, offrent une vision de l'homme et du monde et éclairent leurs lecteurs.

• L'œuvre de Balzac, même si elle peint la « société moderne » est celle, universelle et hors du temps, d'un « philosophe », d'un « penseur » et d'un « poète » qui ouvre « une fenêtre sur la vie » ; Maupassant propose une « vision [...] de l'existence » qui incite le lecteur à « penser » ; Zola parle de « l'humanité » et combat « le mal social » ; l'œuvre de Desnos embrasse la « vie entière » « exalte les hommes » avec un « ferment de révolte ». Tous font « œuvre de vérité ».

• Cette clairvoyance et ce parti-pris existentiel expliquent que ces écrivains ne laissent jamais indifférent. Ainsi Zola et Desnos ont suscité « reproches » et « invectives » de la part de ceux qui ne partageaient pas leur vision du monde ou leur conception du rôle de l'écrivain. Mais, pour les orateurs, ces critiques prouvent la valeur du défunt.

Conclusion

• Ces « suprême[s] hommage[s] » sont comme des « statue[s] » érigées à la gloire d'hommes, d'écrivains mais aussi de penseurs auxquels ils donnent une stature presque épique à travers des images saisissantes – « étoile de la patrie », « fils prodigue » ou « pirate ».

• Mais ils sont aussi, indirectement, un hommage à la littérature, au « livre », « monument » « solide, robuste », « merveille, joyau rare », véritable personnage d'épopée doté d'une vie propre avec « je ne sais quoi d'éffaré et de terrible ».

50

France métropolitaine • Juin 2016
Séries ES, S • 16 points

Célébrer la grandeur de l'être humain

■ Commentaire

▶ **Vous commenterez le discours d'Anatole France.**

Se reporter au document C du sujet n° 49.

LES CLÉS DU SUJET

■ Trouver les idées directrices

• Faites la « définition » du texte pour trouver les axes (idées directrices).

> Discours (*genre*) qui argumente sur/fait l'éloge de (*type de texte*) Zola et son œuvre (*thème*), lyrique (*registre*) marqué par la tradition, enthousiaste, élogieux, oratoire (*adjectifs*), pour rendre hommage à l'écrivain, pour faire partager son admiration (*buts*).

■ Pistes de recherche

Première piste : Dans la tradition de l'éloge funèbre
• Étudiez la progression, la construction traditionnelle du discours.
• Analysez les marques du discours oral : implication de l'orateur et du public.
• Analysez le registre du discours.

Deuxième piste : Un portrait élogieux de l'homme derrière l'œuvre
• Quelle image de l'homme Zola révèle le discours ?
• Sur quels aspects, quelles qualités de l'œuvre s'attarde Anatole France ?
• En quoi peut-on parler d'éloge ? Quelles en sont les marques ?

▶ **Pour réussir le commentaire** : voir guide méthodologique.
▶ **La poésie** : voir mémento des notions.

CORRIGÉ **50**

Les titres en couleurs et les indications entre crochets servent à guider la lecture mais ne doivent pas figurer sur la copie.

Introduction

[Amorce] L'éloge funèbre est un genre littéraire à part entière avec ses règles et ses conventions. [Présentation du texte] C'est à Anatole France que revint en 1902 l'honneur de prononcer celui d'Émile Zola, chef de file du naturalisme et auteur de l'immense fresque romanesque des *Rougon-Macquart* qui retrace l'histoire de toute une famille sous le Second Empire. Pour rendre hommage à Zola, gloire littéraire à la fois célébrée et violemment contestée (on a même pensé que sa mort n'était pas naturelle), le choix d'Anatole France semblait s'imposer : il était lui-même un auteur reconnu – l'écrivain quasi officiel de la Troisième République – et il était engagé dans les mêmes luttes sociales et politiques que Zola dont il partageait les idées. [Annonce des axes] Le discours d'Anatole France porte les marques habituelles de l'éloge funèbre [I]. Dans ce morceau d'éloquence traditionnel, l'orateur s'attarde moins sur l'œuvre littéraire de Zola que sur la personnalité de l'écrivain et sur ses luttes contre les misères et les injustices de la société de la fin du XIXᵉ siècle [II].

I. Dans la tradition de l'éloge funèbre : donner force et sentiment au discours

L'éloquence officielle obéit à une tradition qui remonte à l'Antiquité. Les orateurs du XIXᵉ siècle, imprégnés de culture antique, devaient respecter ces formes attendues par leur auditoire, autant dans l'organisation que dans le ton, les procédés ou les figures de style.

1. Adresse à l'auditoire

L'orateur suit dans son discours la progression voulue par la tradition oratoire.

• Dans l'exorde (l'introduction), il pose en quelque sorte le décor, situe son discours et se met en scène, lui, l'orateur : deux occurrences de la première personne « je » marquent sa présence en face du public qu'il apostrophe à deux reprises « Messieurs » (nous sommes au début du XXᵉ siècle et les femmes ne sont pas prises en compte durant cette cérémonie sérieuse !).

• Il poursuit avec quelques mots de captatio benevolentiae (propos élogieux pour se concilier l'auditoire, rappeler sa distinction et l'honneur qu'il y a à s'exprimer devant un public choisi). Ce sont des considérations générales pour mentionner les orateurs précédents, personnages éminents dont il précise les titres prestigieux de « président de la Société des gens de Lettres », « Ministre de l'Instruction publique »…

• Il qualifie de quelques commentaires flatteurs les interventions précédentes : ceux qui ont parlé avant lui l'ont fait « éloquemment » et avec « admirable précision ». Il évoque aussi, par le pronom impersonnel « on », ceux d'hier ou d'aujourd'hui qui ont lu, accueilli diversement les œuvres de Zola.

2. L'orateur et son refus du pathos

• Lui-même déclare s'effacer en tant qu'individu, même s'il reconnaît que cela lui est difficile. Pour exprimer son refus du pathos et de l'émotion qui empêcheraient une appréciation lucide, objective de Zola, il se sert d'une prétérition, figure de style qui permet à la fois de dire une chose tout en la niant. C'est ainsi qu'il avoue sa tristesse tout en prétendant ne pas se laisser influencer par elle dans son discours.

• À cet effort pour « faire taire sa douleur », il associe d'ailleurs le reste de l'auditoire (« la leur » : leur douleur) et met ainsi tout le monde à l'abri du reproche d'insensibilité. Il prend de la distance et la présence déjà discrète du « je » de l'ami et du confrère s'efface derrière des considérations générales, avec des formes impersonnelles (« il convient »). L'antithèse très rhétorique « plaintes », « mâles louanges » précise la hauteur à laquelle il va se placer pour « célébrer » Zola… L'auditoire masculin de l'époque comprendra que les « plaintes » sont féminines et que l'on doit célébrer un homme virilement.

3. Une œuvre « immense »… mais accueillie diversement

• Le deuxième paragraphe porte sur l'œuvre, qualifiée assez vaguement par l'adjectif « immense ». France rappelle d'une façon tout aussi générale les interventions de ceux qui l'ont précédé et qui ont parlé du « caractère de l'œuvre », de son « sens intellectuel et moral ». Il sollicite enfin – demande de pure forme – l'autorisation de prendre la parole : l'impératif « permettez » rappelle la présence de l'auditoire et la mission confiée à l'orateur.

• Dans le troisième paragraphe, Anatole France effectue un rapide retour en arrière sur la parution, roman après roman, de *La Fortune des Rougon*, avec la métaphore architecturale filée qui se prolonge sur le quatrième paragraphe de l'édifice « d'une forme colossale » qui « allait grandissant », « pierre par pierre ». Il fait aussi un rappel, plutôt allusif, à l'accueil contrasté réservé à l'œuvre grâce à deux antithèses qui équilibrent « louanges et blâmes », « invectives et apologies » : ces termes s'opposent, avec une « égale véhémence » et le chiasme, dans la disposition de ces quatre mots, semble reproduire la difficulté de les distinguer, comme des fils inséparables qui « s'entremêlaient », comme une végétation inextricable entourant l'édifice.

QUESTION DE L'HOMME

• Anatole France n'esquive pas la part qu'il a pu prendre lui-même à cet accueil. Quand il parle de « reproches sincères », on peut penser que la formule ambiguë « je le sais par moi-même » fait référence à ses propres réserves, alors qu'il a laissé dans l'imprécision admirateurs et détracteurs, évoqués par le pronom impersonnel « on ». Ce n'est pas le moment de rallumer les polémiques…

II. Un portrait élogieux de l'homme derrière l'œuvre au-delà de la polémique

Après les trois premiers paragraphes, qui situent dans le présent les circonstances de l'éloge et reviennent sur le passé – la création de l'œuvre et son accueil souvent controversé –, Anatole France consacre l'intégralité du dernier paragraphe à l'éloge de l'homme et à ce que l'œuvre nous dit de l'écrivain.

1. Un portrait en action

• Zola est désormais le sujet de la majorité des phrases… et après quelques verbes d'état à l'imparfait de durée (« Zola était bon », « il était profondément moral »), Anatole France multiplie les verbes d'action au passé simple (« poursuivit, combattit, s'efforça ») pour évoquer les multiples combats de l'écrivain et rendre compte de son indéfectible énergie.

• Zola est mort mais l'œuvre demeure, elle est d'ailleurs qualifiée par des verbes au présent : « elle est pleine », les romans « sont des études sociales »…

• Le rythme des phrases est varié : des phrases courtes définissent le défunt (« Zola était bon », « telles furent ses haines ») et concluent des développements portés par des phrases plus longues, alternance qui convient bien à l'évocation de l'activité et de l'énergie déployées par l'homme et l'écrivain.

2. Les plus hautes qualités morales, la vraie foi laïque de l'auteur

En quelques phrases, Anatole France entreprend de défaire la légende noire de Zola, l'homme qui n'aurait vu que la laideur du monde, le pornographe.

• C'est le portrait d'un saint laïc qu'il brosse sur un ton quasi hagiographique, en multipliant les hyperboles et les qualificatifs élogieux. « Zola était bon » reprend comme en écho « c'était un esprit de bonté ». Zola deviendrait presque un saint François dont il partagerait la « candeur », la « simplicité des grandes âmes » et « l'amour de l'humanité ». Ce qui pourrait passer pour un défaut est atténué ; son « pessimisme » n'est qu'« apparent » et le terme est contrebalancé par l'affirmation de « son optimiste réel ».

• Cependant Zola n'a pas la foi du chrétien en Dieu mais celle, « obstinée », du socialiste dans l'homme, dans le « progrès de l'intelligence et de la justice », dans l'espoir d'une « société meilleure », ici et maintenant, et non en l'hypothétique bonheur dans l'au-delà que prêchent les gens d'Église. Anatole France partageait l'anticléricalisme de Zola et a appuyé certains de ses engagements, notamment en étant dreyfusard.

3. Le rappel des grands combats de Zola

• En filigrane de ce portrait, Anatole France passe en revue les grands thèmes des romans de Zola : « la puissance de l'argent » de *La Curée* ; l'aristocratie « basse et nuisible » de *Son Excellence Eugène Rougon* ; les « dangers de l'alcool » qui rappellent la description visionnaire de l'alambic de *L'Assommoir* qui inonde tout Paris, brise tant de destins – celui de Gervaise –, et empoisonne le sang de toute la dynastie des Rougon-Macquart, d'Étienne, de Jacques Lantier...

• Anatole France célèbre la figure d'un justicier moderne dont les combats sans concession sont vivifiés par des « haines » justes contre le mal « moral » et « social » et que sanctifie « l'amour » au nom duquel se mènent ces luttes. L'orateur multiplie les hyperboles pour rendre compte de l'intransigeance de Zola : « il ne flatta jamais le peuple », « il combattit le mal partout ».

• L'éloge devient lui-même polémique : il redouble les coups et les mots pour stigmatiser la « société oisive, frivole » et l'aristocratie « basse et nuisible » et souligne, dans un groupe ternaire oratoire, la pitié de Zola pour le peuple, victime de « toutes les oppressions », « toutes les misères », « toutes les hontes ».

Conclusion

Comparé aux autres éloges funèbres du corpus – notamment ceux prononcés par Hugo ou Éluard –, le discours d'Anatole France paraît assez convenu, assez compassé, se pliant sans grande originalité aux conventions du genre. La vigueur polémique qu'il cherche à insuffler dans son portrait de Zola n'a pas l'intensité de celle de Hugo dans *Les Châtiments*. [Ouverture] On se prend à imaginer le discours qu'aurait pu prononcer Hugo pour célébrer Zola, qui, tout au long de son œuvre, dans une espèce d'automutilation, voulait faire taire en lui la dimension hugolienne. Pourtant celle-ci est bien souvent là, comme à la fin de ce chapitre de *Germinal* où « l'étude sociale » que Zola prétend faire, disparaît derrière l'amplification épique visionnaire : un peuple enragé de mineurs en grève défile dans une plaine sous la lumière sanglante d'un coucher de soleil d'apocalypse. Oui, Zola aurait mérité d'être célébré par son père spirituel, Hugo !

QUESTION DE L'HOMME

France métropolitaine • Juin 2016
Séries ES, S • 16 points

Célébrer la grandeur de l'être humain

■ Dissertation

▶ Les écrivains ont-ils pour mission essentielle de célébrer ce qui fait la grandeur de l'être humain ? Vous appuierez votre réflexion sur les textes du corpus, sur ceux que vous avez étudiés et sur vos lectures personnelles.

Les textes du corpus sont reproduits dans le sujet n° 49.

LES CLÉS DU SUJET

■ Comprendre le sujet

• De quoi allez-vous parler ? des « écrivains », donc de la littérature ; sous quel angle ? « mission » = rôle.

• **Problématique générale** : « Quelle est la mission des écrivains/de la littérature ? ». La consigne donne une partie de réponse : « célébrer ce qui fait la grandeur de l'être humain ».

• Cherchez le sens de « **célébrer** » = honorer, faire l'éloge de, glorifier. Le mot a une connotation presque religieuse. Cela met sur la voie du lyrisme.

• « **La grandeur** » : les qualités qui font que l'être humain dépasse les autres créatures.

• Trois mots de la consigne suggèrent une **discussion**, une prise de position de votre part :

– « **essentielle** » implique qu'on se demande si la littérature n'a pas d'autres fonctions ;

– « **célébrer** […] **grandeur** » suggère l'inverse : « dénoncer » les travers, la petitesse (de l'être humain) ;

– « **être humain** » s'oppose à d'autres sujets possibles (les animaux, la nature, les objets, etc.).

• La **problématique** peut être reformulée ainsi : « La littérature doit-elle faire l'éloge de l'être humain ou a-t-elle d'autres fonctions/sujets ? »

■ **Chercher des idées**

• Scindez la problématique en **sous-questions** : « *Qu'est-ce que* la grandeur de l'être humain ? » ; « La littérature doit-elle faire l'éloge des hommes ? » ; « *Pourquoi* la littérature doit-elle/est-elle apte à célébrer (les hommes) ? *De quels moyens* dispose-t-elle pour cela ? »

• Puis par un **élargissement** suggéré par la consigne : « La littérature n'a-t-elle pas d'autres fonctions ? lesquelles ? ; quels autres thèmes peut-elle traiter ? »

Chercher des exemples

• Cherchez **dans quels domaines** se manifeste la grandeur de l'être humain (sciences, arts, sport…).

• Puisez vos exemples dans les genres de l'argumentation directe (discours, essais…) et indirecte (romans, nouvelles, théâtre, poésie…).

• Cherchez des œuvres qui font **l'éloge** : de performances physiques (poèmes de Montherlant sur le sport, exploits d'alpinistes avec *Premier de cordée*, etc.) ; d'exploits (combats pour son pays, lutte contre les injustices, sacrifice à une cause) ; de performances artistiques (littéraires, musicales, picturales, chorégraphiques, etc.) ; d'inventions/découvertes scientifiques ; de vertus morales (générosité, altruisme, sens du sacrifice, etc.).

Construire un plan

• Votre réflexion pourra s'articuler en deux (ou trois) volets : 1. La littérature doit célébrer la grandeur de l'être humain. Pourquoi ? comment ? 2. Mais elle doit aussi dénoncer ses travers, les injustices et avoir d'autres fonctions, traiter d'autres thèmes.

• Vous pourrez aussi **dépasser l'alternative** et vous demander si les autres fonctions trouvées ne tournent pas implicitement toujours autour de l'« l'être humain » et n'en constituent pas aussi une sorte de « célébration ».

Se préparer à rédiger

• Constituez-vous une « **réserve** » **de mots du champ lexical** de « célébrer » : célébration ; exalter, exaltation ; glorifier, glorification ; louer, louange, louangeur, laudatif ; éloge, élogieux, élogieusement ; honorer ; vanter (les mérites, les qualités, les vertus de…) ; apologie ; chanter ; porter aux nues ; magnifier ; mettre sur un piédestal ; rendre hommage à ; réhabiliter, réhabilitation ; plaidoyer, plaider pour…

▶ **Pour réussir la dissertation** : voir lexique méthodologique.

▶ **La question de l'homme** : voir mémento des notions.

Le corrigé qui suit doit être complété et alimenté par des exemples person-
nels. Les titres en couleurs et les indications entre crochets servent à guider la
lecture mais ne doivent pas figurer sur la copie.

Introduction

[Amorce] Dès l'Antiquité, les orateurs s'exerçaient au genre de l'éloge dans
le cadre de la vie publique. Au Moyen Âge, la vie des saints était racontée et
magnifiée pour servir de modèle ; au XVIIᵉ siècle, les beaux esprits pratiquaient
dans les salons le blason, éloge de la beauté aimée. De nos jours encore,
commémorations et cérémonies funèbres sont l'occasion de discours, de
« plaquettes » qui célèbrent la victoire, les exploits ou la « grandeur » d'un
être humain exceptionnel ; la composition de ces hommages exige, pour leur
assurer toute leur efficacité émotionnelle et persuasive, des qualités littéraires. [Problématique] Les écrivains doivent-ils donc essentiellement se fixer
comme but de célébrer ce qui fait la grandeur de l'être humain ? [Annonce du
plan] Certes, c'est là une mission noble au service de laquelle il convient de
mettre des dons que n'a pas le commun des mortels [I]. Mais est-ce rendre
compte de la complexité de l'homme que de *ne* mentionner *que* sa « grandeur » ? L'écrivain ne doit-il pas aussi le peindre tel qu'il est, avec sa médiocrité, ses travers et ses vices ? Et, par ailleurs, la littérature doit-elle s'interdire
d'autres sujets que l'homme, d'autres missions [II] ?

I. La littérature, un moyen idéal pour célébrer la grandeur de l'homme

1. Qu'est-ce qui fait la grandeur de l'homme ?

Bon nombre d'écrivains s'émerveillent des qualités dont l'homme fait preuve
et les magnifient. Mais de quelle grandeur s'agit-il ?

• Il peut s'agir de performances physiques exceptionnelles. Depuis les
légendes et les épopées mythologiques, les écrivains ont dit leur admiration
pour des héros comme Ulysse qui navigua dix ans sur des mers déchaî-
nées (*L'Odyssée*). Plus proche de nous, Montherlant, dans *Les Olympiques*,
célèbre le sens du dépassement de soi des sportifs (« [Melle de Plémeur] avait
vingt-quatre ans… L'acte athlétique la transfigurait. Elle s'y échappait dans
une humanité accomplie. ») Philippe Delerm, dans *La Beauté du geste*, médite
sur les « gestes […] les plus beaux, les champions les plus charismatiques ».

• Mais les écrivains célèbrent surtout des qualités intellectuelles, morales ou artistiques. Ainsi Hugo, lors de des funérailles de Balzac, voit en lui une splendide et souveraine intelligence qui « va briller [...] parmi les étoiles de la patrie ! » [*Exemples personnels*].

2. Pourquoi les écrivains doivent-ils célébrer la grandeur de l'homme ?

Mais pourquoi la littérature devrait-elle célébrer la grandeur de l'homme ?

• L'écrivain a, ancrée en lui, cette conviction que Térence, dramaturge latin, exprimait très simplement : « Je suis un homme. Et rien de ce qui est humain ne m'est étranger » (*Héautontimorouménos*).

• L'écrivain veut que son lecteur puisse mieux connaître l'homme et, par là, mieux se connaître soi-même. Il cherche à l'éclairer sur le potentiel admirable de l'être humain et à lui donner enthousiasme et confiance en lui. Dans *Les Misérables*, à travers le héros Jean Valjean, Hugo montre comment une vie de vertu « rachète » erreurs et faiblesses humaines.

• Célébrer l'homme, c'est aussi exprimer l'admiration que tout être suscite : « Parmi tant de splendeurs que la terre a créées, il y a l'homme, lui la merveille du monde ! », constate le dramaturge grec Sophocle. Cette admiration est d'autant plus vive quand elle concerne des êtres d'exception en lutte contre l'adversité ou le destin.

• La célébration est aussi l'expression de la reconnaissance pour des êtres qui se transcendent pour sauver leurs « frères », leur patrie et garder une dignité humaine. Ainsi quand Malraux prononce en 1964 l'oraison funèbre du résistant Jean Moulin à l'occasion du transfert de ses cendres au Panthéon, il insiste sur le fait qu'il « a atteint les limites de la souffrance humaine sans jamais trahir un seul secret, lui qui les savait tous ».

• Célébrer la grandeur de l'homme, d'un Jean Moulin par exemple, c'est obéir au devoir de mémoire pour que les autres hommes, en se souvenant, trouvent des modèles à imiter et construisent un monde meilleur : « Aujourd'hui, jeunesse, dit Malraux, puisses-tu penser à cet homme comme tu aurais approché tes mains de sa pauvre face informe du dernier jour, de ses lèvres qui n'avaient pas parlé ».

• Enfin, la célébration de la grandeur humaine peut être l'expression d'une vision optimiste du monde : les personnages des *Hommes de bonne volonté*, fresque romanesque de Jules Romain, le docteur Rieux de *La Peste* de Camus, par leur héroïsme et leur dévouement quotidiens, portent la foi de leur créateur, qui veut la faire partager à ses lecteurs.

3. Les ressources des écrivains pour célébrer la grandeur de l'homme

Si les écrivains célèbrent l'homme, c'est qu'ils disposent de ressources efficaces et multiples.

• La multiplicité des genres et des formes leur permet d'opter pour l'argumentation directe, à travers les discours (exemples du corpus, les essais, les hommages poétiques [exemples : Hugo face à Napoléon Bonaparte]), ou pour l'argumentation indirecte à travers le roman, le théâtre ou l'apologue (exemples personnels).

• Ils mettent en valeur des « grands » hommes ou femmes qui ont réellement existé (Desnos dans l'allocution d'Éluard ; Auguste, empereur clément, « maître de lui comme de l'univers » dans *Cinna* de Corneille) mais aussi des personnages fictifs qui incarnent une image sublimée de l'être humain : Malraux romancier invente dans *La Condition humaine* Kyo, héros idéaliste qui lutte jusqu'à la mort pour la « dignité » des travailleurs.

• Les écrivains savent mobiliser les ressources du langage et du style, jouer sur tous les registres (épique, lyrique, dramatique), manier avec art les faits d'écriture frappants : ils sont donc particulièrement aptes à valoriser les qualités exceptionnelles de l'être humain (exemples du corpus).

II. D'autres missions ? D'autres sujets ? Une palette plus large

Mais peut-on dire que cette mission de célébration de la grandeur humaine est *la* plus importante pour un écrivain ?

1. Peindre les hommes tels qu'ils sont, dénoncer leurs travers

• La tâche de l'écrivain ne doit-elle pas aussi être de peindre l'homme dans sa complexité avec sa médiocrité, ses faiblesses et peut-être même ses travers et ses vices ? Ainsi l'écrivain a-t-il aussi pour mission de dénoncer les injustices et de proposer à ses lecteurs des anti-modèles pour inciter ses semblables à l'action et à construire un monde meilleur (les poètes résistants ; Primo Levi.)

• Rousseau avoue : « Je me suis montré tel que je fus : méprisable et vil quand je l'ai été ; bon, généreux, sublime, quand je l'ai été » ; Montaigne prévient son lecteur au seuil de ses *Essais* : « Je veux qu'on m'y voie en ma façon simple, naturelle et ordinaire, sans contention et artifice : car c'est moi que je peins. Mes défauts s'y liront au vif ». En face de Grandgousier, le bon souverain, Rabelais crée Picrochole, le mauvais roi assoiffé de sang ; en face de Jean Valjean, Hugo crée les Thénardier ; en face de Kyo, le héros, Malraux crée Tchen, le révolutionnaire instable et perdu, suicidaire, l'antihéros.

2. Célébrer d'autres sujets que l'homme ? Obéir à d'autres « missions » ?

La littérature ne peut-elle par faire porter sa mission de célébration sur d'autres sujets que l'être humain ?

• Au-delà de l'homme, c'est parfois la divinité que célèbrent les écrivains (les épopées et les odes de l'Antiquité). Que sont *Les Pensées* de Pascal sinon la célébration de Dieu ? D'autres rendent hommage à la nature : les Romantiques la célèbrent sous toutes ses formes (*exemples*), Baudelaire en fait un « temple » dans « Correspondances », Camus la chante dans *Noces à Tipasa*. Il n'est pas jusqu'aux objets que Ponge prend « le parti » de réhabiliter (le pain, le poêle, le cageot...).

• L'écrivain se donne ainsi d'autres missions : faire prendre conscience à son lecteur de sa place dans l'univers, rendre compte du monde qui l'entoure, en percer les mystères pour qu'en retour il se connaisse mieux lui-même.

3. Toute littérature n'est-elle pas « célébration » de l'homme ?

• Mais au fond, peindre des êtres mauvais ou faibles, n'est-ce pas, indirectement, un moyen de mieux célébrer la grandeur de l'homme ? Picrochole est le repoussoir de Grandgousier et ne fait que magnifier sa « grandeur », Tchen celui de Kyo, les nazis ceux de Primo Levi.

• Évoquer la misère de l'homme, prendre conscience qu'il est « un néant à l'égard de l'infini, un tout à l'égard du néant, un milieu entre rien et tout » (Pascal), célébrer ce qui le dépasse, c'est lui conférer une dimension qui l'élève : « L'homme est un roseau, le plus faible de la nature ; mais c'est un roseau pensant. Il ne faut pas que l'univers entier s'arme pour l'écraser : une vapeur, une goutte d'eau, suffit pour le tuer. Mais, quand l'univers l'écraserait, l'homme serait encore plus noble que ce qui le tue, puisqu'il sait qu'il meurt, et l'avantage que l'univers a sur lui, l'univers n'en sait rien ».

• S'il est une « mission essentielle » pour les écrivains, c'est bien de « creuse[r] et sonde[r] l'homme, l'âme, le cœur, les entrailles, le cerveau, l'abîme que chacun a en soi » (Hugo). Célébrer la grandeur humaine est une stratégie parmi d'autres pour atteindre ce noble but.

Conclusion

Magnifier l'homme est sans doute nécessaire pour rendre hommage à ceux qui le méritent, pour remplir la soif d'idéal du lecteur, lui donner des modèles à imiter et lui donner foi en sa condition. Mais pourquoi faudrait-il chercher *une* mission « essentielle » à la littérature lorsqu'elle parle de l'homme ? [Ouverture] Sa richesse provient bien plutôt de la multiplicité et de la variété de ses rôles, de ses stratégies et de ses formes, que chaque écrivain réinvente lorsqu'il fait vraiment œuvre de créateur.

QUESTION DE L'HOMME

France métropolitaine • Juin 2016
Séries ES, S • 16 points

Célébrer la grandeur de l'être humain

■ Écriture d'invention

▶ À l'occasion d'une commémoration, vous prononcez un discours élogieux à propos d'un écrivain dont vous admirez l'œuvre. Ce discours pourra réutiliser les procédés, à vos yeux les plus efficaces, mis en œuvre par les auteurs du corpus.

Les textes du corpus sont reproduits dans le sujet n° 49.

LES CLÉS DU SUJET

■ Comprendre le sujet

• **Genre** : « discours », texte prononcé devant un public. Respectez ses caractéristiques (adresse au destinataire, implication de celui qui parle).
• **Sujet du dialogue** : « un écrivain/son œuvre ».
• **Type de texte** : « élogieux », « admirez », « efficaces ». Le discours est épidictique et argumentatif.
• **Situation d'énonciation** : *Qui ?* « vous » (identité à déterminer mais vous utiliserez les indices de la première personne) ; *à qui ?* « discours/commémoration » : vous vous adressez à un public que vous devez impliquer.
• **Niveau de langue** : soutenu (le texte est solennel et officiel).
• **Le registre** ne vous est pas indiqué.
• **« Définition »** du texte à produire, à partir de la consigne :

> Discours (*genre*), qui fait l'éloge (*type de texte*) d'un écrivain et de son œuvre (*thème*) ? (*registre*), élogieux, documenté, enthousiaste (*adjectifs*), pour faire partager son enthousiasme et rendre hommage (*buts*).

■ Chercher des idées

Les choix à faire

• **Votre identité** : vous pouvez être un confrère, un personnage officiel (élu politique), un membre de la famille.

- **L'identité du public** : à choisir en fonction des circonstances retenues.
- **L'écrivain** peut être **fictif ou réel**. La consigne oriente plutôt vers un écrivain qui a réellement existé ; cela vous permet de montrer votre culture.
- **Les circonstances** : « commémoration » désigne une **cérémonie officielle** qui rappelle des événements marquants. Vous devez **mettre en situation** votre discours (voir discours de Zola et d'Anatole France).
- **Le registre** : « élogieux », « commémoration » mettent sur la voie du **lyrisme** ; s'il s'agit d'un éloge funèbre, vous pouvez recourir au **pathétique**.

Le fond

- Vous devez faire des **allusions à l'homme** (caractère, vie, valeurs) mais surtout **à son œuvre** que vous devez connaître ; vous pouvez citer des œuvres ou des phrases de l'écrivain.
- Vous pouvez exprimer des **sentiments** autres que l'admiration (peine, manque, etc.) et utiliser le vocabulaire de l'affectivité.

La forme, l'écriture : les procédés de l'éloge

- Identifiez les **faits d'écriture**, les **procédés rhétoriques**, les **figures de style** qui soutiennent l'éloge dans le corpus, notamment ce qui relève de l'**amplification** superlatifs, hyperboles, répétitions, énumérations, rythme ample, gradations, groupes ternaires, vocabulaire mélioratif, images frappantes.

▶ Pour réussir l'écriture d'invention : voir lexique méthodologique.
▶ La question de l'homme : voir mémento des notions.

CORRIGÉ 52

Nous avons volontairement choisi un auteur qui n'est pas des plus connus de nos jours : Savinien Cyrano de Bergerac (1619-1655).

C'est d'un esprit libre, audacieux, novateur que je vais vous parler aujourd'hui, un génie dont nous fêtons le quatrième centenaire de la naissance dans notre centre culturel qui a l'honneur de porter avec fierté son nom.

Esprit libre, oui ! Savinien de Cyrano de Bergerac l'était. Ses œuvres ne sont-elles pas l'exercice sublime d'un esprit audacieux et éclairé ? Ses écrits ne recèlent-ils pas la capacité remarquable de ne rien prendre pour acquis, la volonté merveilleuse de rire au nez des censeurs et la ferme résolution d'interroger les consciences ? Il avait la liberté du libertin, le vrai, au sens intellectuel – que dis-je ? – au sens noble du terme.

Cet esprit fin et indépendant n'a eu de cesse de défier la censure et les préjugés. Rouvrez avec moi *L'Histoire comique des États et Empires de la Lune et du Soleil,* ce récit de voyage à la fois cosmique et comique : vous serez éblouis par sa verve, son inventivité et son irrévérence. Quelle imagination quand il relate son périple spatial jusqu'à la Lune. Mais aussi quel théâtre de la pensée ! Car enfin, quand il interroge les travers de la société, sa lucidité est terrible ! Et quel humour quand il conclut cela par l'éloge... d'un vulgaire chou ! Liberté admirable ! Cyrano était libre au sein de son siècle, mais aussi vis-à-vis de lui-même. Autodérision étonnante, merveilleuse ouverture d'esprit !

Capable d'anticipations étonnantes (son « oiseau de bois » est bien l'ancêtre de notre montgolfière !), il invente des aventures extra-terrestres qui font de lui le précurseur de la science-fiction moderne. Et quelle polyvalence ! Quelles que soient les créations de ce polygraphe, on retrouve, dans sa correspondance comme dans ses pièces de théâtre, la même ouverture d'esprit, la même inventivité, la même verve. Quel plus bel hommage à cet inventeur prolifique que les emprunts – longtemps passés sous silence – que lui a faits Molière ? Notre sublime Molière a compris la force du génie comique de Cyrano : voilà pourquoi il n'a pas hésité à emprunter au *Pédant joué* la réplique devenue proverbiale de ses propres *Fourberies de Scapin,* le fameux « Que diable allait-il faire dans cette galère ! »

Poète, dramaturge, épistolier, Cyrano n'en fut pas moins homme et sa vie était à l'image de son œuvre. Il fut tout à la fois mousquetaire (on le surnommait « démon de la bravoure »), homme politique, scientifique génial, philosophe et ami fidèle... Tous, nous aurions aimé être le fidèle Le Bret de cet homme fantasque et fascinant. Et c'est ce génie aux mille talents, correspondant des grands hommes de son siècle, que l'on a peut-être assassiné ! Une vulgaire pièce de bois, inerte, venir à bout du grand Cyrano et de son esprit à l'agilité sans pareille ! Fort de son esprit de dérision, notre homme aurait sans doute ri de cette ironie cruelle...

Ultime coup du sort : se voir voler la vedette par un simple personnage de théâtre... Car, s'il est vrai qu'Edmond Rostand lui a rendu un superbe hommage, lui a-t-il rendu justice ? Son Cyrano, né exactement 278 ans après son modèle, a sans doute la grandeur d'un roc, d'un pic, d'un cap ou d'un promontoire ! Il est le redoutable bretteur, l'amant bouleversant, le perdant magnifique ! Oui, mais il efface le vrai grand homme, qui n'était ni gascon, ni amoureux transi, ni laid, mais un pourfendeur d'esprits rétrogrades, explorateur intrépide de contrées imaginaires et génie avide de liberté. En un mot, ou en trois, Cyrano de Bergerac, dont notre ville s'enorgueillit aujourd'hui d'honorer la mémoire !

53

Nouvelle-Calédonie • Novembre 2015
Série L • 4 points

Rendre les hommes meilleurs

■ Question

Documents

> A – **Joachim Du Bellay**, *Les Regrets*, sonnet 150, 1558.
> B – **Érasme**, *Éloge de la Folie*, chapitre LVI, 1511. Traduction
> de Pierre de Nolhac.
> C – **Étienne de La Boétie**, *Discours de la servitude volontaire*,
> édition posthume, 1577. Translation en français moderne
> par Myriam Marrache-Gouraud.
> D – **Montaigne**, *Essais,* livre III, chapitre X, 1592. Adaptation
> en français moderne par André Lanly.

▶ **Dans ces évocations de l'homme face au pouvoir, que
dénoncent les auteurs ?**

*Après avoir répondu à ces questions, les candidats devront traiter au choix un
des trois sujets n°s 54, 55 ou 56.*

DOCUMENT A

*Dans ce sonnet, Du Bellay se moque des courtisans : « les singes de cour »
dont il critique l'hypocrisie.*

> Seigneur[1], je ne saurais regarder d'un bon œil
> Ces vieux singes de cour, qui ne savent rien faire,
> Sinon en leur marcher[2] les princes contrefaire[3],
> Et se vêtir, comme eux, d'un pompeux appareil.
>
> 5 Si leur maître se moque, ils feront le pareil,
> S'il ment, ce ne sont eux qui diront du contraire,
> Plutôt auront-ils vu, afin de lui complaire[4],
> La lune en plein midi, à minuit le soleil.

Si quelqu'un devant eux reçoit un bon visage[5],
10 Ils le vont caresser, bien qu'ils crèvent de rage :
S'il le reçoit mauvais, ils le montrent du doigt.

Mais ce qui plus contre eux quelquefois me dépite[6],
C'est quand devant le roi, d'un visage hypocrite,
Ils se prennent à rire, et ne savent pourquoi.

Joachim Du Bellay, *Les Regrets*, 1558.

---

1. Apostrophe conventionnelle en début de sonnet. Du Bellay adresse son poème à un puissant.
2. Leur façon de marcher.
3. Imiter.
4. Plaire.
5. Reçoit un bon accueil du roi.
6. Me contrarie.

DOCUMENT B

Dans cette œuvre, c'est la Folie qui parle. Elle fait la satire des grands de ce monde.

Que dirai-je des Gens de cour ? Il n'y a rien de plus rampant, de plus servile, de plus sot, de plus vil que la plupart d'entre eux, et ils ne prétendent pas moins au premier rang partout. Sur un point seulement, ils sont très réservés ; satisfaits de mettre sur leur corps l'or,
5 les pierreries, la pourpre et les divers emblèmes des vertus et de la sagesse, ils laissent de celles-ci la pratique à d'autres. Tout leur bonheur est d'avoir le droit d'appeler le roi « Sire », de savoir le saluer en trois paroles, de prodiguer des titres officiels où il est question de Sérénité, de Souveraineté, de Magnificence. Ils s'en barbouillent le
10 museau, s'ébattent dans la flatterie ; tels sont les talents essentiels du noble et du courtisan.

Si vous y regardez de plus près, vous verrez qu'ils vivent comme de vrais Phéaciens[1], des prétendants de Pénélope[2] […] Ils dorment jusqu'à midi ; un petit prêtre à leurs gages[3], qui attend près du lit,
15 leur expédie, à peine levés, une messe hâtive. Sitôt le déjeuner fini, le dîner les appelle. Puis ce sont les dés, les échecs, les devins, les bouffons, les filles, les amusements et les bavardages. Entre-temps, une ou deux collations[4] ; puis on se remet à table pour le souper, qui est suivi de beuveries. De cette façon, sans risque d'ennui, s'écoulent les
20 heures, les jours, les mois, les années, les siècles. Moi-même je quitte

avec dégoût ces hauts personnages, qui se croient de la compagnie des Dieux et s'imaginent être plus près d'eux quand ils portent une traîne plus longue. Les grands jouent des coudes à l'envi pour se faire voir plus rapprochés de Jupiter, n'aspirant qu'à balancer à leur
25 cou une chaine plus lourde, étalant ainsi à la fois la force physique et l'opulence⁵.

Érasme, *Éloge de la Folie*, 1511.

1. Peuple imaginé par Homère, réputé pour mener une vie de plaisirs et de fêtes.
2. Dans l'Odyssée d'Homère, épouse du roi Ulysse. Elle attend le retour de son mari pendant vingt ans. Durant cette attente, elle est courtisée par de nombreux prétendants.
3. Prêtre à leur service.
4. Repas légers.
5. Abondance de biens.

DOCUMENT C

Dans ce discours, Étienne de la Boétie exhorte ses contemporains : pour lui, l'oppression politique prend naissance dans leur consentement.

Toutefois, en voyant ces gens-là qui courtisent le tyran pour faire leur profit de sa tyrannie et de la servitude du peuple, je suis souvent saisi d'ébahissement devant leur méchanceté, et quelquefois j'éprouve de la pitié devant leur sottise. Car, à dire vrai, s'approcher
5 du tyran, est-ce autre chose que s'éloigner davantage de sa liberté, et pour ainsi dire, serrer à deux mains et embrasser la servitude¹ ?

Qu'ils mettent un instant de côté leur ambition, qu'ils se débarrassent un peu de leur cupidité, et puis qu'ils se regardent eux-mêmes et qu'ils apprennent à se connaître : ils verront alors clairement
10 que les villageois, les paysans, qu'ils foulent aux pieds tant qu'ils le peuvent, et qu'ils rendent pires que des forçats ou des esclaves, ils verront, dis-je, que ceux qui sont ainsi malmenés sont toutefois, par rapport à eux, chanceux et d'une certaine façon libres.

Le laboureur et l'artisan, même s'ils sont asservis, en sont quittes
15 en faisant ce qu'on leur dit. Mais le tyran voit les gens qui sont près de lui quémandant et mendiant sa faveur : il ne faut pas seulement qu'ils fassent ce qu'il dit, mais qu'ils pensent ce qu'il veut, et souvent, pour lui donner satisfaction, qu'ils préviennent encore ses pensées.
20 Il ne leur suffit pas à eux, de lui obéir, il faut encore lui complaire, il faut qu'ils se brisent, qu'ils se tourmentent, qu'ils se tuent à travailler pour ses affaires ; et puis qu'ils se plaisent à son plaisir, qu'ils délaissent leur goût pour le sien, qu'ils forcent leur tempérament,

qu'ils se dépouillent de leur naturel, il faut qu'ils soient attentifs à
ses paroles, à sa voix, à ses signes, et à ses yeux, qu'ils n'aient ni œil
ni pied ni main qui ne soit aux aguets pour épier ses volontés et
découvrir ses pensées.

Cela, est-ce vivre heureux ? Cela s'appelle-t-il vivre ? Est-il
chose au monde moins supportable que cela, je ne dis pas pour un
homme de cœur[2], je ne dis pas pour un homme bien né, mais seulement pour un homme ayant du bon sens ou, simplement, une face
d'homme ? Quelle condition est plus misérable que de vivre de telle
sorte qu'on n'ait rien à soi, tenant d'autrui son plaisir, sa liberté, son
corps et sa vie ?

Étienne de La Boétie, *Discours de la servitude volontaire*, translation en français
moderne par Myriam Marrache-Gouraud, © Éditions Gallimard.

1. État de dépendance totale envers une personne.
2. Qui a du courage.

DOCUMENT D

*Dans cet extrait, Montaigne insiste sur la nécessité de faire la différence
entre l'homme et la fonction. Pour lui, cette séparation est la condition de
sa liberté.*

La plupart de nos occupations sont comiques. « *Mundus uni-
versus exercet histrionam.* » [Le monde entier joue la comédie]. Il
faut jouer notre rôle comme il faut, mais comme le rôle d'un personnage emprunté. Du masque et de l'apparence il ne faut pas faire
une chose réelle, ni de ce qui nous est étranger faire ce qui nous est
propre. Nous ne savons pas distinguer la peau de la chemise. C'est
assez de s'enfariner le visage sans s'enfariner le cœur. Je vois des
hommes qui se transforment et se transsubstantient[1] en autant de
nouvelles formes et de nouveaux états qu'ils prennent de charges[2] et
qui font les prélats[3] jusqu'au foie et aux intestins, et entraînent leur
fonction publique jusque dans leur cabinet d'aisance[4]. Je ne peux pas
leur apprendre à distinguer les saluts qui les concernent personnellement de ceux qui concernent leur charge ou leur suite ou leur mule.
« *Tantum de fortunae permittunt, etiam ut naturam dediscant.* » [Ils
s'abandonnent tellement à leur haute fortune qu'ils en oublient la
nature.] Ils enflent et grossissent leur âme et leur parler naturel à la

hauteur de leur siège magistral[5]. Le Maire[6] et Montaigne ont toujours été deux, par une séparation bien claire.

Michel de Montaigne, *Essais*, 1592 © Honoré Champion.

1. Changement complet d'une substance en une autre.
2. Missions ou fonctions.
3. Membres du haut clergé.
4. Toilettes.
5. À la hauteur de leur importante fonction.
6. Montaigne a été maire de Bordeaux.

LES CLÉS DU SUJET

■ Comprendre les questions

• **La question « que dénoncent... ? »** invite à identifier une série de reproches. Cela suppose qu'on ait identifié au préalable les cibles de la critique : les personnes qui entourent les puissants. Une fois les reproches dégagés, précisez les moyens utilisés pour les formuler.

• **Ne juxtaposez pas l'analyse des textes**, mais construisez votre réponse autour de points de convergence des textes et appuyez-vous sur des **exemples précis**.

▶ **Pour réussir les questions** : voir guide méthodologique.

▶ **L'humanisme** : voir mémento des notions.

CORRIGÉ 53

Les titres en couleur et les indications entre crochets servent à guider la lecture mais ne doivent pas figurer sur la copie.

Introduction

[Présentation du corpus] Au XVIe siècle, les puissants d'Europe affermissent leur pouvoir en soumettant et contrôlant leur entourage. Le statut politique qu'acquièrent alors les hommes de cour se traduit par leur entrée en littérature. Dans son *Éloge de la folie*, l'humaniste Érasme fait parler la Folie qui adresse de violents reproches aux « gens de cour ». Étienne de La Boétie dans son *Discours de la servitude volontaire* focalise sa réflexion non sur les tyrans mais sur leurs sujets, « ces gens-là qui courtisent ». Le poète Du Bellay, dans certains poèmes des *Regrets*, dresse un portrait satirique de ces « vieux singes » qu'il a fréquenté d'abord à la cour du pape, à Rome, puis à la cour de France. À la fin du siècle, Montaigne, dans ses *Essais*, propose une réflexion plus générale sur la « comédie » que jouent les puissants et ceux qui les entourent. [Rappel de la question] Les humanistes portent un regard sévère sur les hommes qui vivent auprès des gens de pouvoir et s'accordent sur bien des points : quels reproches adressent-ils à tous ceux qui se soumettent à plus puissant qu'eux ?

Un comportement servile et hypocrite

Les hommes confrontés aux puissants règlent leur comportement extérieur sur celui de « leur[s] maître[s] » et adoptent une attitude de morale *servile* pour leur « complaire » (Du Bellay, La Boétie) à tout prix.

• « Près du tyran » (La Boétie), les courtisans sont là « rampant », « mendiant » la moindre « faveur », ils « s'ébattent dans la flatterie » (Érasme), ils abdiquent toute volonté, font ce que le tyran dit et pense.

• Ils jouent une « comédie » (Montaigne), agissent par mimétisme, comme des imitateurs : Du Bellay le souligne à travers la métaphore filée des « singes » qui excellent à « contrefaire » « les princes ».

• La servilité et le mimétisme les poussent à l'hypocrisie, ce vice « à la mode » qu'un siècle plus tard, Molière mettra en scène dans son *Dom Juan*. Montaigne dénonce leurs talents de comédiens à travers le champ lexical du théâtre (« contrefaire », « masque, rôle, personnage emprunté, chemise, s'enfariner le visage, font [les prélats], se transforment, transsubstantient... »). Chez eux, tout n'est qu'« apparence » et fausses vertus (« emblèmes des vertus et de la sagesse », Érasme).

Des vices coupables

Les humanistes dénoncent chez ces « singes » sans vertus, des mobiles coupables et des vices qui, pour la plupart, sont des péchés capitaux.

• Le désir de devenir puissants eux-mêmes révèle leur orgueil : Érasme note qu'ils « se croient de la compagnie des Dieux ».

• Du Bellay et Érasme nous les montrent qui « crèvent de rage » et « jouent des coudes », animés par une jalousie et par une envie sans merci.

• Leur attrait pour « l'or, les pierreries, la pourpre » trahit leur cupidité, leur goût du luxe, de l'opulence et de l'ostentation, qui s'apparentent à la luxure.

• Leur gourmandise et leur intempérance se marquent dans « le[s] déjeuner[s], dîner[s], souper[s] » et « beuveries » qui meublent leur existence. Leur vie se passe en « amusement[s] et bavardages » (Érasme), sous le signe de la paresse, du confort et de la futilité : ils « dorment jusqu'à midi », jouent aux « dés », aux « échecs »…

• Ils sont pleins de « méchanceté » et de « mépris pour le peuple » (La Boétie), ils « foulent aux pieds » les « paysans » ; sans aucune charité, ils « montrent du doigt » en riant celui qui est en disgrâce (Du Bellay).

Des êtres déshumanisés peu humanistes

Ils ont perdu ce qui fait d'un être humain un homme véritable et sont loin de l'idéal humaniste.

• Ces êtres qui s'asservissent tenant « d'autrui [leur] corps et [leur] vie » (La Boétie) et qui se sont dépouillés « de leur naturel », n'ont plus « une face d'homme » (La Boétie) et sont animalisés en « singes » ridicules qui font « pitié ».

• Leur sottise (Érasme) leur a fait perdre tout « bon sens » (La Boétie). Ils ne savent rien faire « que contrefaire » (Du Bellay), ils manquent de lucidité, d'esprit critique et surtout de cette « sagesse » que les humanistes érigent en idéal afin de « vivre heureux » (La Boétie).

Conclusion

Par cette dénonciation virulente, les humanistes mettent en garde leurs semblables pour les rendre meilleurs. La Fontaine, dans sa fable « Les Obsèques de la Lionne » fera, un siècle plus tard, le même constat satirique.

Conseil
Pour élargir votre réflexion dans la conclusion, utilisez votre connaissance de l'intertextualité et des réécritures.

Rendre les hommes meilleurs

■ Commentaire

▶ **Vous ferez le commentaire du texte de Du Bellay (document A).**

Se reporter au document A du sujet n° 53.

■ LES CLÉS DU SUJET

■ Trouver les idées directrices

• Faites la « définition » du texte pour trouver les axes (idées directrices).

> Sonnet (*genre*) humaniste (*mouvement littéraire*) qui décrit et argumente (*types de texte*) sur les courtisans, la cour et le roi (*thème*), satirique (*registre*) pittoresque, caricatural, critique (*adjectifs*), pour faire le blâme des travers de la Cour et des puissants et définir implicitement le statut du poète (*buts*).

■ Pistes de recherche

Première piste : Une succession de saynètes caricaturales
• À partir de la structure du poème, analysez les « **croquis** » saisis par le poète (sujets, composition, progression) et la **variété des personnages** du monde de la cour.
• Montrez que la description est faite sur le mode de la **caricature**.

Deuxième piste : La satire des courtisans et des « puissants »
• Identifiez les **travers du courtisan** que dénonce Du Bellay.
• Montrez que la critique s'étend à toute la vie de cour. Quels sont les **griefs** de Du Bellay ?
• Quelle **image des puissants et du roi** se dégage implicitement du sonnet ?

Troisième piste : Le poète et son lecteur, des êtres éclairés

• Quel est le degré d'**implication de Du Bellay** ? Quelle **image du poète** le poème dessine-t-il ?

• Étudiez la situation d'énonciation pour en déduire les **rapports** que Du Bellay instaure **avec son/ses lecteur(s)**.

▶ **Pour réussir le commentaire** : voir guide méthodologique.

▶ **L'humanisme** : voir mémento des notions.

CORRIGÉ 54

Les titres en couleurs ne doivent pas figurer sur la copie.

Introduction

[Amorce] Au xvie siècle, aux côtés des souverains (papes, rois, princes, empereurs), émerge la figure de courtisan, en politique puis en littérature. Les humanistes – Érasme, La Boétie, Montaigne –, lucides sur les hommes et leurs travers, analysent la nature véritable de ces serviteurs zélés des puissants. [Présentation du texte] Le poète de la Pléiade Du Bellay qui, à Rome, a fait l'amère expérience de la cour du pape Jules III, décrite dans son recueil des *Regrets*, évoque dans le même ouvrage ses retrouvailles avec la « France, mère des arts [...] et des lois ». Il constate que la cour du roi Henri II ressemble à celle du prélat débauché : il quitte alors le ton élégiaque et emprunte une veine satirique, à laquelle il s'est déjà exercé, pour retracer son séjour parmi les « vieux singes de cour ». [Problématique] Comment le poète transforme-t-il son expérience personnelle en une peinture dénonciatrice ? [Annonce des axes] À travers une succession de saynètes prises sur le vif [I], non seulement il dévoile les vices de ces « vils » courtisans mais il fait aussi implicitement le procès de la cour et de ceux qui gouvernent [II]. En filigrane, le sonnet révèle aussi les sentiments et la personnalité d'un auteur qui se confie au lecteur dont il veut faire son allié [III].

I. Une suite de saynètes croquées sur le vif

Du Bellay trouve dans son expérience personnelle de la cour et du spectacle qu'elle lui offre la matière à une succession de croquis pittoresques, pris sur le vif.

1. La variété des scènes

• Dans les limites restreintes du sonnet (14 vers), Du Bellay croque sept petites saynètes variées. Il peint les courtisans d'abord de loin, en plan d'ensemble et en mouvement. La pesanteur solennelle de leur « marcher » (v. 3) est rendue par le rythme lent et lourd du premier quatrain au triple enjambement. Le poète s'attarde ensuite sur leur mise somptueuse, leur « pompeux appareil » (v. 4) qui suggère des couleurs vives.

• Puis il se rapproche, il peint leurs diverses postures, calquées sur l'attitude du souverain, leur « maître » (v. 7), une dépendance qui confine à l'absurde (v. 8). Du Bellay montre ensuite, comme s'il pouvait démasquer leurs sentiments, que la servilité cache une réalité intime plus sombre (« bien qu'ils crèvent de rage »).

• Le sonnet se clôt sur un gros plan presque grotesque où le groupe des courtisans se résume à un seul « visage » absurdement hilare (v. 14).

2. Tout un monde défile sous les yeux du poète

Du Bellay reconstitue tout un monde dans sa variété.

• Les courtisans au premier plan forment un personnage collectif, ils ne sont jamais individualisés, toujours désignés par le pronom personnel pluriel « ils ». Autour d'eux, les puissants qui gouvernent sont individualisés par leur fonction (« les princes », « leur maître », « le roi »), mais eux aussi croqués dans leurs divers comportements (moquerie, v. 5 ; mensonge, v. 6 ; attitude accueillante, v. 9).

• Surgissant comme une ombre au sein du cortège de la comédie, il y a ce « quelqu'un » (v. 9) rejeté dans l'anonymat, que l'on « caresse » ou « montre du doigt » : sa fonction est importante car il est le révélateur de la vraie nature des courtisans.

• Enfin, témoin discret mais attentif, présent dès le premier vers (« je »), se tient le poète-peintre qui réapparaît à la fin du poème (v. 12). Le sonnet se construit pour ainsi dire sur une mise en abyme : le lecteur auquel s'adresse directement Du Bellay dès le premier mot (« Seigneur ») « voit » le poète qui lui-même « regarde » tout ce monde de la cour qui s'agite.

3. Une caricature plus qu'un tableau

L'ensemble de ces saynètes est marqué par l'exagération déformante.

• L'animalisation qui ouvre le poème place ces mini-portraits sous le signe de la caricature. Les courtisans sont animalisés de façon ironique (par la ressemblance du primate avec l'homme !) et dégradante : « vieux singes » suggère la décrépitude, la laideur et le grotesque des mimiques.

• Du Bellay joue sur des rythmes marqués : la solennité du premier quatrain, et, dans les autres strophes, le recours insistant à une syntaxe binaire (« Si… ils…/S'il… eux…/Si quelqu'un… ils… ») donnent de la vigueur à la dénonciation et traduisent formellement le comportement mécanique des courtisans.

• Les oppositions fortes, le contraste hyperbolique (organisé en chiasme) entre « lune-midi » et « minuit-soleil » et l'opposition entre les mots à la rime (« faire/contrefaire », « pareil/contraire », « bon visage/rage ») composent un monde où les courtisans sont des marionnettes déréglées, qui oscillent absurdement d'un extrême à l'autre.

• La chute sur un « rire » stupide complète la caricature des « vieux singes ».

II. La satire des courtisans et des « puissants »

Le poète à travers ces saynètes se livre à une satire impitoyable du courtisan ainsi que de ceux qui gouvernent.

1. Des êtres serviles et vides

• Le choix du « singe » (« singer » signigie « imiter »), le vocabulaire de l'imitation (« contrefaire », « feront le pareil »), les expressions comparatives (« comme eux » ou « ce ne sont eux qui diront le contraire »), tout cela désigne le courtisan comme un histrion qui copie la tenue du « prince » (« se vêtir »), sa démarche (v. 3), ses gestes (v. 9, 11, 14) et ses propos (« diront ») de façon à « complaire » à ce royal modèle.

• Mais, à la différence du véritable comédien qui interprète, le courtisan se comporte de façon mécanique et maladroite, comme l'indique le jeu des temps verbaux : au présent qui rapporte les actions du roi (« se moque », « ment ») répondent aussitôt le futur de certitude qui renvoie à la réaction des courtisans (« feront, diront, vont caresser ») ou le présent de répétition (« montrent, se prennent »).

• Ce comportement extérieur est fondé sur une profonde aliénation. Le terme de « maître » (v. 5), le verbe « complaire » soulignent la servilité délibérée de ces quasi esclaves, que dénonçait déjà La Boétie dans son *Discours de la servitude volontaire* (1546-1548). Personnages versatiles sujets à de brusques transformations (comme le marque le contraste entre les deux attitudes décrites aux vers 9 à 11), les courtisans sont vides de toute volonté comme en témoignent les négations (« ne… rien », v. 2 ; « ne… pourquoi », v. 14), qui annulent le verbe « savoir ». Sans personnalité et sans réflexion, ils ignorent eux-mêmes ce qui les fait agir.

2. Une satire de la vie de cour

Le présent dans le sonnet prend aussi une valeur de vérité générale, il incite à élargir la dénonciation : il cible les lois qui régissent la cour royale, et pourquoi pas la comédie universelle de l'homme face au pouvoir ?

• Le poète pourrait dire ironiquement que « la plus grande vertu » de la cour est l'hypocrisie : le verbe « contrefaire », les antithèses mises en relief à la rime (« bon visage »/« rage ») ou à l'intérieur d'un même vers (« caresser »/« rage », v. 10), l'inquiétante allitération en « s » (v. 2 et 3) soulignent que les courtisans se composent un « visage » menteur. La dissimulation culmine dans l'éclatante absurdité formulée à travers une puissante antithèse (« [ils] auront vu [...] / La lune en plein midi, à minuit le soleil »). Après avoir donné des exemples concrets significatifs, Du Bellay lance une accusation explicite à la rime du vers 13 avec l'adjectif « hypocrite ».

> **Astuce**
> « Voilà de cette cour la plus grande vertu » est un vers du sonnet « Marcher d'un grave pas et d'un grave sourcil », extrait des *Regrets*. Il peint l'attitude qu'a dû adopter malgré lui Du Bellay à la cour du pape à Rome.

• Dans la comédie courtisane règnent l'ambition et la jalousie, qui transparaissent dans la « rage » contenue (le mot est mis en relief à la rime), mais aussi la cruauté : elle se manifeste par le geste agressif de « montre[r] du doigt », qui exclut impitoyablement autrui.

3. La mise en cause implicite des gouvernants

À travers les courtisans, la satire vise plus haut : elle remet en cause le comportement des puissants et du « roi », modèles singés par les courtisans qui en proposent une image déformée. Quelle valeur exemplaire a celui qui, ici, se moque ou ment, alors qu'on le pensait mu par la sagesse et la vertu ? qui, avec son « pompeux appareil », se plaît au luxe et à l'excès ? se comporte en « maître » tyran et non en roi éclairé ? préfère le mensonge et la folie (v. 8) à la vérité ? fait par caprice tantôt « bon visage », tantôt « mauvais » ? n'hésite pas à exclure celui qui ne lui « complaît » pas ? Modèle négatif, metteur en scène sinistre d'une comédie par laquelle il conforte son pouvoir, il n'a rien d'un Grandgousier ou d'un Gargantua, rois humanistes créés par Rabelais.

III. Le poète et son lecteur, témoins éclairés

Quelle est dans cette comédie la place du poète et de son lecteur ?

1. L'implication de Du Bellay

• Dans un poème où il affirme d'emblée sa présence (« je », v. 1) et la réitère à la fin (v. 12), Du Bellay laisse transparaître sa subjectivité (« je ne saurais regarder d'un bon œil »), sa réprobation et un mépris (souligné par le démonstratif péjoratif « ces », v. 2). Il semble excédé : l'attaque du sonnet, polysémique, est autant une apostrophe à un destinataire qu'une interjection équivalant à un « Mon Dieu ! » exaspéré ; le mot « singes » sonne comme une insulte et le verbe « dépite » (qui rime avec « hypocrites ») est très fort.

• Du Bellay se donne le rôle du censeur qui démasque les comportements. Il affirme sa supériorité sur la cour qu'il blâme : lui, qui a gardé son intégrité, ose « parler » et, en refusant de « singer » le « maître », il se démarque des animaux de cour. La brièveté et le caractère incisif du sonnet en font ici un outil de moraliste mis au service d'un acte de résistance qui le valorise.

2. Le lecteur : un « Seigneur » pris à témoin

Un autre aspect de la situation d'énonciation confère au lecteur un statut particulier.

• L'apostrophe initiale indique que Du Bellay s'adresse directement à un lecteur pris à témoin. Il a droit au titre honorifique de « Seigneur » refusé aux courtisans. Ce lecteur se sent d'emblée élevé au-dessus des « animaux de cour » : le poète le dote habilement d'un statut égal au sien, il fait de lui son pair et son allié.

• L'imprécision de l'apostrophe (le destinataire n'est pas nommé) donne au poème la dimension d'une lettre ouverte adressée à ceux qui, comme le poète, refusent cette mascarade et montrent qu'on peut être « Seigneur » sans s'abaisser à des grimaces indignes d'un humaniste. Comprenne qui pourra…

Conclusion

[Synthèse] Du Bellay choisit la concision du sonnet, d'ordinaire voué au lyrisme élégiaque et à l'expression des sentiments intimes, pour donner plus de force à une satire sévère des courtisans et des puissants, notamment du roi. Paradoxalement, c'est à travers une forme fixe très codée que le poète montre sa liberté d'esprit. [Ouverture] Il ouvre la voie à une lignée illustre : les moralistes du XVIIe siècle, comme La Fontaine qui, dans « Les Obsèques de la Lionne », accable le « peuple caméléon, peuple singe du maître », ou La Bruyère qui décrit dans ses *Caractères* « ce peuple [qui] paraît adorer le prince ». Deux siècles plus tard le philosophe des Lumières Diderot dénoncera lui aussi dans son *Neveu de Rameau* cette « pantomime […] des flatteurs, des courtisans, des valets et des gueux » qui est, pour lui « le grand branle de la terre ».

OBJETS D'ÉTUDE L

55

Nouvelle-Calédonie • Novembre 2015
Série L • 16 points

Rendre les hommes meilleurs

■ Dissertation

▶ **Peut-on dire que les humanistes cherchent à rendre les hommes meilleurs ?**

Vous appuierez votre développement sur les textes du corpus et les textes étudiés pendant l'année, ainsi que sur vos lectures personnelles.

Les textes du corpus sont reproduits dans le sujet n° 53.

LES CLÉS DU SUJET

■ Comprendre le sujet

• « Les humanistes cherchent à... » : le sujet porte sur l'un des **buts des humanistes**, qui est de **rendre les hommes meilleurs**.

• **Deux pistes à explorer** : Les humanistes s'intéressent-ils surtout à l'homme ? Leur but est-il de le faire progresser ?

• **« Meilleurs »**, comparatif de « bons », suggère : que l'homme est **bon par nature** ; qu'il présente aussi des **imperfections** puisqu'on peut l'améliorer.

■ Chercher des idées

• D'abord scinder la problématique en **sous-questions** en variant les mots interrogatifs : Quelle est la **conception de l'homme** des humanistes ? Quelles **imperfections** discernent-ils encore chez l'homme ? Quels **remèdes** proposent-ils **pour pallier ces défauts** ?

• Ensuite **élargir** le sujet en se demandant : Quels **obstacles**, quelles **limites** à cet objectif des humanistes ? Est-ce là leur seul but ? Certains humanistes n'ont-ils pas failli parfois à ce but ?

• Pour répondre aux questions ci-dessus, passez en revue tout ce qui participe à la **formation d'un être humain** : connaissances, esprit critique, voyages, lectures, dialogues, confrontation de points de vue, remise en question de soi...

• Le mot « humanistes » renvoie bien sûr aux écrivains mais aussi aux artistes (peintres, sculpteurs, etc.). Cherchez vos exemples dans des domaines variés.

Attention : on vous demande une dissertation non pas philosophique, mais littéraire, fondée sur une connaissance précise de la Renaissance et de l'humanisme.

• Utilisez les textes du corpus et constituez-vous une réserve d'**exemples de textes** ; vous pouvez aussi mentionner des œuvres d'art.

Quelques citations et références éclairantes

• « Je ne bâtis que pierres vives, ce sont hommes » (Rabelais, *Le Tiers Livre*).

• Il faut pour se former « frotter et limer notre cervelle contre celle d'autrui » ; « Le gain de notre étude, c'est en être devenu meilleur et plus sage » ; « J'aime mieux forger mon âme que la meubler » (Montaigne, *Essais*).

• Chapitres de *Gargantua* (l'éducation sophiste et l'éducation humaniste ; la lettre de Gargantua à Pantagruel) et de *Pantagruel* sur l'éducation ; « De l'institution des enfants » (Montaigne).

• Les utopies : *Utopia* de Thomas More ; l'abbaye de Thélème (Rabelais, *Gargantua*).

▶ **Pour réussir la dissertation :** voir guide méthodologique.

▶ **L'humanisme :** voir mémento des notions.

CORRIGÉ **55**

Ce corrigé se présente sous la forme d'un plan non rédigé. Il vous offre des pistes de réflexion que vous devez alimenter de vos exemples personnels. Les indications en couleur ne doivent pas figurer sur la copie.

Introduction

[Amorce] « Rien de ce qui est humain ne m'est étranger » : la devise empruntée à Térence, dramaturge de l'Antiquité, indique bien à quel point l'homme est au centre de la réflexion humaniste. [Problématique] Mais quels sont les buts des écrivains et des artistes de la Renaissance ? Est-ce de rendre les hommes meilleurs ? [Annonce des axes] Bien qu'ils considèrent l'être humain comme fondamentalement bon, les humanistes discernent encore en lui des imperfections. Mais, optimistes, ils croient en la possibilité de l'amender [I] dans de nombreux domaines par des moyens variés [II]. Cependant leur rêve

OBJETS D'ÉTUDE L

s'est heurté à des circonstances défavorables et a connu des limites qui ont parfois entravé le succès de leur entreprise [III].

I. La conception humaniste : l'homme bon mais imparfait

1. Une vision optimiste

Le contexte historique de bouleversements dans les savoirs, les techniques et les frontières du monde, inspire aux humanistes une conception de l'homme très novatrice par rapport au Moyen Âge.

• Ils placent l'homme au centre de leur réflexion et de leur action (anthropocentrisme), contrairement aux époques précédentes préoccupées par les rapports de l'homme et de la divinité (ex. : *L'Homme de Vitruve* de Léonard de Vinci).

• Ils redonnent de l'importance à l'individu, qui en même temps porte en soi « la forme entière de l'humaine condition » (Montaigne).

• Ils ont confiance en l'homme : opposés au pessimisme souvent austère de leurs prédécesseurs (Érasme : « plus de ténèbres gothiques »), les humanistes n'ont pas une conception figée de l'homme, ne posent pas comme principe l'existence d'une nature humaine immuable, ils croient en la possibilité de faire progresser l'homme, de le « former », de l'amender. D'où l'importance de la notion d'éducation (Rabelais, Montaigne…).

2. Un « diagnostic » : identifier les imperfections de l'homme

Comme Rabelais qui était médecin, les humanistes par une démarche scientifique, raisonnée procèdent à un diagnostic sans concession de l'homme.

• Ils passent au crible de leur esprit critique tous les domaines humains, identifient des maux dans les domaines politique (mauvais gouvernants, tel le Picrochole de Rabelais) et éducatif (mauvais précepteurs : Thubal Holopherne, les sophistes, les Sorbonnards chez Rabelais).

• Ils analysent les racines du mal, les responsabilités : par exemple, la Boétie incrimine les tyrans mais aussi les hommes qui se soumettent à une « servitude volontaire » ; Du Bellay fustige le « roi », le pape, mais aussi les courtisans serviles.

• Ils admettent le principe que la source du mal est parfois en soi, qu'il faut donc identifier ses propres faiblesses et « se connaître soi-même » selon la formule de Socrate (*Essais* de Montaigne).

II. Quels moyens pour rendre l'homme meilleur ?

1. Un environnement propice et épanouissant

• L'humaniste veut créer un environnement favorable aux progrès de l'homme : Rabelais donne aux rois géants des leçons de politique pour la paix et le progrès économique ; il propose dans l'abbaye de Thélème un mode de vie et une organisation idéaux.

• Ce cadre permet de cultiver toutes les dimensions de l'homme (corps, esprit et âme puisque) et de les harmoniser « Science sans conscience n'est que ruine de l'âme » (Rabelais). Les humanistes ne nient pas la divinité, mais refusent les dogmes imposés et ne considèrent plus l'homme comme un pécheur humilié devant Dieu. Par son pouvoir de création, par ses facultés intellectuelles, l'homme apparaît au contraire à l'image de Dieu.

2. Un savoir encyclopédique et une réflexion personnelle

• Rabelais établit un programme encyclopédique : « en somme que je voie en toi un abîme de science ».

• Montaigne tempère cet appétit gigantesque par son adage : « Mieux vaut tête bien faite que bien pleine », il souligne qu'il faut donner de l'autonomie à l'homme pour se former. Il insiste sur l'importance de l'expérience personnelle : « Je suis moi-même la matière de mon livre » (Montaigne, *Les Essais*).

• L'évangélisme de la Renaissance valorise l'exégèse biblique par un recours direct et individuel aux textes originaux, ce qui favorisera l'essor du libertinage intellectuel et de l'esprit de libre examen.

3. Accepter de prendre modèle

• Les humanistes engagent à prendre modèle sur les Anciens pour en extraire le meilleur (abondance de références latines et grecques ; sujets païens de la peinture).

• Autrui est aussi un modèle : il faut « frotter et limer notre cervelle contre celle d'autrui », s'ouvrir à la différence (Montaigne, *Des Cannibales*). D'où l'importance de la communication (favorisée par l'imprimerie) et des voyages (« Le voyager me semble un exercice profitable », Montaigne). Les humanistes sont les lointains inventeurs du programme moderne *Erasmus* !

4. Adopter de nouvelles stratégies littéraires et artistiques

• Proposer de nouveaux idéaux : les utopies (*Utopia* de Thomas More, abbaye de Thélème chez Rabelais).

• Instruire par le rire, proposer un « gai savoir » optimiste : « Mieux est de ris que de larmes écrire pour ce que rire est le propre de l'homme » (Rabelais).

OBJETS D'ÉTUDE L

• Recourir à des genres et formes variés : exploiter les ressources de l'argumentation directe (essais, traités) mais aussi de l'argumentation indirecte (récits fantaisistes, déclamations parodiques comme L'Éloge de la folie).

III. Un rêve déçu

1. Des circonstances défavorables

• Les guerres de religion réveillent des instincts violents, peu propices au progrès moral, qui détruisent l'harmonie dans le pays et les familles, écornent l'optimisme humaniste (poètes engagés : Agrippa d'Aubigné, Les Tragiques : « Je veux peindre la France une mère affligée… »). L'optimisme de la première moitié du siècle se teinte d'inquiétude.

• L'agrandissement de l'horizon terrestre avive l'appétit de conquêtes et le désir de convertir les populations des pays découverts. Le désir de rendre les hommes « meilleurs » finit par créer de la violence et par tourner à la contre-utopie.

2. Les limites de l'idéal

Certains idéaux se heurtent à des limites. Celles par exemple de l'éducation encyclopédique et aristocratique (un précepteur par enfant) prônée par Rabelais. Celles aussi inhérente aux mauvais penchants de l'homme toujours prêts à resurgir ou impossibles à combattre : Montaigne fait l'autocritique de sa paresse, qui a provoqué la faillite de l'éducation que son père voulait lui donner ; que peut donner le précepte « fay ce que vouldras » sur une âme qui ne serait pas « bien née » ?

3. D'autres buts ?

Certains humanistes ont des visées plus terre-à-terre : le penseur politique Machiavel, partisan d'un pouvoir fort, explique dans son traité politique Le Prince que la raison d'État l'emporte sur les considérations morales et religieuses (d'où le sens de l'adjectif « machiavélique »).

Conclusion

Les humanistes affirment leur désir de cultiver les potentialités de l'être humain pour le rendre « meilleur », voire idéalement parfait. Cependant ils restent des hommes avec leurs limites. [Ouverture] Il n'en reste pas moins que l'optimisme humaniste imprimera sa marque sur l'imaginaire et la sensibilité baroques du XVIIe siècle, inspirera ensuite l'appétit critique et l'enthousiasme du mouvement des Lumières. L'emploi du mot « humaniste » aujourd'hui qualifie un penseur optimiste qui accorde une place privilégiée à l'homme, à ses progrès et à son épanouissement : un idéal qui traverse le temps sans doute parce qu'il a une dimension universelle.

Rendre les hommes meilleurs

■ Écriture d'invention

▶ Montaigne (document D) adresse une lettre à un jeune noble invité à la cour pour la première fois. Il le met en garde et lui indique comment se comporter. Vous écrirez cette lettre.

Le candidat peut s'appuyer sur le document D reproduit dans le sujet n° 53.

■ LES CLÉS DU SUJET

■ Comprendre le sujet

• **Genre :** « lettre ». Respectez-en les caractéristiques formelles : formule d'adresse, lieu et date, implication de l'épistolier et du destinataire, formule de prise de congé.

• **Sujet de la lettre :** « la cour », le comportement à adopter à la cour.

• **Type de texte :** « met en garde », « comment se comporter » : le texte est argumentatif. La **thèse** est : « La cour est un milieu où il faut se comporter avec prudence, voici comment... »

• **Situation d'énonciation : de qui ?** Montaigne ; **à qui ?** « à un jeune noble »

• **Niveau de langue :** soutenu, celui de Montaigne dans le texte du corpus.

• **Le registre** ne vous est pas indiqué (voir plus bas).

• **« Définition »** du texte à produire, à partir de la consigne :

> Lettre (*genre*), d'un humaniste (Montaigne) à un jeune noble (*situation d'énonciation*), qui argumente sur (*type de texte*) les travers de la cour et le comportement à y tenir (*thèmes*) de façon didactique et polémique (*registres*), critique, marquée par l'expérience, bienveillante (*adjectifs*), pour faire part de son expérience, faire le blâme de la cour et donner des conseils de comportement (*buts*).

■ Chercher des idées

Le fond

• Pour la **description de la cour,** inspirez-vous du texte de Montaigne et des autres textes du corpus. Utilisez un lexique dépréciatif et des images négatives.

• **Attention** : les conseils prodigués **ne doivent pas contredire la pensée humaniste ni les principes fondamentaux de Montaigne** : impossible donc de conseiller au jeune homme l'hypocrisie, la duplicité ou de renier son être profond, de « s'enfariner le cœur ».

• Le Montaigne que vous faites parler doit conseiller l'**attitude nuancée, mesurée** d'un philosophe (doù les procédés de la concession : « certes…, mais… »).

La forme, l'écriture

• Empruntez le **style de Montaigne :** phrases à l'allure de vérités générales, formules frappantes (voir celle qui clôt le texte), citations latines, images pittoresques, allusions à l'Antiquité…

• « met en garde / indique » : utilisez **tournures et formules didactiques** – impératifs, termes intensifs, procédés de la généralisation (présent de vérité générale, pronom indéfini « on »), formules d'insistance (« de grâce, croyez-moi »…) mais aussi connecteurs logiques.

• Utilisez des **marques impliquant** celui qui écrit (indices personnels de la 1re personne du singulier) et son destinataire (indices personnels de la 2e personne).

▶ **Pour réussir l'écriture d'invention :** voir guide méthodologique.
▶ **La lettre** : voir mémento des notions.

CORRIGÉ 56

De Bordeaux, en l'an 1582.

Mon jeune ami,

Je me réjouis que vous alliez rejoindre la cour d'Henri, notre Roi Très-Chrétien. Vous y ferez merveille. Vous l'imaginez sans doute, avec la candeur de votre jeunesse, comme un lieu béni, où le valeureux se fait universellement connaître, le dévoué rapidement employer, et le lettré spontanément protéger. Mais votre fraîcheur y flétrira si l'on ne vous prodigue bientôt quelques conseils pour guider vos pas dans ce milieu terrible.

Sachez tout d'abord qu'il n'y a rien de plus trompeur que la cour. La voyez-vous de loin ? Elle brille, éblouit, enchante et subjugue. La contemplez-vous un instant ? Vous voilà pris à ses douces promesses, et vous vous précipitez sur des récifs qui causent votre perte. Car c'est une Sirène que cette cour enchanteresse, aux accents d'autant plus charmants qu'elle connaît les recoins les plus secrets du cœur des hommes. Aussi ne l'écoutez pas, de grâce, quand elle vous promet gloire, fortune et renommée : elle promet plus qu'elle ne peut donner, et promet bien mal, car elle promet à tous.

Mon jeune ami, soyez sur vos gardes. Tel Argus aux cent yeux grand ouverts, veillez ! Car ces singes que sont les hommes de cour ne manqueront pas de vous donner une comédie qu'ils croient nouvelle et qui se joue depuis l'aube des temps ! Croyez-moi, mon cher, ils jouent bien. Voyez-les rire et s'exclamer : ne croiriez-vous pas que ce sont là les êtres les plus heureux du monde ? Pourtant ils pleurent au-dedans. Écoutez-les approuver tout haut un édit qu'en vérité ils honnissent. Aussi surveillez-vous : passez la bride à votre sincérité, domptez-la. Ne dites le fond de votre pensée qu'à vos intimes et ne vous fiez pas aux amis d'un jour, traîtres le lendemain. *Homo homini lupus est*, « L'homme est un loup pour l'homme », disait Plaute le vieux Romain, dans une de ses comédies. À la cour de France vous trouverez une comédie d'un nouveau genre, qui ne porte pas à rire, croyez-m'en ! Ne vous laissez pas prendre au jeu fallacieux des courtisans et dites-leur, suivant ma propre maxime reprise au poète latin Perse, *Ego te intus* et *in cute novi :* « moi, c'est de l'intérieur, et dans ta chair, que je te connais ».

Feignez donc. Ne vous découvrez pas tout entier. Mais ne vous reniez pas. Soyez habile sans être flagorneur. Gardez à l'esprit que ces hommes de cour ne sont jamais assis plus haut que sur leur cul et que, si haut placés soient-ils, ils ont tripes et boyaux comme vous et moi. Aussi vous faut-il adroitement – mais non servilement – complaire, car ce n'est point vous, mon cher, qui leur ouvrirez les yeux sur la vanité de leurs illusions. Me voilà au bout de mes recommandations, mon jeune ami : puissent-elles vous être utiles ! J'en aurais moi-même eu grand besoin à mes débuts. Saluez votre père Étienne de ma part, et que Dieu vous garde.

Votre très dévoué,

Michel de Montaigne.

Remarque
Dans une écriture d'invention, vous devez montrer vos connaissances par des citations, des allusions précises (ici les citations latines ou les références à des œuvres). Mais faites attention à la chronologie et méfiez-vous des anachronismes !

OBJETS D'ÉTUDE L

Le Masque de fer

■ Question

Documents

A – **Voltaire**, *Le Siècle de Louis XIV*, 1751.
B – **Alfred de Vigny**, « La Prison », *Poèmes antiques et modernes*, 1826.
C – **Victor Hugo**, *Les Jumeaux*, acte II, scène 1, 1839.
D – **Alexandre Dumas**, *Le Vicomte de Bragelonne*, 1850.

▶ Les textes de Vigny, Hugo et Dumas reprennent la figure du Masque de fer : en quoi diffère-t-elle de celle que propose Voltaire ?

Après avoir répondu à cette question, les candidats devront traiter au choix un des trois sujets nᵒˢ 58, 59 ou 60.

DOCUMENT A

Dans les premières années du règne de Louis XIV, un mystérieux prisonnier est tenu au secret sous un masque en métal. Son anonymat alimente rapidement les rumeurs et les fantasmes. Près d'un siècle plus tard, Voltaire reprend cette histoire et développe la thèse selon laquelle le prisonnier pourrait être un frère caché du roi. C'est le début de la légende du Masque de fer.

Quelques mois après la mort de ce ministre[1], il arriva un événement qui n'a point d'exemple ; et, ce qui est non moins étrange, c'est que tous les historiens l'ont ignoré. On envoya dans le plus grand secret au château de l'île Sainte-Marguerite, dans la mer de
5 Provence, un prisonnier inconnu, d'une taille au-dessus de l'ordinaire, jeune et de la figure la plus belle et la plus noble. Ce prisonnier, dans la route, portait un masque dont la mentonnière avait des ressorts d'acier qui lui laissaient la liberté de manger avec le masque sur son visage. On avait ordre de le tuer s'il se découvrait. Il resta
10 dans l'île jusqu'à ce qu'un officier de confiance, nommé Saint-Mars, gouverneur de Pignerol, ayant été fait gouverneur de la Bastille l'an

1690, l'alla prendre à l'île Sainte-Marguerite, et le conduisit à la Bastille, toujours masqué. Le marquis de Louvois[2] alla le voir dans cette île avant la translation[3], et lui parla debout et avec une consi-
15 dération qui tenait du respect. Cet inconnu fut mené à la Bastille, où il fut logé aussi bien qu'on peut l'être dans le château. On ne lui refusait rien de ce qu'il demandait. Son plus grand goût était pour le linge d'une finesse extraordinaire, et pour les dentelles. Il jouait de la guitare. On lui faisait la plus grande chère[4], et le gouverneur
20 s'asseyait rarement devant lui. Un vieux médecin de la Bastille, qui avait souvent traité cet homme singulier dans ses maladies, a dit qu'il n'avait jamais vu son visage, quoiqu'il eût souvent examiné sa langue et le reste de son corps. Il était admirablement bien fait, disait ce médecin ; sa peau était un peu brune ; il intéressait par le seul ton
25 de sa voix, ne se plaignant jamais de son état, et ne laissant point entrevoir ce qu'il pouvait être[5].

Voltaire, Le Siècle de Louis XIV, 1751.

---

1. Il s'agit de Mazarin, mort en 1661. 2. François-Michel Le Tellier, marquis de Louvois, secrétaire d'État de la guerre de 1662 à 1691. 3. La translation : le transfert. 4. Faire bonne chère : faire bon accueil. 5. La noblesse de la figure du prisonnier, son goût pour le beau linge, sa passion de la guitare et sa peau brune sont des allusions directes à Louis XIV.

DOCUMENT B

Alfred de Vigny reprend la légende du Masque de fer : il imagine le prisonnier sur le point de mourir recevant la visite d'un vieux moine.

[...]
— Sur le front du vieux moine une rougeur légère
Fit renaître une ardeur à son âge étrangère ;
Les pleurs qu'il retenait coulèrent un moment ;
5 Au chevet du captif il tomba pesamment ;
Et ses mains présentaient le crucifix d'ébène,
Et tremblaient en l'offrant, et le tenaient à peine.
Pour le cœur du Chrétien demandant des remords,
Il murmurait tout bas la prière des morts,
10 Et sur le lit sa tête avec douleur penchée
Cherchait du prisonnier la figure cachée.
Un flambeau la révèle entière : ce n'est pas
Un front décoloré par un prochain trépas,
Ce n'est pas l'agonie et son dernier ravage ;
15 Ce qu'il voit est sans traits, et sans vie, et sans âge :

Un fantôme immobile à ses yeux est offert,
Et les feux ont relui sur un masque de fer.
Plein d'horreur à l'aspect de ce sombre mystère,
Le prêtre se souvint que, dans le monastère,
20 Une fois, en tremblant, on se parla tout bas
D'un prisonnier d'État que l'on ne nommait pas ;
Qu'on racontait de lui des choses merveilleuses
De berceau dérobé, de craintes orgueilleuses,
De royale naissance, et de droits arrachés,
25 Et de ses jours captifs sous un masque cachés.
Quelques pères[1] disaient qu'à sa descente en France,
De secouer ses fers il conçut l'espérance ;
Qu'aux geôliers un instant il s'était dérobé,
Et, quoiqu'entre leurs mains aisément retombé,
30 L'on avait vu ses traits ; et qu'une Provençale,
Arrivée au couvent de Saint-François-de-Sale
Pour y prendre le voile, avait dit, en pleurant,
Qu'elle prenait la Vierge et son fils pour garant
Que le masque de fer avait vécu sans crime,
35 Et que son jugement était illégitime ;
Qu'il tenait des discours pleins de grâce et de foi,
Qu'il était jeune et beau, qu'il ressemblait au Roi,
Qu'il avait dans la voix une douceur étrange,
Et que c'était un prince ou que c'était un ange.
40 [...]

Alfred de Vigny, « La Prison », Poèmes antiques et modernes, 1826.

---

1. Père : homme d'Église.

DOCUMENT C

Sous le masque de fer, Victor Hugo représente le frère jumeau de Louis XIV enfermé, dès son plus jeune âge, pour raison d'État.

LE MASQUE. Au fond, LE SOLDAT.

LE MASQUE, *levant la tête pesamment et parlant comme avec effort.*
Pour la vie !

(Il tourne la tête comme regardant autour de lui.)

5   Une tombe ! – Et j'ai seize ans à peine.
(Il marche à pas lourds vers le fond du cachot et semble considérer
la lumière de la fenêtre projetée à ses pieds sur le pavé.)

Que ce rayon est pâle et lentement se traîne !
10 *(Il paraît compter les dalles et mesurer des yeux une distance.)*
Oh ! la cinquième dalle est loin encor !

(Il écoute.)

— Nul bruit !
(Il revient sur le devant du théâtre à pas précipités et,
15 *avec une explosion désespérée :)*
Vivre dans deux cachots à la fois, jour et nuit !
Oui, les bourreaux — Seigneur ! quel dessein est le vôtre ? —
Ont mis mon corps dans l'un, mon visage dans l'autre.
— Oh ! ce masque est encor le plus affreux des deux !
20   *(Il semble se mirer devant la glace de Venise*
posée sur la table.)
Parfois dans ce miroir un fantôme hideux
Me fait peur quand je passe et marche à ma rencontre.
— C'est moi-même ! Aux barreaux aussi, quand je me montre,
25 Je vois le laboureur s'enfuir épouvanté !

(Il s'assied et rêve.)

Le sommeil ne met pas mon âme en liberté.
Dans mes songes jamais un ami ne me nomme ;
Le matin, quand j'en sors, je ne suis pas un homme
30 Allant, venant, parlant, plein de joie et d'orgueil,
Je suis un mort pensif qui vit dans son cercueil.
— C'est horrible ! — Jadis, — j'étais enfant encore,
J'avais un grand jardin où j'allais dès l'aurore,
Je voyais des oiseaux, des rayons, des couleurs,
35 Et des papillons d'or qui jouaient dans les fleurs !
Maintenant !…

(Il se lève.)

Oh ! je souffre un bien lâche martyre !
Quoi donc ! il s'est trouvé des tigres pour se dire :
40 — Nous prendrons cet enfant, faible, innocent et beau,
Et nous l'enfermerons, masqué, dans un tombeau !
Il grandira, sentant, même à travers la voûte,
L'instinct de l'homme en lui s'infiltrer goutte à goutte ;
Le printemps le fera, dans sa tour de granit,
45 Tressaillir comme l'arbre et la plante et le nid ;
Pâle, il regardera, de sa prison lointaine,
Les femmes aux pieds nus qui passent dans la plaine ;
Puis, pour tromper l'ennui, charbonnant[1] de vieux murs,
Sculptant avec un clou tous ses rêves obscurs,

50 Il usera son âme en choses puériles ;
Vous creuserez son front, rides, sillons stériles !
Les semaines, les mois et les ans passeront ;
Son œil se cavera[2], ses cheveux blanchiront ;
Par degrés, lentement, d'homme en spectre débile[3]
55 Il se transformera sous son masque immobile ;
Si bien qu'épouvantant un jour ses propres yeux,
Sans avoir été jeune, il s'éveillera vieux !

Victor Hugo, *Les Jumeaux*, acte II, scène 1, 1839.

---

1. Charbonnant : dessinant avec du charbon.
2. Se caver : se creuser.
3. Débile : qui manque de force.

DOCUMENT D

Après avoir tenté de prendre la place de Louis XIV, le jumeau du Roi est conduit par d'Artagnan au fort de Sainte-Marguerite où il est tenu au secret sous un masque de fer. Mais Athos et Raoul de Bragelonne découvrent par hasard l'identité du prisonnier. D'Artagnan cherche à protéger ses deux amis désormais en danger.

Comme ils passaient sur le rempart dans une galerie dont d'Artagnan avait la clef, ils virent M. de Saint-Mars[1] se diriger vers la chambre habitée par le prisonnier.

Ils se cachèrent dans l'angle de l'escalier, sur un signe de
5 d'Artagnan.

– Qu'y a-t-il ? dit Athos.

– Vous allez voir. Regardez. Le prisonnier revient de la chapelle.

Et l'on vit, à la lueur des rouges éclairs, dans la brume violette qu'estompait le vent sur le fond du ciel, on vit passer gravement, à
10 six pas derrière le gouverneur, un homme vêtu de noir et masqué par une visière d'acier bruni, soudée à un casque de même nature, et qui lui enveloppait toute la tête. Le feu du ciel jetait de fauves reflets sur la surface polie, et ces reflets, voltigeant capricieusement, semblaient être les regards courroucés que lançait ce malheureux, à
15 défaut d'imprécations.

Au milieu de la galerie, le prisonnier s'arrêta un moment à contempler l'horizon infini, à respirer les parfums sulfureux de la tempête, à boire avidement la pluie chaude, et il poussa un soupir, semblable à un rugissement.

20   – Venez, monsieur, dit Saint-Mars brusquement au prisonnier, car il s'inquiétait déjà de le voir regarder longtemps au-delà des murailles. Monsieur, venez donc !

    – Dites monseigneur ! cria de son coin Athos à Saint-Mars avec une voix tellement solennelle et terrible que le gouverneur en fris-
25 sonna des pieds à la tête.

    Athos voulait toujours le respect pour la majesté tombée.

    Le prisonnier se retourna.

    – Qui a parlé ? demanda Saint-Mars.

    – Moi, répliqua d'Artagnan, qui se montra aussitôt. Vous savez
30 bien que c'est l'ordre.

    – Ne m'appelez ni monsieur ni monseigneur, dit à son tour le prisonnier avec une voix qui remua Raoul jusqu'au fond des entrailles, appelez-moi Maudit !

    Et il passa.

35   La porte de fer cria derrière lui.

    – Voilà un homme malheureux ! murmura sourdement le mousquetaire, en montrant à Raoul la chambre habitée par le prince.

Alexandre Dumas, Le Vicomte de Bragelonne, 1850.

---

1. Saint-Mars : gouverneur du fort de Sainte-Marguerite, chargé d'assurer la garde de l'homme au masque de fer.

LES CLÉS DU SUJET

■ Comprendre la question

• Une « réécriture » suppose 1. une imitation (ressemblances), 2. une transformation du texte-modèle (différences). Ici, analysez seulement les **écarts** entre le texte-source et les réécritures.

• Définissez les caractéristiques du texte de Voltaire, puis celle de chacune des réécritures : vous repérerez alors les différences.

■ Construire la réponse

• Essayez de trouver les **raisons de ces écarts** avec le texte-source.

• Construisez votre réponse autour des **différentes caractéristiques des textes** : genre, type de texte, registres, caractéristiques du personnage, intentions des auteurs.

• Appuyez-vous sur des **expressions précises** des textes.

OBJETS D'ÉTUDE L

Les titres en couleur et les indications entre crochets servent à guider la lecture mais ne doivent pas figurer sur la copie.

Introduction

[Amorce] L'identité mystérieuse de l'homme au masque de fer a largement alimenté les imaginations et de nombreuses œuvres – littéraires ou cinématographiques – ont entretenu la curiosité autour de cette énigme. [Présentation du corpus] Le passage que Voltaire, au XVIIIe siècle, consacre au Masque de fer dans *Le Siècle de Louis XIV* est une élucidation objective du mystère, mais les auteurs romantiques du XIXe, dans leurs réécritures, en exploitent le potentiel dramatique. Vigny en fait un poème – « La Prison » – Hugo, un drame – *Les Jumeaux* – et Alexandre Dumas fait reposer sur le personnage du Masque de fer une part de l'intrigue du *Vicomte de Bragelonne,* dernier volet de la trilogie des Mousquetaires.

I. D'un siècle à l'autre, d'un genre à l'autre

• D'un texte à l'autre on retrouve des éléments identiques, certains factuels et nécessaires : il s'agit d'un prisonnier d'État, enfermé à vie, masqué, qui a de la prestance (« jeune et beau ») et dont la « royale naissance » – un frère de Louis XIV – est implicitement ou explicitement suggérée.

• Voltaire écrit un essai historique qui se prétend objectif avec des témoignages avérés, des éléments de narration et de description, des précisions spatio-temporelles (« quelques mois après la mort de ce ministre » ou « au château de l'île Sainte-Marguerite ») et physiques (« la figure la plus belle et la plus noble », « bien fait »). Mais en fait, le texte est argumentatif : son intention est de jeter le discrédit sur la monarchie absolue et les crimes d'État.

• Les auteurs romantiques privilégient l'imaginaire et créent une figure mythique dans des genres littéraires différents. Vigny compose un poème où il décrit comme dans un tableau en clair-obscur l'agonie du Masque. Hugo, dramaturge, fait entendre le lamento désespéré du Masque encore jeune, au début de sa captivité. Dumas, en mêlant les éléments historiques et les interventions des Mousquetaires de sa trilogie romanesque historique, compose un texte hybride où se croisent les voix et les émotions du Masque et des témoins de la scène.

II. Des registres variés et efficaces

Le texte de Voltaire est didactique – et implicitement polémique – par sa volonté d'éclaircir le mystère (il résume trente ans de la captivité du Masque), de le dédramatiser sans effet trop marqué. Les écrivains romantiques ne reculent, eux, devant aucun effet pathétique pour évoquer le destin atroce d'un être (son agonie, chez Vigny) et l'effet terrible qu'il produit sur ceux qui le rencontrent (notamment chez Dumas).

• Le lecteur de Vigny éprouvera comme le vieux prêtre « horreur » devant ce sombre mystère et compassion pour le mourant ; il versera des larmes comme la novice « Provençale ». Le poète ajoute une tonalité fantastique à son tableau par les gros plans sur le masque et ses reflets métalliques qui font de l'agonisant un « fantôme » inquiétant.

• Chez Dumas, le pathétique est souligné par la répétition de l'adjectif « malheureux » à la fois dans la bouche du narrateur et dans celle de d'Artagnan.

• Le jumeau de Hugo se voit aussi comme un « fantôme », « un spectre », mort vivant dans un double tombeau, qui s'effraie de son propre reflet ; mais il évoque aussi avec un lyrisme nostalgique son enfance libre dans la nature, sa sensualité d'homme qui regarde les « pieds nus » des femmes et forme des « rêves obscurs » ; il parle de lui parfois à la première personne, parfois à la troisième, comme s'il se dédoublait ou perdait le sentiment de son identité. C'est un destin tragique que résume le dernier vers : « sans avoir été jeune, il s'éveillera vieux ».

• Voltaire implicitement voit dans le Masque de fer la démonstration des abus du pouvoir monarchique. Les écrivains romantiques en font un symbole universel de l'injustice. « Enfant faible et innocent » victime d'un « martyre » pour Hugo, « ange » « sans crime » pour Vigny, être injustement « maudit », comme Hernani, chez Dumas.

Conclusion

Ce sont des réécritures dramatisées et dynamiques que les écrivains romantiques ont imaginées à partir de l'œuvre historique et factuelle de Voltaire, tout en lui donnant une portée symbolique et allégorique.

OBJETS D'ÉTUDE L

Le Masque de fer

■ Commentaire

▶ **Vous commenterez le texte B, extrait des *Poèmes antiques et modernes* d'Alfred de Vigny.**

Se reporter au document B du sujet n° 57.

Se reporter au document B du sujet n° 57.

LES CLÉS DU SUJET

■ **Trouver les idées directrices**

• Définissez les caractéristiques du texte pour trouver les axes (idées directrices).

> Poème en vers réguliers, réécriture d'une énigme historique (*genre*) qui raconte et décrit (*types de texte*) la présence d'un moine en prière auprès d'un prisonnier à l'agonie (*sujet*), pathétique, dramatique, fantastique (*registres*), mystérieux, plein de suspense, spectaculaire, (*adjectifs*), pour émouvoir, créer l'effroi, réhabiliter la victime d'une injustice (*buts*)

■ **Pistes de recherche**

Première piste : une scène de drame romantique
• Analysez le **tableau** que peint Vigny.
• Quels **personnages**, quelles attitudes sont décrits ? Comment est structuré le tableau ?
• Quelle **atmosphère** se dégage de cette scène (couleurs, lumières, mouvements) ?
• Comment Vigny crée-t-il le **suspense** ?

Deuxième piste : Le passé reconstitué
• Comment est évoqué le **passé** du Masque de fer ?
• Quelle **progression** suit l'évocation des souvenirs ?
• L'**identité** du personnage est-elle révélée ?

Troisième piste : Sous le masque, les traits d'un héros romantique
• Quelles caractéristiques du héros romantique le personnage présente-t-il ?
• Comment Vigny maintient-il le **mystère** qui l'entoure ?
• En quoi dépasse-t-il l'humanité ordinaire ?
• Quels traits en font un **héros épique** ?
▶ **Pour réussir le commentaire** : voir guide méthodologique.
▶ **Les réécritures** : voir lexique des notions.

CORRIGÉ **58**

Les titres en couleur et les indications entre crochets servent à guider la lecture mais ne doivent pas figurer sur la copie.

Introduction

[Amorce] L'énigme du Masque de Fer contenait tous les ingrédients propres à nourrir l'imagination des auteurs romantiques : un mélange d'éléments historiques et de mystère, un personnage déclassé et victime d'un pouvoir injuste. [Présentation du texte] Alfred de Vigny, poète et dramaturge, consacre un poème en alexandrins, « La Prison », au Masque de fer dans *Poèmes antiques et modernes*, un de ses premiers recueils poétiques. Un vieux moine accompagne l'agonie pathétique du Masque et se souvient des témoignages émouvants qui entourent ce mystérieux personnage. Vigny poète est ici à la fois dramaturge, peintre et romancier… La première strophe décrit le vieux moine au chevet du mourant, la deuxième reconstitue la vie du Masque. [Annonce des axes] Vigny traite ce moment comme une scène de drame romantique et comme un tableau spectaculaire, par le jeu des couleurs et son atmosphère fantastique [I] et fait le récit romanesque de la vie du malheureux. [II] Le Masque de fer sous la plume de Vigny a les traits du héros romantique dont Hernani de Hugo sera l'emblème [III].

I. Une scène de drame romantique

1. Des attitudes précises théâtrales, des effets sonores

• L'attention se concentre d'abord sur le visage du « vieux moine » et, par des gros plans symboliques, sur son « front » et ses yeux « en pleurs », puis – en une sorte de plan américain – sur sa silhouette tombée à genoux au chevet du captif, à nouveau en gros plan sur ses « mains » tremblantes et « le crucifix » et revient enfin sur sa « tête […] penchée ».

• Ces précisions et les verbes d'action qui les accompagnent (« tomba », « présentaient », « offrant » « tenaient » « cherchait ») fonctionnent comme des didascalies ou des changements de plans qui introduisent, dans une scène statique (le Masque est « immobile »), un mouvement lent et solennel, tout en faisant attendre la découverte du masque.

• Des notations sonores feutrées (« il murmurait tout bas ») accentuent le recueillement de l'atmosphère.

2. Un tableau fantastique, des images effrayantes

• À la fois metteur en scène et peintre, Vigny dépeint dans la première strophe un tableau en clair-obscur fantastique, dans le goût des romantiques pour les romans gothiques de la littérature anglaise (châteaux hantés, morts vivants, sorcières, moines diaboliques…).

Définition
Le clair-obscur est un effet consistant à créer des contrastes forts entre des zones claires exposées à une source lumineuse (bougie, rayon de soleil…) et des zones sombres, toutes proches, ce qui donne du relief, accentue les mouvements, l'expression des corps et des visages.

• Le jeu des couleurs et des reflets (« ont relui ») sur le métal du masque donne un aspect fantastique à la description du moine et du mourant. Le « flambeau » projette sa lumière incertaine sur la « rougeur » du front du moine, le noir du crucifix d'« ébène » contraste avec les reflets des « feux » sur le masque.

• Le moine est « plein d'horreur » à la vue de ce « fantôme », un quasi-mort-vivant dépeint sous son « masque de fer » par d'horribles détails rassemblés dans un groupe ternaire plein d'émotions (« sans traits et sans vie et sans âge »).

• La multiplication des tournures négatives effrayantes, à partir du contre-rejet du v. 11, dresse une sorte d'anti-portrait et retarde encore jusqu'au dernier mot de la strophe l'explicitation de ce que le flambeau a révélé, mis en relief par l'alliération en « f » (*fantôme, offert, feux, fer*) : un masque de fer couvre le visage du mourant qu'il déshumanise.

II. Le passé reconstitué

1. Un flash-back…

• La deuxième strophe, par le biais de récits enchâssés, élargit la scène et permet, comme dans le drame romantique, de s'affranchir des unités de temps et de lieu.

- Dans un flash-back progressif, que les enjambements successifs et la cascade de subordonnées complétives (v. 18-24, 28-39) ralentissent, émergent lentement – le moine est « vieux » ! – de la mémoire du religieux des souvenirs, des confidences, d'abord vagues, sur « des choses » évoquées par des témoins indéfinis (« on »).

- Ce bruissement à voix basse (« on se parla tout bas ») se précise peu à peu avec des éléments biographiques plus affirmés. Cependant les articles indéfinis et le pluriel colorent encore ces souvenirs d'une forme d'incertitude (« on racontait... *des choses, ... de craintes...* »).

2. ... de plus en plus précis

- Les confidents sont de mieux en mieux identifiés (« quelques pères ») ; les lieux et les informations sont de plus en plus détaillés et conduisent au long témoignage au style indirect de la novice provençale

- Elle dresse alors un véritable portrait (v. 35 à 38 : « jeune, beau, voix/douceur ») du Masque de fer ; le mot ne désigne plus seulement ce qui cache le visage de l'inconnu mais il lui sert désormais de nom (le mot « Masque » porte une majuscule), à défaut de révéler sa véritable identité.

III. Sous le masque, les traits d'un héros romantique

Dans la « Préface » de *Cromwell*, Hugo fonde la littérature romantique sur le contraste du grotesque et du sublime, un couple destiné à remplacer la distinction artificielle entre tragique et comique que la vie mêle constamment. Si l'atmosphère de la scène imaginée par Vigny correspond bien à cette esthétique romantique, le personnage du Masque rassemble aussi la plupart des traits des héros des drames romantiques et le Hernani du même Hugo pourrait être son vrai jumeau.

1. Une identité mystérieuse

- Il partage avec le jeune prince espagnol une identité énigmatique qui auréole le personnage d'un « sombre mystère », souligné par le champ lexical du secret (« sombre mystère, cachée, cachées »).

- Hernani est banni par le pouvoir et le Masque est un « prisonnier d'État », on lui a « arraché » ses « droits » et il est victime d'un « jugement illégitime ».

- Tous deux sont de noble « naissance » et doivent vivre « cachés ».

2. Victime et pourtant parfait. Un martyr ? Un ange ?

- Le Maque de fer cherche à « secouer ses fers », à retrouver ses droits mais le pouvoir injuste le persécute et l'emprisonne. C'est un « maudit » alors qu'il est doué des plus belles qualités, du corps et du cœur. Des termes laudatifs le définissent et en dressent un portrait idéalisé : « jeune », « beau », il allie « grâce » et « douceur ».

• Le Masque est réhabilité : sa morale et sa « foi », son « cœur de chrétien » sont garants de son innocence. Dans une sorte de plaidoyer pathétique, la Provençale souligne qu'il a vécu « sans crime » et les moines – et surtout la novice provençale – hésitent à le qualifier : est-ce « un prince » ou « un ange » ?

• Il meurt en chrétien, assisté par un moine vénérable dans un « monastère ». Cette figure de l'innocence vertueuse persécutée devient un héros sublime.

3. Des exploits épiques

• On peut lui reconnaître enfin une dimension épique dans ses efforts pour « secouer ses fers » et faire reconnaître ses droits. Il est de la race des héros aristocratiques « de royale naissance », « un prince ».

• Sa jeunesse est remplie de « choses merveilleuses » et l'énumération des vers 22 à 24 pourrait être développée en un poème épique avec ses rebondissements multiples (naissance royale, captivité, fuite, arrestation).

Conclusion

Aussi marquée soit-elle par la sensibilité romantique du jeune Vigny, cette vision romanesque du Masque de fer ne manque pas de toucher un lecteur contemporain par la force de ses images, par les effets spectaculaires de la scène, par la façon originale dont le poète reconstitue, comme un puzzle, l'identité mystérieuse d'un malheureux, victime d'un pouvoir abusif. [Ouverture] Voltaire donna sa propre version de l'énigme, claire, vivante, précise mais insuffisante pour nourrir notre imaginaire qui cherche toujours une part d'ombre dans les énigmes du passé.

59

Le Masque de fer

■ Dissertation

▸ **L'intérêt du lecteur pour une réécriture dépend-il essentiellement de sa ressemblance avec le modèle ?**
Vous vous appuierez sur les textes du corpus, les œuvres que vous avez étudiées en classe ainsi que sur vos lectures personnelles.

Les textes du corpus sont reproduits dans le sujet nº 57.

LES CLÉS DU SUJET

■ Comprendre le sujet

• Le **présupposé** est : « L'intérêt d'une réécriture réside dans sa ressemblance avec son modèle ». Vous devez le démontrer.

• L'adverbe *essentiellement* laisse entendre qu'il y a une **discussion possible**, que la thèse peut être nuancée : la réécriture comporte d'autres éléments qui peuvent susciter l'intérêt.

• Le point de vue est limité au cas du « **lecteur** ». On ne considérera donc pas le point de vue de l'auteur.

• La **problématique** générale peut être reformulée ainsi : « Quels intérêts un lecteur peut-il trouver à une réécriture ? », et plus précisément : « Peut-on apprécier une réécriture sans connaître son modèle ? »

■ Chercher des idées

Les questions à se poser

• Scindez cette problématique en plusieurs **sous-questions** (variez les mots interrogatifs) :
– Pour quelles raisons la ressemblance avec le texte-source peut-elle intéresser le lecteur ?
– Quels plaisirs apporte-t-elle ?

– Pourquoi la connaissance du modèle est-elle utile ?

– Quels intérêts peuvent présenter les écarts avec l'œuvre-source ?

Les exemples

• Les *Fables* de La Fontaine, inspirées par Ésope, Phèdre, puis imitées par Anouilh.

• Les **grands mythes repris** : Dom Juan (Molière), Amphitryon (Molière, Giraudoux), Antigone (Sophocle, Anouilh), Électre (Giraudoux…) ; Faust…

• Cas particuliers du **pastiche** et de la **parodie** : *Gargantua* (1534) de Rabelais, parodie d'épopée. *Le Roman comique* (1651-1657) de Scarron, parodie du roman précieux ; *Le Virgile travesti* (1648-1652) du même Scarron, parodie de l'*Énéide* (Virgile).

• Le sujet ne mentionne pas **les arts autres**, mais vous pouvez y faire quelques allusions :

– En peinture (certains motifs picturaux, religieux – Vierge à l'Enfant, Crucifixion, Descente de croix, Nativité… – ou profanes – Concert champêtre, Déjeuner sur l'herbe…)

– En musique (reprise en opéras d'œuvres littéraires : *Rigoletto* de Verdi, adaptation du *Roi s'amuse* de Victor Hugo ; *Carmen* de Bizet inspiré de la nouvelle de Mérimée…).

– Au cinéma : les remakes, les adaptations d'une même œuvre littéraire (*Les Misérables*, *Germinal*…).

CORRIGÉ 59

Les titres en couleur et les indications entre crochets servent à guider la lecture mais ne doivent pas figurer sur la copie.

[Amorce] La jolie image que propose Julien Gracq « tout livre pousse sur d'autres livres » rappelle que tout texte porte la marque d'un héritage culturel : les auteurs se nourrissent de leurs prédécesseurs, ils empruntent, adaptent des œuvres-sources tout en cherchant à faire entendre leur voix singulière. [Problématique] Mais quel intérêt *le lecteur* peut-il trouver à lire une œuvre dont il connaît déjà la substance ? [Annonce du plan] Certes il peut ressentir un certain plaisir à reconnaître l'œuvre-source, le modèle dans la réécriture [I] ; mais l'intérêt des réécritures ne se limite pas aux ressemblances : la part d'écart et de nouveauté, d'originalité qu'elles présentent est aussi attirante et formatrice [II].

I. Ressemblance : le plaisir de retrouver le « modèle »

Dans les arts et plus spécialement la littérature européenne, jusqu'à une époque récente, s'inspirer des œuvres de l'antiquité grecque et latine, n'était pas considéré comme un plagiat. On imitait les Anciens, dont la qualité était reconnue de tous pour « faire ses armes » ; ainsi, l'imitation est au cœur de l'esthétique de la Pléiade et des auteurs de la Renaissance et, un siècle plus tard, des auteurs classiques.

1. Acte d'allégeance, conscience de la permanence et de l'évolution esthétique et culturelle

De nos jours, les lecteurs, comme autrefois, prennent un certain plaisir à reconnaître dans les réécritures les œuvres-sources, à en repérer les ressemblances.

• Cela fait prendre conscience que le génie passé représente souvent une forme de perfection ; c'est reconnaître une dette. Exemples : « Sois tranquille, cela viendra », poème de Jaccottet est un hommage rendu à « Recueillement » de Baudelaire ; l'admiration pour Ésope et Phèdre est à l'origine des *Fables* de La Fontaine. La lecture d'une réécriture permet ainsi de mieux comprendre les textes fondateurs et les rend plus accessibles à un public qui a changé.

• Cela permet aussi de mieux comprendre la permanence de la culture dans laquelle s'inscrit la réécriture. C'est la fonction sociale de la tragédie antique qui, en reprenant les grands mythes, affirme la pérennité de l'ordre du monde et la constance des préoccupations humaines. Exemples : *Œdipe-Roi* de Sophocle, *La Machine infernale* de Cocteau, *Œdipe le roi boiteux* d'Anouilh, *L'Enfant sans nom* d'Eugène Durif... Dans l'*Antigone* d'Anouilh, le lecteur, tout en percevant les allusions au contexte contemporain (Seconde Guerre mondiale), saisit la permanence des conflits entre les valeurs familiales et politiques.

• Littérairement et artistiquement parlant, le lecteur, en ayant à l'esprit l'œuvre-source peut comprendre et mesurer l'évolution de l'esthétique et des genres littéraires. *Candide* de Voltaire qui dénonce le merveilleux trompeur des contes de fées qui font croire que « tout est pour le mieux dans le meilleur des mondes », aboutit à la naissance d'un nouveau genre caractéristique du XVIIIe siècle : le conte traditionnel devient le conte philosophique. La comparaison (explicite ou implicite) que suppose la lecture de la réécriture permet de prendre conscience des changements des mentalités et des goûts. Le texte-source éclaire sa réécriture par l'écart qui l'en sépare (exemples personnels).

2. Le plaisir de l'attendu, du « terrain connu »

• Le lecteur prend aussi plaisir à re-connaître (au sens de « retrouver » du connu) : il aime à se sentir en terrain connu et ressent la satisfaction de véritables retrouvailles.

• Comme, dans un western, le spectateur attend la scène du duel, le lecteur se plaît aux « scènes obligées », aux sujets, aux personnages qu'il a déjà côtoyés : il attend la scène de combat dans l'épopée, la scène du bal dans un conte, la rencontre amoureuse dans le roman, la scène de reconnaissance au théâtre (exemples personnels) …

3. Un rapport de complicité

• Un plaisir d'initié. La réécriture, notamment le pastiche et la parodie, ne prend son sens que si le lecteur a connaissance du modèle de référence, ce qui suppose une certaine culture. Le plaisir est d'ordre intellectuel pour l'initié, qui reconnaît sous l'œuvre réécrite le texte-modèle (exemples : *West Side Story*, réécriture de *Roméo et Juliette* de Shakespeare ; *La Folie des grandeurs* réécriture de *Ruy Blas* ; la figure d'Œdipe dans personnage d'Aignan de *La Disparition* de Perec ; le spectre de Hamlet de Shakespeare dans *La Machine infernale* de Cocteau ; *La Princesse de Clèves* de Mme de La Fayette en filigrane du film de C. Honoré *La Belle Personne* ; Masque de fer).

> **Définition**
> Le pastiche, sorte de « à la manière de », consiste à imiter le style d'un auteur au point que le texte puisse être attribué au modèle, suscite l'admiration pour la ressemblance qui fait « plus vrai que vrai ». Exemple : « Les Étrennes des orphelins » de Rimbaud ressemble à s'y méprendre à du Hugo.

• Cela crée un rapport original entre l'auteur et le lecteur, qui deviennent complices : la réécriture est un clin d'œil qui crée des liens (exemples personnels).

• La participation à un jeu. La lecture d'une réécriture offre aussi les attraits d'un jeu ; c'est un champ d'expérience ludique, de même nature que le travestissement. La réécriture devient un exercice de style sérieux mais aussi ludique : les œuvres de l'OuLiPo (Ouvroir de littérature potentielle) et de Raymond Queneau, qui visent à renouveler le langage, amusent le lecteur qui se prend au jeu et sourit des multiples « déguisements » du texte-source.

> **Info**
> Dans *Exercices de style*, Queneau s'amuse à raconter 99 fois la même histoire, de 99 façons différentes selon les différents contextes ou les formes choisies (« Comédie », « Vulgaire », « Sonnet », « Lettre officielle », « Précieux »…)

II. Variations et écarts : nouveauté, modernité, remise en cause

La réécriture est imitation, mais aussi innovation. Son but ultime est de faire preuve d'originalité et parfois de dépasser les modèles ; les variations, les écarts le texte source et présentent aussi un intérêt pour le lecteur.

1. Le plaisir de la nouveauté, l'admiration pour l'originalité

• Le lecteur apprécie – et admire parfois – dans la réécriture les qualités d'innovation et d'invention. Pascal précise que son imitation est aussi une émulation : « Qu'on ne dise pas que je n'ai rien dit *de nouveau* : la disposition des matières est nouvelle ; quand on joue à la paume [...], c'est une même balle dont joue l'un et l'autre, mais l'un la place mieux » (*Pensées*).

• Ainsi La Fontaine s'inspire d'Ésope et de Phèdre, Mais, tout en revendiquant ses nombreux emprunts aux fabulistes grecs et latins, il avertit ses lecteurs : « Mon imitation n'est point un esclavage » (*Épître à Huet*). Effectivement, il renouvelle le genre de la fable et lui donne le statut de genre littéraire à part entière en accordant au récit, vif et animé, une place prépondérante qu'il n'avait pas chez ses modèles. Au lieu de simplement « instruire » comme eux, il veut aussi « plaire ».

• L'intérêt de la réécriture réside aussi dans la modernisation, la réactualisation de l'œuvre-source, qui rend plus accessibles des sujets éternellement humains et les adapte au contexte, au public visé, pour en montrer de nouveaux aspects. L'*Antigone* de Sophocle parle des relations de l'homme avec sa famille, sa cité et ses dieux, du conflit entre les lois divines et les lois de la cité. Quinze siècles plus tard, l'Antigone d'Anouilh (1944) se révolte par idéalisme, par refus d'accepter les compromis dans une société trop matérialiste (autre exemple : *La guerre de Troie n'aura pas lieu* de Giraudoux, adapté au contexte de la fin de la Seconde Guerre mondiale).

2. La diversité d'approches

• La reprise d'un thème ou d'un sujet et les écarts qu'elle présente permettent au lecteur de s'enrichir de la connaissance d'un autre point de vue, d'une perspective différente sur un même thème, sur une « histoire », sur un personnage (exemples).

• Pascal emprunte à Montaigne, mais suivant une optique différente : il adopte le point de vue du chrétien qui veut « convertir » les libertins et met au service de son projet apologétique ce qui, chez Montaigne, était une réflexion philosophique fondée sur des observations de la vie quotidienne.

• Le changement de genre d'une œuvre à l'autre permet une autre approche. *La Machine infernale* de Cocteau fait directement entrer le spectateur sur le vif dans l'intériorité des personnages, tout comme la réécriture sur scène par Hugo du mythe du Masque de fer, dont on mesure « en direct » la souffrance « sur le vif ». Le Sphinx-femme de Cocteau est un personnage plus humain, plus profond et sensible que celui du mythe antique. Le poème de Vigny souligne l'innocence du Masque de fer.

• Les modifications peuvent aussi prendre un intérêt didactique. La fable « Le Chêne et le Roseau » de La Fontaine prône la souplesse et le compromis, celle d'Anouilh le refus héroïque devant l'adversité. « La Cigale et la Fourmi » d'Anouilh incite à ne pas se tuer à la tâche et à prendre « une bonne ». Enfin, l'amusante affiche-bande dessinée de la Ligue contre le cancer « La Cigale, la Fourmi et le Tabac parodie La Fontaine pour dissuader de… fumer !

3. Le plaisir iconoclaste de la remise en cause

• La parodie, qui procède d'un tout autre esprit que le pastiche, offre au lecteur le plaisir de la désacralisation, à travers le comique. L'imitation caricaturale d'une œuvre, en général célèbre, dans le registre comique ou humoristique, produit un effet plaisant ou burlesque. Le parodieur fait rire et fait donc descendre de leur piédestal le texte et l'auteur-source qui ne sont plus des modèles, mais des « matières » à désacraliser.

• La parodie provoque chez le lecteur un plaisir plus ambigu qu'il n'y paraît, plus pervers, celui de voir un « grand » texte dénaturé et donc son auteur rabaissé. C'est l'esprit même du Carnaval, où sous le masque, on peut se moquer des personnes qui représentent l'autorité.

• Plaisir iconoclaste aussi lorsque le lecteur perçoit dans la réécriture une remise en cause des traditions littéraires ou artistiques. Cocteau et Giraudoux dans leurs pièces ne suivent plus les règles de la tragédie antique ou « classique » (exemples). Il peut aussi s'agir de la remise en question des valeurs que propose le modèle. Ainsi les romantiques réhabilitent la figure de Satan, non plus symbole du mal, mais de liberté.

Conclusion

[Synthèse] De nos jours l'imitation n'a parfois pas bonne presse à cause des dérives qu'elle peut engendrer (plagiat) et de la notion juridique de « propriété intellectuelle » (droits d'auteurs et copyrights). Mais en fait la réécriture n'est pas qu'imitation : elle présente pour le lecteur des intérêts variés et des plaisirs assez sophistiqués, tant par sa ressemblance que par ses différences avec le modèle. [Ouverture] C'est aussi une pratique particulièrement fructueuse pour l'écrivain qui a le plaisir rassurant de s'inscrire dans une lignée prestigieuse et à la fois de faire preuve d'originalité.

60

France métropolitaine • Juin 2017
Série L • 16 points

Le Masque de fer

■ Écriture d'invention

▶ Poursuivez, en une cinquantaine de lignes, le récit de l'extrait du *Vicomte de Bragelonne* (document D) : une fois dans sa cellule, l'homme au masque de fer se remémore les circonstances malheureuses qui l'ont conduit en prison et exprime avec amertume sa désolation.

Votre texte reprendra certaines caractéristiques du texte d'Alexandre Dumas.

Le candidat peut s'appuyer sur les textes reproduits dans le sujet n° 57.

LES CLÉS DU SUJET

■ Comprendre le sujet

• **Genre** : « poursuivez le récit... » → extrait de roman
• **Type de texte** : récit → narratif.
• **Sujet** : « les circonstances malheureuses qui l'ont conduit en prison » → il s'agit d'une analepse (retour en arrière) ; vous écrivez la suite du texte mais vous racontez ce qui a précédé l'épisode du corpus (souvenirs).
• **Statut du narrateur et point de vue** : narrateur extérieur ; point de vue omniscient.
• **Situation d'énonciation** : « exprime son amertume » : point de vue interne/paroles rapportées (style direct, indirect, indirect libre) → possibilité de monologue intérieur ou de prise de parole à voix haute (indices personnels de la 1re personne).
• **Registre** : à déduire du texte de Dumas.

• **Caractéristiques** du texte à produire, à partir de la consigne :

Extrait de roman d'aventures (*genre*), romantique (*mouvement*), qui raconte (*type de texte*) l'arrestation et l'emprisonnement du Masque de fer (*thème*), dramatique, pathétique, lyrique (*registres*), poignant (*adjectifs*), pour rendre compte du désarroi du personnage et rapporter ses souvenirs, pour émouvoir le lecteur (*buts*).

■ **Chercher des idées**

Les contraintes

• Comme il s'agit d'une suite de texte, vous devez respecter :

– les **circonstances spatio-temporelles** : lieu et époque, « une fois entré dans sa cellule » ;

– l'**identité** et la **personnalité** du Masque de fer.

Les choix à faire

• **Épisodes/péripéties/description** : l'arrestation et ses circonstances (où et quand ?) ; les délits dont on l'accuse ; son entrée en prison (la cellule, ses sentiments) ; les raisons de son masque ; sa vie en prison...

• **Ses sentiments** : en plus de l'amertume, désespoir, rancune, jalousie, désir de liberté, sentiment d'une malédiction, d'un avenir compromis...

La forme, l'écriture

• **Cohérence avec le texte de Dumas :** conservez les temps verbaux (passé simple, imparfait).

• Vous pouvez faire alterner des passages de **récit** et de **discours**.

• **Les faits d'écriture** : ceux du romantisme. Respecter le style de Dumas et s'inspirer aussi du texte de Hugo (forme du monologue intérieur). *Exemples* : forts contrastes (antithèses), hyperboles, images saisissantes (animalisation, personnification...), lexique des couleurs/jeux de lumière ; description de la nature ; vocabulaire de la souffrance, de la mort, du malheur, du destin, ... Il s'agit en fait d'une sorte de **pastiche**.

▶ **Pour réussir l'écriture d'invention** : voir lexique méthodologique.

▶ **Le roman** : voir lexique des notions.

CORRIGÉ 60

Une fois que la porte de la cellule se fut refermée sur lui en un bruit caverneux et sinistre, le prisonnier fut pris d'un sentiment étouffant de claustration, à l'aune du vertige ressenti quelques instants plus tôt face au spectacle sublime du coucher de soleil. Le lion était de retour dans sa cage...

Il poussa un soupir que son masque dur transforma en rugissement. La déformation de sa voix suscita un rire terrible, qui sonna, cette fois, comme le ricanement d'une hyène.

– Appelez-moi Maudit, répéta-t-il, aux ténèbres ou à la mort. Car maudit je suis depuis le jour où je suis venu au monde.

Il fit quelques pas dans cette chambre trop petite pour sa peine, puis s'arrêta brutalement, saisi par une révélation soudaine : c'est en bête sauvage, en fauve qu'il vivrait désormais, tapi au fond d'un antre sordide dont il ne pourrait plus jamais sortir et d'où il ne verrait plus jamais la lumière du jour. Jamais plus il ne contemplerait l'azur changeant des cieux ni ne sentirait la caresse du vent sur sa peau. La seule ouverture que comptait sa chambre était une meurtrière si mince qu'elle laissait à peine passer l'air dont il avait besoin pour respirer.

– Si le ventre qui nous a enfantés l'avait voulu, je serais roi aujourd'hui...

Oui, dire que, la veille, il aurait pu être roi ! Que son front aurait revêtu la majesté royale, alors qu'à présent il n'était plus que dissimulé par une couche de fer ignominieuse ! On l'aurait couvert de pourpre et d'or, admiré, honoré, servi, lui qui n'avait connu jusque-là que le brouet infâme des geôles de la Bastille et les rudes semonces de ses gardiens ! Il aurait foulé les parquets du Louvre et arpenté les allées des Tuileries, lui qui n'avait jamais passé le seuil de sa cellule crasseuse !

Cette pensée lui était insoutenable... Il regarda autour de lui.

– Oh ceci n'est pas une vie, ce n'en est que le fantôme. J'ai sous les yeux tout ce que j'aurais pu posséder, mais je ne peux le toucher... Je n'ai pour seule compagnie que les soupirs de ma jeunesse volée.

Il se dirigea vers la fenêtre et rêva en silence d'une matinée sans nuage et du rouge flamboyant d'un coucher de soleil.

Attention
Quand les paroles ne sont pas rapportées directement, on peut opter pour le discours (ou style) indirect (Il les assura *que le facteur viendrait le lendemain*) ou le discours indirect libre (*Le facteur viendrait sûrement le lendemain*).

– Je ne suis coupable que d'avoir souhaité que la France connaisse mes traits comme elle connaît ceux du roi, d'avoir prié pour que mes vêtements noirs soient teintés des mêmes couleurs que ceux de mon frère, d'avoir su toute ma vie que le seul obstacle à cette lumière qui me manque tant est la vie de mon jumeau.

Où avait-il bien pu faillir ? Non, sa chute n'était pas le résultat d'une erreur de sa part : elle était nécessairement le résultat de la faute d'un autre...

Il marcha jusqu'à son lit mais ne s'assit pas.

– Je n'ai jamais pensé un jour que le Ciel m'offrirait une seconde chance...

Il regardait droit devant lui, paraissant s'adresser à une figure que lui seul pouvait voir. Il serra les poings alors que la tempête à l'extérieur redoublait d'intensité.

– Je me suis trahi avant d'avoir pu vous approcher. Alors que j'étais encerclé par vos gardes, vous avez compris pourquoi j'étais venu. Vous pouviez lire la haine dans mes yeux, la jalousie sur mes lèvres.

Cette fois-ci, il était prêt à frapper son adversaire invisible. Il se ravisa lorsque dehors la pluie cessa. Sa férocité guerrière s'éteignit brusquement.

Ainsi, on l'avait tiré de ses geôles pour l'y renvoyer... Aramis ne lui avait fait découvrir la beauté du monde que pour mieux l'en priver à nouveau.

– Voilà le sort que l'on réserve à la naïveté des misérables Maudits. On leur donne juste assez de liberté pour qu'ils sentent leurs ailes coupées. On les laisse entendre siffler le vent sans les autoriser à voir les branches s'agiter. On les laisse périr dans une cage dorée...

Ce jour-là, triste matin d'automne, dans le sompteux et grandiose château de Vaux-le-Vicomte – qui aurait pu lui appartenir... –, on l'avait encerclé, frappé, traîné comme un gueux vers cette cellule... Les badauds s'étaient étonnés qu'on maltraitât ainsi un gentilhomme à l'allure noble... Pas une main secourable, pas un regard de compassion... Puis – ô châtiment indicible ! – on avait effacé ses traits et son passé sous le métal d'un masque plus glacial que les murs de sa cellule, plus froid qu'un masque mortuaire...

Il poussa un gémissement furieux et désespéré et s'écria :

« Maudit ! Maudit ! Aramis, sois maudit ! »

Mais au bas de la tour, l'on n'entendit que le hurlement rauque et terrifiant d'un loup à l'agonie qui refuse de mourir.

Préparer l'épreuve orale

6 sujets corrigés et expliqués

Sujet d'oral n° 1
Écriture poétique et quête du sens

Victor Hugo, *Les Châtiments*

▶ Vous montrerez que ce poème illustre deux fonctions de la poésie : argumenter et traduire ses émotions.

DOCUMENT   **C'était en juin...**

Après le coup d'État du 2 décembre 1851, Louis Napoléon Bonaparte devient empereur le 2 décembre 1852 sous le nom de Napoléon III. Hugo, en exil à Bruxelles, a appris l'exécution publique de trois prisonniers politiques, Charlet, Cirasse et Cuisinier, guillotinés sur l'ordre de l'empereur en juin et juillet 1852. Il s'en prend violemment à ce dernier.

C'était en juin, j'étais à Bruxelle[1] ; on me dit :
Savez-vous ce que fait maintenant ce bandit ?
Et l'on me raconta le meurtre juridique,
Charlet assassiné sur la place publique,
5 Cirasse, Cuisinier, tous ces infortunés
Que cet homme au supplice a lui-même traînés
Et qu'il a de ses mains liés sur la bascule[2].
Ô sauveur, ô héros, vainqueur de crépuscule,
César[3] ! Dieu fait sortir de terre les moissons,
10 La vigne, l'eau courante abreuvant les buissons,
Les fruits vermeils, la rose où l'abeille butine,
Les chênes, les lauriers, et toi la guillotine.

Prince qu'aucun de ceux qui lui donnent leur voix[4]
Ne voudrait rencontrer le soir au coin d'un bois !

15 J'avais le front brûlant ; je sortis par la ville.
Tout m'y parut plein d'ombre et de guerre civile ;
Les passants me semblaient des spectres effarés,
Je m'enfuis par les champs paisibles et dorés ;
Ô contrecoups du crime au fond de l'âme humaine !
20 La nature ne put me calmer. L'air, la plaine,
Les fleurs, tout m'irritait ; je frémissais devant

Ce monde où je sentais ce scélérat vivant.
Sans pouvoir m'apaiser je fis plus d'une lieue.
Le soir triste monta sous la coupole bleue ;
25 Linceul frissonnant, l'ombre autour de moi s'accrut ;
Tout à coup la nuit vint, et la lune apparut
Sanglante, et dans les cieux, de deuil enveloppée,
Je regardai rouler cette tête coupée.

Jersey, mai 1853.
Victor Hugo, *Les Châtiments*, VII, 5.

1. Bruxelle : licence poétique permettant l'absence de *s* final.
2. La bascule : la guillotine.
3. César : désigne ironiquement Napoléon III.
4. Allusion au plébiscite organisé par Napoléon III pour légitimer son coup d'État.

PISTES POUR L'ORAL

PRÉPARATION

Tenir compte de la consigne

Les mots importants de la consigne sont les « deux fonctions de la poésie ».

Composer la « définition » du texte

Poème (*genre*) romantique (*mouvement*) qui critique/blâme (*type de texte*) le pouvoir et la peine de mort (*thèmes*), qui décrit (*type de texte*) la nature (*thème*), qui rend compte (*type de texte*) des sentiments de l'auteur (*thème*), satirique, pathétique et fantastique (*registres*) pour faire partager ses sentiments et son horreur (*buts*).

Trouver les axes

La « définition » du texte fournit plusieurs pistes et la consigne suggère un plan en deux parties : « l'engagement de Hugo » et « l'implication affective de Hugo ».

▶ Première piste

• Il s'agit d'un texte **engagé** : cherchez les cibles de la critique.

• Relevez les expressions qui les désignent, déduisez-en les **griefs** formulés. Comment Hugo met-il en valeur : les défauts de l'empereur, l'horreur du châtiment ? Sur quel ton le fait-il ? Analysez les images et le rythme des vers.

• Quel **idéal** Hugo propose-t-il, s'opposant à la situation qu'il critique ?

▶ **Deuxième piste**

• Analysez les **sentiments** exprimés par Hugo et leur progression.

• Comment Hugo met-il en valeur son trouble et sa **révolte** ?

• En quoi apparaît-il bien ici comme un **homme** et un **poète romantiques** ?

• Commentez la variation dans les **registres** utilisés.

Pour bien réussir l'oral : voir guide méthodologique.

La poésie : voir mémento des notions.

> **Conseil**
> N'oubliez pas de faire des remarques sur la versification et l'écriture poétique, non pas dans une partie séparée (il ne faut jamais dissocier fond et forme), mais au fur et à mesure de vos réflexions sur le texte.

PRÉSENTATION

Introduction

[Amorce] Au cours des siècles, la poésie a eu des fonctions diverses : tantôt peinture, tantôt expression du moi, tantôt arme politique et sociale, tantôt jeu verbal pur… Au XIXᵉ siècle, les poètes romantiques privilégient à la fois la force argumentative et l'efficacité lyrique de la poésie. [Présentation de l'auteur et de l'œuvre] Ainsi Victor Hugo, dans son combat pour l'abolition de la peine de mort, prend « sa plume pour une épée » (Sartre). Il lui consacre en 1829 son roman *Le Dernier Jour d'un condamné*. Vingt-quatre ans plus tard, dans *Les Châtiments*, véritable réquisitoire contre Napoléon III « le Petit », Hugo opte pour la forme poétique versifiée. [Présentation du texte] Rappeler les circonstances (voir introduction au texte). [Rappel de la problématique] Que révèle ce poème des fonctions que Hugo assigne à sa poésie ? [Annonce du plan] Ce poème est un réquisitoire contre un homme et une pratique [I], mais aussi un plaidoyer pour une vie et une société meilleures [II], où transparaît la sensibilité romantique de l'homme et du poète à travers une progression aux tons variés [III].

I. Une poésie engagée : un violent réquisitoire

1. La dénonciation satirique d'un tyran

• Le mépris de Hugo se manifeste à travers les expressions « *ce* bandit » et « *cet* homme » qui témoignent de son refus de nommer le tyran et dans lesquelles l'adjectif démonstratif garde la valeur péjorative qu'il avait en latin. Mais il ne craint pas de l'apostropher directement en le tutoyant (« toi », v. 12) ni même de l'insulter en le traitant de « bandit » (v. 2) ou de « scélérat » (v. 22).

• L'ironie satirique renforce la violence de la dénonciation : « César », en rejet, rappelle ironiquement que Napoléon aimait à se placer dans la lignée des grands chefs d'État. Les qualificatifs « sauveur » et « héros » (v. 8) par lesquels Hugo désigne en début de vers le tyran résonnent comme des anti-phrases que réhausse l'interjection « Ô » qui donne au poème un ton lyrique faussement admiratif. Enfin l'image « vainqueur de crépuscule » (v. 8) est chargée d'un implicite accusateur (le crépuscule symbolise la nuit et la mort).

• Les griefs sont graves. La périphrase qui assimile Napoléon III à un bandit (v. 13-14) met en relief le fait qu'il se sert du peuple et de son vote (« leur voix »), qu'il n'a aucune reconnaissance pour ses partisans ; de plus il agit dans l'ombre (« crépuscule », v. 8), caché. Le pronom réfléchi « lui-même » (v. 6) et la force de l'image « qu'il a de ses mains liés » (v. 7) soulignent l'implication personnelle de l'empereur dans les exactions commises.

• Cruauté et noirceur du tyran sont mises en valeur par l'opposition avec Dieu : le mot « guillotine », jeté à la fin de la 1re strophe, après deux fortes coupes, jure avec l'accumulation des bienfaits de la création (v. 9-12), et sonne le glas en fin de vers.

2. La condamnation réaliste et poignante de la peine de mort

• Le supplice et la peine de mort sont évoqués avec un réalisme presque documentaire : détails précis sur le lieu (« place publique »), les objets (« bascule » et « guillotine », tous deux en fin de vers ; « linceul ») et les traitements infligés (« traînés », « liés »). L'image « cette tête coupée » termine le poème sur un gros plan terrifiant. L'ordre chronologique suivi donne au lecteur l'impression de suivre le condamné dans son supplice.

• Hugo dénonce par là une justice injuste et cruelle. Au lieu de parler de condamnation, le poète recourt à la périphrase « meurtre juridique » (v. 3), sorte d'oxymore : le nom « meurtre » occulte toute référence à une décision de justice, en fait un chef de condamnation. Hugo fait entendre par là implicitement que ce sont les bourreaux qui ont commis un crime. Le mot « assassiné » est impropre pour une décision de justice ; le mot « supplice » renforce la dénonciation, rappelée plus loin par le mot « crime » (v. 19).

II. Une poésie engagée : un plaidoyer émouvant

1. Requiem et hommage à des hommes

• Hugo se fait le défenseur des prisonniers politiques auxquels il rend hommage en leur dédiant son poème : contrairement à Napoléon III, ils sont désignés par leurs noms mis en relief en début de vers (v. 4-5), cités en groupe ternaire qui ressemble à une litanie. Le poème devient un requiem, un monument aux morts qui remplit le devoir de mémoire dû aux victimes.

• De fait, la mention de ces prisonniers politiques est, par ricochet, un hommage à des hommes du même bord politique que le poète, c'est-à-dire à tous les opposants à Napoléon III, comme Hugo lui-même, alors exilé.

2. Un plaidoyer pathétique pour l'humanité

• Par un mouvement de généralisation, ces destinataires sont *multipliés* par la reprise généralisante « tous ces infortunés » (v. 5) et par l'image des « passants [...] spectres effarés » (v. 17). L'expression métonymique « l'âme humaine » (v. 19), proche de l'abstraction, étend le plaidoyer à toute l'humanité.

• Hugo multiplie les mots de la compassion, souvent en fin de vers, qui rendent cette évocation et cet appel pathétiques (« infortunés, effarés, triste... »).

3. Un hymne à la nature et à Dieu

• Hugo n'oublie pas qu'il est le poète de la nature (v. 20) : l'évocation, en accumulation et dans un vocabulaire très simple, des fruits de la nature (v. 9-12, 18) compose un paysage qui donne l'impression de profusion (presque tous les mots sont au pluriel), d'harmonie (à travers les couleurs suggérées) et de paix (grâce au rythme calme et balancé des vers 10-12), de vie et de productivité (« fait sortir, abreuvant, butine »). Le lyrisme du tableau champêtre sert de repoussoir au tableau de l'Empire et à la guillotine, œuvre humaine et non divine.

• La figure protectrice de Dieu est en forte opposition (asyndète) avec « César » : il crée (« fait sortir », v. 9) au lieu d'« assassiner ». La tonalité religieuse du poème est rappelée par le pluriel « les cieux » (v. 27).

III. Le lyrisme : implication et présence affective de Hugo

1. De la relation (apparemment) objective d'un fait divers...

• Au début, le poème semble relater avec objectivité un fait divers : les circonstances de lieu (« à Bruxelle ») et de temps (« en juin ») sont données avec la précision de l'information.

• Le discours direct (v. 2), l'implication du lecteur (« Savez-vous », v. 2), la réalité des condamnés nommément désignés et qui font partie de l'actualité ont la vivacité et l'authenticité de la conversation.

• Mais très vite la relation de ce fait divers se teinte de subjectivité et d'affectivité : le *je* impose sa forte présence (v. 1, 15, 18, 21...).

2. ... aux manifestations de la crise

• Hugo rend compte d'abord des manifestations physiques de la crise (« J'avais le front brûlant », v. 15), dont l'intensité est indiquée par l'inefficacité des « remèdes » : « ne put me calmer » (v. 20), « sans pouvoir m'apaiser » (v. 23). La progression de la crise se marque dans l'accélération des mouvements : « j'étais à Bruxelle... je sortis... Je m'enfuis... je fis plus d'une lieue ».

• Puis il en mentionne les manifestations affectives (« tout m'irritait, je frémissais », v. 21), ce qui aboutit à une symbiose entre la nature et le poète, celle-là étant gagnée par les sentiments de celui-ci : le soir est « triste » (v. 27).

• Son trouble se marque aussi par la variation dans la situation d'énonciation : le poème débute par une apostrophe au lecteur (v. 1-2), se poursuit par une narration (v. 3-7), une apostrophe à César (v. 8-9), une réflexion sur la création (v. 9-12) et enfin par un retour à la narration (v. 15).

3. ... et à la montée de l'hallucination

• D'abord modalisée à travers les expressions « Tout m'y *parut* » et « les passants me *semblaient* » (v. 16-17), l'hallucination devient tactile et visuelle (« je *sentais* ce scélérat *vivant* », v. 22). Puis elle tourne à la vision fantastique : vocabulaire de la vue (« apparut, regardai »), spectacle en mouvement (« monta, frissonnant, vint, apparut, rouler », v. 24-28).

• Cet univers d'horreur offre un cadre et des perspectives infinies (la métaphore « la coupole bleue » élargit l'espace sur l'infini du ciel, démultiplié par le pluriel « les cieux »). Les couleurs (blanc du linceul, noir du deuil, rouge [« sanglante »]) et les lumières ajoutent à l'angoisse : c'est la nuit, l'ombre crée le mystère, l'adjectif « sanglante » qui qualifie la lune en fait une tache violente.

• La mort rôde, évoquée par les « spectres », le « linceul », le « deuil » et la « tête coupée ». Dans les derniers vers au rythme ample et presque épique, les métaphores et les personnifications de « l'ombre » (« linceul »), de « la nuit » (« vint »), de « la lune [...] de deuil enveloppée » créent un univers fantastique.

Conclusion

[Synthèse] Le poème est très marqué par le romantisme et l'engagement de Hugo, mais aussi par les passions que trahit son écriture. Il témoigne de la force argumentative et émotive de la poésie. Hugo a eu recours à d'autres formes de parole pour mener le combat contre la peine de mort : monologue fictif (*Le Dernier Jour d'un condamné*), discours devant l'Assemblée... [Ouverture] Ce sont là les premiers pas du long processus qui a mené à l'abolition de la peine de mort en France, obtenue par Robert Badinter en 1981. Ce qui est une marque de la force de la parole dans l'évolution des idées et des sensibilités dans les sociétés humaines.

ENTRETIEN

L'examinateur pourrait débuter l'entretien par la question suivante :

▶ Quelles vous semblent être les fonctions de la poésie ?

• Faites la liste des poèmes que vous avez étudiés pour les citer en exemples.

• Appuyez-vous sur les arts poétiques que vous connaissez et sur votre cours.

Pour réussir l'entretien : voir guide méthodologique.

Pistes pour répondre à la question

La poésie peut avoir **plusieurs fonctions** :

• **décrire** : le poète latin Horace définit la poésie comme une « peinture » (*exemples*) ;

• **traduire les sentiments** et les émotions (poésie lyrique – *exemples*) ;

• **recréer le monde** en en « dévoilant » les faces cachées, ou créer un monde nouveau (*exemples*) ;

• mettre en valeur et **défendre des idées** politiques ou sociales (poésie engagée) exprimées avec plus de force et d'intensité (*exemples*).

Sujet d'oral n° 2
Le texte théâtral et sa représentation

Emmanuel Roblès, *Montserrat*

▶ À quoi tiennent l'intensité et l'efficacité dramatiques de la scène ?

DOCUMENT

Montserrat, jeune officier rallié à la cause de Simon Bolivar[1], a été fait prisonnier par les troupes du roi d'Espagne. Izquierdo, premier lieutenant, est chargé de lui faire avouer l'endroit où se cache Bolivar. Chaque heure, il fait donc exécuter un otage, en exigeant que Montserrat révèle son secret.

ACTE III, SCÈNE 1

MONTSERRAT, IZQUIERDO, MORALÈS, LE MARCHAND, LE PÈRE CORONIL, LA MÈRE, ELENA, LE COMÉDIEN, MOINES, SOLDATS
Au lever du rideau, Montserrat est à droite, appuyé à la table.
Izquierdo est assis sur l'un des tabourets, au milieu de la scène.
5 *Soldats devant la porte.*

IZQUIERDO. – Eh bien ! Ce pauvre potier ! Il laisse cinq orphelins !... Tu ne dis rien ?... *(Derrière le mur, les tambours battent en sourdine, par moments.)* Montserrat, tu es toujours convaincu qu'il faut sacrifier ces gens-là pour sauver Bolivar ? Tu es sûr de ne pas te
10 tromper ? Ce serait monstrueux, n'est-ce pas, si tu te trompais ?... *(Silence.)* Bon ! Moralès ! Continuons ! *(À Montserrat.)* Souviens-toi que je suis aussi entêté que tu peux l'être !
Des otages gémissent. Quand Moralès s'avance vers eux, ils reculent et se serrent les uns contre les autres. Moralès semble embarrassé pour choisir.
15 *Tous le regardent intensément. Il désigne le marchand.*

MORALÈS. – À toi !... Allons, avance !

LE MARCHAND. – Pourquoi à moi ?

MORALÈS. – Je te dis d'avancer !
Un des soldats donne une bourrade au marchand, qui gémit.
20 LE MARCHAND, *atterré*. – Non ! C'est impossible !... C'est impossible !

IZQUIERDO. – Ne dis pas de bêtises !

LE MARCHAND. – Je vous dis que c'est impossible ! que je ne peux pas mourir ainsi ! *(Il continue à gémir en pétrissant ses mains fébrilement.)*

25 IZQUIERDO. – Montserrat ! Ce n'est pas beau un homme qui a peur de mourir ! Regarde-le donc, ce malheureux ! Si notre ami le potier n'avait pas été fusillé, cette plainte et ce visage lui auraient inspiré une de ses plus belles jarres. Ne crois-tu pas aussi ?

LE MARCHAND. – J'ai toujours été fidèle au roi. On peut demander
30 à mes voisins. Interrogez-les, vous verrez ! Beaucoup de gens me connaissent, dans cette ville ! Interrogez-les !

IZQUIERDO. – Donc, te fusiller est doublement injuste ? D'abord, tu n'as rien fait... Et, de plus, tu es loyal envers nous ! C'est cela ?

LE MARCHAND, *illuminé par un espoir fou.* – Oui. C'est cela, mon-
35 sieur l'officier !

IZQUIERDO, *sarcastique[2].* – Tu entends, Montserrat ? Ce cas est intéressant. Tu devrais y réfléchir avec plus d'attention que pour les autres ! *(Au marchand.)* Tu sais bien que ce n'est pas moi qu'il faut convaincre ! Mais lui... Moi, je te comprends, je te comprends
40 parfaitement ! *(À Montserrat.)* Tu ne dis rien ? La vie d'un brave commerçant t'importe peu ? *(Au marchand.)* Tant pis pour toi. Je regrette ! As-tu quelque chose de plus important à dire avant de mourir ? Essaie de trouver quelque chose ! Défends-toi donc !

LE MARCHAND *balbutie.* – Monsieur l'officier...

45 IZQUIERDO. – Parle plus haut ! Nous t'écoutons !

> Emmanuel Roblès, *Montserrat*, acte III, scène 1, Le Seuil, 1948.

---

1. Simon Bolivar (1783-1830), général et homme politique, est l'inspirateur des guerres d'indépendance en Amérique du Sud, territoire occupé par les Espagnols depuis le XVIe siècle. Dans sa pièce *Montserrat*, Emmanuel Roblès évoque les événements du Venezuela en 1812.
2. Sarcastique : ironique, diabolique.

PISTES POUR L'ORAL

PRÉPARATION

Tenir compte de la question

• La question vous fournit la thèse à soutenir : « La scène a une forte intensité dramatique ».

• Les mots clés sont : « intensité et efficacité dramatiques ». Le mot « dramatique » suggère que vous parliez du texte mais aussi de la représentation, de l'effet produit sur scène.

• « Intensité » : demandez-vous ce qui donne sa force, sa violence, sa puissance à cette scène.

• « Efficacité » : demandez-vous quelles questions pose cette scène, quelles idées elle suggère. Comment fait-elle passer un « message » ?

• Pensez à utiliser dans vos « intitulés » d'axes les mots importants de la question.

Trouver les axes

• Utilisez les pistes que vous ouvre la question, mais composez aussi la « définition » du texte (voir guide méthodologique).

> Scène de tragédie (*genre*) qui met en scène un interrogatoire avant une exécution (*thème*), pathétique et tragique (*registres*), angoissant (*adjectif*).

• Utilisez les éléments de la « définition » pour trouver des axes.

▶ **Première piste : tragique et pathétique pour émouvoir le spectateur**
• Quel est l'effet sur scène de ce « huis clos » ? Analysez les jeux de scène, la brutalité.
• Qu'est-ce qui crée l'émotion ? Qu'est-ce qui crée la tension ?
• Analysez l'identité des personnages et leurs rapports : les tortionnaires et leurs victimes. Relevez les contrastes violents dans la scène.

▶ **Deuxième piste : une réflexion plus profonde**
• Précisez quels enjeux humains sont ici exposés.
• Que représente chacun des personnages ?
• Relevez et analysez quelques phrases indiquant la conception que chacun a de la vie.
• Réfléchissez sur l'enjeu politique.
Pour bien réussir l'oral : voir guide méthodologique.
Le théâtre : voir mémento des notions.

PRÉSENTATION

Introduction

[Amorce] les périodes historiques tourmentées engendrent un théâtre souvent poignant. Au contexte tendu correspond une production théâtrale tragique.

[L'œuvre] l'action de *Montserrat*, pièce écrite en 1948, se situe en juillet 1812 au Venezuela, lors d'une sanglante répression espagnole contre ceux qui, aux côtés de Simon Bolivar, luttent pour la liberté de leur pays, aidés par Montserrat.

[Le texte] Montserrat tombe aux mains d'Izquierdo, un lieutenant cruel qui veut que Montserrat lui livre Bolivar. Six innocents sont arrêtés au hasard : si Montserrat ne parle pas, ils seront exécutés.

[Annonce des axes]

I. L'intensité dramatique : tragique et pathétique sur scène

1. Un huis clos dramatique à voir et à entendre

• L'espace clos accroît la tension : tous les protagonistes sont rassemblés, concentrés dans le même espace, victimes survivantes et bourreaux ; tous sont visibles sur la scène.

• Les jeux de scène sont expressionnistes : les « otages se serrent les uns contre les autres » (l. 9) ; la scène insiste sur l'intensité des regards ; le déplacement de Moralès est porteur de sens.

• L'atmosphère sonore est inquiétante : des moments de silence, puis la scène se sonorise : « Des otages gémissent » (l. 8), on entend les battements des tambours « en sourdine, par moments » (l. 3).

• La brutalité des soldats est suggérée par le marchand qui se tord « les mains » (l. 15).

• Le hors-scène (= les coulisses : « Derrière le mur », l. 2) est aussi un lieu dramatique, celui où sont exécutés les otages. C'est un ailleurs lointain où se cache Bolivar, dont la présence invisible est la cause du drame auquel on assiste.

• L'urgence du temps qui passe (à « chaque heure » Izquierdo fait exécuter un otage) crée la tension : le tragique se rapproche.

2. Contrastes et oppositions : un univers manichéen

• Izquierdo est un bourreau odieux. Il manie l'ironie et l'humour noir : il feint de regretter la mort du « pauvre potier » (l. 1) qu'il vient de faire fusiller et d'admirer en esthète le spectacle de la terreur, de trouver de la beauté dans l'horreur : « Ce n'est pas beau un homme qui a peur » (l. 17) et « une de ses plus belles jarres » (l. 20). Il feint d'entrer dans la logique de l'argumentation désespérée du marchand (« je te comprends », l. 31). Il monopolise la parole, varie ses interlocuteurs, mais toutes ses paroles s'adressent en réalité à Montserrat.

• Les otages, victimes innocentes, constituent un groupe (le père Coronil, la mère, Elena, le comédien, le marchand). Mais ce groupe n'est pas uniforme : ce sont des individus anonymes qui se distinguent par leur profession (l'article défini leur donne plus de poids : « *le* potier », « *le* comédien », « *le* marchand »), ou par leur fonction sociale (« la mère ») ; deux otages sont individualisés par leur prénom (plus affectif) ou un titre.

• Entre ces deux « pôles », on trouve des personnages intermédiaires : Montserrat oppose son silence mais les apostrophes d'Izquierdo l'impliquent dans la scène ; Moralès paraît moins mauvais que son chef : il semble en effet embarrassé pour choisir les otages.

II. L'efficacité dramatique : une mise en scène au service d'une réflexion plus profonde

Derrière le suspense créé par le chantage d'Izquierdo et l'angoisse des spectateurs qui se sentent impuissants (Monserrat va-t-il céder ? Effectivement, quand la mère est emmenée, il hésite), ce sont des questions essentielles qui nous sont posées.

• Quelle est la valeur de la vie humaine ? Certaines vies ont-elles plus de valeur que d'autres : « sacrifier ces gens-là pour sauver Bolivar » (l. 4) ?

• Les rapports entre intérêt particulier et intérêt général : sont en balance le bonheur de tout un peuple visé par la révolution bolivarienne et la vie d'un individu.

• Une réflexion sur l'action politique, notamment dans des situations exceptionnelles (révolution, guerre) : tous les moyens sont-ils acceptables pour faire triompher les idées que l'on croit justes ?

• Une réflexion sur la noirceur des hommes : les circonstances exceptionnelles mettent les êtres à nu. Izquierdo, personnage odieux, joue avec les otages comme un chat avec une souris.

• Tous les hommes ne sont pas nés pour être des héros : le marchand est un personnage simplement humain.

Conclusion

La pièce, écrite en 1948, est marquée par les souvenirs récents et douloureux des pratiques de l'occupation allemande (otages). Roblès dit lui-même : « L'auteur aurait pu situer le sujet de sa pièce dans l'Antiquité romaine, l'Espagne de Philippe II, la France de l'Occupation, etc. » Cette situation est encore d'actualité, malheureusement.

À travers une situation historique théâtralisée, l'auteur propose une réflexion philosophique et morale dans l'esprit de la tragédie classique : « plaire et instruire ».

L'examinateur pourrait débuter l'entretien par la question suivante :

▶ **Comment le théâtre permet-il de persuader et d'émouvoir ?**

• Il s'agit d'une question de cours.

• Mais il ne faut pas le « réciter » purement et simplement. Vous devez expliquer chaque remarque et l'illustrer par des exemples personnels.

Pour réussir l'entretien : voir guide méthodologique.

L'entretien pourra se poursuivre dans diverses directions, par exemple :

▶ Quelles pièces de théâtre connaissez-vous ?

▶ Avez-vous assisté à des représentations théâtrales ?

▶ Comment mettriez-vous en scène cette scène de *Montserrat* ?

▶ Pour vous, qu'est-ce qu'un bon acteur ?

▶ Selon vous, un metteur en scène a-t-il le droit de moderniser une mise en scène et de transposer une pièce dans une époque différente de celle où se déroule l'action ?

Pistes pour répondre à la première question

1. Le théâtre, un genre « à histoires » : une « histoire » qui émeut et captive mais qui a en même temps valeur d'exemple

1. Une action en direct.

2. Une intrigue qui « court », surprend et entraîne l'adhésion du spectateur [*exemples*].

3. Sans être la vie, c'est bien un peu la vie sous toutes les couleurs que montre le théâtre [*exemples*].

2. Des personnages accessibles et émouvants : si différents, mais si proches de nous

1. Des personnages simplifiés et passionnés auxquels on s'attache et on s'identifie, ou bien qu'on déteste [*exemples*].

2. Des personnages symboliques au langage stylisé [*exemples*].

3. Le spectacle : magie incantatoire, force de l'illusion et de l'incarnation ; un art vivant

1. Éléments matériels et mise en scène entraînent l'adhésion physique et affective [*exemples*].

2. Des êtres en chair et en os, une histoire incarnée [*exemples*].

3. La présence du public, personnage collectif ; la position privilégiée du spectateur.

Sujet d'oral n° 3
Le personnage de roman

André Malraux, *La Condition humaine*

▶ Quelle image du héros Malraux propose-t-il dans cet extrait ?

DOCUMENT

Tchen, un communiste, très troublé par le meurtre qu'il a commis au nom de la révolution chinoise, vient chercher une aide morale auprès de Gisors, vénérable professeur marxiste. Une fois Tchen parti, Gisors médite sur le jeune terroriste et le compare à son propre fils, Kyo.

Ici Gisors retrouvait son fils, indifférent au christianisme mais à qui l'éducation japonaise (Kyo avait vécu au Japon de sa huitième à sa dix-septième année) avait imposé aussi la conviction que les idées ne devaient pas être pensées mais vécues. Kyo avait choisi l'action, d'une
5 façon grave et préméditée, comme d'autres choisissent les armes ou la mer : il avait quitté son père, vécu à Canton, à Tientsin, de la vie des manœuvres et des coolies-pousse, pour organiser les syndicats. Tchen
– l'oncle pris comme otage et n'ayant pu payer sa rançon, exécuté à la prise de Swatéou – s'était trouvé sans argent, nanti de diplômes
10 sans valeur, en face de ses vingt-quatre ans et de la Chine. Chauffeur de camion tant que les pistes du Nord avaient été dangereuses, puis aide-chimiste, puis rien. Tout le précipitait à l'action politique : l'espoir d'un monde différent, la possibilité de manger quoique misérablement (il était naturellement austère, peut-être par orgueil), la
15 satisfaction de ses haines, de sa pensée, de son caractère. Elle donnait un sens à sa solitude. Mais, chez Kyo, tout était plus simple. Le sens héroïque lui avait été donné comme une discipline, non comme une justification de la vie. Il n'était pas inquiet. Sa vie avait un sens, et il le connaissait : donner à chacun de ces hommes que la famine, en ce
20 moment même, faisait mourir comme une peste lente, la possession de sa propre dignité. Il était des leurs : ils avaient les mêmes ennemis.

Métis, hors-caste, dédaigné des Blancs et plus encore des Blanches, Kyo n'avait pas tenté de les séduire : il avait cherché les siens et les avait trouvés. « Il n'y a pas de dignité possible, pas de vie réelle pour
25 un homme qui travaille douze heures par jour sans savoir pour quoi il travaille. » Il fallait que ce travail prît un sens, devînt une patrie. Les questions individuelles ne se posaient pour Kyo que dans sa vie privée.

André Malraux, *La Condition humaine*, 1933 © Éditions Gallimard.

PISTES POUR L'ORAL

PRÉPARATION

Tenir compte de la question

• La question tourne autour de la notion de *héros*, mais au sens de personnage *héroïque* (et non de personnage principal).

• « Image » signifie vision, conception, définition, portrait, caractéristiques…

• Pensez à utiliser dans vos titres d'axes les mots importants de la question ou un synonyme.

Trouver les axes

• Utilisez les pistes que vous ouvre la question, mais composez aussi la « définition » du texte (voir guide méthodologique).

> Extrait de roman *(genre)* qui retranscrit la méditation d'un père sur son fils et fait le portrait de deux jeunes révolutionnaires *(thème)* contrasté *(adjectif)*, pour donner une image du héros *(but)*.

▶ **Première piste** : cherchez ce qui distingue de façon évidente le héros des autres personnages (début du texte).

▶ **Deuxième piste** : « contrasté » suggère que vous montriez comment le portrait négatif de Tchen met en valeur le personnage de Kyo. Vous devez donc analyser quelle image Malraux donne de Tchen, l'*antihéros*.

▶ **Troisième piste** : puis, par comparaison, dégagez les principales caractéristiques du *héros* idéal (dernier mouvement du texte).

Pour bien réussir l'oral : voir guide méthodologique.

Le roman : voir mémento des notions.

PRÉSENTATION

Introduction

[Amorce] En 1933, André Malraux, très attiré par l'Asie et marqué par les idées révolutionnaires, donne pour cadre à son roman *La Condition humaine* la révolution chinoise.

[Le texte] (rappeler le paratexte ci-dessus) Gisors médite sur deux jeunes révolutionnaires de son entourage : Tchen et Kyo, son fils.

[Rappel de la question] quelle conception du héros Malraux dessine-t-il ici ?

[Annonce des axes] Kyo se distingue dès l'abord par sa marginalité (axe 1), et, éclairé par le portrait de Tchen, qui lui sert de repoussoir (axe 2), il incarne l'idéal du héros selon Malraux (axe 3).

I. La marginalité, caractéristique fondamentale du héros

Kyo est un personnage marqué par sa marginalité : il est à part dans la vie et dans le roman.

1. Un « métis »

• Physiquement, il porte le signe visible de sa marginalité.

• Cela entraîne son rejet social : « hors caste », il est exclu et victime du mépris des Blancs (« dédaigné des Blancs », l. 23).

• Sentimentalement, il est aussi exclu (bien que sa femme soit allemande et que leur couple atteigne à une certaine grandeur).

Le fait qu'il surmonte les écueils de sa marginalité et de son exclusion ajoutent à son mérite : le héros selon Malraux est celui qui se montre supérieur à son destin et à la fatalité.

2. Une éducation atypique

Malraux insiste sur l'importance de l'éducation pour la naissance et la formation d'un héros.

• Kyo est marqué par sa double culture : eurasien, il a reçu une « éducation japonaise » (par sa mère) au cours de l'adolescence, moment essentiel dans la formation de la personnalité (dix ans : « de sa huitième à sa dix-septième année », l. 2-3). Il n'est donc pas limité à un « système » unique, défini, mais est capable de s'adapter.

• Son éducation aussi est double : elle se fait sous le signe de la pratique (« les idées [...] devaient être [...] vécues », I. 4), mais aussi de la théorie, sous l'influence de son père marxiste (« pensées », I. 4).

• Cette dualité est rendue sensible par les nombreux groupes binaires et parallélismes à l'œuvre dans le texte (« pas pensées mais vécues », « grave et préméditée », « les armes ou la mer », « à Canton, à Tienstin », « des manœuvres et des coolies-pousse »).

3. Une marginalité assumée et même choisie

Le héros est celui qui choisit librement son destin.

• Kyo était promis à une existence de bourgeois aisé (son père, professeur, est un intellectuel).

• Mais il renonce de façon délibéré et réfléchie à cette vie facile et confortable qui s'offre à lui (« choisi [...] d'une façon grave et préméditée », I. 5). Les verbes « choisi » et « avait quitté » marquent sa volonté et sa détermination. Il est animé par le désir de connaître la vie de ceux pour qui il se bat (« de la vie des manœuvres et des coolies-pousse », I. 7).

• Son départ précoce de chez lui et son goût de l'action l'apparentent un peu à Malraux.

II. Le héros défini par son contraire : Tchen le terroriste, repoussoir de Kyo

Sans transition, au milieu du portrait du héros, l'image de Tchen s'impose à l'esprit de Gisors. Son portrait éclaire, comme en un clair-obscur, l'héroïsme de Kyo.

1. Un personnage sous le signe du malheur, conduit par le hasard

• Son enfance et son existence sont marquées par des drames : l'exécution d'un oncle « otage », la misère (« sans argent », I. 9-10), le danger perpétuel (« chauffeur de camion tant que les pistes du Nord avaient été dangereuses », I. 11-12).

• Tchen ne choisit pas son destin, mais subit les événements. Cette soumission est traduite par la voix et le temps des verbes (« s'était trouvé » : comme malgré lui ; « nanti » : participe passé passif), par la syntaxe et la forme des phrases (Tchen n'est pas sujet mais complément d'objet des verbes – « tout le précipitait » –, ce qui donne l'impression qu'il est le jouet du sort).

2. Un idéal politique vague et des motivations confuses

• Le côté vague de son idéal (« l'espoir d'un monde différent », l. 13) se marque par l'article indéfini (« un »), un terme très général (« monde »), le mot « espoir » qui est du domaine des sentiments et non de l'action ou de la réflexion. L'adjectif « différent », vague, implique la destruction de ce qui existe mais ne contient pas d'idée constructive.

• Ses motivations sont confuses et sans cohérence : elles mêlent la nécessité de gagner de quoi vivre (« sans argent », « possibilité de manger »), la soif de vengeance (« satisfaction de ses haines »), le besoin de s'affirmer (« la satisfaction de son caractère »)... Ce ne sont en réalité que des « justifications ».

• À cette confusion correspondent la construction heurtée des phrases (avec des incises ou des parenthèses qui en coupent le fil logique), les énumérations (l. 11-12) ou la juxtaposition (l. 13-16).

3. Un personnage en déséquilibre et replié sur lui-même

• Le déséquilibre de Tchen se marque dans le rythme ternaire qui le caractérise : « chauffeur ... puis ... puis ... » ; « l'espoir... la possibilité... la satisfaction ».

• Ses doutes et ses contradictions sont soulignées par les multiples mots négatifs (« sans », « rien ») ou les mots qui suggèrent un manque (« austère »), les oppositions (« nanti de diplôme / sans valeur », « rien / tout »).

• Son « orgueil » : toutes ses actions sont tournées vers lui-même, aucune mention n'est faite de l'autre (« la Chine », mais pas « les Chinois »), les adjectifs possessifs abondent (« ses haines », « sa pensée »...).

Tchen n'est pas un héros : instable et angoissé, il se pose sans cesse des questions et exige toujours davantage de lui-même.

III. Kyo, l'idéal du héros selon Malraux

Le portrait héroïque de Kyo se construit en pendant à celui de Tchen.

1. La fermeté dans l'action, un idéal bien défini

• Kyo choisit son destin, en pleine conscience (« et il le connaissait », l. 19). Les verbes d'action à la voix active (« avait cherché », l. 24) dont il est le sujet traduisent sa volonté, son goût de l'action.

• Il combat dans la vie réelle, immédiate (« en *ce* moment même ») et conçoit aussi un projet à long terme (« pour organiser des syndicats », l. 7-8). Son but – unique (« sa vie avait *un* sens », l. 19) – est précisé avec netteté à l'infinitif (« donner à *chacun* de *ces* hommes [...] sa *propre* dignité », l. 20-21) et est assez clair pour qu'il le formule lui-même au style direct. Sa constance est soulignée par la répétition du mot « dignité » (l. 22, 25) et le vocabulaire du travail (l. 25, 26, 27).

2. Un héros cohérent et équilibré

• Le mot « sens », utilisé deux fois (l. 16 et 19), insiste sur la cohérence de la vie de Kyo.

• Son projet tourne autour de la notion fondamentale d'homme, terme répété (l. 20, 25).

• L'impression d'équilibre est soulignée par l'expression « pas inquiet » (l. 19), par les groupes binaires, par la construction bien balancée des phrases et leur coordination harmonieuse (« il avait cherché les siens *et* les avait trouvés », l. 19, 22, 22-23).

3. Des motivations altruistes : un héros chrétien malgré lui ?

Bien que Gisors souligne que Kyo est « indifférent au christianisme », il en partage les valeurs et a une conduite chrétienne.

• Il ne combat pas pour devenir un héros, mais par dévouement aux autres. Son altruisme se marque par le jeu des possessifs (« les siens », « des leurs », l. 22, 24) qui le lient indissociablement aux malheureux. La notion de partage est soulignée par le verbe « donner ».

• Son oubli complet de soi, le sacrifice de sa vie privée rappellent la parole de l'Évangile : « Qui veut sauver sa vie la perdra ».

• Paradoxalement, Gisors le marxiste fait de Kyo, son fils, un portrait à résonance religieuse qui l'assimile à un saint.

Conclusion

Ce portrait, rigoureusement construit en diptyque, permet de mieux comprendre deux des personnages principaux du roman et de définir l'idéal humain de Malraux, homme engagé dans l'action et généreux.

ENTRETIEN

L'examinateur pourrait débuter l'entretien par la question suivante :

▶ **Quels sens peut prendre le mot « héros » dans un roman ?**

• La question invite à définir une notion clé, à laquelle vous avez dû réfléchir pendant l'année.

• Il faut expliciter cette notion et illustrer chaque signification trouvée d'exemples personnels.

Pour réussir l'entretien : voir guide méthodologique.

L'entretien pourra se poursuivre dans diverses directions, par exemple :

▶ Un personnage médiocre peut-il, selon vous, être un héros de roman ?

▶ Quel est votre héros de roman préféré ?

Pistes pour répondre à la première question

1. Étymologiquement, dans l'Antiquité le mot « héros » désigne un demi-dieu [*exemples*].

2. D'où le sens qu'a pris le terme dans l'usage courant : toute personne qui se distingue par sa vertu, sa grandeur d'âme et a une valeur *hors norme* [*exemples*]. Ce sens a persisté dans la littérature [*exemples*]. Il a alors pour antonyme *antihéros* (personnage insipide). On parle aussi de *héros du mal* lorsque le personnage se distingue par ses vices [*exemples*].

3. Mais le mot peut aussi être synonyme de *personnage principal* d'un roman, celui sur lequel repose l'action, sans connotation ni positive ni négative.

64

Voltaire, *Dialogue du Chapon et de la Poularde*

▶ **En quoi la stratégie argumentative de ce dialogue est-elle représentative du combat des Lumières dans le débat sur la question de l'homme ?**

DOCUMENT **Dialogue du Chapon et de la Poularde**

— Eh, mon Dieu ! Ma poule, te voilà bien triste, qu'as-tu ?

— Mon cher ami, demande-moi plutôt ce que je n'ai plus. Une maudite servante m'a prise sur ses genoux, m'a plongé une longue aiguille dans le cul, a saisi ma matrice, l'a roulée autour de l'aiguille,
5 l'a arrachée et l'a donnée à manger à son chat. Me voilà incapable de recevoir les faveurs du chantre du jour, et de pondre.

— Hélas ! ma bonne, j'ai perdu plus que vous ; ils m'ont fait une opération doublement cruelle : ni vous ni moi n'aurons plus de consolation dans ce monde ; ils vous ont fait poularde, et moi
10 chapon. La seule idée qui adoucit mon état déplorable, c'est que j'entendis ces jours passés, près de mon poulailler, raisonner deux abbés italiens à qui on avait fait le même outrage afin qu'ils pussent chanter devant le pape avec une voix plus claire. Ils disaient que les hommes avaient commencé par circoncire leurs semblables, et qu'ils
15 finissaient par les châtrer : ils maudissaient la destinée et le genre humain.

— Quoi ! C'est donc pour que nous ayons une voix plus claire qu'on nous a privés de la plus belle partie de nous-mêmes ?

— Hélas ! Ma pauvre poularde, C'est pour nous engraisser, et
20 pour nous rendre la chair plus délicate.

— Eh bien ! Quand nous serons plus gras, le seront-ils davantage ?

— Oui, car ils prétendent nous manger.

— Nous manger ! ah, les monstres !

— C'est leur coutume ; ils nous mettent en prison pendant
25 quelques jours, nous font avaler une pâtée dont ils ont le secret, nous

crèvent les yeux pour que nous n'ayons point de distraction ; enfin, le jour de la fête étant venu, ils nous arrachent les plumes, nous coupent la gorge, et nous font rôtir. On nous apporte devant eux dans une large pièce d'argent ; chacun dit de nous ce qu'il pense ;
30 on fait notre oraison funèbre : l'un dit que nous sentons la noisette ; l'autre vante notre chair succulente ; on loue nos cuisses, nos bras, notre croupion ; et voilà notre histoire dans ce bas monde finie pour jamais.

— Quels abominables coquins ! Je suis prête à m'évanouir. Quoi !
35 on m'arrachera les yeux ! on me coupera le cou ! je serai rôtie et mangée ! Ces scélérats n'ont donc point de remords ?

— Non, m'amie ; les deux abbés dont je vous ai parlé disaient que les hommes n'ont jamais de remords des choses qu'ils sont dans l'usage de faire.

40 — La détestable engeance ! Je parie qu'en nous dévorant ils se mettent encore à rire et à faire des contes plaisants, comme si de rien n'était.

— Vous l'avez deviné ; mais sachez pour votre consolation (si c'en est une) que ces animaux, qui sont bipèdes comme nous, et
45 qui sont fort au-dessous de nous, puisqu'ils n'ont point de plumes, en ont usé ainsi fort souvent avec leurs semblables. J'ai entendu dire à mes deux abbés que tous les empereurs chrétiens et grecs ne manquaient jamais de crever les deux yeux à leurs cousins et à leurs frères ; que même, dans le pays où nous sommes, il y avait eu un
50 nommé Débonnaire[1] qui fit arracher les yeux à son neveu Bernard. Mais pour ce qui est de rôtir des hommes, rien n'a été plus commun parmi cette espèce. Mes deux abbés disaient qu'on en avait rôti plus de vingt mille pour de certaines opinions qu'il serait difficile à un chapon d'expliquer, et qui ne m'importent guère.

Voltaire, « Dialogue du Chapon et de la Poularde », *Mélanges*, 1763.

---

1. Il s'agit de Louis Ier le Pieux ou le Débonnaire, fils de Charlemagne et empereur d'Occident de 814 à 840. Son neveu Bernard, roi d'Italie, s'étant révolté contre lui, il lui fit crever les yeux.

PISTES POUR L'ORAL

Tenir compte de la question

• La question tourne autour de l'idée d'argumentation. Il faut donc connaître les différentes ressources de l'argumentation (directe, indirecte ; registres...).

• « représentative du combat des Lumières » implique que vous récapituliez les caractéristiques de la contestation au XVIIIe siècle (genres privilégiés, tons adoptés, idées-force, thèmes favoris, valeurs).

Pour bien réussir l'oral : voir guide méthodologique.

La question de l'homme : voir mémento des notions.

Trouver les idées directrices

Utilisez les pistes de la consigne, mais faites aussi la « **définition** » du texte.

Dialogue fictif (*genre*) entre deux volailles qui argumentent sur (*type de texte*) la cruauté des hommes (*thème*), didactique, héroï-comique, satirique, parodique (*registres*), animé, contrasté, trivial et soutenu, pittoresque (*adjectifs*), pour dénoncer les défauts et les abus des humains (*buts*).

Introduction

[Amorce] La question des rapports de force entre les hommes est au centre des préoccupations du XVIIIe siècle et les écrivains multiplient les stratégies argumentatives pour critiquer les abus et défendre la dignité de l'homme. [L'œuvre] Ainsi, Voltaire recourt à une grande variété de registres et de genres (lettres, dictionnaire, contes philosophiques...) pour diffuser après du grand public ses convictions de philosophe. Il reprend aussi la forme rhétorique du dialogue, genre privilégié pour aborder des sujets philosophiques depuis l'Antiquité (Platon) et s'en sert comme moyen de critique. [Le texte] Dans le « Dialogue du Chapon et de la Poularde », Voltaire, qui donne la parole à deux volailles sur le point d'être tuées pour être mangées, dénonce la violence des humains à leur égard. [Rappel de la question] Quels aspects caractéristiques du combat des Lumières pour la dignité de l'homme présente cet étrange dialogue ? [Annonce des axes] Son ton comique et parodique l'inscrit dans la « manière » du XVIIIe siècle [I]. Le choix de personnages animaux permet un regard distancié sur le monde humain [II]. Il porte la marque de la volonté de dénonciation qui animait le mouvement philosophique [III].

I. Un dialogue comique et parodique dans le ton de l'époque

1. Maître et disciple : parodie d'un dialogue didactique

• Les rôles sont distribués comme dans les dialogues socratiques : le disciple (la Poularde) interroge et s'étonne à travers des phrases exclamatives ; le maître (le Chapon) répond, informe et dispense le savoir.

• La longueur des répliques est significative : le Chapon a les interventions les plus longues, alors que celles de la Poularde sont parfois réduites à une seule ligne.

• Le dialogue est rigoureusement structuré, il progresse selon le schéma question-réponse et passe successivement en revue plusieurs points : les coutumes des hommes, leur insensibilité, les formes de leur cruauté. La progression est bien conforme à celle d'un dialogue didactique. Mais l'identité des interlocuteurs donne un ton comique à ce qui devrait être un dialogue sérieux. Il s'agit de volailles, donc d'animaux sans prestige : un chapon est un coq châtré ; le nom poularde, avec son suffixe péjoratif -arde, évoque un être gras et grotesque.

• Le décalage entre le sérieux de la forme, des thèmes abordés et la crudité des réalités mentionnées accentue l'effet comique : vocabulaire grossier (« cul », « matrice »), réalités triviales (« longue aiguille », « chat », « pondre », « châtrer », « opération cruelle »).

• Par un effet de contraste comique, les deux volailles recourent au contraire à des périphrases précieuses : « recevoir les faveurs du chantre du jour » = les rapports sexuels entre... la poule et le coq ; « nous n'aurons plus de consolation dans ce monde » = « nous ne pourrons plus nous accoupler » ; « faire le même outrage » ou « on nous a privés de la plus belle partie de nous-mêmes » = la castration. Ces effets comiques font du dialogue une parodie.

2. La fonction didactique du Chapon

• Son discours est très structuré. Ainsi, sa deuxième réplique passe logiquement de l'idée générale à l'explication ; il y suit l'ordre chronologique des événements, qu'il appuie sur des compléments de temps précis (« pendant quelques jours », « enfin le jour »). Les groupes ternaires des verbes donnent à son intervention un ton oratoire (« nous mettent/nous font avaler/nous crèvent ; arrachent/coupent/font rôtir ; on nous apporte/chacun dit/on fait ; l'un dit/l'autre vante/on loue »). Enfin, il utilise le présent d'habitude qui généralise son propos avant de finir sur une phrase de conclusion mise en valeur par le présentatif « et voilà » (l. 32).

• De même, sa dernière réplique suit une progression rigoureuse : il mentionne d'abord une habitude ancrée dans l'histoire (« en ont usé ainsi fort souvent »), suivie d'exemples précis, et finit en citant ses sources (« mes deux abbés disaient »).

3. La Poularde, un disciple émotif

• C'est elle qui, en quête d'informations, pose les questions. En contraste avec les phrases pompeuses et assertives du Chapon, elle recourt à de courtes exclamations renforcées par des interjections (« Quoi ! », « ah ! »), qui donnent à ses interventions un rythme heurté.

• Son lexique est celui de l'émotion : ainsi, elle est « prête à [s']évanouir ». Son effroi se marque par les reformulations à la 1re personne des tortures subies (« je serai mangée, on m'arrachera… ») ; moins soucieuse du sort de toutes les volailles que du sien propre, elle passe du général (« *nous* manger ») au particulier (« on *m'*arrachera… on *me* coupera… *je* serai rôtie et mangée ! »).

• La subjectivité du lexique péjoratif par lequel elle désigne les hommes (« monstres, coquins, scélérats, détestable engeance ») s'oppose à la neutralité maîtrisée du Chapon.

• L'opposition entre la maîtrise du Chapon et l'émotion de la Poularde répond au cliché du contraste mâle/femelle, masculin/féminin.

II. Le choix d'animaux : un regard distancié sur les humains

1. Des animaux judicieusement choisis

• Ils sont destinés à être mangés : la Poularde est une jeune poule qui a subi un engraissement intensif ; le Chapon, castré, est plus gros que le coq.

• Il est donc logique qu'ils s'indignent de cette destinée qui nous semble, à nous humains, évidente. Ils nous obligent ainsi à reconsidérer nos habitudes qu'ils dénoncent et dont la cruauté ne nous était plus sensible.

• Ils font donc apparaître ces habitudes comme relatives (« c'est leur *coutume*, ils sont *dans l'usage* de faire, en ont *usé* ainsi fort souvent »). Or, la notion de relativité est au centre de la pensée des philosophes des Lumières.

2. Des animaux raisonnables

• Voltaire recourt pour les décrire à des mots ordinairement appliqués aux hommes : les volailles sont mises « en prison », elles ont des « bras » et des « cuisses ». Certaines expressions ambivalentes et communes aux mondes animal et humain permettent de révéler les atrocités des hommes : ainsi, « couper la gorge » fait de l'abattage des volailles un véritable crime. Les expressions « oraison funèbre » (qui désigne les propos de table célébrant les qualités gustatives de la volaille) et « notre histoire en ce bas monde » font des volailles de véritables défunts et des êtres à part entière.

• Comme les humains, ces animaux sont caractérisés par la parole, ils sont doués de raison et ressentent des émotions. Enfin, ils sont animés par la volonté de comprendre.

• Cela permet une inversion des points de vue, caractéristique de l'argumentation au XVIIIe siècle : le festin est présenté du point de vue de la volaille, marqué par l'emploi de la première personne du pluriel (« nous »). Voltaire crée ainsi un effet de décalage : la position de victime de la volaille, passive malgré elle, souligne la cruauté anonyme des hommes.

• Mais en même temps le choix de tels personnages donne au dialogue un ton héroï-comique qui témoigne d'un regard distancié sur le monde : la volaille, animal commun et trivial, est caractérisée par un vocabulaire soutenu (« on loue, on vante, oraison funèbre ») ; la succession « cuisses/bras/croupion » (l. 31), qui mélange monde humain et monde animal, crée un effet comique dédramatisant.

3. Des hommes plus bestiaux que les bêtes

• Les hommes sont définis en référence au standard animal : ainsi ils sont « bipèdes *comme nous* et fort *au-dessous de nous* » (l. 44-45), dit le Chapon. Bien plus, ils apparaissent comme des animaux inférieurs puisque ce qui les caractérise, c'est le manque : « ils n'ont point de plumes », expression qui souligne la relativité des critères de jugement, chère aux Lumières.

• Contrairement aux animaux, les humains se définissent, non par la parole, mais par l'action, le plus souvent cruelle et sauvage : « arracher » (deux fois), « couper », « dévorer, crever les deux yeux ». L'homme apparaît comme un prédateur mauvais par essence (« détestable engeance », l. 40).

• La satire repose sur cette inversion des critères : considérée du point de vue des bêtes, la violence des hommes est atroce. Mais le propos de Voltaire n'est évidemment pas de dénoncer la cruauté à l'égard de la gent animale. Cette cruauté particulière est le signe d'une cruauté plus générale.

III. Une visée critique représentative des Lumières

1. La critique de la violence

• Pour accéder à la généralité, Voltaire effectue un rapprochement dans le temps : il part de références à l'Antiquité, mentionne les empereurs chrétiens et grecs, puis le Moyen Âge (« Louis le Débonnaire ») et une époque indéterminée (« ils en avaient rôti plus de vingt mille »), en fait une allusion à l'Inquisition.

• Parallèlement, le passage des animaux aux humains se fait par la reprise des mêmes termes : « crever les yeux, arracher », et surtout le verbe « rôtir » dont l'emploi traduit souligne l'inhumanité des hommes (qui traitent leurs semblables comme des animaux) et dénonce une cruauté gratuite : il ne s'agit pas de manger ses ennemis. Le chiffre « vingt mille » intensifie la dénonciation.

• La cruauté semble le trait caractéristique de l'humanité (lié à la coutume), puisqu'elle s'exerce quel que soit son objet et sa finalité.

2. Les paradoxes humains

• Ces paradoxes résident d'abord dans l'alliance de la barbarie et de la (prétendue) culture : dévorer un animal en prononçant son « oraison funèbre », c'est déguiser un instinct sauvage (« arrache, coupe, rôtir, dévorer ») sous le masque de la culture évoquée par les mots « fête, pièce d'argent, rire, contes » et de la rationalisation suggérée par les verbes de pensée ou de parole (« dit, pense, loue, vante ») qui créent un effet héroï-comique. Paradoxe aussi que de célébrer la victime que l'on a soi-même massacrée.

• Paradoxe, enfin, que l'association surprenante entre le nom de Louis le Débonnaire (c'est-à-dire « bienveillant ») et ses actes : « arracher les yeux à son neveu Bertrand ». Par l'insistance sur la parenté qui lie le bourreau et la victime, le Chapon souligne la cruauté qui consiste à torturer son semblable.

3. L'intolérance

• L'intolérance est dénoncée par la technique de l'allusion dans la dernière phrase du texte : dans l'expression « de *certaines* opinions qu'il serait difficile à un chapon d'expliquer », le caractère indéterminé et secondaire de ces opinions contraste avec le nombre considérable de victimes (« vingt mille »).

• Les deux relatives « qu'il serait difficile à un chapon d'expliquer, et qui ne m'importent guère » insistent sur le caractère dérisoire de ces divergences, si subtiles que seule la race inférieure des hommes s'y retrouve et qu'elles n'intéressent personne.

Conclusion

La force de cette dénonciation indirecte tient au ton comique et satirique bien dans le style des écrivains des Lumières et à l'absurdité découlant du décalage des points de vue : la cruauté des hommes paraît aveugle et injustifiable. Le dialogue parodique transforme l'histoire humaine en une série de coutumes arbitraires et violentes ; parodié, le dialogue philosophique a une vraie portée polémique. Comme La Fontaine, Voltaire utilise des animaux, mais, ici, les animaux parlent des hommes et dénoncent leurs pratiques, notamment la violence et l'intolérance religieuse.

ENTRETIEN

L'examinateur pourrait débuter l'entretien par la question suivante :

▶ Qu'entend-on par « question de l'homme » ?

• La réponse à la question reprend en partie votre cours. Vous ne devez pas le réciter, mais rendre sensible votre interprétation et donner des exemples.

• Expliquez et alimentez chaque remarque d'exemples personnels.

Pour réussir l'entretien : voir guide méthodologique.

La question de l'homme : voir mémento des notions.

Pistes pour répondre à la question

La « **question de l'homme** » implique des interrogations sur :

• la **nature humaine** : est-elle unique ou multiple ? Qui est « moi » ? Qui est « l'autre » ? D'où une réflexion sur les rapports avec autrui, sur le pouvoir ;

• les « **composantes** » de l'homme : corps, être affectif, esprit, conscience ;

• l'**idéal de vie** : qu'est-ce que le bonheur ? Quelles règles morales suivre ?

• la **destinée humaine** : y a-t-il une fatalité ? L'homme est-il libre ? La vie humaine est-elle absurde ?

• les **rapports entre les êtres** : hommes et animaux ; hommes entre eux.

Sujet d'oral n° 5
Humanisme et Renaissance

Rabelais, *Pantagruel* ; Montaigne, *Essais*

▶ Montrez, par la comparaison de ces deux programmes d'éducation, l'évolution de la pensée humaniste.

DOCUMENT 1

Le géant Gargantua écrit à son fils Pantagruel parti étudier à Paris, une lettre dans laquelle il définit ce qu'est pour lui la formation d'un humaniste.

Très cher fils,

[…] je t'engage à employer ta jeunesse à bien progresser en savoir et en vertu. Tu es à Paris, tu as ton précepteur Épistémon : l'un par un enseignement vivant et oral, l'autre par de louables exemples,
5 peuvent te former.

J'entends et je veux que tu apprennes parfaitement les langues : premièrement le grec, comme le veut Quintilien[1] ; deuxièmement le latin ; puis l'hébreu pour les saintes Lettres, le chaldéen et l'arabe[2] pour la même raison ; et que tu formes ton style sur celui de Platon
10 pour le grec, sur celui de Cicéron pour le latin. Qu'il n'y ait d'étude scientifique que tu ne gardes présente en ta mémoire et pour cela tu t'aideras de l'Encyclopédie universelle des auteurs qui s'en sont occupés.

Des arts libéraux[3] : géométrie, arithmétique et musique, je t'en
15 ai donné le goût quand tu étais encore jeune, à cinq ou six ans ; continue ; de l'astronomie, apprends toutes les règles, mais laisse-moi l'astrologie, comme autant d'abus et de futilités.

Et quant à la connaissance de l'histoire naturelle, je veux que tu t'y adonnes avec zèle : qu'il n'y ait ni mer, ni rivière, ni source
20 dont tu ignores les poissons ; tous les oiseaux du ciel, tous les arbres, arbustes, et les buissons des forêts, toutes les herbes de la terre, tous les métaux cachés au ventre des abîmes, les pierreries de tous les pays de l'Orient et du Midi, que rien ne te soit inconnu.

Puis relis soigneusement les livres des médecins grecs, arabes et
25 latins, sans mépriser les Talmudistes[4] et les Cabalistes[5], et, par de

fréquentes dissections, acquiers une connaissance parfaite de l'autre monde qu'est l'homme. Et pendant quelques heures du jour, va voir les saintes Lettres : d'abord en grec le Nouveau Testament et les épîtres des apôtres, puis, en hébreu, l'Ancien Testament.

30 En somme, que je voie en toi un abîme de science car, maintenant que tu deviens homme et te fais grand, il te faudra quitter la tranquillité et le repos de l'étude pour apprendre la chevalerie et les armes afin de défendre ma maison, et de secourir nos amis dans toutes leurs difficultés causées par les assauts des malfaiteurs.

35 Et je veux que, bientôt, tu mesures tes progrès ; cela, tu ne pourras mieux le faire qu'en soutenant des discussions publiques, sur tous les sujets, envers et contre tous, et qu'en fréquentant les gens lettrés tant à Paris qu'ailleurs.

Mais – parce que, selon le sage Salomon[6], Sagesse n'entre pas en 40 âme malveillante et que science sans conscience n'est que ruine de l'âme – tu dois servir, aimer et craindre Dieu, et mettre en Lui toutes tes pensées et tout ton espoir ; [...]

Mon fils, que la paix et la grâce de Notre-Seigneur soient avec toi. *Amen*.

D'Utopie[7], ce dix-septième jour du mois de mars,
ton père, Gargantua.

François Rabelais, *Pantagruel*, chap. VIII, 1532 ; édition en français moderne par Guy Demerson, Éditions du Seuil, 1973 et 1995.

---

1. Quintilien : rhéteur et pédagogue latin du Ier siècle après J.-C.
2. Langues nécessaires à l'étude de l'Écriture sainte.
3. Arts libéraux : principales disciplines de l'enseignement.
4. Talmudistes : philosophes scolastiques du XIVe siècle, incarnant l'obscurité de la pensée médiévale.
5. Cabalistes : commentateurs expliquant le sens caché de l'Ancien Testament.
6. Salomon : roi de la Bible, particulièrement sage et juste.
7. Utopie : pays imaginaire dont le gouvernement idéal rend les gens heureux, imaginé par Thomas More.

DOCUMENT 2

Montaigne propose des directives pour l'éducation d'un jeune noble.

[...] Je voudrais aussi qu'on fût soigneux de lui[1] choisir un guide[2] qui eût plutôt la tête bien faite que bien pleine, et qu'on exigeât chez celui-ci les deux qualités, mais plus la valeur morale et

l'intelligence que la science, et [je souhaiterais] qu'il³ se comportât
5 dans [l'exercice de] sa charge d'une nouvelle manière.

On ne cesse de criailler à nos oreilles [d'enfants], comme si l'on
versait dans un entonnoir, et notre rôle, ce n'est que redire ce qu'on
nous a dit. Je voudrais que le précepteur corrigeât ce point [de la
méthode usuelle], et que, d'entrée, selon la portée de l'âme qu'il a en
10 main, il commençât à la mettre sur la montre⁴, en lui faisant goûter
les choses, les choisir et discerner d'elle-même⁵, en lui ouvrant quelquefois le chemin, quelquefois en le lui laissant ouvrir. Je ne veux
pas qu'il invente et parle seul, je veux qu'il écoute son disciple parler
à son tour. [...]
15 Qu'il⁶ ne demande pas seulement [à son élève] de lui répéter les
mots de sa leçon [qu'il lui a faite] mais de lui dire leur sens et leur
substance, et qu'il juge du profit qu'il en aura fait, non par le témoignage de sa mémoire, mais par celui de sa vie. Ce que [l'élève] viendra d'apprendre, qu'il le lui fasse mettre en cent formes et adaptées
20 à autant de sujets différents, pour voir s'il l'a dès lors bien compris
et bien fait sien. [...]

Aussi bien est-ce une opinion reçue d'un chacun, que ce n'est
pas raison de nourrir un enfant au giron de ses parents. Cette amour
naturelle les attendrit trop et relâche, voire les plus sages. Ils ne sont
25 capables ni de châtier ses fautes, ni de le voir nourri grossièrement,
comme il faut, et hasardeusement. Ils ne le sauraient souffrir revenir
suant et poudreux de son exercice, boire chaud, boire froid, ni le
voir sur un cheval rebours, ni, contre un rude tireur, le fleuret au
poing ; ni la première arquebuse. Car il n'y a remède : qui en veut
30 faire un homme de bien, sans doute il ne le faut épargner en cette
jeunesse, et souvent choquer les règles de la médecine :

« Qui passe sa vie en plein air dans les périls. »

Ce n'est pas assez de lui roidir l'âme ; il lui faut aussi roidir les
muscles.

Michel de Montaigne, *Essais*, livre I, chap. 26 (1580-1595) ;
édition en français moderne par A. Lanly,
Éditions Honoré Champion, 1989.

1. Lui : au futur élève.
2. Guide : précepteur.
3. Il : le précepteur.
4. Montre : piste où l'on présente les chevaux pour le galop d'essai.
5. L'âme elle-même, c'est-à-dire l'élève.
6. Il : le précepteur.

PISTES POUR L'ORAL

PRÉPARATION

Tenir compte de la question

• La question porte globalement sur la notion d'« humanisme ». Mais elle invite à discerner des nuances dans la pensée et les points de vue humanistes et restreint l'analyse aux principes d'éducation.

• « évolution » indique que vous devez tenir compte de la différence de date de composition des textes (1532 et 1580), donc du contexte politico-social.

• Utilisez dans vos titres d'axes les mots de la question ou un synonyme.

Trouver les axes

• Utilisez les pistes de la question, mais composez aussi la « définition » des deux textes.

• On peut choisir entre deux types de plans.

Premier type de plan :

1. Ressemblances ou analogies entre les deux textes.
2. Différences entre les deux textes. 3. Éventuellement, explication(s) de ces différences.

Conseil
Pour la lecture analytique ou le commentaire comparé, il faut mener de front l'étude des deux textes. Comparer la « définition » des deux textes permet de noter les ressemblances et les différences.

Deuxième type de plan : par centres d'intérêt ou idées directrices, avec, éventuellement, la démarche « ressemblances/différences » à l'intérieur de chaque centre d'intérêt.

Nous avons opté ici pour le premier type de plan.

• **Texte de François Rabelais**

Lettre (*genre*) d'un père à son fils (*situation d'énonciation*), injonctive [qui prodigue des conseils] et argumentative (*types de texte*), sur l'éducation et les études et sur les principes de vie (*thème*), didactique, lyrique (*registres*), enthousiaste (*adjectif*), pour définir les principes éducatifs et les valeurs humanistes (*buts*).

• **Texte de Michel de Montaigne**

Extrait d'autobiographie (*genre*) qui argumente (*type de texte*) sur l'éducation et les études (*thème*), didactique (*registre*), contrasté (*adjectif*), pour définir les principes éducatifs et les valeurs humanistes (*buts*).

▶ **Première piste** : cherchez les ressemblances en ce qui concerne les conditions d'éducation, les méthodes contestées et prônées, les valeurs proposées.

▶ **Deuxième piste** : repérez les différences en ce qui concerne les matières, le volume de connaissances, les méthodes…

▶ **Troisième piste** : à l'aide de ces deux textes, dégagez des constantes dans la définition de la « philosophie humaniste » de l'éducation ; en quoi ces deux textes sont-ils complémentaires ? Qu'est-ce qui explique les différences de points de vue ?

Pour bien réussir l'oral : voir guide méthodologique.

Humanisme et Renaissance : voir mémento des notions.

PRÉSENTATION

Introduction

[Amorce] Conscient de l'importance de la formation dans la construction d'un « homme » véritable, le mouvement humaniste de la Renaissance accorde une place prépondérante à la question de l'éducation.

[Présentation des textes] Ainsi Rabelais, dans *Pantagruel*, qui date de 1532, raconte la formation et la vie d'un jeune géant imaginaire : au chapitre III, le géant Gargantua, sentant venir sa mort prochaine, envoie à son fils Pantagruel parti étudier à Paris une lettre testament dans laquelle il lui prodigue ses conseils d'éducation et de vie. Quelque cinquante ans plus tard, Montaigne, dans ses *Essais,* qui datent de 1580, relate ses « expériences », fait part de ses conseils aux futurs précepteurs de jeunes enfants nobles.

[Rappel de la question] Quelle évolution ces textes révèlent-ils des principes éducatifs humanistes ?

[Annonce des axes] Bien que ces deux écrivains humanistes aient, sur l'éducation, des idées assez proches [I], certaines oppositions nuancent leurs conceptions [II]. Cette différence de vue s'explique par la différence de leur tempérament et du contexte d'écriture. Mais les deux textes permettent de dégager des constantes dans l'idéal éducatif humaniste et d'en percevoir la modernité [III].

I. Les ressemblances

1. Les conditions

• Les deux « programmes » exposés décrivent une éducation personnalisée et individuelle et exigent un précepteur pour l'élève (« ton précepteur Épistémon »/« choisir un guide »).

• Ce maître a pour rôle de diriger et guider l'élève : Épistémon forme Pantagruel par de « louables exemples » ; dans presque toutes les phrases du texte de Montaigne, c'est le précepteur (« il ») qui est sujet des verbes d'action indiquant la guidance : « Qu'*il* ne demande pas seulement, qu'*il* le lui fasse mettre [...] pour voir ».

• L'éducation est un souci de tous les instants, à pratiquer sans relâche : Rabelais demande du « zèle » et multiplie les indications temporelles (« puis, pendant quelques heures du jour, d'abord/puis, fréquentes ») ; Montaigne conseille de faire « mettre en cent formes » ce qui vient d'être appris.

2. Les méthodes

Les deux humanistes soulignent que toute éducation exige :

– d'apprendre : Rabelais multiplie les mots du vocabulaire de l'apprentissage et de la mémoire (« apprends, apprennes, que tu ne gardes en ta mémoire, connaissance, science [= savoir] ») ; Montaigne conseille de faire « répéter [à l'élève] les mots de sa leçon » et de redire « ce qu'il viendra d'apprendre » ;

– mais aussi de comprendre : Pantagruel doit être capable de « souten[ir] des discussions publiques » ; l'élève de Montaigne doit savoir « dire [le] sens et [la] substance de sa leçon », « pour voir s'il l'a [...] compris[e] ».

3. La finalité de l'éducation et la critique des méthodes du temps

• Ces deux idéaux d'éducation prennent en compte toutes les composantes de l'être humain :

– le corps : Pantagruel « appren[d] la chevalerie et les armes » ; l'élève de Montaigne s'exerce les « muscles » sur « un cheval [...] le fleuret au poing » ;

– l'esprit, l'intelligence logique et les facultés de raisonnement, désignées par les termes de « science » et d'« intelligence » ;

– l'âme : Rabelais veut cultiver la « conscience », Montaigne entend « former » un « homme de bien ». L'éducation a un but moral.

• Tous deux préconisent un enseignement vivant, pratique, autant oral qu'écrit : Rabelais parle d' « enseignement vivant et oral », Montaigne fait « goûter les choses » et mentionne le « témoignage [...] de sa vie ».

• Les sources : référence permanente à l'antiquité grécoromaine (auteurs grecs : Aristote, Platon, et romains : Pline, Quintilien).

• Les deux auteurs construisent leur idéal éducatif à partir de la critique des méthodes éducatives (scolastiques) de leur temps (« *laisse-moi* l'astrologie... » ; « l'on *corrigeât ce point de méthode usuelle* »).

II. Les différences

1. La situation d'énonciation et le ton

• La lettre de Gargantua est le testament spirituel d'un père – personnage fictif – à son fils et d'un roi à son successeur ; d'où un mélange d'intimité et de solennité dans le ton, parfois injonctif (« j'entends et je veux », impératifs), et un certain lyrisme (rythme et ampleur des phrases, énumérations...).

• L'« essai » de Montaigne est une réflexion personnelle destinée à une de ses amies, la comtesse de Gurson, qu'il veut conseiller et convaincre ; d'où le ton plus didactique (« Je voudrais que » à deux reprises, « Je ne veux pas que » ; groupes binaires équilibrés ; procédés de la généralisation : « on », présent).

2. Les matières

• Le programme est bien plus lourd chez Rabelais (mais les nombreuses énumérations marquent le souci de préciser « toutes » les matières à travailler). Il insiste sur l'exhaustivité du savoir (« toutes/tous » ; métaphore de l'« abîme de science »). Montaigne s'écarte de ces ambitions démesurées.

• Les références à la religion sont nombreuses chez Rabelais (relever le lexique de la religion), absentes chez Montaigne.

3. Les méthodes

• Montaigne refuse le par cœur systématique et la répétition telle quelle (métaphore de l'entonnoir et du gavage ; « redire ce qu'on nous a dit »), somme toute privilégiés chez Rabelais. Pour Montaigne, il faut apprendre à comprendre plutôt qu'apprendre tout court ; c'est le sens de la formule bien frappée : « plutôt la tête bien faite que bien pleine ».

• Le précepteur chez Montaigne laisse plus d'autonomie à l'élève (métaphore équestre : « mettre sur la montre » ; « choisir [...] d'elle-même », « en lui laissant ouvrir le chemin ») et accorde une grande importance au dialogue enseignant-enseigné (« parler à son tour », « de lui dire »). Chez Rabelais, moins de place est laissée à l'initiative de l'élève, presque toujours en situation de recevoir l'enseignement des autorités.

• Montaigne souligne la nécessité de mettre l'élève en situation de réinvestir ses connaissances et de les appliquer dans « la vie » pratique. Il conseille de juger l'élève plus sur sa « vie », son comportement que sur son savoir.

III. Des programmes complémentaires et modernes

1. À contexte différent, conceptions de l'éducation différentes

Les différences s'expliquent par les différences de contexte d'écriture.

• Les deux auteurs sont de formation et de tempérament différents : l'un est un moine autodidacte, érudit, l'autre un philosophe.

• Ils appartiennent à des générations différentes : le programme de Rabelais est marqué par l'enthousiasme du début du siècle (et par son tempérament) ; celui de Montaigne est marqué par les interrogations nuancées de la seconde moitié du siècle (guerres de religion) et est empreint de tempérance et d'esprit critique. Rabelais a eu le mérite de souligner l'importance de la science ; Montaigne a mis l'accent sur la formation du jugement.

• Ils s'adressent à un lectorat différent : l'un veut divertir par une parodie d'épopée un lectorat très large ; l'autre écrit en philosophe.

• Ils diffèrent dans leur projet : la lettre de Gargantua vise à former un futur roi dont la devise « Science sans conscience n'est que ruine de l'âme » (analyser la construction et le jeu sur les mots) est un principe de gouvernement ; Montaigne a pour but de former un esprit cultivé et autonome.

2. Une complémentarité qui dessine l'idéal humaniste

Cependant la combinaison de ces programmes, complémentaires, définit l'idéal humaniste :

– l'un insiste sur l'appétit de savoir et, tout en formant un homme complet, veut qu'il ait une « tête bien pleine » ;

– l'autre est plus souple sur les matières mais insiste davantage sur l'implication personnelle de l'élève, la nécessité de le faire participer.

3. Des points de vue très modernes

Cependant l'un et l'autre, s'opposant à l'éducation scolastique médiévale, sont « révolutionnaires » pour l'époque. Ils s'approchent des conceptions éducatives modernes (sport et éducation physique, diversification des matières et formation complète, importance de l'expérimentation, participation de l'élève…).

Conclusion

L'importance apportée au problème de l'éducation confirme la foi en l'homme qui a marqué la Renaissance et est une composante de l'engagement humaniste pour une nouvelle vision de l'homme. Ces principes éducatifs ont fortement marqué les tendances actuelles de l'enseignement : équilibre entre activités manuelles, physiques et intellectuelles, initiative laissée à l'élève, importance des exercices d'application mais aussi développement de l'esprit critique… Seule l'exigence d'un précepteur particulier ne correspond plus aux réalités modernes.

ENTRETIEN

L'examinateur pourrait débuter l'entretien par la question suivante.

▶ **Quelle conception de l'homme et du monde et quelles valeurs révèlent les programmes d'éducation humanistes ?**

Mettez en relation ce que vous avez appris en cours des caractéristiques majeures de la pensée humaniste et de ses valeurs. Il faut créer des liens entre les lectures analytiques et les deux textes que vous venez d'étudier.

L'entretien pourra se poursuivre dans diverses directions, par exemple :

• Peut-on parler d'humanisme de nos jours ?

• Quels sont les points communs et les différences entre l'humanisme du XVIe siècle et celui du XXe siècle ?

• Comment comprenez-vous la phrase de Gargantua : « Science sans conscience n'est que ruine de l'âme » ?

Pour réussir l'entretien : voir guide méthodologique.

Pistes pour répondre à la première question

L'importance accordée par les humanistes à l'éducation traduit :

– leur foi en la possibilité de former, d'amender tout être humain (une part importante est accordée à l'acquis par rapport à l'inné) et leur conscience de l'importance de l'enfance dans la formation de l'homme ;

– leur foi dans l'importance du choix de modèles à imiter (les Anciens et le précepteur notamment), mais aussi la primauté accordée à la formation du jugement, donc à l'autonomie de pensée.

Sujet d'oral n° 6
Les réécritures

Chateaubriand, *Mémoires d'outre-tombe*

▶ Vous montrerez comment Chateaubriand réécrit le récit historique de Las Cases en donnant à son texte une ampleur épique et en dépassant la simple narration d'un événement.

DOCUMENT 1

Dimanche 10 au mercredi 13 – Vents alizés. La ligne. Lorsqu'on approche des tropiques, on rencontre ce qu'on appelle les vents alizés, c'est-à-dire des vents éternellement de la partie de l'est. La science explique ce phénomène d'une manière assez satisfaisante...
5 Le bâtiment qui, venant d'Europe, se dirige sur Sainte-Hélène, est toujours poussé vers l'ouest par ces vents constants de l'est. Il serait bien difficile qu'il pût atteindre cette île par une route directe ; il n'en a pas même la prétention...
Samedi 14 – On s'attendait à voir Sainte-Hélène ce jour-là
10 même ; l'amiral nous l'avait annoncé. À peine étions-nous sortis de table qu'on cria : Terre ! c'était à un quart d'heure près, l'instant qu'on avait fixé... L'empereur fut sur l'avant du vaisseau pour voir la terre, et crut l'apercevoir, moi je ne vis rien...
Dimanche 15 – L'empereur, contre son habitude, s'est habillé et
15 a paru de bonne heure sur le pont ; il a été sur le passavant considérer le rivage de plus près. On voyait une espèce de village encaissé parmi d'énormes rochers arides et pelés qui s'élevaient jusqu'aux nues. Chaque plate-forme, chaque ouverture, toutes les crêtes se trouvaient hérissées de canons. L'empereur parcourait le tout avec
20 sa lunette ; j'étais à côté de lui, mes yeux fixaient constamment son visage ; je n'ai pu surprendre la plus légère impression ; et pourtant c'était là désormais sa prison perpétuelle, peut-être son tombeau.

Las Cases, *Le Mémorial de Sainte-Hélène*, 1828.

DOCUMENT 2

La mer que Napoléon franchissait n'était point cette mer amie qui l'apporta des havres[1] de la Corse, des sables d'Aboukir, des rochers de l'île d'Elbe, aux rives de la Provence ; c'était cet Océan ennemi[2] qui, après l'avoir enfermé dans l'Allemagne, la France, le
5 Portugal et l'Espagne, ne s'ouvrait devant sa course que pour se refermer derrière lui. Il est probable qu'en voyant les vagues pousser son navire, les vents alizés l'éloigner d'un souffle constant, il ne faisait pas sur sa catastrophe les réflexions qu'elle m'inspire : chaque homme sent sa vie à sa manière, celui qui donne au monde un grand
10 spectacle est moins touché et moins enseigné que le spectateur. Occupé du passé comme s'il pouvait renaître, espérant encore dans ses souvenirs, Bonaparte s'aperçut à peine qu'il franchissait la ligne, et il ne demanda point quelle main traça ces cercles dans lesquels les globes sont contraints d'emprisonner leur marche éternelle.
15 Le 15 août, la colonie errante célébra la Saint-Napoléon à bord du vaisseau qui conduisait Napoléon à sa dernière halte. Le 15 octobre, le *Northumberland* était à la hauteur de Sainte-Hélène. Le passager monta sur le pont ; il eut peine à découvrir un point noir imperceptible dans l'immensité bleuâtre ; il prit une lunette ;
20 il observa ce grain de terre ainsi qu'il eût autrefois observé une forteresse au milieu d'un lac. Il aperçut la bourgade de Saint-James enchâssée dans des rochers escarpés ; pas une ride de cette façade stérile à laquelle ne fût suspendu un canon : on semblait avoir voulu recevoir le captif selon son génie.

Chateaubriand, *Mémoires d'outre-tombe*,
livre XXIV, chap. 10, 1833.

_____

1. Havres : ports.
2. Car allié des Anglais.

PISTES POUR L'ORAL

PRÉPARATION

Les deux textes se rapportent au même événement historique : l'arrivée de Napoléon, en mai 1821, à l'île de Sainte-Hélène où les Anglais ont décidé de le déporter.

Tenir compte de la consigne

• En lien avec la notion de réécriture, la consigne suggère de mesurer l'écart entre les visées d'un témoin historique et celles d'un écrivain romantique. L'objectif est de mettre en évidence les spécificités du texte de Chateaubriand.

• Elle vous propose un plan, que vous pouvez suivre.

Trouver les axes

• Pour mesurer la différence entre les deux textes, faites leur **définition**.

• Texte de Las Cases

> Extrait d'un journal de bord, qui s'apparente à des mémoires (*genre*), qui raconte/informe sur (*type de texte*) l'arrivée de Napoléon à Sainte-Hélène (*thème*) ; texte chronologique, précis, circonstancié, sobre (*adjectifs*) ; pour relater un moment historique important et témoigner (*buts*).

• Texte de Chateaubriand

> Extrait de Mémoires (*genre*), qui raconte (*type de texte*) l'arrivée de Napoléon à Sainte-Hélène (*thème*) ; qui décrit (*type de texte*) l'empereur (*thème*) ; qui argumente (*type de texte*) sur la destinée des grands hommes (*thème*) ; texte épique (*registre*) précis, grandiose, héroïque, « philosophique » (*adjectifs*) ; pour rendre compte d'un fait historique et mener une réflexion sur l'histoire et le destin (*buts*).

▶ **Première piste :** partez des **ressemblances** entre les textes. Tous deux relatent un moment historique et font le portrait d'un grand homme, mais les deux narrateurs n'ont pas le même statut.

▶ **Deuxième piste :** montrez comment Chateaubriand donne à la réalité historique une **ampleur épique** et fait de Napoléon un héros.

▶ **Troisième piste :** en quoi ce texte a-t-il une portée plus large qu'un simple récit ? Quelle **vision de l'homme** et du monde s'en dégage ?

Pour bien réussir l'oral : voir guide méthodologique.

Les réécritures : voir mémento des notions.

Introduction

[Amorce] Les écrivains romantiques se sont souvent inspirés dans leurs œuvres d'événements historiques. [Présentation de l'œuvre] Le texte de Chateaubriand est extrait des *Mémoires d'outre-tombe*, œuvre de grande ampleur, rédigée de 1809 à 1841, dans laquelle l'auteur raconte sa vie et rend compte des événements historiques majeurs dont il a été le témoin. [Présentation du texte] Ce texte, comme celui de Las Cases (1828), fait référence à l'exil de Napoléon et à son arrivée, en mai 1821, à l'île de Sainte-Hélène. [Rappel de la question et annonce des axes]

I. Récit d'un moment historique et portrait d'un grand homme

1. Un récit qui rapporte des faits historiques

• Comme dans le texte de Las Cases, Chateaubriand relate l'arrivée de Napoléon à Sainte-Hélène avec une précision d'historien.

• Les deux textes se font écho : mêmes dates, mêmes conditions atmosphériques (« vents alizés »), mêmes aspects géographiques (« rochers arides et pelés »/ « rochers escarpés », « façade stérile »), mêmes lieux (« une bourgade »/ « un village »).

2. Le portrait d'un homme fascinant

• Les deux auteurs accordent la primauté à Napoléon, personnage principal du récit. Ils le décrivent dans une attitude de chef militaire ; certains détails sont précisément repris : ainsi, à « l'empereur parcourait le tout avec sa lunette » fait écho, chez Chateaubriand, « il prit une lunette ».

• Les deux auteurs suggèrent son impassibilité (« je n'ai pu surprendre la plus légère impression », l'absence chez Chateaubriand de détails sur le visage de l'empereur) et soulignent la difficulté à pénétrer ses pensées.

3. Un récit *a posteriori*

• Las Cases écrit un journal, rythmé par des dates qui suivent un ordre chronologique. Il a participé à l'événement (« j'étais à côté de lui ») et s'associe au destin de Napoléon (pronom personnel « nous » ou indéfini « on »). Mais, simple témoin des événements, il relègue son destin personnel au second plan : en cela, son texte s'apparente plus à des mémoires qu'au journal intime.

• Le texte de Chateaubriand s'apparente au récit historique : l'auteur n'a pas participé à l'événement, il prend du recul (« il [Napoléon] ne faisait pas sur sa catastrophe les réflexions qu'elle m'inspire »). Le récit historique est émaillé de commentaires *a posteriori* du narrateur.

II. Un récit empreint d'une grandeur épique

1. La mise en scène de l'arrivée de Napoléon

• Chateaubriand peint un cadre grandiose, presque épique. Toute la nature participe à l'événement : « mer, Océan, vagues, vents alizés... ».

• Les images, notamment la personnification des éléments, s'appuient sur des antithèses frappantes : à la « mer amie » d'autrefois, s'est substitué « l'Océan ennemi ». Sainte-Hélène, par une métaphore forte, apparaît comme « un point noir imperceptible dans l'immensité bleuâtre, un grain de terre ».

• La perspective qui fait voir ce panorama à travers la « lunette » au fur et à mesure que le vaisseau avance, entraîne sa métamorphose, comme s'il était animé : la « bourgade » se transforme en « rochers escarpés », puis en « façade stérile [...] hérissée de canons ».

2. Un récit qui donne à Napoléon la dimension d'un héros déchu

• L'empereur prend une dimension héroïque : son passé glorieux s'ancre aux quatre coins du monde (« Corse », « Aboukir », « l'île d'Elbe », « l'Allemagne, la France, le Portugal et l'Espagne »).

• Héros certes, mais héros déchu. Aux termes mélioratifs hyperboliques répond en contraste un vocabulaire négatif tout aussi puissant : l'empereur est un « captif », qui vit une « catastrophe ». Mais, même dans le malheur, il garde encore l'espoir (« comme si le passé pouvait renaître », « espérant »), reste grand et devient ainsi une figure déjà mythique.

III. Du récit à la réflexion

1. La plongée dans l'univers mental d'un grand homme

• Chateaubriand fait voir le paysage à travers la « lunette », autrement dit le regard de Napoléon, et fait ainsi sentir l'effet de ce spectacle sur le héros.

• Il utilise des expressions renvoyant à l'état d'esprit de Napoléon (« occupé du passé », « espérant encore », « s'aperçut à peine que »).

• L'abondance des modalisateurs (« il est probable que, comme s'il [pouvait], ainsi qu'il eût, on semblait avoir voulu ») souligne les conjectures : le biographe interprète les faits à la lumière de sa propre sensibilité.

2. La réflexion sur le destin de l'homme

• La phrase centrale du texte (« il ne faisait pas sur sa catastrophe *les réflexions qu'elle m'inspire* [...] ») mais aussi les marques de la généralisation (« chaque homme »), la syntaxe (« celui qui ») et le présent de vérité générale indiquent clairement la portée philosophique de l'événement.

• Napoléon, à travers les mots qui le désignent, perd petit à petit son individualité : il n'est plus « Napoléon » ou « Bonaparte », mais un « homme », « celui qui donne au monde un grand spectacle », « le passager », « le captif », représentatif des « grand(s) homme(s) ». Son exil nous parle du destin, désigné par l'image symbolique d'une « main [qui] traça ces cercles » : « captif » des Anglais, Napoléon l'est aussi du destin.

• Chateaubriand se fait penseur et livre ses réflexions sur le monde : ce voyage vers la « dernière halte » est une image de la vie.

Conclusion

[Synthèse] Le texte des *Mémoires d'outre-tombe* n'est pas le simple rapport d'un témoin, mais il répond au projet d'un artiste « metteur en scène ». Chateaubriand jette sur l'histoire son regard d'écrivain. [Ouverture] Ce sont des textes comme celui-ci qui concourront à créer la légende napoléonienne et son succès dans la littérature. En même temps, le récit répond à un projet autobiographique : l'écrivain célèbre sa propre grandeur au travers de celle de l'empereur vaincu. Chateaubriand se superpose à Napoléon.

ENTRETIEN

L'examinateur pourrait débuter l'entretien par la question suivante.

▶ **Quelle définition donneriez-vous de la réécriture ? Quelles formes peut-elle prendre ?**

L'entretien pourra se poursuivre dans diverses directions, par exemple :

• Quels intérêts présente, selon vous, une réécriture ?

• Quels avantages, quels dangers y a-t-il pour un écrivain à prendre l'Histoire comme source d'inspiration pour son œuvre ?

Pour réussir l'entretien : voir guide méthodologique.

Pistes pour répondre à la question

• Réécrire, c'est donner une **nouvelle version d'un texte déjà écrit** en y apportant des modifications. Il peut s'agir d'intertextualité, du passage du brouillon au texte définitif, d'imitation, de transposition…

• Les **différentes formes de réécriture** : la citation, l'allusion (littéraire), le pastiche, la parodie, le plagiat, la réécriture d'un mythe…

Conseil
Illustrez chaque forme mentionnée d'un ou deux exemples précis, brièvement commentés. Vous montrez ainsi que vous avez assimilé personnellement ce que vous affirmez.

La boîte à outils

L'essentiel du programme en fiches

1 De l'énoncé au texte

Quand on analyse un texte littéraire, on s'interroge sur la situation dans laquelle il a été produit, sur les marques de la présence du locuteur. On définit également et son type et le genre littéraire dans lequel il s'inscrit.

A Autour de l'énoncé

1. Deux types d'énoncé

● On appelle énonciation l'action de produire un message oral ou écrit. Une situation d'énonciation se définit à l'aide de ces quatre questions : « Qui parle ? », « À qui ? », « Quand ? », « Où ? ».

● Certains énoncés font référence à la situation d'énonciation dans laquelle ils ont été produits. On peut y relever :
– des marques de la 1re personne, qui font référence au locuteur ;
– des marques de la 2e personne, qui font référence au destinataire ;
– des indices spatio-temporels, qui font référence au lieu et au moment de l'énonciation (*ici*, *là-bas*, *maintenant*, *hier*, etc.).

D'autres énoncés ne font pas référence à la situation dans laquelle ils ont été produits. Ils se caractérisent par l'emploi prédominant de la 3e personne et du passé simple (ou du présent de vérité générale, selon le type de texte).

2. Objectivité et subjectivité

● Quand l'opinion ou les sentiments du locuteur ne sont pas sensibles, on dit que l'énoncé est **objectif**.

● Quand le locuteur exprime son opinion ou ses sentiments, on dit que l'énoncé est **subjectif**. Un énoncé contient le plus souvent des traces de subjectivité.

3. Les modalisateurs

● Les modalisateurs font partie des marques de subjectivité. Ils expriment le plus ou moins grand degré d'adhésion du locuteur à son énoncé, de la certitude au doute. Par exemple, « certainement », « affirmer », « évident » permettent d'exprimer la certitude ; à l'inverse, « peut-être », « supposer », « probable » traduisent le doute.

● Les modes verbaux peuvent également exprimer une modalisation. Ainsi, le conditionnel permet de dire l'incertitude : *Des hectares de forêt auraient été ravagés par le feu.*

B Autour du texte

1. Les types de textes

Le type d'un texte dépend de l'intention de son auteur. On distingue principalement six types de textes.

Type	Intention	Éléments
Narratif	Raconter	Un narrateur ; des personnages ; une histoire avec des péripéties ; un point de vue
Descriptif	Décrire	Les caractéristiques d'un lieu, d'un objet ou d'un personnage ; des repères spatiaux ; un point de vue
Informatif	Informer	Des faits bruts ; pas de point de vue (objectivité)
Explicatif	Expliquer	Des informations qui permettent d'expliquer un phénomène ; des connecteurs logiques ; pas de point de vue (objectivité)
Argumentatif	Défendre une opinion	Une thèse soutenue à l'aide d'arguments et d'exemples ; des connecteurs logiques ; présence et engagement de celui qui parle
Injonctif	Faire agir	Des conseils, des consignes ou des ordres...

2. Les genres littéraires

Les principaux genres littéraires sont divisés en « sous-genres ».

Genre	Sous-genre
Roman	d'amour, d'apprentissage, d'aventures, historique, policier, épistolaire...
Nouvelle	réaliste, fantastique, de science-fiction...
Apologue	fabliau, fable, utopie, conte, conte philosophique...
Théâtre	farce, comédie, tragédie, drame...
Poésie	lyrique, épique, philosophique, engagée...
Essai	traité, discours, démonstration, pamphlet...
Genres biographiques	biographie, autobiographie, mémoires, journal...
Genres épistolaires	lettre intime, ouverte, fictive...

Les principaux registres

Le registre d'un texte se définit par l'effet produit sur le lecteur et par ses réactions : rire, tristesse, peur, pitié...

A Le registre tragique

Quel est son but ?

Inspirer terreur et pitié par la mise en scène de débats déchirants et d'une fatalité funeste (malédiction des dieux ou des hommes, fatalité des passions, fatalité intérieure...)

Quelles sont ses marques ?

• vocabulaire du destin, de l'impuissance, de la mort...
• interrogations angoissées
• exclamations, interjections
• antithèses, hyperboles

B Le registre pathétique

Quel est son but ?

Éveiller la compassion, la pitié pour la souffrance.

Quelles sont ses marques ?

• lexique de l'affectivité, de la douleur
• exclamations, interjections
• hyperboles

C Le registre épique

Quel est son but ?

Susciter l'admiration en célébrant un héros ou un événement hors du commun, symbolique.

Quelles sont ses marques ?

• vocabulaire du combat, du surnaturel
• personnification de réalités inanimées
• hyperboles, gradations

D Le registre lyrique

Quel est son but ?

Exprimer des émotions, des sentiments personnels pour les faire partager au lecteur.

Quelles sont ses marques ?

• marques de la 1re personne
• vocabulaire des sensations et des sentiments
• anaphores, exclamations
• comparaisons, métaphores

E Le registre polémique

Quel est son but ?

Attaquer des idées adverses.

Le mot « polémique » vient du grec *polemos* (« guerre »).

Quelles sont ses marques ?

• marques de la 1re et de la 2e personnes
• lexique violent, dévalorisant
• questions rhétoriques
• hyperboles, antithèses, ironie

Procédés et formes du comique

Le registre comique vise à faire rire ou sourire le lecteur.

A Les procédés du comique

● La **répétition** : de mots, de phrases mais aussi de situations. Bergson parle de la répétition comme l'une des sources principales du comique ; il l'analyse comme « du mécanique plaqué sur du vivant ».

● La **déformation** : caricature d'un personnage ; exagération d'une situation.

● Le **décalage** : par exemple, entre la situation et le langage (dans une situation officielle, un personnage emploie un langage très familier…).

B Les supports du comique

● La **situation** : répétition d'une même situation, renversement de situation (arroseur arrosé) ; quiproquo (ou malentendu, dialogue de sourds)…

● Les **personnages** : caricature ou simplification.

● Les **gestes** : mouvements répétés ou symétriques, grimaces et mimiques, chutes, coups de bâton…

● Les **mots** : déformation phonétique, jeux sur le sens propre et le sens figuré ; inversion de mots, calembours (confusion sur les sons), mots inappropriés.

C Les formes du comique

La caricature	Présentation négative d'une personne, d'un groupe ou d'une idée, qui en exagère les traits caractéristiques. La caricature répond le plus souvent à une visée satirique.
La satire	Critique moqueuse de la société ou d'un personnage.
La parodie	Imitation comique (par exagération) d'une œuvre pour s'en moquer.
Le burlesque et l'héroï-comique	Traitement de sujets sérieux en termes familiers ou grossiers, vulgaires. L'inverse est le registre héroï-comique.
L'humour	Capacité à prendre ses distances par rapport à une réalité angoissante. Quand il mêle fantaisie et tragique, on parle d'humour noir.
L'ironie	Procédé consistant à dire le contraire de ce que l'on pense (ex. : *Travailler jour et nuit, quelle joie !* signifie : « Je déteste travailler tout le temps ! »). L'ironie dénonce des comportements, des idées en en soulignant l'absurdité.

4 Les figures de style

Les figures de style font partie des procédés de la rhétorique (art de bien parler). On peut les classer en plusieurs catégories.

A Les figures par analogie (ou images)

● La **comparaison** rapproche deux éléments – le comparé et le comparant –, grâce à un mot outil (*comme, tel...*).
Ex. : « des parfums frais comme des chairs d'enfants » (Baudelaire).

● La **métaphore** rapproche le comparé du comparant sans mot outil. Quand elle est développée par plusieurs termes, on parle de **métaphore filée**.
Ex. : « Votre âme est un paysage choisi » (Verlaine ; dans ce vers, le poète établit une identité entre l'âme de la personne aimée).

● La **personnification** est une image (métaphore, comparaison...) par laquelle l'auteur donne à une chose, à un animal ou à une abstraction des comportements ou des sentiments propres à l'homme.
Ex. « Les arbres font le gros dos sous la pluie » (J. Renard).

● L'**animalisation** est une image (métaphore, comparaison...) par laquelle l'auteur donne à un être humain, à un objet, à une abstraction des caractéristiques propres aux animaux. Ex. : « Bergère, ô tour Eiffel [personnification], le troupeau des ponts bêle [animalisation] ce matin » (Apollinaire).

● L'**allégorie** représente de façon imagée, souvent concrète, une idée.
Ex. : « L'amour est un oiseau rebelle que nul ne peut apprivoiser. »

B Les figures par substitution

● La **métonymie** désigne une réalité (objet, sentiment...) par un terme ayant un rapport de proximité ou un rapport logique avec cette réalité.
Ex. : *les cordes* (pour les violons), *boire un verre* (boire le contenu d'un verre).

● La **périphrase** remplace un mot par un groupe de mots de sens équivalent.
Ex. : *le pays du Soleil levant* (le Japon), *le septième art* (le cinéma).

C Les figures par opposition

● L'**antithèse** oppose symétriquement deux groupes de mots, pour mieux faire ressortir un contraste.
Ex. : « Je cherche la *vertu*, et ne trouve que *vice* » (Du Bellay).

● L'**oxymore** allie deux mots de sens opposés dans un même groupe de mots. Ex. : « *cette obscure clarté* qui tombe des étoiles » (Corneille).

● L'**antiphrase** exprime une idée par son contraire. Ex. : *C'est du joli !*

● Le **paradoxe** va volontairement à l'encontre de l'opinion courante et de la logique. Ex. : *La lenteur permet de gagner du temps.*

D Les figures par amplification

● **L'hyperbole** exagère une idée pour lui donner plus de portée.

Ex. : « La surface du pain est *merveilleuse* d'abord à cause de cette impression *quasi panoramique* qu'elle donne : comme si l'on avait à sa disposition sous la main les Alpes, le Taurus ou la Cordillère des Andes. » (F. Ponge)

● La **gradation** est une énumération de termes de force croissante ou décroissante.

Ex. : « C'en est fait ; je n'en puis plus ; je me meurs ; je suis mort ; je suis enterré. » (Molière dans *L'Avare*).

● Le **parallélisme** répète une construction identique.

Ex. : « Les uns mouraient sans parler, les autres mouraient en parlant, les autres parlaient en mourant. » (Rabelais)

● **L'anaphore** répète un même mot, une même construction au début de phrases, de propositions ou de vers qui se succèdent.

Ex. : « Adieu tristesse
Bonjour tristesse
Tu es inscrite dans les lignes du plafond
Tu es inscrite dans les yeux que j'aime » (P. Éluard)

E Les figures par atténuation

● **L'euphémisme** atténue le sens d'un mot en le remplaçant par un terme moins brutal.

Ex. : « Elle a vécu Myrto... » (Chénier) (= elle est morte).

● La **litote** consiste à dire le moins pour faire comprendre le plus.

Ex. : « Va, je ne te hais point » (Corneille) (= je t'aime).

F Les figures par omission

● **L'asyndète** supprime, là où logiquement il faudrait les placer, les mots de liaison entre des groupes de mots ou des propositions. Elle confère de la rapidité à la phrase.

Ex. : « J'irai par la forêt, [et] j'irai par la montagne
[car] Je ne puis demeurer loin de toi plus longtemps. » (Hugo)

● **L'ellipse** supprime les mots qui seraient nécessaires à une construction complète. L'expression, resserrée, est plus frappante.

Ex. « Je t'aimais inconstant, qu'aurais-je fait fidèle ? » (Racine)
= « Je t'aimais inconstant, qu'aurais-je fait *si j'avais été* fidèle ? »

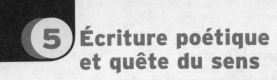

5 Écriture poétique et quête du sens

En s'appuyant sur la force suggestive des mots et sur la musicalité du langage, le poète crée un nouvel univers.

A Identifier un texte poétique

1. L'écriture poétique

Un texte poétique n'est pas forcément écrit en vers.

La poésie se définit avant tout comme une façon différente :
– de **voir le monde** (le poète nous en révèle des aspects insoupçonnés),
– de **s'exprimer** (création d'images inédites, d'effets sonores et rythmiques).

2. Les fonctions de la poésie

● Décrire : le poète latin Horace définit la poésie comme une « peinture ».

● Traduire des sentiments et des émotions (poésie lyrique).

● Recréer le monde, dévoiler ses faces cachées : le poète est un « voyant ».

● Défendre des idées politiques ou sociales (poésie engagée).

> **INFO** D'une façon générale, deux tendances majeures s'opposent : celle de l'art pour l'art et celle de la poésie engagée.

3. Le poème en prose

● Né au XIXᵉ siècle, le **poème en prose** a montré que la poésie ne s'écrit pas seulement en vers. On peut le définir comme un texte qui, par ses thèmes, ses images, son rythme, ses jeux de sonorités, porte les marques de l'inspiration d'un poète et provoque une émotion particulière.

● Les principaux auteurs de poèmes en prose sont :
– au XIXᵉ siècle : Aloysius Bertrand (*Gaspard de la nuit*), Baudelaire (*Petits Poèmes en prose*), Mallarmé, Lautréamont (*Les Chants de Maldoror*), Rimbaud (*Illuminations*, *Une saison en enfer*) ;
– au XXᵉ siècle : Francis Ponge (*Le Parti pris des choses*), Henri Michaux.

B Analyser la forme d'un poème

1. Le vers et la strophe

● Le genre poétique s'est longtemps distingué des autres genres littéraires par sa forme versifiée, autrement dit par une disposition du texte sur la page présentant des retours à la ligne réguliers, en fonction du nombre de syllabes. Voici quelques exemples de **vers réguliers** :

Vers pairs		
Alexandrin	12 syllabes	Il apporte amplitude et solennité. Régulier et équilibré chez les classiques, il est au contraire disloqué chez les romantiques.
Décasyllabe	10 syllabes	Utilisé dans la chanson de geste, l'épopée, c'est le plus ancien des vers réguliers.
Octosyllabe	8 syllabes	C'est un vers souvent mis en musique.
Vers impairs		
Hendécasyllabe	11 syllabes	Il apporte irrégularité et déséquilibre.
Ennéasyllabe	9 syllabes	Il donne une impression de décasyllabe inachevé et produit un effet de suspense.
Heptasyllabe	7 syllabes	Il donne une impression de rythme sautillant.

Le poème en **vers libres** fait alterner différents types de mètres au gré des intentions du poète et des effets qu'il veut créer.

● Les vers se combinent en **strophes** qui prennent un nom différent selon le nombre de vers qui les constituent. On distingue : le distique (2 vers), le tercet (3 vers), le quatrain (4 vers), le dizain (10 vers)…

2. Le rythme

Dans un poème en vers

Le rythme s'étudie à partir de plusieurs paramètres.

● La **longueur du vers**. Les vers pairs donnent une impression de régularité, d'équilibre ; les vers impairs créent une impression d'irrégularité, de déséquilibre.

● Les **coupes**. Définie par l'organisation de la phrase en groupes de mots, une coupe peut séparer le vers en deux mesures égales (rythme binaire, impression de régularité) ou se trouver à des endroits variés du vers et créer ainsi un rythme croissant (impression de solennité) ou décroissant.

● Le **décalage entre la phrase et le vers**. Si la phrase déborde du vers et se poursuit sur le vers suivant, il y a enjambement. Le rejet d'un mot ou d'un groupe de mots au début du vers suivant provoque un effet de surprise.

Dans un poème en prose

● Dans un texte en prose, le **rythme** est créé par :
– la longueur des phrases (brèves ou longues) ;
– les pauses créées par la ponctuation, notamment les virgules ;
– la juxtaposition des phrases qui rend le rythme plus heurté ou, à l'inverse, la liaison des phrases qui assouplit le rythme et le rend plus harmonieux.

3. Les rimes et les sonorités

● Dans un poème en vers, les sons à la fin des vers se font écho : on parle de **rimes**. Dans un ensemble de quatre vers, voici comment peuvent être disposées les rimes :

Rimes plates (ou suivies)	Rimes croisées	Rimes embrassées
a	a	a
a	b	b
b	a	b
b	b	a

> **INFO** On appelle rime **intérieure** une sonorité qui se trouve à l'intérieur du vers et qui fait écho à la rime de la fin du vers ; elle crée un effet de régularité, de balancement.

● Le poète crée souvent d'autres répétitions sonores à l'intérieur du vers pour créer un effet. L'**allitération** est la répétition d'un son consonantique ; l'**assonance**, celle d'un son vocalique.

On peut citer la fameuse allitération en *s* dans ces vers de Racine
« Pour qui sont ces serpents qui sifflent sur vos têtes ? »
qui vise à reproduire le sifflement des reptiles.

● Notez bien : quand on analyse des procédés sonores, il ne suffit pas de relever les sonorités répétées ; il faut aussi préciser l'effet que veut créer l'auteur ou l'impression ressentie à la lecture des vers :
– le *e* muet allonge la phrase ou le vers ;
– le *i* est une voyelle aiguë et stridente ;
– le son *ou* est sourd ;
– les sons *c* (= k), *g* (= gu) et *r* sont durs ;
– les sons *p* et *t* sont explosifs...

4. Le sonnet

● Le sonnet est un **poème régulier** caractérisé par :
– deux quatrains et deux tercets composés d'alexandrins ;
– deux sons à la rime dans les quatrains (abba abba).

● Il est souvent construit autour d'une opposition ou d'un parallélisme entre quatrains et tercets, ou autour d'une opposition entre les treize premiers vers et le dernier (chute).

Quelle forme ? Quel(s) thème(s) ?

- Quel est le thème du poème ? (description, récit ou souvenir d'un événement, poème argumentatif, poème engagé, …)
- Comment le poème est-il composé ? (type de strophes, type de vers, schéma de rimes…)

Quelle conception de la poésie ?

- Quelle définition de la poésie le poème exprime-t-il ou suggère-t-il ?
- S'agit-il de l'Art pour l'art ? (recherche de la perfection formelle et de la beauté pure)
- S'agit-il d'un poème engagé ? (si oui, pour quelle cause ?)
- Quelle est la part de tradition et de modernité du poème ?

Analyser un poème

Quel est le rôle des sensations ?

- Quelles sensations dominent ?
- En quoi est-ce un « tableau » ? Quelle est la nature et le rôle des images ?
- D'où vient la musicalité du poème ?

Quelle présence du poète ?

- Comment se manifeste la subjectivité du poète ?
- Quels sentiments sont exprimés ? Quelles idées ?

Quelle vision du monde ?

- Le poème rend-il compte de la réalité ? (si oui, de quelle réalité ?)
- Comment le poète transforme-t-il le monde ? Sur quel mode ? (visionnaire, épique, fantaisiste, onirique)
- Quel est le sens littéral ? le sens symbolique ? (et comment ces deux sens sont-ils mis en relation ?)

6 Le texte théâtral et sa représentation

Un texte théâtral est destiné à être mis en scène et joué lors d'une représentation. Une œuvre théâtrale n'est ainsi jamais terminée : elle peut être transformée à chaque interprétation.

A Connaître les spécificités du théâtre

1. Le texte théâtral

● Sous sa forme écrite, l'œuvre théâtrale se présente comme un **dialogue** découpé le plus souvent en actes et en scènes et associé à des indications qui permettent d'interpréter « l'histoire », de s'imaginer comment le texte sera dit sur scène : les **didascalies**.

Généralement écrites en italique, celles-ci disparaissent du texte de la représentation et se transforment alors en éléments du jeu.

● Les didascalies peuvent avoir pour **fonction** :
– de situer l'action dans un cadre géographique et historique ;
– de créer une atmosphère en suggérant de manière précise un décor ;
– d'exprimer les émotions et sentiments des personnages ;
– de préciser les différents déplacements, gestes, mimiques, tons de voix à adopter lors de la représentation.

● Les didascalies sont **plus ou moins abondantes** selon les époques et les auteurs : réduites au minimum dans le théâtre classique du XVIIe siècle (Corneille, Racine), plus fournies dans le théâtre baroque (Théophile de Viau), elles sont très fréquentes dans le drame romantique (qui privilégie les intrigues historiques et multiplie les gestes théâtraux) ou dans le mélodrame et les pièces modernes (Beckett).

2. La représentation théâtrale

Le mot « représentation » peut prendre plusieurs sens.

● Étymologiquement, « représenter » vient du latin *repraesentare*, qui signifie **« rendre présent »**, c'est-à-dire rendre sensible un objet absent au moyen d'une image, d'un symbole.

Cette étymologie rappelle le sens premier de « théâtre », terme formé sur le verbe grec *théamai*, qui signifie « regarder ». La pièce est avant tout un spectacle à voir et à entendre.

● « Représenter » signifie également **« présenter à nouveau »**. Le mot « représentation » rend compte du rapport qui s'établit entre le spectateur et le spectacle : la mise en scène présente à nouveau ce que le lecteur ou le metteur en scène a en tête lors de la lecture.

B Connaître les conventions théâtrales

1. La double énonciation

● Le spectateur admet comme une convention que l'acteur/personnage parle aux autres acteurs/personnages sur la scène, dans le cadre de la fiction qui est représentée (**première énonciation**).
Mais ceux-ci s'adressent également au public même si ce dernier n'intervient pas dans le dialogue qui se déroule sur scène (**seconde énonciation**).

● Une des conventions du théâtre est qu'il n'y ait pas d'échange entre la salle et la scène. Parfois, cette **convention** est **rompue** :
– un personnage s'adresse directement au public (aparté et monologue) ;
– un personnage ne participe pas à l'action, mais il la juge, de façon distanciée. Ce rôle était dévolu au chœur dans les pièces antiques (cf. prologue dans *Antigone* d'Anouilh).

2. La scène d'exposition

● C'est le **début** d'une pièce de théâtre, où l'auteur fournit au spectateur les renseignements nécessaires à sa compréhension. La scène d'exposition répond en partie aux questions : Qui ? Quoi ? Où ? Quand ? Comment ?

● Elle illustre le principe de **double énonciation** au théâtre : en l'absence de narrateur, ce sont les personnages qui, dans les conversations qu'ils entretiennent sur scène, doivent transmettre l'information.

● La scène d'exposition obéit à deux impératifs apparemment contradictoires : elle doit **éclairer** et **intriguer**, donner et retenir l'information, la distiller.

> **INFO** Quand on analyse la structure d'une pièce classique, on distingue l'exposition, le nœud ou intrigue, et le dénouement.

3. Différents types de répliques

Le dialogue théâtral est constitué par un échange de répliques prononcées par les personnages en présence.

● Ces répliques sont plus ou moins longues. On distingue ainsi la **tirade**, qui est une longue réplique qu'un personnage dit d'un trait à un autre personnage, des **stichomythies** qui correspondent, à l'inverse, à de courtes répliques échangées sur un rythme très rapide (à l'origine, vers à vers).

● Le **monologue** est le discours prononcé par un personnage qui se parle à lui-même ou qui s'adresse à un être invisible.

● L'**aparté** est une brève réplique qu'un personnage prononce, en présence d'autres personnages, mais que seuls les spectateurs entendent.

Quelle forme et quelle fonction dans la pièce ?

- Quelle forme prend la scène ? (dialogue, monologue, tirade)
- Quelle est la place de la scène dans la pièce et dans l'action ? (exposition, dénouement, scène d'action, pause...)
- Quel est l'intérêt dramatique de la scène ? (scène d'aveu, scène de conflit, coup de théâtre, quiproquo)

Qu'en est-il des personnages ?

- Correspondent-ils à des « types » traditionnels ou non ? (valet, ingénue, ou personnages de commedia dell'arte...)
- Quelles sont leurs relations ? (père/fils, maître/valet, couple d'amoureux...)
- Qu'apprend-on sur eux ? (émotions, caractère, intentions...)

Analyser un extrait de théâtre

D'où vient la « théâtralité » de la scène ?

- Que donnerait cette scène à la représentation ? (jeux de scène, décor, didascalies...)
- Comment l'auteur donne-t-il du rythme, de l'efficacité scénique ?
- Le public est-il impliqué ? (si oui, comment ?)

Quel(s) registre(s) ?

- **Comique** : quelles sont les sources du comique ? (gestes, situation, mots, répétition)
- **Tragique** : d'où vient le tragique de la scène ? (fatalité intérieure, divine, politique ? suspense ?)
- Mélange de registres ?

Quelles sont les intentions de l'auteur ?

- Y a-t-il un « message » ? (message social, politique, moral, existentiel...).

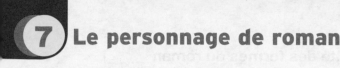

7 Le personnage de roman

Quand on parle d'un roman, il faut distinguer le romancier – la personne réelle qui a écrit le roman –, le narrateur, qui raconte les faits et présente les personnages, enfin les personnages qui sont des créatures fictives imaginées par le romancier.

A Déterminer les composantes du roman

1. Statut du narrateur : qui raconte ?

● Le narrateur peut se situer **en dehors** de l'histoire (**narrateur externe**) : il n'est pas un personnage de l'intrigue, il ne participe pas aux événements, qu'il raconte à la 3ᵉ personne. Il peut alors :
– s'effacer complètement de l'histoire et raconter de façon impartiale ;
– manifester sa présence par des commentaires ponctuels, des jugements.

● Le narrateur peut se situer **dans** l'histoire (**narrateur interne**). Il peut alors :
– raconter sa propre histoire, dont il est le personnage principal ;
– n'être qu'un personnage secondaire de l'histoire qu'il raconte ;
– être un simple témoin.

> **INFO** Quand il y a identité entre l'auteur, le narrateur et le personnage principal, il s'agit d'une autobiographie.

2. Point de vue ou focalisation : qui voit ?

● Le point de vue **externe** : le narrateur s'efface et est assimilable à un objectif de caméra ; il se limite à l'aspect extérieur des choses ;

● Le point de vue **interne** : le narrateur voit, sait et raconte au lecteur uniquement ce que percevrait subjectivement le personnage dont il adopte le point de vue ;

● Le point de vue **omniscient** (ou focalisation zéro) : le narrateur voit et sait tout, dans le temps (il connaît le passé et le présent) et dans l'espace (il peut raconter ce qui se passe en différents lieux au même moment).

3. Différents types de textes

Le roman combine différents types de textes :
– en premier lieu, une **narration** ; le roman rapporte en effet une suite d'épisodes de péripéties qui s'inscrivent dans le temps selon une certaine durée ;
– des **descriptions** de lieux et de personnages, qui sont autant de pauses dans la narration ou « arrêts sur image ».
– des **argumentations** ; les personnages peuvent être amenés à argumenter, au cours de dialogues ou de monologues intérieurs.

4. La diversité des formes du roman

Le roman d'aventures	privilégie l'action, la succession des aventures.
Le roman picaresque	raconte les tribulations d'un *picaro*, aventurier parfois voleur ou vagabond issu du peuple.
Le roman d'apprentissage	retrace l'évolution, l'« éducation » affective ou morale du héros.
Le roman d'analyse	privilégie l'étude psychologique des personnages, analyse les émotions et les sentiments.
Le roman de mœurs	donne l'image d'une société au travers de personnages intimement mêlés au contexte politique et social.
Le roman historique	est fortement ancré dans une époque, reconstituée plus ou moins fidèlement.
Le roman épistolaire	est uniquement constitué des lettres qu'échangent des correspondants multiples (pas de narrateur).
Le roman autobiographique	relate la vie de l'auteur.

B Analyser un personnage de roman

1. Un être fictif qui donne l'illusion d'être vrai

Le personnage est un être fictif. Mais le romancier dispose de plusieurs moyens pour donner au lecteur l'illusion qu'il pourrait être une personne réelle.

La « fiche d'identité »

Elle comprend les premières informations qu'on recueille sur le personnage : son nom, ses origines sociales, sa place dans la société…

Caractérisation directe et indirecte

● La **caractérisation directe** correspond aux renseignements que le narrateur ou les autres personnages donnent sur le personnage.
Le personnage peut ainsi faire l'objet de différents **portraits** : physique (statique ou en action) ou moral (analyse psychologique).

● La **caractérisation indirecte** se dégage des actions et paroles (dialogues, monologues intérieurs) du personnage.

Le parcours du personnage

● Le personnage prend de la consistance à travers son **parcours**. On peut :
– analyser les épisodes qui constituent des moments clés (scène de rencontre ou de rupture ; crise sentimentale ou existentielle…) ;
– confronter sa situation au début et à la fin du roman.

● Pour rendre compte de l'évolution du personnage, le romancier peut recourir à des retours en arrière (analepses) ou à des anticipations (prolepses).

L'environnement du personnage

L'environnement du personnage – les lieux qu'il fréquente, son milieu social, ses relations avec les autres personnages – contribue également à éclairer le personnage, à en révéler les différentes facettes.

2. Statut, type et fonction des personnages

Personnage principal et personnages secondaires

● On distingue :
– le personnage **principal** autour duquel tourne l'action ;
– les personnages **secondaires** gravitant autour du personnage principal ;
– les « **figurants** » qui n'ont pas d'épaisseur psychologique et évoluent en toile de fond.

● Par rapport à l'intrigue, on distingue les **adjuvants**, qui secondent le héros dans sa quête, des **opposants** qui lui font obstacle.

Personnage type, personnage symbole et mythe

Le personnage n'a pas toujours la même portée. Il peut être :
– simplement **représentatif d'une époque** ;
– accéder au rang de **type**, au point que son nom devient un nom commun : il condense alors des traits qui font de lui le représentant d'une personnalité ou d'un groupe social (un Rastignac) ;
– devenir un **symbole**, quand il incarne une idée ;
– atteindre la dimension du **mythe** (Don Juan).

Le personnage et son auteur, le personnage et son lecteur

● **Lié à son auteur**, le personnage peut en être :
– le reflet : il se nourrit de ses préoccupations et aspirations ;
– le porte-parole : il incarne ou exprime la vision du monde de l'auteur ;
– le repoussoir : il incarne alors l'attitude contraire à l'idéal de l'auteur.

● Il se crée aussi des **liens entre le personnage et le lecteur** :
– le lecteur retrouve en lui ses aspirations profondes (identification) ;
– le personnage l'aide à se comprendre ;
– le personnage lui permet de mieux analyser l'être humain, la société et le monde.

> **INFO** Les fonctions du roman sont multiples : divertir, dépayser le lecteur, mais aussi instruire, faire partager des convictions, poser des questions humaines essentielles.

Quel type ? Quelle fonction dans le roman ?

- Quel est le type de cet extrait ? (description, portrait, passage argumentatif, dialogue...)

- Quel est son rôle dans le roman ? (exposition, dénouement, scène de rencontre, scène de conflit...)

- Fait-il avancer l'action ? (péripétie, pause, flash-back...)

Quel mode de narration ?

- Quel est le statut du narrateur ? (personnage, témoin, extérieur à l'histoire)

- Quel est le point de vue adopté ? Varie-t-il ? (externe, interne, omniscient)

- Le narrateur est-il objectif ou subjectif ? (marques de son implication éventuelle)

Analyser un extrait de roman

Qu'en est-il des personnages ?

- Quels sont les personnages en présence ? (protagoniste, héros, antihéros, personnages secondaires)

- Quel est leur rôle dans le schéma actantiel ? (sujet, objet d'une quête, adjuvant, opposant)

- Qu'apprend-on sur eux ? (relations, émotions, caractère...)

- Quel est le rôle de l'extrait pour les personnages ? (moment de bilan, initiation, échec, victoire...)

Quelles sont les intentions de l'auteur ?

- Quelle vision de l'homme et du monde révèle l'extrait ? (optimiste, pessimiste, réaliste, fantaisiste...)

- S'agit-il d'un roman engagé ? (les personnages incarnent-ils une classe sociale, une idée, un combat ?)

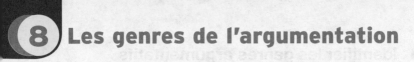

8 Les genres de l'argumentation

L'argumentation joue un rôle essentiel dans la littérature d'idées. Mais des textes narratifs ou dramatiques peuvent contenir des développements argumentatifs.

A Analyser un texte argumentatif

1. Argumenter, convaincre, persuader, délibérer

- **Argumenter**, c'est soutenir une opinion pour obtenir l'adhésion de celui à qui l'on s'adresse.

- **Convaincre**, c'est obtenir l'adhésion de son interlocuteur par la raison, en sollicitant ses facultés d'analyse et de raisonnement intellectuel.

- **Persuader**, c'est obtenir l'adhésion de son interlocuteur en faisant appel à sa sensibilité, à ses sentiments et en suscitant en lui des émotions.

> INFO En général, un texte argumentatif met en scène le locuteur, celui qui argumente, et son destinataire, celui qu'il s'agit de convaincre et de persuader.

- **Délibérer** consiste à discuter avec soi-même ou avec d'autres avant de se déterminer, de prendre une décision (« Être ou ne pas être ! »).

2. Les éléments d'une argumentation

Dans une argumentation, on distingue :
– le **thème** : le sujet sur lequel porte l'argumentation, ce dont traite le texte ;
– la **thèse** : le point de vue soutenu à propos de ce thème, que l'énonciateur considère comme vrai et dont il veut convaincre ou persuader son destinataire (la personne à laquelle il s'adresse) ;
– les **arguments** et exemples qui permettent d'étayer la thèse.

3. Les types de raisonnements

- Le **raisonnement par analogie** consiste à tirer des conclusions similaires de deux réalités proches que l'on a comparées. Il s'exprime par des formules telles que « de même que… », « de même… »

- Le **raisonnement déductif** part d'une idée générale pour déboucher sur des propositions particulières. C'est le raisonnement employé en mathématiques et celui sur lequel reposent l'essai, le discours.

- Le **raisonnement inductif** part d'un exemple, d'un fait particulier pour déboucher sur une idée générale. C'est le type de raisonnement utilise dans les sciences expérimentales et celui sur lequel reposent les apologues, les fables : le récit sert d'exemple pratique dont on tire la théorie (la thèse).

B Identifier les genres argumentatifs

1. L'apologue

L'apologue est un récit allégorique, en vers ou en prose, dont le lecteur peut tirer une leçon. Il prend notamment trois formes :

La fable

● Une fable est un **court récit** en vers ou en prose, le plus souvent animalier, duquel le fabuliste tire une **morale** implicite ou explicite.

● Les fables les plus connues sont celles de La Fontaine. La Fontaine observe son époque et en fait la critique ; il donne aussi des conseils de vie fondés sur le bon sens et la modération.

Le conte philosophique

● Apparu au XVIIIe siècle, avec Voltaire, il mélange les éléments du **conte traditionnel** et la **réflexion philosophique**. Il comporte :
– un récit divertissant (action mouvementée, exotisme et merveilleux…) ;
– une leçon morale, sociale ou philosophique (explicite ou implicite).

● Il allie donc le registre humoristique et le registre didactique, et sollicite à la fois l'imagination et la raison.

> **INFO** Certains auteurs modernes ont donné au conte philosophique la dimension d'un roman : *Le Petit Prince* d'Antoine de Saint-Exupéry, *L'Alchimiste* de Paulo Coelho.

L'utopie

● Le mot vient du grec *ou* (« non ») et *topos* (« lieu »). Il signifie donc « en aucun lieu » ou « lieu qui n'existe pas ».

● C'est un **récit qui présente un monde idéal** dans ses mœurs et son organisation. Ce faisant, il met en évidence les travers du monde tel qu'il est. L'utopie a une portée critique implicite : elle propose un modèle de société adossé à de nouvelles valeurs, vers lequel nos sociétés doivent tendre.

2. Le dialogue d'idées

Le dialogue d'idées est un genre littéraire à part entière. Il confronte des idées et il est destiné davantage à être lu que représenté.

Le dialogue didactique

Il a pour but d'exposer un savoir, avec une visée pédagogique. Il met généralement en présence un maître et son élève. Ce type de dialogue repose le plus souvent sur un jeu de questions-réponses.

Le dialogue polémique

Dans ce type de dialogue, des opinions opposées s'affrontent : chacun des interlocuteurs, personnellement impliqué, veut faire prévaloir son point de vue, dans un rapport d'égalité. Les arguments et contre-arguments des protagonistes se répondent et leurs affirmations se contredisent. Le dialogue se termine généralement par la « victoire » de l'un des interlocuteurs.

Le dialogue dialectique

Il met en présence des interlocuteurs unis par le souci de progresser dans la connaissance de la vérité. Cherchant à résoudre une difficulté commune, ils progressent dans leur réflexion par un jeu de questions-réponses, de développements pour dépasser le problème posé, de conclusions tirées en commun.

3. L'essai

● L'essai est un texte argumenté où l'auteur s'adresse librement, en son nom propre, à ses contemporains pour leur faire part de ses idées et de ses expériences personnelles sur un sujet politique, scientifique ou philosophique.

● La présence du « je » de l'auteur y est très sensible. L'approche est volontiers paradoxale. L'auteur ne tente pas d'être exhaustif et d'épuiser le sujet (comme dans un traité philosophique).

● Les **formes de l'essai** sont **multiples** : il peut s'agir de méditations « à bâtons rompus » sur des sujets divers (les *Essais* de Montaigne s'apparentent à un écrit autobiographique, mais proposent des réflexions et une philosophie de la vie), d'articles, de lettres ouvertes…

4. La satire

Au sens large, la satire est un texte qui **attaque les défauts d'une société** en s'en moquant. Elle contient une critique politique, sociale ou philosophique.

> **INFO** La satire relève du registre comique. Elle recourt à des termes péjoratifs, des images dévalorisantes, des figures par amplification (hyperboles, anaphores…)

● Au XVIIᵉ siècle, elle s'en prend aux mœurs de l'époque et met en scène des types humains (comédies de Molière, *Caractères* de La Bruyère, *Fables* de La Fontaine).

● Au XVIIIᵉ siècle, elle devient plus politique (critique de la monarchie absolue) et religieuse (remise en cause de l'autorité de l'Église).

● Au XIXᵉ siècle, elle s'attaque à la bourgeoisie (romans de Balzac) et au régime impérial de Napoléon III (*Les Châtiments* de Hugo).

● Au XXᵉ siècle, on la trouve au théâtre (Ionesco) et dans la presse (sous la forme graphique de la caricature).

Quelle forme ?

- L'argumentation est-elle directe/explicite ou indirecte/implicite ? Abstraite ou concrète ?
  directe : discours, essai, traité, lettre, dialogue
  indirecte : apologue, scène de théâtre, extrait de roman
- L'argumentation est-elle structurée (connecteurs logiques) ou peu rigoureuse ?

Quelle teneur ?

- Quels sont les thèmes de l'argumentation ? (social, politique, existentiel, moral...)
- Quelle est la thèse soutenue ?
- S'agit-il d'un éloge ? d'un blâme ? d'un réquisitoire ? d'une réfutation ?
  critique : quelle est la cible ? quels sont les griefs ?
  éloge : quels sont les avantages ou les qualités mis en avant ?
- L'argumentateur est-il objectif ou partial ?
- Quelle vision de l'homme et du monde révèle le texte ?

Quelle stratégie ? Quels moyens ?

- Quelle est la stratégie de l'argumentateur ?
  convaincre : il fait appel à la raison
  persuader : il fait appel aux émotions
- À quel type de raisonnement recourt l'auteur ? (par l'absurde, par analogie, par concession)
- Quels types d'arguments utilise-t-il ? (personnels, généraux, d'autorité, *ad hominem*
- Quels types d'exemples sont employés ?) (personnels, anecdotiques, littéraires, historiques, scientifiques...)
- Quel est le ton adopté ? (oratoire ou sobre, avec ou sans effets de style, ironique, passionné...)

Analyser un texte argumentatif

Analyser un apologue

- Quelle est l'importance des circonstances du récit et du décor ?
- Quels types de personnages sont mis en scène ?
- Quelle est la part de réalisme ou d'idéalisme ? de fantaisie ? de vraisemblance ?
- Quelle est la part de tradition et de modernité ?
- Comment s'établit le lien entre le récit et la « leçon » (« morale », thèse) de l'apologue ?

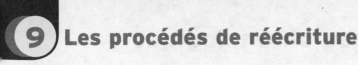

9 Les procédés de réécriture

Plus ou moins ample, la réécriture va de la simple allusion ou citation à la reprise d'un texte intégral. Pour s'éloigner de l'œuvre source, elle peut mettre en œuvre différentes opérations d'écriture : imitation, transposition ou adaptation.

Plusieurs facteurs déterminent les écarts entre le texte et son modèle : le contexte, les buts de l'auteur, le public visé.

C Réécriture et imitation

À l'époque classique, l'imitation de textes anciens est revendiquée et conseillée.

● La Fontaine ne cache pas ses nombreux emprunts aux **fabulistes grecs et latins**, tel Ésope et Phèdre.

● Quand Pascal emprunte à Montaigne, il précise que son imitation est aussi une **émulation** : « Qu'on ne dise pas que je n'ai rien dit de nouveau : la disposition des matières est nouvelle ; quand on joue à la paume [jeu de balle, ancêtre du tennis], c'est une même balle dont jouent l'un et l'autre, mais l'un la place mieux. » (*Pensées*, 22.)

D Les différents types de réécritures

● Il existe plusieurs stratégies de transposition ou d'adaptation d'un texte, selon que l'on change le **genre**, le **point de vue**, le **registre**...

● La réécriture peut procéder par amplification ou par réduction :
– l'**amplification** constitue une expansion du texte ;
– la **réduction**, à l'inverse, procède par élimination de parties du texte, à la recherche d'une plus grande densité d'expression.

E Pastiche et parodie

● Le **pastiche** est une œuvre littéraire ou artistique dans laquelle l'auteur imite le style ou la manière d'un modèle, mais sans intention satirique (il ne cherche à ridiculiser ni l'œuvre dont il s'inspire, ni son auteur). Il s'agit de faire une nouvelle œuvre à partir de l'ancienne.

● La **parodie** est l'imitation, dans une intention comique ou satirique, du style d'un auteur, d'une œuvre célèbre...

> **INFO** Les principaux procédés de la parodie sont le mélange des registres, l'hyperbole, l'ironie... La parodie a souvent recours à la caricature.

Tableau chronologique

	XVIᵉ siècle	XVIIᵉ siècle	XVIIIᵉ siècle
Mouvements littéraires	Renaissance, humanisme, la Pléiade	Baroque et classicisme	Lumières
Mots-clés	Foi en l'homme • découverte • progrès • imitation de l'Antiquité • humaniste	Baroque : refus des modèles • outrance • irrégularité Classicisme : juste mesure • harmonie • bienséances • imitation de l'Antiquité • honnête homme	Raison • relativité • tolérance • contestation de l'ordre établi • bonheur sur Terre • philosophe
Littérature	• Rabelais, *Gargantua* (1534) • Du Bellay, *Défense et illustration de la langue française* (1549), *Les Regrets* (1553-1558) • Ronsard, *Les Amours* (1552) • Montaigne, *Essais* (1572) • Agrippa d'Aubigné, *Les Tragiques* (1616) • T. More, *Utopia* (1516)	• Corneille, *Le Cid* (1636) • Molière, *Dom Juan* (1665) • La Fontaine, *Fables* (1668) • Pascal, *Pensées* (1670) • Racine, *Phèdre* (1677) • Mᵐᵉ de Lafayette, *La Princesse de Clèves* (1678) • La Bruyère, *Les Caractères* (1688)	• Montesquieu, *Les Lettres persanes* (1721) • Marivaux, *Le Jeu de l'amour et du hasard* (1730) • Diderot et d'Alembert, *Encyclopédie* (1751) • Voltaire, *Candide* (1759) • Beaumarchais, *Le Mariage de Figaro* (1778) • Rousseau, *Les Confessions* (1782)
Histoire des arts	• Châteaux de la Loire • Léonard de Vinci, *La Joconde* (1506)	• Château de Versailles • Le Bernin, *Apollon et Daphné* (1622-1625) • Poussin, *L'Enlèvement des Sabines* (1635)	• Watteau, *Embarquement pour Cythère* (1717) • David, *Le Serment des Horaces* (1785)
Repères historiques	• François Iᵉʳ • Guerres de religion, Réforme • Grandes découvertes, progrès de la médecine (dissection)	• Louis XIV : monarchie absolue • Jésuites et Contre-Réforme, jansénisme • Fondation de l'Académie française	• Révolution française • Anticléricalisme • Invention de la machine à vapeur

Mouvements littéraires	XIXᵉ siècle			XXᵉ siècle
	Romantisme	Du réalisme au naturalisme	Symbolisme	Surréalisme, existentialisme, théâtre de l'absurde, Nouveau Roman…
Mots-clés	Le moi • passions • mal du siècle • sentiment de la nature	Primauté de la réalité • conscience sociale	Correspondances • mysticisme	Angoisse • sentiment de l'absurde • révolte • nouvel humanisme • intellectuel engagé
Littérature	• Stendhal, *Le Rouge et le Noir* (1830) • Musset, *La Confession d'un enfant du siècle* (1836) • Chateaubriand, *Les Mémoires d'outre-tombe* (1849) • Hugo, *Les Contemplations* (1856), *Les Misérables* (1862)	• Balzac, *Le Père Goriot* (1835) • Flaubert, *Madame Bovary* (1857) • Zola, *Germinal* (1885), « J'accuse » (1898) • Maupassant, *Bel-Ami* (1885)	• Baudelaire, *Les Fleurs du mal* (1857) • Rimbaud, *Poésies* (1870-1875) • Verlaine, *Sagesse* (1880)	• Proust, *À la recherche du temps perdu* (1913) • Apollinaire, *Alcools* (1913) • Éluard, *Capitale de la douleur* (1926) • Breton, *Nadja* (1928) • Céline, *Voyage au bout de la nuit* (1932) • Camus, *L'Étranger* (1942) • Aragon, *La Diane française* (1944) • Malraux, *La Condition humaine* (1933) • Giraudoux, *Électre* (1937) • Beckett, *En attendant Godot* (1952) • Robbe-Grillet, *Les Gommes* (1953)
Histoire des arts	• Delacroix, *La Liberté guidant le peuple* (1831) • 1839 : invention de la photographie	• Courbet, *L'Enterrement à Ornans* (1849)	• Impressionnisme : Monet, Renoir, Pissarro… • 1895 : invention du cinéma	• Art nouveau, cubisme, art abstrait… • Essor de la bande dessinée
Repères historiques	• Premier Empire (Napoléon Iᵉʳ), puis retour à la monarchie • Révolution de 1830 • Loi Guizot (1833) sur l'enseignement primaire	• Révolution de 1848, Second Empire (Napoléon III) • Révolution industrielle	• IIIᵉ République • Expositions universelles	• Guerres mondiales, guerre froide, décolonisation, construction de l'Europe, mondialisation • Montée des intégrismes • Société de consommation et de communication

Index

des auteurs

Les chiffres renvoient aux numéros des sujets.

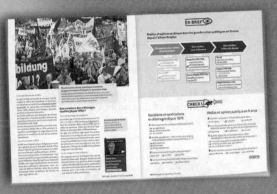

La collection pensée pour les lycéens

Toutes les clés pour réussir le bac

- Le texte avec des notes détaillées
- Une anthologie sur un thème lié à l'œuvre
- Un cahier "histoire des arts" avec des photos en couleurs
- Un dossier "Spécial bac" avec des fiches et des sujets de type bac

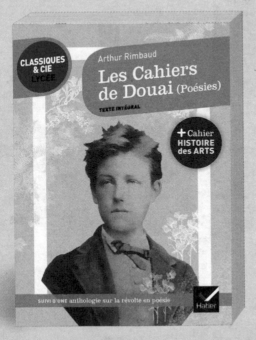